I MITI

Jorge Amado

Jorge Amado

TERESA BATISTA STANCA DI GUERRA

Traduzione
di Giuliana Segre Giorgi

Arnoldo
Mondadori
Editore

Il nostro indirizzo Internet è:
http://www.mondadori.com/libri

ISBN 88-04-44867-9

© 1973 Jorge Amado
Titolo originale dell'opera:
Tereza Batista Cansada de Guerra
© 1975 e 1989 Giulio Einaudi editore s.p.a., Torino
Edizione su licenza
I edizione I Miti giugno 1998

Questo volume è stato stampato
presso Arnoldo Mondadori Editore S.p.A.
Stabilimento Nuova Stampa – Cles (TN)
Stampato in Italia – Printed in Italy

Teresa Batista stanca di guerra

A Zelia di ritorno al mare di Bahia

L'ultima volta che ho visto Teresa Batista è stato nel febbraio scorso in un *terreiro de encantado* [1] in occasione della festa per il cinquantenario della *mãe de santo* [2] Menininha do Gantois, quando, tutta vestita di bianco con la gonna larga e la *bata* [3], stava inginocchiata a chiedere la benedizione della *iyalorixá* [4] di Bahia, il cui nome proprio per questo e per altre buone ragioni scrivo qui per primo in questa cerchia degli amici dell'autore e della ragazza Teresa; sicché dopo il nome di lei vengono quello di Nazareth e Odylo, di Zora e Olinto, di Inas e Dmevál, di Auta Rosa e Calá, della piccola Eunice e Chico Lyon, di Elisa Alvaro, di Maria Helena e Luis, di Zita e Fernando, di Clotilde e Rogerio, amici di qua e di là del mare; per di più *mãe Menininha* e l'autore qui presente veniamo tutti e due da ancora più lontano, perché siamo quelli del regno di Ketú, delle sabbie di Aioká, quelli di Oxossí e di Oxúm [5]. Axé.

---

[1] Luogo d'incontro destinato alla danza e al culto degli *encantados*, o *orixás*, ossia delle divinità della mitologia afro-brasiliana. Viene chiamato anche con altri nomi, come *macumba, candomblé, axé, xangó*, ecc.

[2] Fattucchiera preposta al culto di un *santo*; nel sincretismo tra la religione cattolica e i rituali africani o indigeni, *santos* e *encantados* si identificano.

[3] Camicione bianco simile a una larga veste da camera.

[4] *Mãe-de-santo* in lingua africana.

[5] Divinità secondarie della mitologia africana: protettrice dei cacciatori l'una e naiade acquatica l'altra.

Canzonetta di Dorivál Caymmi
per Teresa Batista.

Mi chiamo *siá* [1] Teresa.
E olezzo di rosmarino
Metti zucchero in bocca
Se vuoi parlare di me.

    Un fiore tra i capelli
    Un fiore sul tuo scrigno
    Mare e *rio*

[1] Signora nel linguaggio degli schiavi.

*Peste, fame e guerra, morte e amore,
la vita di Teresa Batista è una storia da cordél* [1].

*Que ta coquille soit très dure pour te permettre d'être très tendre:
la tendresse est comme l'eau: invincible.*

ANDRÉ BAY, *Aimez-vous les escargots?*

Quando si seppe che sarei tornato da quelle parti, subito tutti mi chiesero di farmi dare notizie di Teresa Batista e di mettere in chiaro certi fatti – quello che non manca a questo mondo è gente curiosa, no di certo.

Fu cosí che mi misi a indagare di qua e di là nei mercati di paese e sulle banchine dei porti, e a poco a poco, col favor del tempo e della fiducia, mi posero al corrente, ciascuno a suo modo e d'accordo con il proprio intendimento, di intrecci e di trame, ora spassosi, ora tristi. Ho messo insieme tutto ciò che sono riuscito a sapere e a capire, pezzi di storie, suoni d'armonica, passi di danza, grida di disperazione, lai d'amore, tutto mescolato e affastellato insieme, cercando di soddisfare coloro che desideravano informazioni circa la giovane color del rame, le sue avventure e le sue scorribande. Ma non ho granché da narrare, laggiú la gente è di poche parole, e chi piú sa meno parla per non farsi la fama di bugiardo.

Queste avventure di Teresa Batista accaddero nella regione situata ai margini del rio Real sul confine tra lo Stato di Bahia e quello di Sergipe, ma un bel pezzo verso l'interno; come pure nella capitale dello Stato. È un territorio abitato da una popolazione fatta di *caboclos* [2], di mulatti e di *cafusos* [3], gente che poco chiacchiera e molto fa, salvo quelli della capitale, che sono mulatti scioperati dediti al canto e al *batuque* [4]. Quando dico capitale generale di questa gente del Nord, tutti capiscono che sto parlando della città di Bahia, da certuni chissà perché chiamata São Salvador. Del resto è

[1] Spago: la letteratura popolare che viene esposta, appesa a un cordino, nei chioschi e nei mercati.
[2] Meticcio di indio, o mulatto. Equivale anche a proletario e a contadino.
[3] Meticcio scuro.
[4] Danza popolare.

inutile discutere e fare opposizione, perché il nome di Bahia è già arrivato sino alla corte di Francia e ai ghiàcci di Germania, senza parlare delle coste africane.

Vi prego di scusarmi se non racconterò tutto dall'A alla Z, non posso farlo perché non lo so, – ma esisterà poi al mondo qualcuno che sappia tutta la verità su Teresa Batista, le sue fatiche, e i suoi ozi? Non credo che se ne conosca neanche la metà.

Il debutto di Teresa Batista
al cabarè di Aracajú
o
Il dente d'oro di Teresa Batista
o
Teresa Batista e il castigo dell'usuraio

1.

Dal momento che lo chiede con tanta buona grazia, giovanotto, io le dico: con le disgrazie basta incominciare. E quando sono incominciate, non c'è niente che le faccia fermare, si estendono, si sviluppano come una merce a buon mercato e di largo consumo. L'allegria, invece, compare mio, è una pianta capricciosa, difficile da coltivare, che fa poca ombra, che dura poco e che richiede cure costanti e terreno concimato, né secco né umido, né esposto ai venti, insomma una coltivazione che viene a costar cara, adatta a quelli che son ricchi, pieni di soldi. L'allegria va conservata nello champagne; mentre la cachaça[1] tuttalpiú consola delle disgrazie, quando consola. La disgrazia è una pianta dal legno resistente; a ficcarne un germoglio nella terra, non c'è bisogno di occuparsene, cresce da sola, frondeggia, ne son piene le strade. Nel cortile dei poveri, poi, amico mio, la disgrazia nasce in quantità, non si vede altra pianta. Se un tizio non ha la pelle indurita e la schiena incallita con calli di dentro e di fuori, è inutile che ricorra agli encantados, non c'è ebó[2] che tenga. E le dico un'altra cosa, mio bel signore, non per darmi delle arie né per lodare a tutti i costi i poveri diavoli, ma perché è la pura verità: non c'è che il popolino che abbia razza e coraggio sufficienti a far fronte a tante disgrazie e continuare a vivere lo stesso. E adesso che ho parlato e nessuno mi ha contraddetto, sarò io a domandare: perché le interessa, fratellino, di conoscere le disavventure di Teresa Batista? Forse che lei può metter rimedio alle vicende passate?

Teresa ha sopportato un fardello molto pesante, pochi uomini avrebbero resistito a un peso del genere; e lei ha tenu-

[1] Acquavite di melassa, chiamata anche *pinga*, *branquinha* ecc.
[2] Fattura in lingua africana.

to duro, è andata avanti, nessuno l'ha sentita lamentarsi, chiedere pietà; se qualcuno l'ha aiutata qualche volta – rare volte – l'ha fatto per dovere di amicizia, mai perché la valorosa giovane avesse ceduto; in qualunque posto essa si trovasse, cacciava via la tristezza. Non ha mai dato importanza alla disgrazia, fratello mio, per Teresa contava solo l'allegria. Vuole sapere se Teresa era di ferro con il cuore blindato di acciaio? Lo splendido colore della sua pelle la faceva sembrare di rame, non di ferro: aveva il cuore di burro, o per meglio dire di miele: il dottore padrone dello zuccherificio – chi l'ha conosciuta meglio di lui? – le aveva prestato due nomi e non la chiamava in altro modo: Teresa Miele-di-Canna, e Teresa Favo-di-Miele. È l'unica eredità che le ha lasciato.

Nella vita di Teresa la disgrazia è fiorita molto presto, fratellino, e io vorrei sapere quanti campioni sarebbero sopravvissuti a quello che ha sopportato lei in casa del capitano.

Quale capitano? Ma il capitano Justo, ovverossia il defunto Justiniano Duarte da Rosa; capitano di quale arma? Le armi che usava lui erano lo scudiscio di cuoio crudo, il pugnale, la pistola tedesca, l'imbroglio, la malvagità; aveva la patente di uomo ricco, proprietario terriero; non tanto ricco, né con tanta terra che fosse sufficiente per portare le dragone di coronél, eppure abbastanza per non restare un semplice contadino, per mettere su un titolo davanti al nome. Terre da coronél – leghe e leghe di campi, di verdi canneti – le possedeva il dottor Emiliano, il piú vecchio dei Guedes, che era il padrone dello zuccherificio; ma lui, che aveva la laurea, con tanto di anello e di diploma, sebbene non esercitasse, non voleva altri titoli. Tempi moderni, amico, ma non si preoccupi: i titoli cambiano – coronél diventa dottore, caposquadra gerente, fazenda diventa azienda –, ma il resto non cambia, ricchezza è ricchezza e povertà è povertà con il suo lezzo di disgrazia.

Fratellino, una cosa posso garantirle: come inizio di vita quello di Teresa Batista è stato un inizio coi fiocchi: le pene che ha sofferto lei da bambina ben pochi le patiscono all'inferno; orfana di padre e di madre, sola al mondo – sola contro Dio e contro il Diavolo, per lei neanche Dio ha provato compassione. Ebbene quella dannata ragazzina ha superato, cosí da sola, il periodo piú duro, il peggio del peggio, e è uscita fuori sana e salva all'altra riva col sorriso sulle labbra.

Del sorriso sulle labbra non sono sicuro, per la verità, lo dico perché l'ho sentito dire. Ma se lei, signoria, vuol scandagliare la storia di Teresa Batista in tutti i particolari a cominciare dal principio, prenda il treno della Leste Brasileira verso la zona del sertão, *perché è da quelle parti che è successo, e se lo faccia raccontare da chi c'era, con tutti i punti sugli i.*

Il difficile per Teresa è stato imparare a piangere, perché era nata per ridere e stare allegra. Non glielo hanno voluto permettere, ma lei ha tenuto duro, testarda come un mulo quella Teresa Batista. E il paragone è sbagliato, giovanotto, perché essa non aveva niente del mulo al di fuori della testardaggine; non era né un maschiaccio, né una pretenziosa, né una sboccata – ah, che bocca pulita e profumata che aveva! – né una vipera, né una prepotente, né un'attaccabrighe; se qualcuno le ha dato simili informazioni, o voleva prenderla in giro, o non conosceva Teresa Batista. Era una tiranna solo in amore; come ho già detto e confermo, era nata per amare e solo in amore era rigorosa. E allora perché l'hanno chiamata Teresa Attaccabrighe? Ebbene, amico mio, proprio perché era brava a litigare, audace e altera, come lei non c'era nessuna, ma non ce n'era neanche con un cuore di miele così. Odiava le chiassate e risse non ne provocava mai; però, certamente a causa di quello che le era successo da bambina, non sopportava di vedere un uomo picchiare una donna.

2.

Lo sbandierato debutto di Teresa Batista al cabarè Paris Alegre, che era situato nell'edificio Vaticano nella zona del porto di Aracajú nella terra di Sergipe del Rey, dovette essere rimandato di qualche giorno a causa del lavoro di protesi dentaria effettuato proprio sulla vedette dello spettacolo, con evidente pregiudizio per Floriano Pereira, generalmente noto come Florí Pachola, un energico maranhense che era il padrone della baracca. Ma Florí tenne duro e non si lamentò, né diede la colpa alla leggera a Tizio o a Caio come succede sempre in questi casi.

Il debutto della sfolgorante stella del samba – il Pachola era un asso per la propaganda, impareggiabile nella scelta delle frasi e degli slogan pubblicitari – aveva suscitato un interesse evidente, tanto più che il nome di Teresa Batista era

13

già noto a molta gente soprattutto in alcuni ambienti: era sulla bocca dei viaggiatori, al mercato, al porto, nella «zona» in genere. A condurre Teresa Batista alla presenza di Florí era stato l'avvocato Lulú Santos, l'avvocato dei poveri, in realtà un azzeccagarbugli celebre in tutto lo Stato di Sergipe, specialmente per le sue difese in processi penali, per i suoi epigrammi corrosivi e per i suoi motti di spirito – gli ammiratori gli attribuivano l'invenzione di tutte le frasi divertenti che esistono –, e la sua competenza era uguale tanto nell'ambito dei processi che in quello della birra: tutti i pomeriggi li passava al Caffè-Bar Egipto, trattando con i clienti, deridendo i fatui e bevendo birra in mezzo al fumo del suo eterno sigaro. La paralisi infantile gli aveva storpiato le gambe, e così Lulú Santos si spostava appoggiandosi su due stampelle, ma lo faceva con grande allegria, con inalterabile buonumore. Era legato a Teresa Batista da una amicizia di lunga data; infatti pare che sia stato lui a recarsi nell'interno dello Stato di Bahia alcuni anni fa, dietro richiesta e per conto del dottor Emiliano Guedes, padrone di uno zuccherificio al confine dello Stato e anche di alcune terre in entrambi gli Stati, oggi defunto (e in quale gradevole maniera!), allo scopo di liquidare un processo contro Teresa, processo illegale dato che essa era minorenne; però tutto questo non c'entra, salvo l'amicizia tra la giovane e il leguleio che da solo valeva come un'intera squadra di addottorati in giurisprudenza, completi di diploma di laurea, padrino, prolusione e mozzetta col fiocco.

Il locale era pieno, molta animazione, ambiente festevole e rumoroso. Il Jazz-Band di Mezzanotte si fa in quattro, mentre i clienti spendono per la birra, la *batida*[1], il whisky. Al cabarè Paris Alegre la «gioventú dorata di Aracajú si diverte a prezzi ragionevoli» dicono i manifesti distribuiti abbondantemente per tutta la città, e per gioventú dorata di Aracajú s'intende commessi e impiegati, studenti, funzionari pubblici, viaggiatori di commercio, il poeta José Saraiva, il giovane pittore Jenner Augusto, qualche laureato, altrettanti perdigiorno e professionisti vari di mestiere e di età variabile, ché ci son quelli che prolungan la gioventú dorata fin dopo i sessanta. Florí Pachola, *mameluco*[2] di poca statu-

---

[1] Bevanda a base di acquavite di melassa, zucchero, limone o altra frutta.
[2] Figlio di europeo e di donna indigena.

14

ra e molta chiacchiera, aveva dato un'importanza speciale al debutto della regina del samba e del *maculelê* [1] e non aveva risparmiato gli sforzi per far sí che la prima comparsa di Teresa Batista sulla pista del Paris Alegre risultasse un fatto memorabile, un avvenimento indimenticabile. E memorabile e indimenticabile non mancò di essere.

3.

La sera del debutto Teresa Batista è piuttosto sulle sue, un briciolo nervosa, ma cerca di non lasciarlo vedere. Seduta a un tavolino situato discretamente in un angolo del salone, aspetta il momento di cambiarsi conversando con Lulú Santos e ascoltando i suoi commenti salaci sui presenti. Essendo arrivata da poco in città non conosce quasi nessuno, mentre il leguleio conosceva tutti quanti.

Malgrado la penombra che regna nell'ambiente e la localizzazione del tavolino, la bellezza di Teresa non passa inosservata. L'avvocato Lulú le indica uno dei tavoli lungo la pista dove due giovanotti pallidi bevono una *batida*: il pallore di uno dei due è malsano, mentre l'altro ha quello tipico del gringo del Sergipe e ha occhi azzurri e infossati.

— Il poeta ti tiene gli occhi addosso, Teresa.

— Che poeta? Quel giovane là?

Il giovanotto dal pallore malaticcio si alza e con un bicchiere in mano brinda a Teresa e al leguleio tenendo l'altra mano aperta sul cuore in un largo gesto significativo d'amicizia e devozione. In risposta Lulú Santos agita la mano e il sigaro:

— José Saraiva; un talento smisurato, un grande poeta. Con una breve vita davanti a sé, disgraziatamente.

— Che cos'ha?

— È tisico.

— Perché non si cura?

— Curarsi? Si sta uccidendo da solo invece, passa le notti senza dormire bevendo e facendo la bohême. È il piú grande bohême del Sergipe.

— Piú di te?

— Vicino a lui io non sono altro che un pivellino, io le mie

[1] Passo di danza.

15

birre me le bevo, ma lui beve senza controllo. Sembra persino che voglia morire.

– È brutto quando una persona vuol morire.

Il jazz dopo pochi minuti di pausa, giusto il tempo per lasciar ingurgitare un bicchiere di birra ai musicanti, riattacca furiosamente.

Il giovane poeta si avvicina, eccolo in piedi dinnanzi a Teresa e Lulú.

– Lulú, fratellino, presentami la dea di questa sera.

– La mia amica Teresa, il poeta José Saraiva.

Il poeta bacia la mano alla ragazza; è leggermente ubriaco e negli occhi ha una tristezza che contrasta con le sue maniere sbadate e la sua voluta inconseguenza.

– A che pro un simile sperpero di bellezza? Ce n'è abbastanza di bellezza e di grazia per fabbricare tre beltà, e ne avanzerebbe ancora. Balliamo, mia divina?

Al passare tra i tavolini per raggiungere la pista da ballo, il poeta Saraiva si ferma al suo per tranguggiare in un sol sorso il resto della *botida* e intanto esibisce Teresa al suo compagno:

– Artista, ammira questa modella straordinaria, degna di Raffaello e del Tiziano.

Il pittore Jenner Augusto, giacché altri non era il giovane seduto al tavolino, fissa in volto Teresa per non dimenticarla mai piú. Teresa sorride, gentile ma distante; ha il cuore chiuso, vuoto, non ha interesse per gli sguardi di ammirazione e di desiderio; finalmente tranquilla, è intenta a riacquistare lentamente la calma.

Entrano nel ballo, il poeta e Teresa. E sebbene porti tra le braccia la compagna piú cedevole, la dama piú leggera, e dall'orecchio piú sensibile, sulla fronte macilenta del giovane appaiono alcune gocce di sudore; Teresa aveva imparato a fischiare dagli uccelli e a ballare con il dottore. Balla alla perfezione e le piace ballare dimentica del mondo, alla cadenza della musica, a occhi chiusi.

Peccato doverli aprire per dar retta al poeta; povero poeta, insieme alle sue parole allegre, vien fuori dal suo petto malato un fischio remoto e persistente:

– Dunque sei tu la sfolgorante stella del samba, vero? Sai che il manifesto di Florí è un poema? Naturalmente non lo sai e non hai alcun dovere di saperlo, il tuo compito è di essere bella e basta. Ebbene, quando ho letto il programma con la propaganda del tuo debutto, mi sono domandato: José Saraiva, tu che sai tutto, dimmi che cosa è capitato al Pachola per farlo diventare improvvisamente un poeta? Adesso posso rispondere e non soltanto rispondere. Io posso farti decine e decine di poesie, non voglio mica restare al di sotto di Florí.

E voleva improvvisar versi laudativi ed encomiastici seduta stante, lí in pieno ballo al ritmo del jazz, anzi l'avrebbe fatto senz'altro se proprio accanto a loro non fosse accaduto l'incidente iniziale, che fu il punto di partenza di un vero conflitto.

Stretti stretti, faccia contro faccia, circolava una coppia; il cavaliere doveva essere un commesso viaggiatore, si vedeva dall'abito attillato, giacca sportiva da damerino, cravatta vistosa, senza dimenticare la risplendente chioma lustra di brillantina e il modo che aveva di stillar galanterie e giuramenti all'udito di una ragazza grassoccia e impacciata dal profilo attraente; sebbene sembrasse degustare con interesse quello zuccheroso fraseggiare e apprezzare l'eleganza e la finezza del «cometa», gli occhi della giovane rivelavano tensione e inquietudine, e si dirigevano verso la porta d'ingresso. Improvvisamente dice:

– È Liborio! Per l'amor di Dio! – Subito si stacca dalle braccia del suo ballerino, tenta di fuggire, non trova una via d'uscita e si mette a piangere come una stupida.

Quel tale di nome Liborio, la cui entrata in sala insieme a tre amici aveva provocato il panico della ragazza, era uno spilungone tutto vestito di nero come se fosse in lutto stretto, occhi gonfi, rari capelli, spalle curve, bocca molle, in fatto di bellezza era proprio tutto il contrario – pareva di ritorno da un funerale. Costui avanza verso la pista da ballo e si ferma davanti alla ragazza; si sente la sua voce nasale:

– È cosí, brutta puttana, che sei andata a trovare tua madre ammalata a Propriá?

– Liborio, non fare uno scandalo, per l'amor del cielo.

Intanto il commesso viaggiatore, che aveva già sperimentato altre volte quella situazione e non voleva compromettere ancora di piú la sua scheda personale presso il laboratorio farmaceutico per conto del quale percorreva gli Stati di Bahia, Sergipe, e Alagoas («venditore eccellente, capace, serio e di iniziativa, però donnaiolo e dedito a far baldoria come pure a provocar liti in postriboli e cabarè, tanto che gli è già successo di farsi arrestare») cerca di squagliarsela alla chetichella, mentre i suoi compagni di tavolo e di professione si alzano in piedi con l'intenzione di sostenerlo, se necessario.

Il poeta stava per riprendere a ballare e a improvvisare senza dare importanza all'accaduto – una delle cose piú frequenti in un cabarè sono proprio le manifestazioni di dolor di gomito –, quando lo schiaffo schioccò talmente forte che arrivò a coprire il rumore del jazz e Teresa si fermò di botto, esattamente nel momento giusto per vedere la mano aperta dello spilungone battere per la seconda volta sulla faccia della ragazza, e per ascoltare quella voce nasale ripetere le parole tanto insistentemente da lei udite in tempi ormai lontani: «Cosí imparerai a rispettarmi, cagna!»; la voce era un'altra, ma la frase era identica, e identico era pure il suono che produceva la mano dell'uomo sulla faccia della donna.

Immediatamente Teresa Batista si scioglie dalle braccia del poeta Saraiva e avanza sulla coppia:

– Un uomo che picchia una donna non è un uomo, è un vigliacco...

In piedi di fronte all'omaccione, alza la testa e lo informa:

– ...e un vigliacco io non lo picchio, gli sputo in faccia.

Lo sputo parte; Teresa Batista, allenata fin dall'infanzia a giocare ai briganti e alla guerra con petulanti monelli, possiede una mira perfetta, ma questa volta, in conseguenza dell'alta statura dell'individuo, fallisce il bersaglio – che era l'occhio suo cisposo e vile – e lo sputo va a situarsi sul mento.

– Figlia di puttana!

– Se è un uomo venga a suonarmele!

– E subito anche, baldracca.

– E allora avanti.

Però dopo averlo proposto, non aspetta mica che lui si faccia avanti, ma gli assesta un calcio basso mirando dove sapete; e sbaglia di nuovo il colpo, a causa delle gambe spilungone di quel tipo. Allora Teresa perde l'equilibrio e uno degli accompagnatori del cisposo ne approfitta per afferrarla da dietro per le braccia offrendo il viso di lei al pugno dell'altro. Ora il signor Liborio non si accontentava di menare le donne, ma si serviva addirittura del pugno di ferro: e il cazzotto spacca la bocca di Teresa.

Allora il poeta Saraiva si getta su quel cafone che sta maltrattando la stella sfolgorante del samba e ruzzolano per terra tutti e tre. Con un balzo Teresa si drizza in piedi, sputa di nuovo sul muso dell'individuo e questa volta lo sputo è sanguigno e c'è in mezzo un pezzo di dente. Le due parti ricevono rinforzi: da un lato gli altri seguaci dello scomodo cornuto, dall'altro il pittore Jenner Augusto, che si morde le labbra dalla rabbia, e il commesso viaggiatore, che la prudenza aveva indotto ad abbandonare alla propria sorte la sua ballerina – quella ragazza sconosciuta aveva fatto quello che avrebbe dovuto fare lui –: persa la testa e perdendo anche gli ultimi resti della sua compromessa reputazione, ma riguadagnandosi la stima dei colleghi, si getta nella mischia. Il jazz continua a suonare, ma le coppie hanno abbandonato il ring per lasciarlo libero ai contendenti. Uno si è messo in piedi su un tavolino e, con un biglietto da venti cruzeiros in mano, lancia la sua sfida urlando: scommetto venti *cruza* sulla ragazza, qualcuno ci sta?

Teresa era riuscita ad afferrare i radi capelli di quella specie di albero della cuccagna, strappandogliene un ciuffo. Quello tenta di colpirla con la mano armata di pugno di ferro per romperle un altro dente, ma lei, agile e ribelle, lo schiva a salti quasi a passo di danza e gli dà un calcio negli stinchi continuando a sputargli in faccia in attesa del momento propizio per colpirlo di nuovo in basso col piede.

I clienti avevano fatto circolo intorno alla pista per godersi meglio l'eccitante spettacolo. La causa di tutto quello che stava succedendo, ossia la timida ragazza, segue la rissa da lontano senza sapere con chi andrà via.

Quand'ecco che nel bel mezzo della zuffa si fa avanti un *caboclo* che ha i muscoli cotti dal sole e la pelle incallita ai venti del mare, il quale dopo aver assistito a qualche colpo, commenta per tutti:

– Maria Vergine, una donna meglio di questa per litigare fin'ora non l'avevo ancora vista.

In quel momento, attratti dal chiasso, compaiono in sala due guardie che probabilmente riconoscono Liborio e compagni, perché alzando lo sfollagente si dirigono verso Teresa con l'evidente intenzione di darle una lezione.

– Avanti, a me, Iansã[1]! – lancia il *caboclo* come grido di guerra, e nessuno capí perché invocasse Iansã: se lo faceva per Teresa, nel senso di designarla con il nome dell'*orixá*[2]

[1] Divinità guerriera.
[2] Divinità in lingua africana.

senza macchia, il piú coraggioso di tutti, oppure se voleva solo informare l'*encantado* che stava entrando in lotta il capitano Januario Gereba, che era il suo *ogán* nel *candomblé*[1] del Bogún.

Fu una bella entrata, le due guardie volarono via una da una parte e una dall'altra. Poi il *caboclo* impedisce che uno dei seguaci dell'omone sfreghi la suola delle scarpe sulla faccia del poeta José Saraiva, che, debole di petto ma indomito di cuore, si trova steso sull'arena senza fiato. Quel *caboclo* è un vero temporale, una tempesta; rialza il poeta e prosegue. Intanto le guardie ritornano all'attacco.

Uno dei compagni del birbone tira fuori la pistola, minaccioso; la luce si spegne. L'ultima immagine che fu vista fu quella di Lulú Santos in equilibrio su una stampella sola, col sigaro in bocca, che faceva roteare l'altra come un mulinello. Nel buio si sente l'urlo del cornuto Liborio: Teresa era riuscita a mettergli un piede al posto giusto.

Niente debutto quella sera, come s'è visto; o per lo meno il debutto della regina del samba non ebbe luogo; ma non per questo la pubblica presentazione di Teresa sulle piste da ballo di Aracajú fu meno memorabile, anzi indimenticabile. Il dentista Jamíl Najár, quello della scommessa di venti cruzeiros, non volle farsi pagare il dente d'oro con grande perizia da lui collocato nella parte superiore sinistra della bocca di Teresa Batista, nel punto dove il pugno di ferro le aveva spaccato il labbro. E se avesse chiesto un pagamento, ah, non sarebbe stato in denaro!

4.

Florí raccolse i rottami, e, prima di fissare una nuova data sicura e improrogabile per il debutto ormai ansiosamente atteso di Teresa Batista al Paris Alegre, stava aspettando la parola del dentista. Ma il dottor Najár andava per le lunghe: caro Pachola, un lavoro in oro, di qualsiasi genere si tratti, esige perizia e accuratezza, competenza e tempo, specialmente un dente d'oro, che deve risultare un ornamento in quella bocca celestiale: non si può improvvisarlo in fretta e con trascuratezza, a scappa e fuggi, – no, è un ricamo, deli-

---

[1] Lo stesso significato di *macumba*.

cato e galante. E Florí a fargli fretta: capisco i suoi scrupoli, caro il mio cavadenti, ma si sbrighi, non trascuri il lavoro, per favore. Ma intanto che aspetta fa meraviglie per la propaganda.

La piazza Fausto Cardoso, sede del Palazzo del Governo, è piena di cartelloni a colori, che annunciano che in breve il Salone Paris Alegre presenterà la Sfolgorante Imperatrice del Samba o meglio il Samba in persona, o ancora la meraviglia del Samba Brasiliano, e infine la Sambista Numero Uno del Brasile, tutte esagerazioni, evidentemente, ma, nell'opinione di Florí, elogi molto al di sotto dei reali meriti fisici della stella in questione. Nella lista dei molti pretendenti dell'inedita sambista, non può mancare il nome del *cabaretier* precedendo quello dell'avvocato procuratore, del dentista laureato, del poeta e del pittore, se non per altre ragioni perché è quello che paga e anche la vittima dei danni per la prima serata mancata seppur gloriosa.

Era girata la testa a tutti quanti. Florí, praticone invecchiato in mezzo agli artisti, sostiene la necessità di prove quotidiane al pomeriggio mentre il lavoro di protesi prosegue e il labbro rotto guarisce, onde mantenere l'indispensabile molleggio dell'anca e il dondolio del samba. L'ideale sarebbe far le prove a quattr'occhi, sambista e pianista, che per l'occasione sarebbe Pachola stesso, il quale è padrone di svariati talenti: piano, chitarra, fisarmonica a bocca, e sa anche cantare le canzoni dei ciechi; ma come controllare la banda degli ammiratori? Al seguito di lei arrivano il dentista, il poeta, il pittore, il paglietta, che disturbano le prove e i solerti piani di Florí.

Florí era arrivato a Aracajú piú di dieci anni prima in qualità di amministratore dei resti mortali della Compagnia di varietà J. Porto & Alma Castro, che era responsabile delle trecento rappresentazioni della rivista musicale DOVE BRUCIA IL PEPE al Teatro Recreio di Rio de Janeiro, ma che era stata ben meno fortunata nella lunga e trionfale (si fa per dire) tournée nel Nord del paese. Quando Florí, giovane e entusiasta, era entrato a farne parte a São Luís do Maranhão, ancora non si era manifestata in lui la vocazione di amministratore di imprese di spettacoli e ritrovi, e non aveva esperienza. Ma l'esperienza l'acquistò rapidamente in un record di tempo e con un record di seccature proprio durante la tournée da São Luís a Belém, da Belém a Manaus e relativo straordinario viaggio di ritorno. Gli si era rivelata, questo sí, una fulminante e corrisposta passione per la lusitana e mezza matta Alma Castro, che lo indusse ad abbandonare l'impiego in una ditta esportatrice di palma *babaçú*, impiego che costituiva un compito privo di imprevisti e di emozioni. Di lí aveva tenuto d'occhio la diva: e quando venne a sapere che il pianista se l'era squagliata proditoriamente, si offerse sull'istante, venne accettato, e oltre al piano, gli toccarono immediatamente anche le funzioni di aiuto dell'impresario e astro principale J. Porto per tutto quello che riguardava i problemi pratici, accordi con i padroni o gli affittuari dei teatri, le imprese di trasporto, i proprietari degli alberghi e altri creditori. Ogni volta che lasciavano una città l'elenco degli artisti diminuiva e il numero dei quadri della vittoriosa e salace rivista si assottigliava. A Aracajú lo spettacolo giunse talmente spennacchiato che bastava appena per fare da avanspettacolo nei cinema. A questo punto, del resto, quello sfacelo ormai non si chiamava piú Compagnia di varietà J. Porto & Alma Castro, ma si era ristretto a semplice Gruppo di Teatro Alma Castro, poiché giunti alla piazza di Recife, J. Porto con le lacrime agli occhi, raccolti gli ultimi spiccioli, aveva tagliato la corda con un bacio in fronte a Alma Castro e uno sulle guance di Florí – era un tipo molto sospetto quel primo attor giovane per cui le ragazze perdevano il sonno, e si smontava facilmente. E Florí venne a trovarsi a Recife con gli scenari, il guardaroba, una chitarra, quattro comprimari, compresa la stessa Alma Castro, e senza un quattrino, ma promosso impresario; aveva fatto presto a raggiungere l'apice della carriera teatrale! Il nuovo amministratore-generale dimostrò di che cosa era capace, riuscendo a presentare ancora il gruppo a Macejó, Penedo e Aracajú. A Aracajú, per permettere la partenza degli altri per Rio, Florí accettò di restare come ostaggio: Alma Castro avrebbe mandato da Rio de Janeiro la somma necessaria alla liberazione dell'attuale amministratore e ex fidanzato, come pure del materiale, entrambi trattenuti da Marosi, il padrone dell'albergo. A Rio aveva relazioni in quantità sia di amicizia che di letto, a incominciare dal fido commendator Santos Ferreira, importante e generoso membro della comunità luso-brasiliana e della confraternita dei «vecchietti di Alma Castro» tutti cadenti, ricchi, prodighi, illustri e impotenti. Non mandò un bel niente.

Dopo qualche giorno il buon Marosi si accorse che il soggiorno dell'amministratore – camera a due letti e mangiava per tre – serviva soltanto a aumentare i danni, e così considerò perduta la somma e chiuse l'argomento, cercando anzi di aiutarlo per le spese di viaggio: senonché Florí, conquistato da quella città piacevole e accogliente, preferí restare. Continuò a lavorare sul fronte dello spettacolo, così poteva approfittare tanto del materiale che della esperienza acquisita, e fece carriera: impiegato, gerente, socio, proprietario di cabarè: la Torre Eiffel, il Miramar, il La Garçonne, l'Ouro Fino, sino ad arrivare al Paris Alegre.

Teresa provò e ballò vestita ancora con costumi che erano appartenuti alla compagnia: turbante, sottanino, *bata*. Buona parte del suo corpo era in mostra, ma a che pro? Seduto melanconicamente al piano, Florí detesta la corte artistico-letteraria, spesso anche giuridica e quasi sempre odontologica, che sta ai piedi di Teresa Batista. Ma, oltre che astuto, egli è anche pertinace e ha imparato a essere paziente: visto che è il padrone del cabarè e il datore di lavoro della stella, chi si trova in miglior posizione di lui?

Tutti innamorati e non meno degli altri Lulú Santos, che, con le sue stampelle e tutto, aveva fama di essere un donnaiuolo accanito. E tutti intorno a Teresa, uno piú cotto dell'altro. Il poeta Saraiva, la cui passione era esposta e proclamata pubblicamente attraverso una copiosa produzione di versi lirici, anzi Teresa fu l'ispiratrice di alcune delle sue poesie migliori, cioè tutto il ciclo di *La ragazza di Rame*, perché era stato lui a chiamarla cosí; il dentista Jamíl Najár, figlio di arabi dal sangue caldo, che si propone di renderla felice mentre la tiene a bocca aperta e le prepara il dente d'oro; il pittore, che la fissa con i suoi profondi occhi azzurri, in silenzio, sulla breccia. In silenzio schizzava il suo ritratto sugli annunci a colori. E quegli acquerelli dipinti sulla carta precaria dei manifesti furono i primi ritratti di Teresa Batista fatti da Jenner Augusto; poi ne dipinse molti altri, quasi sempre a memoria, anche se è vero che parecchi anni dopo a Bahia, essa acconsentí a posare nel suo studio di Rio Vermelho per quel quadro premiato, dove Teresa si erge tutta oro e rame, una donna completa nel fior degli anni e della bellezza, sempre vestita, però, con il costume che portava al tempo del Paris Alegre: turbante da baiana, corta *bata* di cotone sui seni liberi, il gonnellino a colori con i volanti, nude le gambe e il cosciame lucente.

Teresa rideva tanto degli uni che degli altri, gentile e grata al vedersi circondata di vezzi e madrigali, lei, sempre in cerca di vero affetto e tanto bisognosa di calore umano. Ma non si dà facilmente, forse perché le uniche professioni che sino allora aveva esercitato erano quelle di domestica-tutto-fare (non sarebbe meglio dire addirittura schiava?), di prostituta e di concubina, cioè perché era andata a letto con uomini diversi, dapprima per paura e dopo per guadagnarsi da vivere. Quando il desiderio apre il suo corpo ed essa si abbandona febbrile e incontinente, lo fa sempre e solo per amore, la simpatia non basta. Né l'astuto Florí, né l'attento dentista, né il mordace Lulú Santos, né il silenzioso pittore dagli occhi penetranti, né il poeta – che peccato! –, nessuno di questi ha toccato il suo cuore accendendovi la nascosta scintilla.

Se Lulú Santos le dicesse: amica mia, voglio andare a letto con te, ne ho molta voglia e se non lo faccio soffro troppo, Teresa andrebbe a letto con lui, come ci è andata tante volte con altri per guadagnarsi la vita, indifferente e distante, come chi esercita un mestiere. Era debitrice verso il leguleio di un vecchio favore e se egli avesse voluto sperimentare il suo corpo, lei non si sarebbe rifiutata: ancora un penoso dovere da compiere. Se il poeta José Saraiva fosse andato da lei con quel catarro in gola sempre in procinto di esplodere in una tosse convulsa, con quel soffio nel petto e le avesse detto che sarebbe morto felice soltanto se prima avesse dormito con lei, parimenti con lui sarebbe andata a letto. Con l'avvocato per gratitudine, per pagare un debito; con il poeta, per compassione. Ma darsi con piacere e allegria, questo non può farlo, e neanche simulare almeno un certo interesse; impossibile.

Troppo alto era il prezzo che per essere se stessa aveva pagato nella moneta forte della disgrazia.

Né il leguleio, né il poeta glielo chiesero, si accontentarono di farsi vedere e di attendere; tutti e due la volevano, ma non per carità o in pagamento.

Quanto agli altri, se lo chiesero – e Florí lo fece molte volte, gemendo e supplicando –, non ottennero nulla. Anche per denaro, per riempirsi le tasche di soldi e farsi un peculio, non le interessava; aveva ancora qualcosa nella borsetta

24

e sperava di piacere come sambista: almeno per qualche tempo voleva essere padrona di se stessa.

Appena arrivata, dopo aver affittato una camera con pensione completa in casa della vecchia Adriana (consiglio di Lulú), aveva ricevuto una proposta da Veneranda, la padrona del casino piú elegante e piú caro di Aracajú. Figura appariscente, bei modi, lusso, sete, tacchi alti, sembrava una madama del Sud, Veneranda, e non dimostrava l'età registrata nel suo segreto certificato di nascita. Fin da bambina Teresa aveva sentito parlare di quella ruffiana per bocca del capitano, ché già a quell'epoca essa regnava ad Aracajú. Venne in persona a parlare con Teresa, avendo saputo del suo arrivo certamente da Lulú Santos, cliente abituale, e chissà? forse sapeva qualcosa del suo passato.

Aperto il ventaglio, Veneranda sedette e con una occhiata gelida mandò via la curiosa Adriana.

– È ancora piú bella di quanto mi hanno detto, – iniziò la sua proposta cosí.

Poi descrisse il rendez-vous: una grande casa coloniale a un piano, situata discretamente tra gli alberi al centro di un terreno circondato da alti muri; le enormi stanze erano state suddivise in moderne e intime alcove, al piano terreno la sala d'aspetto completa di giradischi, bibite e esposizione delle ragazze disponibili; al primo piano un gran salone sul davanti, dove Veneranda riceveva uomini politici, letterati, industriali e zuccherieri, poi la sala da pranzo, il cortile. Teresa poteva vivere anche lí nel casino, se preferiva. Offrendole di abitare sul posto le dava una grande prova di considerazione, perché solo poche preferite, in genere straniere o provenienti dal Sud che facevano la stagione nel Nord – e dopo aver raccolto il grano tornavano al Sud – abitavano nel casino, ma Teresa meritava che si facesse un'eccezione per lei. Oppure avrebbe potuto frequentarlo al pomeriggio e alla sera, nelle ore di maggior movimento, mettendosi a disposizione di tutti indiscriminatamente con tanto che pagassero il prezzo stabilito dalla casa; o ancora avere clienti speciali, esclusivi e scelti. Del resto trattandosi di Teresa, l'intelligente Veneranda si proponeva di dedicarla a una clientela selezionata e di alto tenore economico, con una disponibilità di tempo piuttosto ristretta, insomma una clientela poco faticosa e molto lucrativa. Se era altrettanto competente quanto bella, sarebbe stata in grado di guadagnare facilmente molti soldi e siccome non era tipo da far pazzie né era di quelle con la mania di mantenere un gigolò, si sarebbe potuta metter da parte un bel gruzzolo. Nel casino avrebbe avuto occasione di conoscere Madame Gertrude, una francese, che, col denaro guadagnato lí si era comprata case e terreni in Alsazia e aveva in progetto di ritornare in patria l'anno seguente per maritarsi e aver dei figli se Dio vorrà e l'aiuterà.

Si rinfrescava con il ventaglio: un profumo forte, ambrato, pesa nell'aria calda del pomeriggio estivo. Teresa aveva ascoltato in silenzio la proposta completa con le relative e seducenti opzioni, dimostrando un cortese interesse. Ma quando alla fine Veneranda si aprí in un sorriso, Teresa le disse:

— Ho fatto la vita, non lo nascondo, ed è possibile che torni a farla, se ne avrò necessità. In questo momento non ne ho bisogno, ma la ringrazio ugualmente. Può darsi che un giorno... — Aveva imparato le buone maniere dal dottore e quando le insegnavano una cosa non se ne dimenticava facilmente; già alle elementari la maestra Mercedes faceva gli elogi della sua intelligenza vivace e della sua passione per lo studio.

— Neppure ogni tanto, ben pagata, senza obbligo quotidiano, per accontentare il capriccio di qualcuno collocato molto molto in alto? Sa che la mia casa è frequentata da quanto c'è di meglio ad Aracajú?

— L'ho sentito dire, ma in questo momento non mi interessa. Mi scusi —. Veneranda addentò, scontenta, il manico del ventaglio. Una novità come quella, con quell'aria da zingara straordinariamente bella, preceduta da piccanti dicerie, un vero biscottino per gli ultimi denti o per la dentiera di certi determinati clienti, era denaro in cassa, in cassa e in quantità.

— Se una volta o l'altra si decide, ha solo da venirmi a cercare. Chiunque le può dire dov'è.

— Grazie tante; e ancora una volta, mi scusi.

Sulla porta di strada Veneranda si voltò.

— Sa che ho conosciuto molto bene il capitano? Era un cliente.

Un'ombra offuscò il volto di Teresa; il crepuscolo cresceva rapido sulla città.

— Io non ho mai conosciuto nessun capitano.

— Ah! No? — Veneranda rise e se ne andò.

26

5.

Ahimè! nessuno di loro le tocca il cuore, nessuno ridesta in lei il desiderio sopito, riaccende la recondita scintilla! Come amico, sí, uno qualsiasi di loro: l'avvocato, il poeta, il pittore, il dentista, il cabaretier; ma come amante, no. E chi accetta da una bella dama soltanto una cara amicizia? Cose del cuore e chi le capisce o le sa spiegare?

Vasto mondo di Aracajú, dove sarà il gigante? Quel *caboclo* color del grano maturo, venuto dall'acqua, bruciato dal vento di mare, dove è andato a finire? Presentito appena, intravisto nella baraonda e poi nel brindisi della vittoria in una bettola dove la strada finiva, dove finiva la notte. All'alba era sparito, proprio alle prime luci sul far del giorno; e siccome era dello stesso colore e della medesima materia, il gigante si era disciolto nell'aurora. Dal finestrino del taxi Teresa lo aveva visto circonfuso da quella luce, che era l'avanzo della notte e il principio del giorno; toccava terra con la punta dei piedi, le braccia sul mare, i capelli come una crespa nuvola di pioggia sul cielo blu scuro. Aveva promesso di tornare.

Da solo aveva posto fine alla zuffa, ridendo e parlando forte rivolto a presenti e ad assenti, alle persone e agli *encantados*; splendido nel gioco della *capoeira*[1]. Quando il poliziotto aveva estratto la pistola minacciando di tirare, proprio allora Florí aveva spento la luce e cosí la responsabilità era diventata collettiva e per conseguenza inesistente; chi era in grado di testimoniare su quello che era successo al buio? Allora il *caboclo*, come in un gioco di prestigio, gli aveva portato via il revolver e, se il piedi-piatti non fosse finito col muso sul pavimento, si sarebbe persino potuto affermare senza far la figura del bugiardo che lo avesse fatto senza servirsi né delle mani né dei piedi con una delicatezza assoluta. Lassú per aria Januario Gereba era simile a un gigantesco uccello tutto muscoli, – Gereba non deriva forse da Yereba, il gigante? Gereba non è l'urubú-re il grande volatile? Cosí lo conobbe Teresa e seppe. Questo è quanto le bastò di sapere.

A luci spente la cernaia era aumentata e si era estesa; pa-

---

[1] Specie di lotta col pugnale, che si basa su passi e salti caratteristici.

recchi clienti, senza che nessuno li avesse chiamati, si erano gettati nella mischia per ficcare il naso, per sport, per divertimento. Ma durò poco, neanche il tempo di arrivare in ebollizione. Al grido di «arriva la madama», che era un avvertimento trasmesso dalla strada, i contendenti si dispersero prima che giungessero i rinforzi di polizia che una delle guardie era andata a chiamare. Nel buio Teresa si sentí sollevare da terra stretta da due braccia e cosí trasportare giú per le scale e fuori per le strade, svoltando cantonate, entrando in vicoli, e avanti sempre in una corsa silenziosa, sul petto del gigante un odore salino; finalmente dopo molti isolati venne rimessa in piedi in un angolo di via tranquilla. Davanti a lei il *caboclo* sorrideva:

— Januario Gereba servitor suo. Piú noto a Bahia come capitan Gereba, ma quelli che mi vogliono bene mi chiamano Janú.

Quando lui sorride, sul mondo discende la pace:

— Ho fatto questa corsa per evitare la polizia, perché la polizia è pestifera là come qui, e da ogni parte.

— Grazie, Janú, — disse Teresa; perché il voler bene non si compra, non si vende, non si impone con il coltello alla gola, né si può evitare: il voler bene succede.

Le ricorda qualcuno, una persona che ha conosciuto, chi sarà? Di professione uomo di mare, marinaio di barca a vela, il suo porto è Bahia, le acque di Todos os Santos e il rio Paraguçú; sulla banchina della Rampa do Mercado ha lasciato all'ancora il suo *saveiro* [1], che si chiama *Flor-das-Aguas*. Non era proprio un gigante come le era sembrato durante la rissa, ma poco ci mancava. Dal suo petto a chiglia, dai suoi occhi ridenti, dalle sue grandi mani callose, da tutto lui, ben piantato sui piedi ma ondeggiante alla brezza, scaturisce un senso di calma — anzi non precisamente di calma, Teresa corregge il suo pensiero: certamente egli deve esser capace di impreviste esplosioni; un senso di sicurezza, di definitive certezze. Santo Dio, á chi rassomiglia quell'uomo venuto dal mare?

Non è proprio una rassomiglianza fisica del volto, della persona, ma ricorda, rammenta qualcuno, che Teresa ha conosciuto molto bene. Teresa adesso, di fianco a lui per la strada, non rassomiglia affatto alla ragazza eccitata della lite,

[1] Veliero lungo e stretto.

mentre timida e modesta lo ascolta; era entrato al Paris Alegre giusto in tempo per vederla mentre sputava in faccia a quel fanfarone e lo affrontava, una donnina coraggiosa da farle tanto di cappello.

– Non sono mica coraggiosa... Anzi ben paurosa, solo che non posso vedere un uomo che picchia una donna.

– Chi picchia le donne e maltratta i bambini, tenerlo alla larga, – concorda il gigante. – Solo che io non ho visto l'inizio del pestaggio. Allora è andata cosí? Ad Aracajú era venuto per caso, per compiacere un amico, il padrone del barcone *Ventania*, al quale era venuto a mancare per malattia il marinaio proprio il giorno della partenza stabilita improrogabilmente, perché il proprietario della merce aveva una fretta straordinaria e non accettava rinvii. Caetano Gunzá, capitano di trabaccolo, era molto amico di Januario e gli aveva chiesto di aiutarlo, un amico deve servire per questo, altrimenti, a cosa serve? Cosí lui aveva lasciato il suo *saveiro* alla Rampa e la traversata era stata buona, vento garbato, mare da giorno di festa. Erano arrivati il pomeriggio del giorno avanti e si sarebbero fermati in porto giusto il tempo necessario a scaricare i rotoli di tabacco di Cruz das Almas e a combinare un altro carico per rendere il viaggio piú redditizio. Pochi giorni; una vacanza, per cosí dire. Il suo amico era rimasto a bordo stanco, e lui è andato in cerca di una pista da ballo, che è il suo debole. E invece del ballo, ecco una battaglia di quelle.

Andava avanti camminando senza meta, senza scopo e senza pensare all'ora; ci sarà pure in questa città una bettola aperta, per berci sopra e festeggiare la vittoria e la reciproca conoscenza – cosí disse lui e allora presero a girovagare, lui che parlava e lei che ascoltava, ascoltava le onde del mare, il vento nelle vele gonfie, il ruggito dell'oceano nelle conchiglie di tritone. Teresa non sa nulla del mare; è la prima volta che si trova vicina all'orlo delle acque salate dell'oceano, che è poco distante, all'imboccatura del porto di Aracajú al di là della città, e che sente accanto a sé il passo ondeggiante di un uomo di mare col petto bruciato dal sole e dai venti marini, e assuefatto alle tempeste. Januario aveva acceso una pipa di coccio; nel mare ci sono i pesci e i naufraghi, i neri polipi, le razze argentate, le navi che vengono da in capo al mondo, le piantagioni di sargassi.

Piantagioni? Nell'acqua del mare? Come è possibile? Non

29

fa in tempo a spiegarglielo, perché stanno sboccando di nuovo nella «zona», in rua da Frente proprio vicino all'ombra
dell'edificio Vaticano dove le luci multicolori dell'insegna
del Paris Alegre fungono da punto di riferimento alle coppiette in cerca di albergo per una notte o per un'ora: ogni
tanto, qua e là, in uno degli innumerevoli cubicoli dell'immenso caseggiato si accende una lampada di poche candele;
a una porta d'ingresso seminascosta Alfredo il Topo, prosseneta senza età, raccoglie per conto del proprietario, il sor
Andrade, il pagamento anticipato. Da qualche parte lí vicino, giunge la voce del paglietta e il rumore delle sue stampelle:
– Ehi! Voi, lí! Aspettatemi.
Lulú Santos stava cercando Teresa per timore che fosse rimasta vittima di un'imboscata qualunque di Liborio o magari dei poliziotti. Con la pratica che aveva di tutti i bar di Aracajú, li condusse a bere una *cachaça* commemorativa proprio nelle vicinanze. Teresa accostò appena il bicchiere alle
labbra – non era mai riuscita ad apprezzare la *cachaça*, eppure quella era generosa e col profumo del legno. L'avvocato
la gustava a piccoli sorsi, assaporandola come se stesse bevendo un liquore di classe, un vecchio porto, uno xeres, un
cognac francese. Ma capitan Gereba l'aveva trangugiata d'un
fiato:
– Che orrore questa *cachaça*, chi beve questa roba non vale niente –. E ridendo ne aveva chiesto un'altra dose.
Lulú aveva trasmesso loro le ultime notizie del campo di
battaglia: quando gli agenti erano finalmente arrivati, avevano trovato soltanto lui, Lulú, il poeta Saraiva e Florí, seduti
tutti e tre pacificamente a bersi una birra. Liborio, il re
dei repellenti – quell'uomo è proprio una schifezza – aveva
tagliato la corda sostenuto, indovina un po' da chi, Teresa?
Da quella tizia che aveva provocato tutta la storia, quella
delle sberle. Alla vista del suo cornuto che ruggiva tenendosi le mani all'altezza delle palle chiedendo che gli chiamasse-
ro un medico, dicendo che era liquidato, storpiato per sempre, quella, visto che il viaggiatore di commercio non era
piú in sala, (tutti i clienti erano già per la strada diretti a
casa o all'albergo), dimentica degli schiaffoni, aveva preso
sottobraccio quella canaglia e l'aveva portato giú per le scale;
quei due del resto, si equivalgono, lei avvezza all'inganno e

alle botte, lui a sorprenderla e a dar scandalo. Che razza di scroti, concluse Lulú Santos.

Il poeta Saraiva voleva trascinarlo con sé alla pensione di Tidinha, che secondo lui era il miglior posto di Aracajú per finire la serata, ma l'azzeccagarbugli, preoccupato per Teresa, aveva respinto l'invito. Il poeta se ne era andato perciò da solo, con la sua tosse roca e il suo sibilo nel petto.

Dopo la *cachaça* si lasciarono. L'avvocato portò a casa Teresa in taxi, quel Liborio è una peste, culo e camicia con i piedi-piatti e con la polizia, è meglio non offrirgli l'occasione. Dal finestrino lei lo vide ancora, capitan Januario Gereba, mentre si dirigeva verso il pontile dove aveva attraccato il barcone. Era color dell'aurora, e nell'aurora si disciolse. Aveva il batticuore, la medesima emozione che la rendeva timida, senza fiato, senza resistenza, che aveva sentito per la prima volta tanti anni prima allo spaccio quando aveva visto Daniél, come un angelo disceso da un quadro dell'Annunziata, Dan dai languidi occhi. A chi rassomigliava quel *caboclo*? Rassomiglianze non riesce a trovarne, però le ricorda qualcuno che conosce benissimo. Fortunatamente non ricorda un angelo venuto fuori da un quadro né disceso dal cielo; Teresa da quel tempo non si fida piú degli uomini dalla faccia d'angelo, dalla voce dolente, dalla bocca supplice, dalla bellezza equivoca; possono esser buoni a letto, ma son falsi e vili.

Sola in casa – ha salutato Lulú Santos, grazie tante caro amico! senza permettergli di scendere dall'automobile, se fosse sceso avrebbe magari voluto rimanere –, nella stanza spoglia di qualsiasi abbellimento, nel piccolo letto di ferro, al chiudere gli occhi prima di addormentarsi, ecco che le viene in mente chi le ricorda il capitano di *saveiro*: le ricorda il dottore. Pur non rassomigliandosi affatto, l'uno bianco, distinto, ricco e colto, l'altro mulatto color grano, bruciato dal vento di mare, povero e poco istruito, c'era tra di loro una certa qual parentela, un'aria di famiglia, chissà forse la sicurezza, l'allegria, la bontà. L'integrità morale.

Capitan Januario Gereba aveva promesso di venirla a prendere per farle vedere il porto, il barcone *Ventania*, il principio del mare al di là della città. Che cosa starà facendo, perché non mantiene la promessa?

6.

Lulú Santos viene a invitarla ad andare al cinema con lui, che va matto per i film western. Intanto rimane a chiacchierare nella veranda aperta alla brezza del fiume e la vecchia Adriana gli offre la scelta: manghi o *mungunzá*[1] o tutti due se preferisce. Prima i manghi che sono la sua frutta prediletta; il «thè-dell'asino» resterà per quando torneranno a casa dal cinema. Adriana, raggiante e tutta orgogliosa del suo orto dietro la casa che sembra quasi un piccolo frutteto, mostra dei manghi uno piú profumato e bello dell'altro – i nghi spada, manghi rosa, carlotta, cuore-di-bue, cuore addolorato.

– Vuole che glielo tagli a pezzi?
– Lo taglio da me, grazie, Adriana.

Mentre assapora la frutta, Lulú commenta gli ultimi avvenimenti:

– Tu, Teresa, sei un fenomeno. Sei appena arrivata a Aracajú, e già ti sei fatta un sacco di innamorati e di nemici.

La vecchia Adriana va matta per i pettegolezzi:

– Di innamorati uno lo conosco anch'io, – e lancia un'occhiata di traverso all'avvocato; – ma c'è qualcuno, a cui questa ragazza cosí brava non piace?

– Oggi ho parlato con una persona che mi ha detto: quella Teresa Batista lí è un pozzo di orgoglio, piena di sé.

– E chi è stato? – volle sapere Teresa.

– Veneranda, la nostra illustre Veneranda, padrona della piú celebre macelleria di carne fresca della città; dice che vende soltanto filetto ma proprio oggi mi ha voluto rifilare una «curatella» francese che puzzava già.

Prima di aprire il suo negozio di erbivendola – frutta, ortaggi, carbone di legna – la vecchia Adriana si era dedicata al «mestiere». E proprio lí in quella casa, che era sua, ricevuta in eredità, aveva facilitato la vita alle coppiette clandestine che cercavano un furtivo ricovero – e ogni tanto per accontentare un amico lo fa ancora, seppure attualmente preferisca affittare mensilmente la camera disponibile a qualche impiegata d'ufficio o a una zoccoletta discreta, possibilmente protetta; cosí almeno ha un po' di compagnia. Ma dal-

[1] Crema di farina di mais condita con latte di cocco e cannella.

l'epoca in cui faceva la mezzana serba rancore a Veneranda per quell'aria distante, superiore, «piena di nodi nella schiena», aria di spocchia, e per quel suo modo di trattare dall'alto in basso le colleghe piú modeste.

– Quella caca-sego è venuta qui a cercare Teresa, tutta in quinci squinci. E io ho raccomandato a Teresa: piccola, sta' attenta con quella tipa lí, che non è niente di buono.

– Io non le ho fatto niente, – si stupisce Teresa. – Mi ha chiesto di mettermi con lei, e io non ho accettato, non è successo nient'altro.

E la vecchia Adriana curiosa a domandare:

– E chi altro ce l'ha con Teresa? Dica, dica.

– Per cominciare, Liborio das Neves. È furibondo, se dipendesse da lui Teresa sarebbe già chiusa in gattabuia; se non ha sporto denuncia è soltanto per paura, perché la sua vita è talmente sozza che anche con tutta la protezione della polizia non osa toccare le persone che a me stanno a cuore. Soprattutto adesso che sono difensore di parte civile in una causa alla quale tiene molto.

– Il signor Liborio... – la vecchia Adriana pronuncia quel nome con un certo timoroso rispetto: – è una persona influente...

– È una merda, – disse l'avvocato; si vedeva che quel Liborio non gli andava proprio giú. – Non c'è in questo paese individuo peggiore di quel figlio-di-puttana, una canaglia, un briccone. Quello che mi fa rabbia, è che già due volte ho agito contro di lui in processo e ho perso tutte due le volte. E adesso ho per le mani una terza causa e perderò di nuovo.

– Lei, Lulú, perdere una causa? – si stupí la vecchia: – Dicono che lei non perde mai.

– Non è un processo penale, è una causa civile. Quel mascalzone le sa architettare bene le sue infamie. Ma verrà il giorno che lo acchiapperò per un piede quel caprone.

– Ma che cosa fa? – s'interessò Teresa.

– Non lo sai? Un giorno te lo racconto, ci vuole del tempo e adesso è ora di andare al cinema, dobbiamo uscire subito. Domani o dopo ti racconto chi è Liborio das Neves, il ladro numero uno di Aracajú, lo sfruttatore dei poveri –. Stava cercando le stampelle per alzarsi: – Adriana, bella mia, grazie per i manghi, sono i migliori di tutto il Sergipe.

Dalla parte del porto arrivava un venticello proveniente

dall'Ilha-dos-Coqueiros, che raddolciva la serata afosa, calda e umida. Una calma, una pace, il cielo stellato; è un momento adatto ad ascoltare storie, perché andarsi a chiudere nel caldo insopportabile del cinema? E se Januario venisse ancora?

– No, Lulú, lasciamo il cinema per un'altra volta. È meglio rimanere qui al fresco ad ascoltare le sue storie, che andare a morire di caldo al cinema.

– Come preferisci, principessa. Va bene, al cinema si va domani, e adesso ti racconterò chi è Liborio. Ma tappati il naso che quello è un fetente.

Lulú Santos appoggia di nuovo le stampelle, accende un sigaro – per i sigari non spendeva un soldo, glieli mandava gratis da Estância l'amico Raimundo Souza dalla fabbrica Walkyria. Del resto Lulú riceveva in regalo molte cose, roba da mangiare e da bere, offerte di ogni genere; e molte altre le comprava a credito e poi si dimenticava di pagare; se non avesse fatto cosí, come faceva a campare un avvocato dei poveri? C'erano cause in cui invece di ricevere onorari ci rimetteva anche del suo. Aspira il fumo del sigaro e comincia a sgranare la filza delle peripezie di Liborio das Neves: – Ci tocca rimestare nella cacca, figlia mia... – Poi prese la stura; sembrava che si trovasse in tribunale a difendere e ad accusare, si esaltava, alzava la voce, stringeva i pugni, spinto dall'indignazione o dalla commozione, mescolando parolacce e proverbi popolari.

In conclusione raccontò di come Liborio aveva incominciato come banchiere del gioco del *bicho* [1]. – Ma per tener banco al gioco del *bicho*, come tutti sanno, è fondamentale essere onesti; il gioco del *bicho* si basa esclusivamente sulla fiducia che merita il banchiere, e se questo è disonesto non può continuare a tener banco. Ora siccome Liborio era organicamente un birbante, è evidente che appena era successo uno scompenso, lui non aveva pagato le poste vincenti: e il risultato fu un pasticcio di quelli. Alcuni dei clienti, che non volevano rassegnarsi a subire quella soperchieria, si misero d'accordo tra loro sotto il comando di Pè-de-Mula, un gioca-

[1] Bestia. Il popolare gioco del *bicho* consiste nello scommettere su una o piú cifre terminali dei numeri estratti settimanalmente dalla Lotteria Nazionale o su un gruppo di numeri: i numeri da 1 a 100 sono infatti stati idealmente suddivisi in 25 gruppi di 4 denominando ciascun gruppo con il nome di un animale in ordine alfabetico, da *ave-struz* (struzzo) per i primi 4 numeri a *vaca* per gli ultimi 4.

tore di football dotato di un calcio potentissimo, e andarono alla ricerca del disonesto banchiere. Dobbiamo tener conto del fatto che Pè-de-Mula non aveva, in quel caso, un interesse personale, perché non giocava al *bicho*, mai. Agiva come rappresentante di zia Milú, una vecchia vicina di casa quasi centenaria: tutti i santi giorni la vecchina rischiava una sua modesta ma complicata posta nel «gruppo», nella decina, nel centinaio e nel migliaio, e seguiva un *bicho*, un centinaio, un migliaio per mesi. Ogni tanto lo imbroccava e non aveva mai avuto difficoltà a incassare. Non sa neanche perché le è saltato in testa di cambiar banchiere, deve essere stato forse proprio per la chiacchiera dell'allora giovane Liborio. Lei stava insistendo sul «cane» decina venti, centinaio novecentoventi, migliaio settemilanovecentoventi da tempo, ma quel giorno, molta altra gente aveva pure giocato il «cane» precisamente perché il giorno prima era accaduto l'episodio eccezionale del bambino in procinto di morire in mare all'Atalaia salvato da un cane bastardo che gli era affezionato, e questa storia era stata divulgata dai giornali e dalla radio. Uscí il cane, e anche la decina, il centinaio e il migliaio di zia Milú. E Liborio sparí. La vecchietta, che era quella che vinceva di piú, si sentí offesissima per la scomparsa del banchiere, e tutta piegata in due, appoggiata al bastone, chiedeva aiuto a Dio e agli uomini; perché voleva ricevere i suoi soldini. Pè-de-Mula, che aveva un calcio feroce e un cuore di banana, prese le parti della vicina e insieme ad altri danneggiati si mise alla ricerca del banchiere e finí per scovarlo.

La riscossione si svolse a base di discussioni e minacce. Liborio da principio tentò di confondere le acque e di affibbiare la colpa ad altri, inventando soci fuggitivi, ma dopo aver subito qualche scossone da parte di Pè-de-Mula, promise la totale liquidazione del debito entro quarantott'ore. Grande è la credulità degli uomini, anche se sono popolari giocatori di calcio, anche se possiedono «un cannone in ciascuno dei piedi», come scrivevano i cronisti sportivi a proposito di Pè-de-Mula. Ma al di fuori del gioco del football Pè-de-Mula non sapeva fare nient'altro – e del resto il suo football non era poi gran cosa, praticamente un «gamba di legno» mantenuto in squadra esclusivamente a causa del cannoneggiamento, perché non esisteva un portiere in grado di afferrare un pallone calciato da lui. Dopo l'allenamento passava il suo tempo a bighellonare per la strada, o fermo in un bar a osservare le partite a bigliardo; un vagabondo, se si vuole usare il termine esatto.

Passano quarantott'ore e di Liborio neanche l'ombra. Pè-de-Mula entrò in campo; conosceva bene la sua città di Aracajú e anche i dintorni. Andò a snidare quel furfante in una via secondaria dalle parti delle saline. Liborio stava disputando una partita a tric-trac con il padrone di casa, un sirio che vendeva a rate, quando Pè-de-Mula, senza chieder permesso né batter le mani davanti alla porta, si introdusse in casa, accompagnato da altri quattro creditori. Il sirio, per fare il gradasso, tirò fuori un coltello, ma quelli gli presero il coltello e distribuirono a tutti e due qualche cazzotto: e la dose principale naturalmente toccò a Liborio, come era giusto.

I quattro si accontentarono dei cazzotti, perché non volevano perdere altro tempo, e se ne andarono via soddisfatti della lezione data a quel briccone. Anche Liborio considerava chiuso l'argomento con evidente vantaggio per lui: in cambio di quattro sberle poteva dirsi esentato dal pagare il debito. E chi l'ha detto!... Pè-de-Mula, a differenza degli altri quattro, aveva molto tempo a disposizione e come rappresentante della vecchietta non poteva dare il saldo al falso banchiere. Che Liborio le prendesse, benissimo, però doveva prenderle e anche pagare. Lí per lí Liborio dovette pagare una parte del debito, poco piú della metà, e il resto rimase per il giorno dopo. La vecchietta dal canto suo non mollava, risentitissima – dove s'è mai visto un banchiere di *bicho*, che rifiuta di pagare? – Esigeva il suo denaro e con la massima urgenza.

Liborio sparí di nuovo, e di nuovo vediamo il buon Pè-de-Mula che gli dà la caccia; una settimana dopo lo incontra per caso in piena rua do Meio, ovverossia nel cuore della città. Veniva avanti molto sicuro di sé, come se non dovesse un soldo a nessuno, e parlottava animatamente all'orecchio di un campagnolo – doveva trattarsi di un colpo con pietre false –, quando si trovò faccia a faccia con Pè-de-Mula; subito perdette tutta l'animazione e finalmente si diede per vinto e pagò il resto del denaro di zia Milú. La vecchietta incassò tutto fino all'ultimo centesimo e certamente con questa storia Pè-de-Mula deve essersi conquistato il regno dei cieli, perché pochi giorni dopo morí in un incidente di strada nel camion sul quale la squadra regolare e alcune riserve stavano recandosi a Penedo per disputarvi una partita amichevole. Il camion si rovesciò sulla strada e morirono in tre; uno era Pè-de-Mula. Mai piú il football del Sergipe avrebbe visto un altro asso con un tiro cosí potente, né mai piú avrebbe circolato per le vie di Aracajú un altro perdigiorno con un cuore piú tenero del suo.

Il fallimento del banco di *bicho* rappresentò il debutto di Liborio nel mondo degli affari. Dopodiché si cacciò in tutti gli imbrogli che si fecero da quelle parti negli ultimi vent'anni. Per ben due volte Lulú Santos aveva rappresentato davanti ai giudici in toga clienti derubati da lui. Una di queste cause riguardava delle pietre false. Liborio aveva commerciato in preziosi per molto tempo; diamanti, rubini, smeraldi, una pietra vera ogni cinquanta tra imitazioni e copie. Ma Lulú aveva perso la causa per mancanza di prove. Intanto Liborio diventava ricco e importante nel mondo dei bassifondi, nella «zona», aveva amici nella polizia a forza di propine ad agenti e poliziotti, e si dava da fare soprattutto contro la povera gente. Fonte principale di rendita: aggiotaggio, prestiti a interessi da scorticar vivi, ricevendo in pagamento dei debiti non riscattati qualunque cosa il debitore possedesse. Oltre che usuraio, era poi dedito a ogni sorta di affari loschi. Si diceva che era socio del sor Andrade, il proprietario dell'edificio Vaticano, nello sfruttamento delle camere date in affitto a prostitute per una notte o per un'ora. Tra la metà del mese e la fine dello stesso, comprava a basso prezzo gli stipendi dei funzionari pubblici a corto di quattrini. Era stato in un caso come questo che Lulú Santos, che difendeva ancora una volta un povero diavolo, era stato sconfitto per la seconda volta da Liborio.

Finanziatore di covi di giuoco, di truffe con dadi truccati, mazzi di carte segnati, roulettes manomesse, Liborio aveva comprato per quattro soldi tre mesi di stipendio di un funzionario della Prefettura, un bravuomo ma con il vizio del gioco, dal quale si era fatto dare la procura per riscuotere a tempo debito. Ma nella fretta di ricevere il denaro per la roulette, il distratto richiedente, anziché scrivere la procura di suo pugno, aveva sottoscritto un foglio in bianco, dove quell'imbroglione aveva dattilografato quello che aveva voluto: cioè invece di tre mesi, aveva scritto sei. Non ci fu modo di provare che era una truffa, perché sul documento c'era la firma di quel tale regolarmente riconosciuta dal notaio. A nulla era servito al paglietta sostenere che Liborio aveva comperato per pochi gettoni da roulette tre mesi soltanto del magro stipendio di quel funzionario municipale. E cosí pure non era contato nulla il fatto che la vittima fosse un funzionario esemplare, un uomo stimato, un buon marito e padre amoroso di cinque figli – peccato quel vizio del gioco –, mentre Liborio era un noto truffatore, che aveva affrontato tante volte la giustizia, senza venir mai condannato.

Nel raccontare Lulú Santos si eccita: quel Liborio che recitava la parte del povero perseguitato – ah! che voglia di mancar di rispetto al giudice e al tribunale e gettare le stampelle in faccia a quella canaglia! Teresa non saprà mai con quanto piacere l'avvocato l'ha vista sputare sul muso di quel cornuto di un figlio-di-puttana. Cornuto, cornutissimo, habituè di quegli scandali in pubblico e di quella bella prodezza di picchiare le donne. Lui picchia soltanto le donne, perché non ha il coraggio di affrontare faccia a faccia nessuno dei numerosi amici che gli hanno messo le corna. Di dietro, sí, se capita l'occasione, si vendica, servendosi allo scopo del prestigio e delle relazioni che possiede negli ambienti di polizia per render loro la vita difficile. Un figlio-di-puttana completo, sputato e scaracchiato.

L'attuale causa, che andrà in giudizio tra pochi giorni, la settimana prossima, è peggio ancora. Una storia triste, è un processo perduto in anticipo. Solo a pensarci Lulú Santos va sulle furie, gli brillano gli occhi.

– Ti voglio raccontare di che cosa è capace quel figlio-di-puttana – staccava le sillabe una per una: in bocca sua chiunque altro era un figlio-di-puttana, detto a volte anche con affetto e tenerezza: Liborio era fi-glio-di-u-na-put-ta-na, completa la parolaccia, sottolineate le sillabe.

In un piccolo podere pieno di alberi di manghi, di *cajú*, di *jaca* di *cajá*, e persino di *pinha*, di *graviola*, di *ata* e *condessa*, vive e lavora Joana das Folhas o Joana França, una vecchia negra, vedova di un portoghese. Il quale portoghese, di nome Manuel França, vecchia conoscenza di Lulú Santos, fu colui che introdusse a Aracajú la coltivazione della lattuga, dei pomodori quelli grandi, della verza, del cavolo cappuccio e di altre verdure del Sud, che coltivava accanto agli *jiló*, ai *maxixe*, alle zucche e alle patate dolci, perché in quel podere la terra era molto fertile. Era riuscito a farsi una clientela ridotta ma sicura, per un giro di affari piccolo, ma fiorente. All'alba erano già al lavoro, lui e la negra Das Folhas; in principio vivevano in concubinaggio, poi, quando l'unico figlio fu cresciuto e il lusiade sentí il primo colpo al cuore, si erano sposati davantí al sindaco e davanti al prete. Il figlio non aspettò neanche che il padre morisse: gli prese tutte le economie, e via per il mondo. L'onesto *portuga* non ebbe la forza di resistere; e cosí Joana ereditò il podere e un poco di denaro, che le doveva l'amico Antonio Minhoto, ed era un'eredità ben meritata: era una negra robusta e ignorante, una bestia da lavoro, il pensiero fisso al figlio. Si prese un aiutante per lavorare nel podere e andare a consegnare la lattuga, i pomodori e i cavoli alla clientela.

– Aspetti a raccontare il resto quando torno, – chiede la vecchia Adriana approfittando di una pausa. – Un minuto solo, vado a prendere il *mungunzá*.

– Accidenti! – esclama Teresa, – che cattivo soggetto quel Liborio.

– Ascolta il resto e vedrai come sono cattivo io.

Dal porto veniva la brezza notturna; Lulú Santos raccontava del portoghese Manuel França, di sua moglie Joana das Folhas e del figlio vagabondo, mentre il pensiero di Teresa andava a Januario Gereba: dove sarà? Aveva promesso di farsi vivo, di portarla a vedere il barcone e a passeggio verso l'entrata del porto dove si apre il mare-oceano e dove si stendono le dune di sabbia. Perché quello scellerato non è venuto?

Nelle scodelle il *mungunzá* al cucchiaio, una mescolanza di farina gialla, cocco, cannella e garofano. Il leguleio dimentica per un istante la sua brillante arringa accusatoria contro Liborio das Neves. Ah! se fosse in Tribunale davanti ai giurati!

– Divino, semplicemente divino questo *mungunzá*, Adriana. Se fossi davanti ai giurati...

Signori Giurati, sei mesi fa questa vedova inconsolabile, che oltre che vedova è anche orba di un figlio perso di vista nel Sud, ricevette una lettera da quest'ultimo e subito dopo anche un telegramma; del marito sapeva che se ne stava in pace nei cerchi superiori del Paradiso, notizia concreta e consolante, che le aveva portato il dottor Miguelinho, ente ultraterreno che frequentava il Circolo Spiritista «Pace e Armonia», dove realizzava anche stupefacenti guarigioni;

da quella parte, dunque, tutto bene. Quello che andava male era il ragazzo: a Rio aveva fatto una quantità di stupidaggini, si era messo nei pasticci, e i debiti minacciavano di mandarlo a finire in galera se non pagava nel breve termine di pochi giorni alcune migliaia di *milreis*; allora aveva fatto appello a sua madre e nel piú crudele dei modi – se non gli mandava i soldi, lui l'avrebbe fatta finita con una pallottola nel petto. È chiaro che non aveva nessuna intenzione di uccidersi, quello era un volgare ricatto, ma la povera madre, analfabeta, paziente, e con quell'unico adorato figlio, diventò come pazza, come racimolare gli ottomila *milreis* richiesti dal ragazzo? Il padrone del podere vicino, al quale aveva chiesto il favore di leggerle la lettera e il telegramma, aveva sentito parlare di Liborio e riuscí a farsi dare il suo indirizzo; cosí la vedova andò a finire nelle unghie dell'usuraio, che le imprestò ottomila *milreis* per incassarne poi quindicimila sei mesi dopo – si presti attenzione agli interessi da scorticare, mai visti, Signori Giudici Popolari di corte d'Assise! Liborio stesso preparò la cambiale e il contratto: se Joana non avesse pagato entro il termine fissato, avrebbe perso il podere, che vale almeno centomila *milreis*, Signori Giurati!

La vedova firmò per rogatoria – cioè per lei firmò un dipendente di Liborio, Joél Reis –, perché essa, non sapendo né leggere né scrivere, era incapace di scarabocchiare il proprio nome. Testimoni: due agenti di quella pustola d'uomo. Joana accettò il prestito con tutta tranquillità: il suo compare Antônio Minhoto, che era un uomo a posto, le doveva pagare diecimila *milreis* entro quattro mesi. E gli altri cinque la vedova contava di economizzarli durante quei sei mesi, dato che si era conservata la clientela del marito al completo.

Andò quasi tutto come aveva previsto; l'amico aveva pagato nel giorno stabilito, le sue economie avevano superato i cinquemila milreis, ed essa andò da Liborio per saldare il suo debito. Sai che cosa le ha risposto? Indovina, se ci riesci, Teresa, indovinino gli onorevoli Signori della Giuria!

– Che cosa ha risposto?

– Che gli doveva ottantamila cruzeiros, ottanta invece di otto.

– Ma come?

Il documento era stato redatto da lui e con grande astuzia aveva scritto soltanto la somma del prestito in numeri:

40

$ 8000. Appena era uscita, quel sordido individuo aveva aggiunto uno zero. Con la stessa penna, lo stesso inchiostro, quasi nello stesso momento. E dove li va a pescare quella povera diavola ottantamila cruzeiros, me lo dici? Dove Signori Giurati? Liborio le ha fatto causa, affinché il podere venga venduto all'asta e certamente se lo aggiudicherà lui stesso per quattro soldi.

– Ci pensi Teresa, cosa ne sarà di quella povera donna che ha lavorato tutta la vita in quel podere e improvvisamente viene buttata fuori dal suo pezzo di terra e si vede ridotta a chiedere l'elemosina? Ma ci pensi? Io mi batterò, griderò, chiederò giustizia, ma a che cosa serve? Se avessi a che fare con una giuria popolare, sarebbe un'altra cosa. Ma è un giudice della sezione civile, un'ottima persona del resto, che sa chi è Liborio, è certo che esso ha adulterato il documento e se potesse darebbe causa vinta alla vedova e sistemerebbe quel mascalzone con un processo per falsificazione di documenti a scopo di furto; ma come farlo se il pezzo di carta è lí con le firme dei testimoni, se nessuno è in grado di dimostrare che lo zero è stato aggiunto dopo?

Riprende fiato, il suo volto acceso dall'indignazione sembra quasi bello:

– Tutti sanno che si tratta di un'ennesima infamia di Liborio, ma non si può far nulla, lui si mangerà il podere di Manuel França, la negra Joana vivrà di carità e io spero che quel miserabile del figlio, un figlio-di-puttana, ecco cos'è, si cacci davvero una pallottola in corpo, che non merita altro.

Scende il silenzio come una pietra; per alcuni secondi nessuno parla. Gli occhi di Teresa sono perduti in lontananza, però essa non sta pensando a capitan Januario Gereba, chiamato Janú da chi gli vuol bene, né alle sabbie del mare. Pensa alla negra Joana das Folhas, dona Joana França, curva sulla terra accanto al marito portoghese, e poi sola, che pianta, raccoglie, vive del proprio lavoro, mentre il figlio, che è a Rio a far baldoria, chiede denaro minacciando di uccidersi. Se le prenderanno il podere, se Liborio vincerà la causa, cosa sarà di Joana das Folhas, dove troverà il necessario per mangiare e fare economia per il figlio dissipatore?

La vecchia Adriana sparecchia i piatti vuoti e va in cucina.

– Mi dica una cosa, Lulú... – Teresa sembra ritornare da lontano.

41

– Che cosa?

– Se dona Joana sapesse leggere e scrivere il proprio nome, quel documento avrebbe valore lo stesso?

– Se sapesse leggere e scrivere il proprio nome, cosa vuoi dire? Non è capace e buonanotte; non è stata mai a scuola, è analfabeta di padre e di madre.

– Ma se fosse capace, quel famoso documento avrebbe valore?

– È chiaro che se lei avesse saputo fare la sua firma, il documento sarebbe un falso. Disgraziatamente non è cosí.

– Ne è sicuro? Pensa che non può essere un documento falso? Perché lo pensa? Dove deve provarlo dona Joana, se è capace o no di fare la propria firma? Davanti al giudice?

– Che faccenda è questa, di dimostrare che sa fare la sua firma? – Stette a pensare un poco, poi a un tratto capí: – Documento falso? Fare la firma? Ho inteso giusto?

– Dona Joana sa leggere e far la firma, arriva davanti al giudice e dice: quel foglio di carta lí è falso, io so fare la mia firma. Naturalmente è lei che dice cosí, non è vero? Alla donna tocca solo firmare.

– E chi diavolo insegna a fare la firma a Joana das Folhas in poco piú di una settimana? Ci vuole una persona competente e di tutta fiducia.

– Quella persona l'ha davanti agli occhi, è questa serva sua. Quando è precisamente il giorno dell'udienza?

Allora Lulú Santos si mise a ridere, a ridere come un matto; la vecchia Adriana accorse spaventata.

– Che cos'ha, Lulú?

Alla fine il leguleio riprese il controllo di sé:

– Voglio soltanto vedere la faccia di Liborio das Neves, in quel momento. Teresa, dottoressa Teresa, io ti consacro honoris causa come il sommo della saggezza. Vado a casa a riflettere sull'argomento, penso che hai fatto centro. A domani, mia cara Adriana dal divino *mungunzá*. Come dice bene un proverbio: chi ruba al ladro... Voglio solo vedere la faccia di quel vaso di cacca in quel momento, sarà la piú grande soddisfazione della mia vita.

Teresa è sulla veranda e dimentica Lulú Santos, Joana das Folhas, Liborio das Neves. Dove sarà quello scellerato? Aveva promesso di venire con quella sua pipa di coccio, la pelle tostata dal vento, il petto come una chiglia, le grandi mani che l'avevano sollevata per aria. Non era venuto, perché?

7.

Nella città addormentata, nel porto deserto, sola, mortificata, con l'amor proprio ferito, Teresa Batista cerca Januario Gereba. Chissà, forse non aveva potuto venire, aveva da fare, o era ammalato. Ma cosa costava farglielo sapere, mandare qualcuno ad avvisare. Aveva promesso di venirla a prendere all'imbrunire per andare sul barcone a mangiare una *moqueca*[1] di pesce alla moda baiana – cucinare dei piatti all'olio è il mio forte! –; e dopo sarebbero andati a vedere il mare con le onde che si frangono al di là dell'imboccatura del porto, il mare per davvero, non quel braccio di fiume. Era un bel fiume il Cotinguiba, niente da dire, largo, con la Ilha dos Coqueiros racchiusa nel mezzo, e poi tranquillo dalla parte della città, un buon ancoraggio per grandi velieri e piccole navi da carico; ma il mare – vedrai, è un'altra cosa, non c'è paragone –, ah! il mare è una strada senza fine, possiede una forza indomabile, una infinità di tempeste e la dolcezza di un innamorato, quando sulla rena si fa spuma. Non era venuto, perché? Non aveva il diritto di trattarla come una donnina qualsiasi, lei non gli aveva mica chiesto di venire.

Durante i giorni precedenti, capitan Januario, occupato a scaricare il barcone e a pulirlo per accogliere il nuovo carico – sacchi di zucchero –, era riuscito a trovare il tempo per far visita a Teresa, sedersi insieme a lei sul Ponte do Imperador, raccontandole storie di *saveiros* e di traversate, di temporali e naufragi, accadimenti in porto, *candomblés*, con capitani di *saveiros* e maestri di *capoeira*, *mães-de-santo* e *orixás*. Aveva descritto le feste, da quelle parti è festa tutto l'anno; quella del Bom-Jesus-dos-Navegantes il primo gennaio nel mare di Boa Viagem quando i *saveiros* seguono la galeotta tanto all'andata che al ritorno, e poi il samba e mangiare giorno e notte; quella di *Bomfim*, che va da una domenica all'altra per tutta la seconda settimana di gennaio,

---

[1] Pietanza di pesce o di frutti di mare condita con cocco, peperoncino e olio di palma.

43

e il giovedí la processione del lavamento con le mule, i giumenti, i cavalli carichi di fiori, le baiane con orci e orcioli pieni d'acqua in equilibrio sul *torso*[1], l'acqua di Oxalá[2] che lava la chiesa di Nosso-Senhor-do-Bomfím, un santo nero africano e uno bianco d'Europa, due santi distinti a formarne uno soltanto, vero e baiano; e poi, subito dopo, la festa della Ribeira, che preannunzia il carnevale; quella di Iemanjá[3] nel quartiere di Rio Vermelho il due di febbraio, quando le offerte portate alla *mãe-d'agua* vengono accatastate in enormi cesti di vimini: profumi, pettini, saponette, *balangãdãs*, anelli e collane, e montagne di fiori e di lettere di supplica: mare calmo, pesce in abbondanza, salute, allegria e molto amore –, dal mattino presto fino all'ora della marea vespertina quando i *saveiros* avanzano nel mare aperto per la processione di Janaína, davanti quello del capitano Flaviano che trasporta il dono piú importante, il dono dei pescatori. E la regina in mezzo al mare attende tutta vestita di trasparenti conchiglie blu, con l'*abebé* in mano: *odoia*, Iemanjá, *odoia!*

Le parlava di Bahia, di com'è quella città che nasce dal mare e si arrampica su per la montagna, tutta un intreccio di scarpate. E il Mercado? E Agua-dos-Meninos? La Rampa, le banchine del porto, la scuola di *capoeira*, dove alla domenica era solito andare a divertirsi con capitan Traíra, o con Gato e Arnól, e il *terreiro* di Bogún, dove era stato eletto e confermato *ogán* di Iansã – nel suo indiscusso giudizio Teresa deve esser figlia di Iansã, perché tutte e due sono egualmente piene di coraggio, di prontezza: pur essendo donna, Iansã è una santa coraggiosa, che ha impugnato le armi in guerra al fianco del marito Xangô e non ha paura neanche degli *egúns*, i morti, anzi è proprio lei che li aspetta e li saluta col suo grido di guerra: *Eparrei!*

Il giorno prima sul Ponte do Imperador, lui le aveva toccato il labbro con le dita e aveva constatato che non c'era piú il segno del pugno di ferro – anche se il dente nuovo non era ancora stato collocato.

Januario l'aveva sfiorata appena leggermente con le dita, ma quel tocco era stato sufficiente ad aprirla tutta. Ma inve-

---

[1] Scialle da avvolgere sulla testa per appoggiarvi la brocca.
[2] Il piú importante degli *orixás*.
[3] *Orixá* femminile che rappresenta il mare stesso divinizzato; viene chiamata anche *mãe-d'agua* o Janaína.

ce di collaudare l'integrità del labbro ferito con un esame piú profondo fatto di baci, aveva subito ritirato la mano dalla bocca umida di Teresa come se se la fosse bruciata. Aveva portato una rivista carioca, dove in un servizio a colori su Bahia, si vedeva una fotografia su due pagine con la Rampa do Mercado, e lí, ancorato proprio davanti, di ritorno da chissà qual viaggio, il *Flor-das-Aguas* con la sua vela azzurra sciolta, e in piedi, al timone, busto nudo e calzoni rammendati, il capitano di *saveiro* Januario Gereba, per Teresa Janú: quelli che mi vogliono bene mi chiamano Janú.

Teresa scese per la rua da Frente in cerca della sagoma del gigante, del suo passo oscillante di marinaio e della brace della pipa di coccio che gli illuminava il cammino. Attraccato al pontile di legno tarlato, non lontano dal «Vaticano» scorge il profilo del barcone *Ventanía*, con le luci spente, nessun movimento a bordo; se c'è qualcuno là dentro, di sicuro dorme, e Teresa non osa avvicinarsi. Dov'è capitan Gereba, dove si è nascosto il gigante del mare, verso quale luogo ha alzato il volo *l'urubú-rei* il grande avvoltoio volante?

Al primo piano del «Vaticano» le lampade color rosso, verde, giallo, viola, blu, invitano la gioventú dorata di Aracajú e anche gli avventizi alla sala da ballo del Paris Alegre. Chi lo sa, forse Januario sta dominando la pista da ballo con una bella dama tra le braccia, magari una qualunque girovaga del porto: ballare era la sua passione, era proprio per andare a ballare, che aveva salito le scale del cabarè la sera della rissa. Cosa non avrebbe dato Teresa per poter entrare da quella porta, salire i gradini, attraversare la sala, e, emula di Liborio das Neves, dirigersi verso la pista e piantarsi lí indignata con le mani alla cintura in atto di sfida e di scherno davanti a Janú che si stringe al petto la sua ballerina-fissa: e allora, è cosí che il signore è venuto a prendermi a casa, come aveva combinato?

Florí le aveva proibito di andare al cabarè alla sera, perché come impresario desiderava si mantenesse inalterata fino al debutto l'immagine di Teresa in occasione della baruffa, immagine vista e commentata; se incominciava a farsi vedere di sera ballando e chiacchierando con questo e con quello, nessun habituè si sarebbe piú ricordato di lei che si alza furibonda sputando in faccia a Liborio e sfidando mezzo mondo in piede di guerra. Devono rivederla solo alla grande serata della presentazione della Regina del Samba, in gonnellino, *bata* e turbante. Senza contare il labbro gonfio e il dente mancante. A proposito del dente, Florí si domanda scocciatissimo, quando sarà pronto il capolavoro del dottor Jamíl Najár, mai un dentista-protetico aveva impiegato tanto tempo per collocare un dente d'oro. Calisto Grosso, un mulatto con pretese da conquistatore, torchiatore di manioca e leader dei caricatori di Aracajú, che va matto per i denti d'oro, in bocca ne ha sette, quattro di sopra e tre in basso, e uno proprio in alto e nel mezzo, il piú bello dei sette, e quasi tutti sono stati posti lí dal dottor Najár in un batter d'occhio. Gliene ha collocato tre in una volta, tre denti enormi, eppure l'operazione non ha richiesto neanche la metà del tempo che ha già speso ora per collocare un unico piccolo dente d'oro in bocca a Teresa Batista.

E poi non era soltanto la proibizione e il fatto di essere sdentata, ma soprattutto perché non aveva diritto, nessun diritto, neanche una briciola di diritto di chiedere soddisfazione al capitano di *saveiro*, anche se lui avesse fatto ballare, facesse la corte, comprasse, pomiciasse, si rotolasse nel letto, abbracciato a una bagascia qualsiasi. Fino a quel giorno non poteva neanche affermare che le avesse fatto la corte; solo qualche occhiata di sfuggita, – ma sviava lo sguardo appena Teresa lo coglieva in flagrante a mangiarsela con gli occhi. È pur vero che lo chiamava Janú, cioè lo chiamava come chi gli voleva bene e lui in cambio le dava diversi nomi: Tetá, santa mia, *muçurumim* [1], *iaô*, ma praticamente la loro intimità terminava lí. Teresa mantiene un atteggiamento di aspettativa, come si conviene a una dama dignitosa: da lui deve venire la prima parola carica di sottintesi, la prima carezza. Vicino a Teresa sembra felice, allegro, sorridente, chiacchierone, ma non muove un dito di piú, sempre nei limiti del platonico; come se qualcosa gli proibisse una voce piú calda, le parole d'amore, un gesto affettuoso, qualcosa che frena l'evidente desiderio del capitano Januario Gereba.

Per di piú aveva mancato alla promessa, non era andato all'appuntamento, lasciandola in attesa fin dalle sette di sera. Poi era venuto Lulú Santos a invitarla al cinema ed essa aveva preferito restare a chiacchierare e il leguleio aveva raccontato di Liborio das Neves, storie di spoliazione e tristezze; che individuo sordido quel Liborio; Lulú era andato

---

[1] Negro maomettano.

via dopo le nove tutto soddisfatto, perché con l'aiuto di Teresa aveva scoperto una formula miracolosa per stendere quel briccone alla prossima udienza. Allora Teresa aveva dato la buona notte alla vecchia Adriana e aveva cercato di conciliare il sonno, ma il sonno non veniva. Prese lo scialle nero a rose rosse, ultimo regalo del dottore, con esso si coprí il capo e le spalle e s'incamminò verso il porto.

Del capitano Gereba, del gigante Janú neppur l'ombra. Non le resta da far altro che ritornare a casa: cercar di dimenticare, coprire di cenere la brace incandescente, spegnere quella fiamma prima che sia troppo tardi. Insensato cuore! Proprio ora che lei è in pace con se stessa, tranquilla e indifferente, proponendosi di sistemarsi bene e disposta a farlo davvero perché non c'è niente che lo impedisca, il cuore indocile decide di innamorarsi. Voler bene è facile, succede quando uno meno se lo aspetta, uno sguardo, una parola, un gesto, e il fuoco si propaga bruciando petto e bocca; il difficile è dimenticare, la *saudade* consuma; l'amore non è una spina che si può togliere, un tumore che scoppia; è un dolore ribelle e insistente che uccide dentro. Ecco Teresa con il suo scialle spagnolo, che torna a casa. Non è facile alle lacrime, non piange: ma gli occhi asciutti le bruciano.

Ma qualcuno viene verso di lei, in fretta, Teresa suppone che si tratti di un uomo che cerca una donna-di-strada per portarla al «Vaticano» per la porta di Rato Alfredo.

– Ehi! signora, mi aspetti le devo parlare. Aspetti, per favore.

In principio Teresa cerca di affrettare il passo, ma l'andatura ondeggiante di quell'uomo e l'accento ansioso della sua voce la convincono a fermarsi. È a causa dell'aria preoccupata che ha e di quel profumo conturbante preciso a quello del petto di Januario – odore di salmastro, ma Teresa non sa niente del mare, al di fuori di quel poco che ha udito in quei giorni dalla gaia bocca di Janú –, la stessa pelle battuta dal vento, prima che apra la bocca lo ha già identificato e sente una stretta al cuore: ahi, è successo qualche guaio.

– Buonanotte, padrona. Sono il capitano Gunzá, l'amico di Januario, che è venuto con me a Aracajú nel mio barcone per rendermi servizio.

– È malato? Aveva appuntamento con me e non è venuto, sono qui per avere sue notizie.

– È in prigione.

Ripresero il cammino e Caetano Gunzá, il padrone del barcone *Ventania* le raccontò quello che era riuscito a sapere. Januario aveva comperato un pesce, olio di *dendê* [1], limoni, peperoncini di Caienna e pepe in grani, coriandolo, insomma tutti gli ingredienti necessari; era un cuoco eccellente e quella sera aveva fatto una *moqueca* perfetta, — Caetano lo sapeva; perché ne aveva mangiato un po', verso le nove passate, quando, visto che né lei né il suo amico erano venuti, la fame aveva incominciato a farsi sentire.

Poco dopo le sette Januario era andato a prendere Teresa e aveva lasciato la pentola sulla brace a fuoco lento, dicendo che sarebbe stato di ritorno entro mezz'ora, ma Caetano non l'aveva piú visto. Da principio non si era preoccupato, aveva supposto che la coppietta fosse andata a spasso oppure alla sala da ballo, dato che a Januario piaceva tanto ballare. Comunque, come ha già detto, alle nove si è riempito il piatto e ha mangiato, ma non quanto avrebbe voluto, perché ormai si era messo in pensiero: pianta lí piatto e forchetta e va a cercarlo, ma dovette allontanarsi un bel po' prima di aver notizie. Dei giovani gli avevano detto che la polizia aveva arrestato uno scapestrato (pericolosissimo, nell'opinione di uno dei piedi-piatti), e del resto era stato necessario far venire piú di dieci fra agenti e guardie per riuscire a sottometterlo, era pericoloso davvero quel tizio, era esperto nella *capoeira* tanto che aveva messo fuori gioco tre o quattro poliziotti. Un tipo grande e grosso, che aveva l'aria di essere un marinaio. Non ci potevano esser dubbi circa l'identità dell'arrestato. Le guardie ce l'avevano con lui fin dalla sera della rissa.

— Sono corso di qua e di là, persino alla centrale sono andato, sono stato in due commissariati, ma nessuno dà informazioni sul suo conto.

Ah! Janú, e pensare che ho desiderato dimenticare, coprendo di cenere la brace accesa per spegnere la fiamma che mi arde in petto! Mai ti scorderò, nemmeno quando il barcone *Ventania* incrocerà di nuovo l'ingresso del porto verso il mare, tu accanto al timone o alla vela, mai, mai ti scorderò. Se non prenderai la mia mano, sarò io a prendere la tua mano grande eppure cosí leggera al toccare il mio labbro. Se

---

[1] Palma (*Elaeis guineensis*) da cui si estrae un olio usato come condimento.

non mi bacerai, le mie labbra cercheranno la tua arida bocca, il sale del tuo petto; ah! anche se tu non mi vuoi bene...

8.

La *moqueca* venne finalmente servita verso le due del mattino a poppa del barcone – una *moqueca* da leccarsi i baffi; Lulú Santos succhiava le spine del pesce e aveva preferito per sé la testa, che a suo avviso era la parte piú saporita.

– È per questo che il dottore ha tanto sale in zucca, – osservò il capitano Caetano Gunzá, che di verità scientifiche se ne intendeva. – Chi mangia testa di pesce, diventa di un'intelligenza esagerata, è una cosa nota e riconosciuta.

In quelle poche e affannose ore, il padrone del *Ventanía* era diventato un ammiratore sfegatato del leguleio. Erano andati a svegliarlo, a tirarlo giú dal letto; Lulú abitava sulla collina di Sant'Antonio, in una modesta casetta con giardino.

– Io so dove si trova la casa del dottor Lulú, – aveva assicurato l'autista; della qual cosa, in verità, non c'era motivo di vantarsi, Aracajú intera conosceva l'indirizzo dell'avvocato.

Una voce femminile piena di stanchezza e di rassegnazione aveva risposto alla strombettata dell'automobile di piazza e ai battimani di capitan Gunzá; malgrado l'ora tarda, quando ebbero detto che si trattava di una cosa urgente, liberare qualcuno che era in prigione, la voce si era fatta cordiale.

– Aspettate. Viene subito.

Infatti poco dopo Lulú era affacciato alla finestra e s'informava: – Chi c'è, e che cosa desidera?

– Son io dottor Lulú, Teresa Batista, – lo aveva chiamato dottore per un riguardo alla moglie, la cui ombra protettrice si poteva scorgere dietro la sagoma del leguleio.

– Scusi il disturbo, ma sono venuta con il capitano del barcone *Ventanía*; il suo compagno – non so come spiegarle, si tratta del gigante che è intervenuto in maniera cosí decisiva nella rissa del cabarè –, credo che lei lo conosca...

– Non è quello che ha picchiato le guardie e un agente al Paris Alegre l'altra sera? – Teresa è sulle spine e Lulú sta sulle sue parlando del cabarè.

– Sissignore, lui.

– Aspettate un momento, vengo subito.

Qualche minuto dopo li raggiunge per la strada; al di là del giardino si vedeva l'ombra di sua moglie che chiudeva la porta e con voce rassegnata raccomandava: «sta' attento all'umidità della notte, Lulú». Lui sale in macchina e dice all'autista: avanti, Tião. Teresa gli spiega tutta la storia. Caetano è un uomo di poche parole.

– Io avevo detto a Januario: amico, bada che gli agenti sono peggio delle serpi e si vendicano soltanto a tradimento. Ma non mi ha dato retta, lui è cosí, affronta tutto a viso aperto.

Lulú sbadiglia; è ancora sonnolento.

– È inutile fare il giro dei commissariati. La cosa migliore è andare subito in alto, dal dottor Manuél Ribeiro, il capo della polizia; è un amico mio, una buona persona.

Ne traccia un profilo pieno di elogi; laureato in Legge, uno studioso di vasta cultura e capace come pochi, con lui nessuno fa il gradasso, ma non tollera ingiustizie, persecuzioni immotivate, a meno che si tratti di avversari politici, evidentemente – ma anche in questi casi non c'è mai niente di personale e se cerca di colpire l'opposizione, lo fa nell'esercizio delle sue funzioni di responsabile dell'ordine pubblico, compie un dovere amministrativo, un imperativo della sua carica. Per non parlare di suo figlio, che scrive, un vero talento in fiore.

Malgrado l'ora avanzata, nel salotto della residenza del capo della polizia, le luci sono accese e c'è movimento. Un soldato della Polizia Militare, che sembra nostalgico del tempo in cui era *cangaceiro* [1], è di sentinella davanti alla porta di casa appoggiato comodamente al muro. Ma quando l'automobile si arresta con una brusca frenata, in un batter d'occhio si mette sull'attenti con la mano alla pistola. Poi riconosce Lulú Santos, e torna in riposo nella posizione di prima sorridendo tranquillo:

– È vossignoria, dottor Lulú? Vuol parlare con lui? Entri pure.

Teresa e il capitano Gunzá attendono in macchina; l'autista, solidale, li tranquillizza.

– Stia calma, signora, che il dottor Lulú fa liberare suo marito.

Teresa ride piano senza rispondere. L'autista continua a

[1] Bandito.

raccontare le prodezze di Lulú. Se c'è un uomo buono è lui, pianta tutto per aiutare chi ha bisogno, per non parlare della sua intelligenza. Ah! le sue difese davanti alla giuria, non c'era pubblico ministero che ce la facesse contro di lui, né nel Sergipe, né negli Stati vicini; era andato a difendere imputati nell'Alagoas e nel Bahia, e mica soltanto all'interno, anche nella capitale. È un patito dei tribunali, l'autista, e descrive con emozionanti particolari il processo del *cangaceiro* Mãozinha, uno degli ultimi che hanno incrociato il *sertão* con la carabina e la cartuccera, veniva dall'Alagoas con non so quanti omicidi alle spalle e lí nel Sergipe ne aveva perpetrati altrettanti; Lulú Santos era stato designato dal giudice per difenderlo d'ufficio, ossia gratuitamente dato che il *jagunço*[1] non possedeva neanche un soldo. Ah! chi non è stato presente a quel processo da cima a fondo – quarantasette ore tra repliche e controrepliche – non sa cos'è un avvocato che dentro il cranio ha del cervello. State a sentire in che modo ha incominciato a sostenere la difesa: è stato fantastico. Ha incominciato puntando il dito sul giudice, poi sul Pubblico Ministero, i giurati a uno a uno, e finalmente si è puntato il dito al petto per indicare se stesso, e intanto diceva con altre parole, quelle sue parole una piú *tranchám* dell'altra: a commettere questi omicidi, che il Pubblico Ministero attribuisce a Mãozinha è stato lei signor giudice, è stato lei, signor Pubblico Ministero, sono stati i degni membri del Consiglio di Giustizia Popolare, sono stato io, siamo stati tutti noi, la società costituita. Non ho mai visto una cosa piú splendida in tutta la vita, mi vengono ancora i brividi a raccontarla, immaginatevi un po' in quel momento.

Finalmente fumando un sigaro di São Felix offertogli dal capo della polizia, che è venuto ad accompagnarlo alla porta, compare l'avvocato ridendo copiosamente per una qualche battuta dell'integro *pessedista*[2]. Ordina all'autista:

– Alla Centrale, Tião.

Januario stava uscendo dalla porta proprio quando l'automobile si fermava. Teresa si lancia di corsa verso di lui a braccia aperte e si appende al collo del gigante. Il capitano Gereba sorride, guardandola negli occhi: ecco come va a farsi benedire l'incrollabile decisione presa dentro di sé; come

[1] Bravaccio.
[2] Seguace del Partito Social Democratico (PSD).

fare a non baciarla se lei già gli prende la bocca? Comunque fu un bacio frettoloso, mentre gli altri scendono dall'automobile. Dalla parte della Centrale i piedi-piatti stanno a guardare, disgraziatamente gli ordini del capo non ammettevano replica: liberate quell'uomo immediatamente e guai se lo toccate un'altra volta, che l'avrete da far con me!

L'avevano già toccato prima, bastava osservare l'occhio del *saveirista*; la battaglia ingaggiata per la strada si era ripetuta dentro la prigione. E malgrado la situazione di svantaggio dovuta al luogo e al tifo che vi si faceva, capitan Gereba non se l'era cavata poi tanto male: le prese, ma ne diede anche molte. Quando quei vigliacchi lo lasciarono andare, con la promessa che sarebbero ritornati piú tardi per il secondo tempo, la colazione del mattino nella pittoresca espressione di uno di loro, il *saveirista* era a pezzi, ma ancora tutto intero; però anche la guardia Alcindo e l'investigatore Agnaldo erano a pezzi come lui. Alla *moqueca* parteciparono tutti, compreso l'autista che a quell'altezza era ormai disposto a non farsi pagare il prezzo della interminabile corsa, e l'accettò poi soltanto per non offendere il capitano Gunzá, che in questioni di denaro era straordinariamente permaloso. Lulú Santos rivelò un'altra qualità dell'autista: Tião componeva sambe e *marchas* e aveva brillato in numerosi carnevali.

Il pesce era accompagnato dalla *cachaça*, e il leguleio se la beveva come sempre a piccoli sorsi, facendo schioccare la lingua ogni volta, mentre Januario e Caetano tracannavano giú, imitati dall'autista. Teresa, seduta accanto al *saveirista*, mangia con le mani. Da quanti anni non mangiava piú cosí, schiacciando il cibo fra le dita, una pallottola di pesce mescolato con riso e farina [1] da inzuppare poi nel sugo? All'arrivo, malgrado l'opposizione del gigante, aveva medicato il volto di Januario sotto l'occhio sinistro.

Vuotata rapidamente la prima, aprirono la seconda bottiglia di *cachaça*. Lulú stava cominciando a dar segni di fatica, dato che si era fatto fuori tre piatti. Allora l'autista Tião, alla fine di tutta quella *moqueca* e di tutta quella *cachaça*, invita tutta la compagnia a mangiare una *feijoada* [2] domenica a casa sua, in fondo a via Simão Dias, e dice che

[1] Farina di manioca tostata.
[2] Piatto tipico a base di fagioli e carni diverse.

allora avrebbe cantato per gli amici accompagnandosi con la chitarra le sue ultime composizioni. È una casa di povera gente, senza lussi né pretese – dice perorando – ma dove non mancheranno né i fagioli né l'amicizia. Dopo aver accettato l'invito, Lulú si accomoda proprio lí in coperta e si addormenta.

Erano le quattro di mattina e stillava la luce della notte ancora poderosa quando, seduti accanto all'allegrissimo autista, capitan Januario Gereba e Teresa Batista si mossero diretti alla spiaggia dell'Atalaia, su quella automobile che andava a zig zag, molta *pinga* aveva bevuto Tião.

Canta anche senza accompagnamento – e senza accompagnamento perde molto, spiegò – il samba che ha composto in occasione del processo del bandito Mãozinha, un inno alla sensazionale difesa di Lulú Santos:

> Ah, sor dottore
> è lei che l'ha ammazzato...
> Lui non è stato, che ha soltanto sparato.
> È lei che l'ha ammazzato
> è stato il giudice e il promotore,
> l'ha ammazzato la fame
> e l'ingiustizia umana...

Apre le braccia, gesticola per accentuare il significato delle parole e abbandonando il volante perde il controllo della macchina, che pattina e minaccia di sbandare; ma quella notte non può succedere alcun incidente, è la notte di capitan Januario e di Teresa Batista. Uno sposalizio cosí, con marito e moglie cosí innamorati uno dell'altro, val la pena, pensa l'autista Tião, precursore della musica di protesta, dominando finalmente la sua malconcia vettura. Corrono lungo la strada stretta: Teresa, languida, si rifugia sul petto di Januario, nel venticello fresco dell'alba.

E a un tratto ecco il mare.

9.

Ah! sospira Teresa. Erano ruzzolati sulla rena, le onde bagnavano loro i piedi, nasceva l'aurora e era del colore di Januario. Teresa aveva finalmente scoperto da dove veniva la fragranza che profumava il petto del gigante, che altro non era se non l'aroma del mare. Lui aveva odore e sapore di mare.

Perché non mi vuoi? aveva chiesto Teresa mentre se ne andavano tenendosi per mano, correndo sulla spiaggia per distanziarsi dall'automobile, dove l'autista si era arreso e russava trionfalmente.

Perché ti voglio e ti desidero fin dal primo istante in cui ti ho visto prorompere in furia; sono caduto vinto dall'amore sul momento; per questo mi allontano e ti sfuggo, mi lego le mani, mi tappo la bocca e soffoco il mio cuore. Perché ti voglio per tutta la vita e non per un attimo – ah! se potessi portarti via con me, a casa nostra, infilandoti l'anello della fede al dito, portarti via subito e per sempre! Ah! ma non si può!

E perché non si può, capitano Januario Gereba? Con l'anello o senza l'anello per me non ha importanza; in casa nostra e per sempre, questo sí. Da parte mia sono libera, niente mi lega e non desidero altro.

Io non sono libero, Tetá, ho le pastoie ai piedi; è mia moglie e non posso separarmi da lei, perché soffre di un male crudele; io l'ho strappata dalla casa di suo padre, dove aveva l'abbondanza e anche un fidanzato commerciante; e lei si è comportata sempre bene con me, ha accettato la povertà senza protestare, lavorando sorridente, sorridente anche quando non avevamo neanche da mangiare. Se ho potuto comprare il *saveiro*, è stato perché lei ha guadagnato i soldi della prima rata rovinandosi la salute alla macchina da cucire giorno e notte, notte e giorno. Era stata sempre delicata e cosí si è ammalata di petto, voleva un figlio, non l'ha avuto – e mai che le sia uscito di bocca un cenno di scontento. Quello che guadagno con il *saveiro* va a finire tutto in farmacia o al medico per prolungare la malattia; per vincerla non è sufficiente, non c'è denaro che basti. Quando l'ho strappata da casa sua, io non ero altro che un vagabondo del porto, senza un soldo in tasca e senza giudizio. Ma colei che ho amato e ho voluto, colei che ho rubato alla sua famiglia e ai soldoni del fidanzato era bella, allegra e piena di salute; oggi è ammalata, è triste e brutta, ma non ha altro che me al mondo, nient'altro, nessun'altro, non posso abbandonarla su una strada. Io non ti voglio per un giorno, per una notte a letto, per un sospiro d'amore – per sempre ti voglio e non posso. Non posso assumere un impegno, ho le pastoie ai piedi, le manette ai polsi. Per questo non ti ho mai toccato e non ti ho detto amore della mia vita. Solo che non ho avuto il coraggio di fuggire definitivamente, di non ritornare, perché volevo conservare per sempre in fondo agli occhi il tuo viso *muçurumim*, il tuo colore da *malê* [1], il peso della tua mano, la tua statura di giunco, la memoria delle tue anche. Perché del tuo ricordo io mi possa alimentare nella solitudine della notte in alto mare, per poter guardare il mare e in esso vederti.

Sei un uomo a posto, Januario Gereba, hai parlato come si deve parlare. Janú, Janú mio con le manette, che peccato che non sia possibile una volta per sempre, in casa nostra e fino alla morte. Ma se non è possibile per sempre, sia almeno per un giorno soltanto, per un'ora, un minuto! Un giorno, due giorni, meno di una settimana, ma per me quel giorno, quei due giorni, quella corta settimana, hanno la stessa misura della vita, moltiplicata per i secondi, per le ore, per i giorni d'amore, anche se dopo dovrò morir di nostalgia, di desiderio, di solitudine, e sognerò di te ogni notte nella dannazione dell'impossibile. Anche cosí ne vale la pena – io ti voglio adesso, subito, sul momento, immediatamente, in questo istante, senza indugio, senza ritardo. Oggi e domani e posdomani, domenica, lunedí e martedí, all'alba, al pomeriggio o di sera, a qualsiasi ora, nel letto piú vicino, letto di kapoc, di paglia, di terra, di sabbia, sul legno del barcone, in riva al mare, in qualunque luogo dove si possa venir meno uno nelle braccia dell'altro. Anche se dopo dovrò maledettamente soffrire, anche cosí ti voglio e ti avrò, Januario Gereba, capitano di *saveiro*, gigante, *urubú-rei*, marinaio, baiano cosí fatale, cosí difficile.

C'era il mare infinito, ora verde, ora azzurro, verde-azzurro, ora chiaro ora scuro, chiaro-scuro, turchino e celeste, fatto d'olio e di rugiada, e, come se quel mare non bastasse, Januario Gereba aveva organizzato una luna d'oro e d'argento, come una lanterna piantata lassú in cielo sopra i corpi avvinghiati nell'ansia d'amore; in due erano venuti e ora sulle sabbie della spiaggia sono una cosa sola, che un'onda piú alta ricopre.

Teresa Batista imbevuta di mare, nella bocca, nei lisci capelli, sui seni eretti, nella stella ombelicale, nella conchiglia lanuginosa, fiore d'alghe, negro pasto di polipi – ah, amor mio, ch'io muoio sull'orlo del mare, del tuo mare di

[1] Mussulmano nero.

sargassi, del tuo mare di disincontri e di naufragi, chissà forse un giorno dovrò morire nel tuo mare di Bahia, sulla poppa del tuo *saveiro*?

La tua bocca è salsedine, il tuo petto una chiglia, come una gonfia vela del tuo albero maestro, sulla coperta delle onde son nata un'altra volta, vergine marina, fidanzata e vedova di *saveirista*, ghirlanda e spuma, velo fatto di nostalgia, ah, mio amore marinaro.

10.

Dei natali di Teresa Batista, illustrissimo, non le posso render conto. Ci sono in giro delle persone sapute, alcuni sono letterati di Università, altri hanno borse di studio, i quali si occupano di tali argomenti, e scovano con scienza e con audacia i nomi della gente, ottenendo risultati positivi, se esatti non lo so, ma indubbiamente favorevoli ai pronipoti; conosco persino una faccia tosta che si presenta come discendente di Ogúm [1] *– pensi un po' che razza di testa di legno di un ricercatore deve aver fatto le indagini sulla sua famiglia, di certo è stato lui stesso e ha avuto un bel coraggio, ma è pur vero che documenti tanto delicati non si affidano mica agli estranei.*

Come il mio nobile compatriota sa benissimo, qui tutte le razze si sono mescolate insieme; è cosí che si è formata la razza brasiliana. Basta una fattezza, un movimento del corpo, la forma degli occhi, il modo di fare, chi ha occhio e se ne intende trova subito una traccia e partendo di lí mette in chiaro una remota parentela o spiega come si è formata quella mescolanza. Sta' a vedere che quel fanfarone è davvero cugino di Ogúm, magari bastardo, perché si racconta che tanto Ogúm come Oxossí frequentano, con fini inconfessabili, certe figlie-di-santo di rua da Barroquinha. Se le sembra una frottola, vada a controllare quello che ho detto dal pittore Carybé, è lui che mette in giro queste storie di encantados, collocando Oxossí davanti a tutti, come d'altronde è logico e giusto che si faccia.

Per parlare di Teresa Batista, che tanto le interessa, illustrissimo, sono state dette molte cose e il disaccordo è com-

[1] Dio della guerra nella mitologia afro-brasiliana.

pleto, totale: opinioni divergenti, discussioni a non finire, con cachaça e per il piacere di conversare. C'è chi l'ha presa per malê, muçurumim e haussá e la ritiene arrivata a bordo di una nave. Alcuni l'hanno vista zingara, di quelle che leggono la mano, rubano i cavalli e i bambini piccoli, portano pendenti con monete alle orecchie e braccialetti d'oro, e ballano. Secondo altri è cabo-verde per certi caratteri da india, quella specie di riserbo quando meno te l'aspetti, e i neri capelli sciolti. Nagô, angola, gegê, ijexá, cabinda[1], snella come una congolese, di dove sarà mai venuta per mescolarsi con tanti altri il suo sangue color del rame? Accanto alla razza portoghese si è schiarita, tutti qui si sono schiariti. Non vede che tipo di negro sono io? È perché il primo a giacere nel letto di mia nonna è stato un soldato portoghese.

Sotto sotto, tra le amicizie della Michelina bisnonna di Teresa, si ammette volentieri un merciaiuolo ambulante; e se dico «ambulante» è sperando che non sia necessario specificare che si doveva trattare di un arabo sirio o libanese, i quali nel dir comune son tutti turchi. Il sertão dove è nata Teresa è attraversato dal confine, e così è difficile sapere se uno è dello Stato di Bahia o del Sergipe: e tanto più difficile sarebbe sapere se quell'«ambulante» si è pappata quella contadina appetitosa. A memoria d'uomo le donne di famiglia erano roba da sgranar gli occhi e da far alzare il bischero a un morto; e da allora si sono andate perfezionando sino ad arrivare a Teresa, anche se mi è già capitato di sentir dire da parecchia gente pettegola che essa è brutta e malfatta e che attrae gli uomini con la stregoneria e i sortilegi, insomma con fatture, o ancora perché è buona e esperta a letto, non perché è bella. Veda un po', mio insigne connazionale, quante contraddizioni; e poi vogliono che si abbia fiducia nelle testimonianze oculari e negli storici scartafacci.

Qualche tempo fa io me ne stavo tranquillamente nella mia baracca mangiando certi bejú[2] col sugo, quand'ecco arrivare un fanfarone che si mette a raccontare a certi signori di São Paulo e a una rosea paulistina, un bocconcino da gente ricca tutta sorrisi, ah, se io non fossi un uomo sposato bene... Come le stavo dicendo prima che quel delizioso fiorellino di São Paulo mi interrompesse, quello sbruffone, un gio-

---

[1] Luoghi d'origine e nomi di tribú africane.
[2] Frittella di farina di manioca.

*vanotto alla moda che non aveva nessuna esperienza a rac-
contarle grosse, sosteneva, tanto per far comunella con i turisti, che Teresa era bionda, mulatta di pelle chiara e grassot-
tella, conservando di quella vera soltanto l'ardimento, e anche questo allo scopo di metterla giú dura e liquidare completamente la fama di Teresa a forza di urla – disse persino
che una volta Teresa stava facendo una piazzata e lui l'aveva
richiamata all'ordine con una sgridata a voce alta – sicché,
con un chiasso del genere, buonanotte. Qui al Mercado Modelo, eminente signor mio, si sentono cose da far paura, certe balle da appenderle al muro col martello russo e i chiodi
da trave.*

*Se io fossi in lei, nobile compaesano, questa faccenda del-
la razza la lasciavo perdere; che vantaggio le viene dal sapere se nelle vene di Teresa scorre sangue malê o angola, se
c'entra per qualcosa un arabo, o se sono stati gli zingari
accampati in paese? Un giovane di laggiú mi ha raccontato
che una certa signora Magda Morais, chiamata a deporre alla
polizia, ha classificato Teresa, sostenuta in questo dalle sorelle, come una negretta di sangue cattivo. È il colmo. Da bionda a negretta, da bellezza incomparabile a bruttona sgraziata, Teresa nei corridoi del Mercado è sulla bocca di tutti; io
dal mio banco sto a sentire senza dir niente; ma chi sul suo
conto la sa piú lunga di me, che essa ha scelto per compare?*

*Circa la razza di Teresa non le posso fornire altre informa-
zioni, né mi consta che essa fosse Iansã in persona; gemella
o cugina questo sí, è possibile, giacché era al seguito del
parente di Ogúm. Quanto alla razza vostra, signor pezzo
grosso, sono in grado di vedere sull'istante, senza pericolo
di sbagliare o di allontanarmi troppo dalla verità, qual è la
mescolanza fondamentale: sotto il bianco della pelle si sente
un sordo rombar di atabaques[1] – il signor lord è della razza
di quei mulatti chiari che vengono chiamati anche bianchi di
Bahia, ed è una razza di prim'ordine, glielo dico io, che sono
Camafeu de Oxossí, obá di Xangô, con banco al Mercado Modelo, che è poi la baracca São Jorge, nella città di Bahia,
ombelico del mondo.*

[1] Tamburello.

II.

Giorni affannosi per Teresa Batista, divisi tra Joana das Folhas, Florí Pachola col suo Paris Alegre, e il capitano Januario Gereba, Janú per le carezze del vento, per il tubare dei colombi, per il mareggiare delle onde, per il bene che Teresa gli vuole. La corte degli ammiratori, le sedute dal dentista, l'insistenza di Veneranda completavano quella specie di gincana.

Verso le dieci del mattino Teresa scende davanti al cancello del podere alla fermata improvvisata specialmente per lei dall'autista della corriera intasata di gente. A quell'ora Joana aveva già terminato gran parte delle sue fatiche giornaliere – il garzone con le sue ceste di verdura partiva con la prima corsa della corriera per fare il giro delle case di tutta la clientela nelle vie residenziali. Dopo aver zappato la terra fin da prima che sorga il sole, dopo aver curato l'orto, raccogliendo, piantando, concimando, Joana ne ha abbastanza e va a lavarsi le mani.

Eccole tutte e due decise e ostinate davanti al tavolo da pranzo con matita, penna, pennini, inchiostro, libro e quaderni. Quel lavoro non era del tutto nuovo per Teresa; a Estância, in quella strada tranquilla, dove non passava quasi nessuno, aveva incominciato a insegnare i primi rudimenti ai figli di Lula e Nina, e subito ai due marmocchi di casa si erano uniti anche quelli dei vicini, fino a raggiungere il numero di sette alunni, che se ne stavano accovacciati intorno a lei formando un cerchio tutto risa e sgridate quasi materne. Non aveva granché da insegnare in quel periodo pieno di allegria e di pace, durante il quale Teresa Batista piú che altro era stata occupata a imparare; tutto ciò che oggi conosce in fatto di lettura e di scrittura, viene da quegli anni – che proprio per esser stati felici e buoni, le pesano sulle spalle tanto, quanto le pesano quelli di prima e quelli dopo per esser stati brutti e dolorosi. Ciò sia detto non senza menzionare la scuola della signora Mercedes Lima, una maestra di campagna dotata essa pure di poco sapere e molta abnegazione. Nella sua lezione quotidiana dalle dieci alle undici del mattino (salvo i giorni in cui il dottore era in paese e rimaneva a casa), lezione che era allo stesso tempo anche un picnic, Teresa somministrava l'abecedario, la tavola pitagorica, la calligrafia e una copiosa merenda a base di biscotti, pane e ricotta, dolci fatti in casa, frutta, tavolette di cioccolato e gazosa.

Erano ragazzini quasi sempre molto svegli, dei veri demonietti, come lei quando frequentava la scuola della signora Mercedes. Alcuni erano piú rozzi, con la testa dura, ma nessuno al punto di Joana das Folhas. Non che fosse poco intelligente, ottusa; al contrario era molto svelta. Quando Lulú Santos le aveva spiegato il piano di battaglia, aveva capito a volo. Ma aveva esitato un poco ad adottarlo; se fosse dipeso da lei, siccome era una persona onesta, avrebbe preferito pagare al ribaldo gli ottomila cruzeiros del prestito e i relativi interessi esosi, però accettati; ma il leguleio non era d'accordo e le spiegò che si trattava di tutto o niente. Perché, per pagare il debito effettivo, Joana avrebbe dovuto riconoscere almeno in parte la validità del documento firmato per rogatoria, denunciando contemporaneamente la falsificazione delle cifre. Ma come dimostrare tale falsificazione? Non c'era, disgraziatamente, nessun modo. Quindi la strada da seguire, l'unica valida, era di negare di aver firmato per rogatoria, non riconoscere il documento, accusare Liborio di averlo falsificato da cima a fondo, perché la credeva analfabeta, priva di protezione, abbandonata da tutti nel suo podere. Invece lei non aveva mai preso in prestito neanche un soldo, e non doveva niente a nessuno. Sapeva leggere, scrivere e sottoscrivere, era pronta a dimostrarlo, schiaffando sulla carta la sua firma lí di fronte al giudice. Lui, Lulú, si accontentava di vedere che faccia avrebbe fatto quel Liborio di merda.

Poteva scegliere fra i due procedimenti: riconoscendo il documento, il podere sarebbe pignorato, venduto all'asta e finirebbe nelle mani di Liborio gratis – dato che non c'è modo di dimostrare che ha alterato le cifre –, mentre a Joana non resterebbe altro da fare se non lavorare come serva di Liborio stesso la terra che era stata sua, oppure andarsene a chieder l'elemosina per le vie di Aracajú. Invece, dichiarando che il documento era totalmente falso, liberava il podere da qualsiasi minaccia e allo stesso tempo si liberava da qualsiasi debito, e quello schifoso non avrebbe visto neanche un soldo, era la soluzione ideale. E Joana, vinta, acconsentí. Ma in questo caso il denaro, che aveva messo da parte per pagare il debito, sarebbe servito a pagare la parcella di Lulú: anche se non riuscirò mai, dottore, a ripagarle la carità di aver accettato la causa senza nessuna speranza di esser pagato. Ma anche questo, mia cara, spese e onorari, sarà a carico di quel farabutto, se la sentenza sarà giusta, come è logico che sia. In fondo, a Joana non dispiaceva mica dare una lezione a quel falsario: possedeva la malizia del contadino, e una certa naturale abilità che le rendeva relativamente facile apprendere l'alfabeto, le sillabe, la lettura.

Le sue mani, però, non avevano la stessa agilità della sua testa, capace di comprendere sottigliezze e stratagemmi. Le mani di Joana erano tutto un callo, erano due grumi di terra secca, con le dita come radici di un albero, rami difformi, erano mani abituate a maneggiare la pala, il piccone, la zappa, il coltello, l'accetta – come fare a servirsi della matita, della penna e dei pennini?

Spezzò un migliaio di punte di matita, spuntò un'infinità di pennini, sciupò tonnellate di carta, ma in quella maratona contro il tempo e l'incapacità delle mani c'era Teresa con la sua pazienza esemplare e Joana stessa, che, convinta dalle argomentazioni di Lulú Santos, aveva deciso di vincere, e aveva una volontà di ferro. Teresa cominciò coprendo con la sua mano ben curata la rozza mano di Joana allo scopo di trasmetterle la sua leggerezza e allo stesso tempo guidarla.

. Teresa restava con lei fino alle tre del pomeriggio, trafficando con le mani di Joana, con una breve sosta per il pranzo. Un lavoro faticoso, ma un'impresa appassionante: constatare ogni minimo sintomo di progresso, vincere ad ogni istante lo scoraggiamento, rialzandosi dopo le sconfitte, vincendo la noia e la tentazione di rinunciare. E Joana? Che sforzo enorme! A volte gridava il nome di Manuel per chiedergli aiuto, a vôlte si mordeva le mani come se volesse punirle, e quando finalmente riuscì a tracciare un i-lungo leggibile, gli occhi le si riempirono di lacrime.

Con la corriera delle tre, Teresa andava dal dentista, e subito dopo alle prove al Paris Alegre, dove veniva a raggiungerla Januario alla fine di una giornata laboriosa anche per lui: aiutava nel caricamento, nella pulizia, nella pittura, alla velatura, insomma in tutti i preparativi per la partenza del barcone *Ventania*. Era stato messo al corrente circa quell'intrigo di frode e controfrode – niente è piú piacevole che ingannare un furbacchione, aveva detto – era l'unica persona al corrente di quel segreto. Neppure Florí, che si dava da fare per far fretta al dentista, ma intanto aveva visto crolla-

61

re a terra i suoi progetti di vita in comune con la sfolgorante stella del samba: il barcaiuolo aveva preso la piazza d'assalto, e Teresa tutta languori, sorrideva di nascosto tra sé. Ma, come abbiamo spiegato piú sopra, Pachola era un uomo pieno di esperienza del mondo e delle donne e non si scoraggiava facilmente – giorno piú, giorno meno, completato il carico di sacchi di zucchero, alzate le vele sugli alberi, apertele al vento e levata l'ancora, il barcone *Ventania*, quello scafo leggero che teneva splendidamente il mare, si sarebbe staccato dal molo e avrebbe preso il largo verso Bahia. Florí, seduto al piano a batter la cadenza del samba, osserva senza dispetto il gigante seduto in cima alla scala: va' pure scaldandomi il letto per quando ci entrerò io, non c'è letto piú frenetico di quello di una donna con dolór di gomito.

Il poeta e il pittore, invece, all'arrivo di Januario se ne vanno. Il poeta persegue soltanto una chimera, un idillio frustrato, un effimero sogno, che verrà immortalato nelle poesie ispirate dalla fanciulla di rame in versi di passione e di morte. Il pittore silenzioso dagli occhi profondi di chi guarda contemporaneamente al di dentro e al di fuori, cerca di impossessarsi di un'immagine indimenticabile, di ogni sua espressione, carica di passato e di forza vitale: la ballerina, la donna del ciclamino, la vergine selvaggia, la donna del porto, la zingara, la regina del samba, la figlia del popolo, in quanti quadri, con quanti titoli ha poi inserito il volto di Teresa?

Verso le sei, dopo le prove, Teresa ritornava al podere in compagnia di Januario e la lezione ricominciava. Stanchezza, animazione, in quelle intense giornate Joana e Teresa diventarono amiche. La negra le raccontò di suo marito, un magnifico e energico contadino, di buon cuore, rattristato soltanto dal figlio, che avrebbe voluto vedere a lavorar la terra, a far progredire il podere, l'orto, il frutteto, la clientela, fino a trasformare la proprietà in una piccola *fazenda*. La fuga del ragazzo non l'aveva mandata giú. Era un bell'uomo, pieno di fuoco e gli piaceva appoggiare i baffi frondosi sul collo della moglie; mai aveva rivolto uno sguardo ad un'altra, aveva la sua negra Joana. Quando era morto, Joana aveva appena compiuto quarant'anni, ventitre dei quali passati in compagnia di Manuel França. Ma da quando le era morto il marito, non aveva piú avuto le regole, per quelle cose era morta anche lei.

Lulú Santos, nei momenti liberi che gli lasciavano il foro ed il bar, compariva esso pure al podere per constatare e misurare i progressi della contadina. All'inizio si era scoraggiato; la mano di Joana das Folhas, mano da zappa e da letame, da pala e da piccone, non sarebbe mai riuscita a tracciare le lettere che componevano il nome Joana França; il tempo era poco, l'udienza imminente e l'avvocato di Liborio, un intrigante da avanzi di galera, continuava a far fretta al giudice. Col passar dei giorni però, il leguleio si era fatto sempre piú animato e finalmente divenne ottimista. Ormai la penna non strappa piú la carta, gli sgorbi sono diminuiti; e dalle mani di Joana, per un miracolo che si deve a Teresa, cominciano a nascere le lettere.

Quando Teresa se ne va alle otto di sera, la mano di Joana avanza da sola (nella corriera piena, ha inizio un grande scandalo di baci, incomincia la notte d'amore), la negra continua a tracciar segni sulla carta, riscrive l'alfabeto, parole e ancora parole, il suo nome infinite volte. Gli sgorbi iniziali diventano scrittura, scarabocchi sempre piú nitidi, piú chiari, meno illeggibili. Joana das Folhas sta difendendo tutto quello che possiede, il poderetto trasformato da lei e da Manuel in un orto modello pieno di verdura e di legumi, in un frutteto ricco di frutta scelta, e questo è il suo mezzo di sussistenza, è l'eredità che ha ricevuto da suo marito, una terra fertile alla semina, da cui trae il necessario per le parche spese di casa ed il superfluo per le pazzie del figlio ingrato e benamato.

12.

Queste ragazze d'oggi sono tutte delle sconsigliate senza giudizio, non pensano al domani, riflette la vecchia Adriana, scuotendo la sua testa bianca, mentre conversa con Lulú Santos:
— Una matta, ecco cos'è, sta buttando via il biglietto vincente... — il biglietto vincente era industriale e senatore.
L'avvocato era venuto a render visita a Teresa e la vecchia gli stava aprendo il cuore:
— Teresa non sta ferma un minuto, se ne va subito dopo il caffè, notte e giorno dietro quel maledetto barcaiolo.
Una ragazza con quel portamento e quella figura poteva arrivare dove voleva e dove le piaceva nella città di Aracajú,

dove non è difficile trovare un uomo come si deve, sposato, con una posizione, con soldi da spendere, disposto a proteggere e assumersi la responsabilità di un bocconcino come Teresa.

Lei, Adriana, non aveva mai avuto un debole per Veneranda, ma quello che è vero, è vero: questa volta quell'impicciona aveva agito quanto mai correttamente. Aveva fatto offrire a Teresa un incontro discreto nella sua casa-pensione, e sa con chi, Lulú? Indovini, se ci riesce! Per rivelare il nome dell'industriale banchiere, senatore della Repubblica, abbassava la voce. Il quale per un pomeriggio a letto con Teresa, un pomeriggio solo, offriva una piccola fortuna; sembra che la tenga d'occhio fin dall'epoca di Estância, una vecchia cotta, un'ingrifata, cucinata a fuoco lento (scusi l'espressione, Lulú, sto ripetendo una frase di Veneranda). La madama era andata a cercare Adriana come intermediaria, promettendole ragionevole commissione e per Teresa c'era un bel malloppo – ma l'importante era che, se al generoso riccone fosse piaciuto davvero l'ancheggiamento della ragazza (e gli sarebbe piaciuto di certo), era capace di metterle su casa con dentro tutto quello che ci vuole. Ecco Teresa con le mani in pasta, e lei, che era la sua amica del cuore, a raccogliere le briciole, e con le briciole sarebbe stata piú che soddisfatta.

Teresa senza testa, dov'è il buon senso? Non contenta di rifiutare, siccome Adriana insisteva – doveva pure mantenere la parola data a Veneranda – aveva minacciato di cambiare alloggio. Era un assurdo, era senza criterio sdegnare l'uomo piú ricco del Sergipe per un vile marinaio di acqua dolce, dove s'è mai vista una follia simile? Ah! le ragazze d'oggi sono senza testa, pensano soltanto a far l'amore, però non con chi paga bene, ma con amorazzi dappoco, perdono la testa per un poveraccio qualsiasi. Cosí dimenticano il principale, che è il denaro, la molla del mondo, e finiscono tutte all'ospizio dei bisognosi.

Lulú Santos si diverte molto con la disperazione della vecchia e continua a stuzzicarla a proposito della mancia che le ha promesso Veneranda: e cosí la vecchia Adriana, donna di sani tradizionali princípi, donna discreta, si era trasformata in mezzana al servizio della piú famigerata ruffiana di Aracajú? Dov'era andato a finire il suo orgoglio professionale?

– Lulú, i tempi sono difficili e il denaro non ha firma e non ha odore.

Adriana, mia buona Adriana, lasci in pace la ragazza. Teresa sa benissimo il valore del denaro, stia pur certa; ma conosce anche meglio il valore della vita e dell'amore. Pensa che sia soltanto il senatore a correrle dietro col portafogli in mano, ingrifato di piscio (chiedo scusa per l'espressione, anch'io ripeto le parole di Veneranda)? C'è un poeta coperto di versi, ogni strofa da sola vale tutti i milioni dell'industriale, che muore per lei. Se non ha ceduto al poeta, perché dovrebbe andare col mercante di stoffa? Non ha voluto saperne neppure di me, Adriana, che sono il dolce-di-cocco delle donne di Aracajú: ha voluto soltanto chi le ha parlato al cuore. Lasci in pace Teresa nel breve tempo della gioia e dell'amore e si prepari ad occuparsi di lei con tenerezza e a darle il conforto dell'amicizia, quando domani o posdomani, tra numerati giorni, il marinaio se ne andrà e avrà inizio il tempo smisurato dell'amara disperazione, quando sarà arrivata al punto di rosicchiare il bordo del pitale (scusi quest'altra espressione volgare della nostra delicatissima Veneranda).

Per promettere, Adriana lo promise – sarà sorella e madre per Teresa, le asciugherà le lacrime (ma Teresa ha il pianto difficile, vecchia mia) sebbene, testa matta, fosse lei l'unica responsabile; le offrirà appoggio, le offrirà il cuore. Negli occhi di Adriana un lampo fugace di speranza: chissà che a mente fredda, libera dalla presenza dello spilungone, Teresa riprenda in considerazione la cosa e decida di accettare il malloppo del padre-della-patria. A Adriana bastano le briciole.

13.

Me lo dirai solo il giorno innanzi, implora Teresa, non voglio saperlo prima, che giorno partirai. Si comportano come se dovessero vivere tutta la vita insieme, improvvidi di una separazione prossima o remota, come se il barcone *Ventania* dovesse restar per sempre ormeggiato nel porto di Aracajú. Sulle sabbie della spiaggia, nel bosco di palme da cocco, nei nascondigli dell'isola, nella camera di Teresa, dentro la chiglia del barcone, vivono freneticamente quei giorni di festa, e i loro lai d'amore riempiono lo Stato di Sergipe.

Januario partecipa a tutto nella vita di Teresa: alle prove le insegna mosse di *capoeira*, ancheggiamenti per il suo corpo flessibile, aggiungendo grazia, eleganza e audacia al samba ancora timido di Teresa; maestro di volteggi da scuola-di-samba, samba dell'Angola, maestro di *saveiro* e di *capoeira*, danzatore di *afoxé*.

Segue con concentrato interesse i progressi, anche minimi, di Joana das Folhas, ridendo con allegria al constatare che la sua mano è stata finalmente domata ed è in grado di guidare il lapis e la penna, graffiando ancora la carta, ma ormai senza strapparla piú; schizzando inchiostro, ma senza trasformare le lettere in sgorbi illeggibili. C'è sempre un momento, durante la lezione serale, in cui i tre, Teresa, Januario e Joana das Folhas, si sorridono a vicenda.

Si baciano sulla corriera, passeggiano per il porto tenendosi per mano, si siedono a parlare sul Ponte do Imperador o a poppa del barcone *Ventania*. Una sera Januario la portò in barca; abbandonati i remi, la tenne tra le braccia nell'imbarcazione dondolante, tutti e due vestiti, in una confusione di schizzi d'acqua e di risate, mentre la barca leggera andava alla deriva seguendo il fiume. Finí per attraccare all'Isola dei Cocchi, dove essi scesero alla ricerca di angoli nascosti. Nella notte sulla spiaggia dell'Atalaia inseguivano la luna in cielo; soli sulla spiaggia immensa, si spogliavano, entravano dentro il mare, e Teresa gli si dava in mezzo alle acque, tutta sale e schiuma.

– Adesso tu non sei Iansã, tu sei Iansã soltanto al momento di litigare. Adesso tu sei Janaína, regina del mare, – le disse Januario, che aveva familiarità con gli *orixás*.

Teresa aveva voglia di informarsi circa il *saveiro* Flor das Aguas, le traversate, il fiume Paraguaçú, l'Isola di Itaparica, i porti di attracco, e come era la vita laggiú nello Stato di Bahia. Ma dopo quella prima notte all'Atalaia, quando le aveva raccontato il piú importante, non ritornarono a parlare di quelle cose, di *saveiros*, del fiume Paraguaçú, di Maragogipe, Santo Amaro e Cachoeira, di isole e spiagge, della città di Bahia e dell'acqua del mare di Todos os Santos. Parlano di argomenti di Aracajú: l'udienza decisiva del processo di Joana das Folhas già fissata dal giudice, il Paris Alegre, le prove dei numeri di danza, il debutto imminente, giacché il dente d'oro sta ricevendo gli ultimi tocchi di cesello – dentista o scultore quel Jamíl Najár? Artista della protesi dentaria, rispondeva lui mostrando il suo capolavoro. Ecco gli argomenti che li occupano, come se non si dovessero separare mai piú e la vita si fosse arrestata in ora d'amore.

Alla domenica si presentarono, come d'accordo, al pranzo in casa dell'autista Tião con Lulú Santos e il capitano Caetano Gunzá. Una fagiolata con tutto quello che ci vuole, una fagiolata meritevole di esclamazioni e superlativi. Grande animazione e una quantità di invitati: autisti di piazza, musicisti dilettanti con chitarra e flauto, un suonatore di chitarrino formidabile, ragazze del vicinato, amiche della moglie di Tião, eccitatissime. *Cachaça* e birra; e gasosa per le donne. Mangiarono, bevettero, cantarono e alla fine si ballò al suono di un giradischi. E tutti trattavano Januario e Teresa come marito e moglie:

– Quella bella è la moglie dello spilungone.
– Uomo di mare, si vede subito.
– Che pezzo di donna!
– È toga, Cavalcanti, ma sarà meglio che tu la lasci stare, perché è sposata con quel marinaio là.

La moglie del marittimo, chi non lo sa, dopo un po' resta vedova, perché il marito muore in mare, oppure se ne va. Amor di marinaio dura quanto la marea. Ma pur sapendolo fugace, una gioia momentanea, Teresa non l'ha sfuggito.

È un duro prezzo da pagare, una vita in lutto: ma anche cosí quell'effimera aurora d'amore valeva la pena: ah! anche al prezzo piú caro, è stato ancora a buon mercato.

14.

A un cenno del cancelliere tutti si alzarono, era giunto il momento solenne della sentenza. Il giudice si alzò in piedi e sogguardò Lulú Santos con la coda dell'occhio. La faccia del leguleio, tutta contrita, rivestita ancora di qualche residuo di ripulsa per la frode, la falsificazione, la rapina, il delitto, non inganna l'eccellentissimo dottor Benito Cardoso, magistrato dalla brillante carriera – dopo la pubblicazione di studi, articoli e sentenze nella «Revista dos Tribunais» di São Paulo, si era guadagnato la consacrazione dell'apprezzamento di un illustre giurista, il professor Ruy Antunes dell'Università del Pernambuco, condotto nel Sergipe da una complicata causa penale: «il dottor Cardoso aggiunge alla profonda conoscenza del Diritto, un'ammirevole conoscenza dell'animo umano».

In fondo agli occhi dello zoppo il giudice indovina un'ombra di malizia – tutta l'udienza non era stata altro che una commedia degli inganni, ma se per smascherare il furfante si erano rese necessarie bugie e frodi, benedette le bugie e le frodi! Finalmente Lulú Santos, vecchia volpe del Foro, spoglio da preconcetti e da cavilli, aveva dato lo sgambetto all'usuraio piú ributtante della città, un delinquente eternamente impune che commetteva le sue truffe in barba alla giustizia, anzi servendosi della legge. Quante volte lo aveva già assolto per mancanza di prove il dottor Cardoso, pur sapendolo colpevole? Quattro volte, a stare a quanto ricorda. Perfette, Lulú, le dichiarazioni e i testi, per una bella sentenza non occorre altro. Ma quando tutto sarà finito, il giudice desidera, per mera e vana curiosità, un chiarimento, un chiarimento soltanto.

Alza lo sguardo su Liborio das Neves; occhio severo pieno di riprovazione e di disgusto. Accanto all'usuraio, l'astuto patrono Silo Melo, avvocato da avanzi di galera, capisce che la causa è persa da quell'occhiata del giudice – persino i denti in fuori dell'avido patrono del demandante fanno pensare a topi e rapine. Sua Eccellenza si schiarisce la giuridica gola e legge la sentenza. Al suono della sua voce grave e lenta, nei «considerando» che precedono la decisione, Liborio das Neves va dissolvendosi, svuotandosi come un sacco finalmente bucato, – e gli occhi di Lulú Santos accompagnano ogni particolare dell'atteso franare: sacco vuoto, sacco di merda. Solenne, la voce dell'eccellentissimo dottor Benito Cardoso, pronuncia, sillabando ogni lettera, ancora piú enfaticamente di prima, se possibile, la conclusione della commedia:

«Per questi motivi, e per gli altri constanti agli atti, GIUDICO INFONDATA la presente azione di sequestro promossa da Liborio das Neves contro Joana França, considerando inabile il documento su cui si basa l'azione iniziale e sulla quale si appoggia la sua richiesta. E basandomi sulle prove che mi hanno portato a tale conclusione (falsità del documento) ordino che, quando la presente sentenza passerà in giudicato, senza ricorso della parte, o, se ci sarà, dopo il giudizio di questo, venga estratta una copia autenticata della presente risoluzione, avviandola ai competenti organi ministeriali per i debiti provvedimenti penali, iniziando poi la verifica della responsabilità di chi di diritto, d'accordo con la vigente legislazione penale. Spese a carico dell'attore, al decuplo, perché si tratta di causa in malafede, e condanna anche agli onorari avvocatizi, che determino siano valutati sulla base del 20 per cento del valore della riscossione. PRI».

Voglio vedere che faccia farà Liborio, aveva detto Lulú Santos a Teresa Batista, in quella memorabile sera a casa della vecchia Adriana, quando avevano combinato il piano di battaglia. Non soltanto vide quella faccia disfatta e con il sudore freddo, ma sentí pure la sua voce nasale in un lamento d'agonia: e Lulú si sentí pago per tutto il lavoro fatto da lui stesso, da Teresa, da Joana das Folhas:

– Protesto! Protesto! Sono stato tradito, è un complotto contro di me, mi stanno derubando, – grida Liborio distrutto, disperato.

Ma il giudice non aveva ancora sospeso l'udienza, e, ancora in piedi, alza un dito minaccioso:

– Una parola di piú e la faccio arrestare per vilipendio della giustizia. L'udienza è tolta.

Quello si tenne nel gozzo le proteste della sua perfida lingua, mentre l'avvocato Silo Melo, faccia di topo e aria da imbecille, sempre senza aver capito neanche la metà di quello che era successo in udienza, trascinava il suo cliente fuori dall'aula. E anche il pubblico se ne va, anche il cancelliere con il gran libro nero sotto il braccio, dove la giustizia era stata scritta. Alla fine restarono soli, il giudice che svestiva la toga e il leguleio ad assestarsi le stampelle; erano amici di vecchia data, e il giudice, riducendo confidenzialmente la voce a un sussurro quasi impercettibile, interroga l'avvocato circa il particolare che lo preoccupava – tutto il resto gli appariva di una chiarezza cristallina:

– Su Lulú, dimmi chi è stato a insegnare alla negra a firmare il suo nome.

Lulú Santos misurò il giudice con un'occhiata improvvisamente sospettosa:

– Chi? La signora Carmelita Mendonça, l'ha dichiarato lei, poco fa, sotto giuramento. Una donna serissima, rispettata in tutto lo Stato di Sergipe, la maestra di tutti noi, anche tua, illibata, la sua parola è irrefutabile.

– E chi la sta refutando? Se avessi voluto, l'avrei fatto durante l'udienza. La mia maestra, è vero, e anche la tua, tu eri l'alunno preferito, perché eri il piú intelligente e...

– ...zoppo... – rise Lulú.

– Appunto. Sta' a sentire, Lulú, adesso che la sentenza è

stata scritta: la signora Carmelita non ha mai visto quella negra prima di entrare in quest'aula. È venuta perché tu le hai raccontato come stavano le cose e l'hai convinta, e ha fatto benissimo a venire: quel Liborio è ributtante e meritava questa lezione, anche se non credo che si correggerà, è un ramo nato storto. Ma, mio caro Lulú, dimmi chi è stato il genio che è riuscito a far sí che quelle mani – hai osservato le mani della tua patrocinata, Lulú? – scrissero senza esitazione delle lettere leggibili?

L'azzeccagarbugli tornò a fissare il giudice sorridendo, con uno sguardo ormai libero da qualsiasi timore o diffidenza:

– Se ti dicessi che è stata una fata, non sarei troppo lontano dal vero. E se tu non fossi un rispettabile giudice, ti inviterei a venire con me venerdí prossimo al cabarè Paris Alegre, nella «zona», e là ti presenterei la ragazza...

– Ragazza? Una donna di strada?

– Si chiama Teresa Batista, una bellezza fuori del comune, caro mio. E ancora piú brava a litigare che a scrivere.

E cosí dicendo abbandonò l'aula, lasciando il giudice a riflettere su come sia sorprendente la vita, e a volte assurda: quel processo, che era tutto una ragnatela di imposture, era sfociato nella verità e nella giustizia. Rapido intanto sulle sue stampelle, Lulú Santos va all'appuntamento con l'avvocato Silo Melo, che lo aspetta umile e sconfitto, sperando in un accordo. Uscendo dall'aula il leguleio scoppia in una gioconda risata: ah! la faccia di merda di Liborio, che sfacelo!

15.

Una commedia degli inganni, aveva detto Sua Eccellenza: l'intera udienza aveva assunto un tono farsesco e ciascuno aveva rappresentato il suo ruolo in modo convincente, salvo il promotore dell'azione esecutiva Liborio das Neves, che da macilento si era fatto livido e aveva perso il controllo in un momento inopportuno. Nell'euforia della vittoria l'azzeccagarbugli si era abbandonato alla retorica: l'innocenza era stata proclamata proprio lí in quell'aula del foro, e, punito il colpevole, giustizia era stata fatta.

Era valsa la pena aver sgobbato tanto; la visita all'austera maestra Carmelita Mendonça, e tutte le chiacchiere che c'erano volute per convincerla:

– Cara maestra, sono venuto per persuaderla a venire in tribunale davanti al giudice, per una falsa testimonianza...

– Una falsa testimonianza, Lulú, ma sei impazzito? Sempre le tue solite stravaganze... in vita mia non ho mai mentito: non voglio mica incominciare adesso. E per di piú in tribunale...

– Si tratta di mentire per far valere la verità e smascherare un criminale, per impedire che una povera vedova laboriosa, alla quale vogliono rubare quel poco che possiede, vada in miseria. Pensi che, per paura della miseria, questa povera donna, che ormai è sulla cinquantina, in dieci giorni ha imparato a leggere e scrivere... Mai visto una cosa simile.

In modo drammatico Lulú aveva raccontato la storia con tutti i particolari dal principio alla fine. La maestra, da quando era andata in pensione dalla scuola pubblica, si era dedicata con entusiasmo fuori del comune all'insegnamento per gli adulti, e in poco tempo in quel campo, era diventata un'autorità e aveva pubblicato numerosi studi e ricerche sull'argomento. Ascoltò il racconto con crescente interesse; la scena della negra curva sul foglio, intenta a conseguire il dominio della penna e dell'inchiostro, guadagnò il suo cuore alla causa di Joana das Folhas:

– Non è possibile che una storia simile tu te la sia inventata, Lulú, perciò deve esser vero. Puoi contare su di me. Quel giorno vieni a prendermi, dirò tutto quello che vuoi.

Il giudice sapeva benissimo che Lulú stava contrattaccando con le medesime armi di cui si era servito Liborio, ossia menzogna e falsa testimonianza, quando negava qualsiasi valore al documento presentato come base della querela, dichiarandolo falsificato dal principio alla fine, e affermava che mai la sua cliente aveva preso denaro in prestito al querelante, che non aveva alcun debito con lui, e che era in condizioni di provarlo in maniera chiara e irrefutabile, dal momento che, sapendo leggere e scrivere, non si giustificava che avesse firmato per rogatoria. Quel documento era una vera e propria mostruosità, era falso come Giuda, signor giudice.

Aveva presentato una nuova versione dei fatti: la signora Joana França aveva avuto realmente bisogno di ottomila cruzeiros per aiutare l'unico figlio, residente a Rio, che si era trovato in difficoltà economiche; e siccome non disponeva di quel denaro, si era rivolta all'usuraio Liborio das Neves, chiedendogli in prestito la somma menzionata. Quello strozzino si era dichiarato disposto a farle il prestito richiesto, a patto che essa gli rendesse quindicimila cruzeiros entro sei mesi in cambio degli otto che le dava, ovverossia – Eccellenza si meravigli! – all'interesse di più di centocinquanta per cento all'anno o del dodici per cento al mese. Di fronte a un tasso così mostruoso, la signora Joana aveva rinunciato alla transazione e allora, essendo creditrice di una certa somma, che suo marito, quando era ancora vivo, aveva imprestato all'amico Antônio Salema o Antônio Minhoto suo compaesano, e dal momento che il debito stava per scadere entro pochi mesi, aveva fatto ricorso a lui, chiedendogli di anticiparle subito gli ottomila cruzeiros che le occorrevano: l'amico l'aveva accontentata immediatamente. Ma quel furbacchione di Liborio, che era al corrente delle difficoltà economiche della vedova, essendo venuto a sapere, non si sa come né da chi, che in occasione del matrimonio con Manuel França essa aveva firmato per rogatoria le carte necessarie, perché a quell'epoca non sapeva ancora leggere e scrivere, architettò il furto, nell'intento di impossessarsi del podere della querelata, come già si è impadronito con mezzi parimenti illeciti, delle proprietà di altre disgraziate vittime dei suoi imbrogli. Falsificò un documento da allegare agli atti su cui si basava la sua querela, attribuendo alla povera signora un debito di valore equivalente, non già alla somma relativamente modesta che essa gli aveva chiesto in prestito, ma a una cifra di dieci volte maggiore; e questo perché aveva messo gli occhi sul podere, che a forza di lavoro i coniugi França avevano trasformato in un orto e in un frutteto da far invidia! Qualcosa però era sfuggito al falsario, pur tanto meticoloso nell'ordire il suo piano criminale, ed era un particolare importantissimo. Subito dopo il matrimonio, cioè più di quindici anni fa, Manuel França, vergognandosi per il fatto che la sua legittima moglie fosse un'analfabeta, aveva assunto, affinché imparasse a leggere e scrivere, la maestra Carmelita Mendonça, un nome che può fare a meno di presentazioni, la maestra di tante generazioni di eminenti cittadini del Sergipe, illustri personaggi della vita dello Stato, tra i quali l'eccellentissimo signor giudice. E la competentissima signora Carmelita Mendonça, gloria della pedagogia dello Stato di Sergipe, dopo mesi di duro lavoro, era riuscita, applicando le sue conoscenze specifiche in materia, a ricuperare la buona signora Joana dalle tenebre dell'analfabetismo, dandole la luce del leggere e dello scrivere. Da allora sono passati esattamente quindici anni e quattro mesi signor giudice.

Abile come un demonio quel Lulú Santos, pensa il giudice, mentre ascolta la difesa; era riuscito a ottenere che la signora Carmelita insegnasse a Joana das Folhas a scribacchiare le lettere del suo nome e anche che venisse in tribunale a dichiararla alfabetizzata da quindici anni – che colpo monumentale! Ma nonappena la gloria della pedagogia del Sergipe, la simpatica ottuagenaria madre spirituale di tanti fra noi (come aveva detto enfaticamente il paglietta) fece il suo ingresso in aula, il magistrato si accorse che mai, in tutta la sua lunga vita, essa aveva avuto davanti agli occhi quella negra robusta e silenziosa che stava seduta accanto a Lulú Santos – solamente il giudice e Liborio das Neves si erano accorti della quasi impercettibile esitazione della vecchia. Chi aveva insegnato a leggere e scrivere alla querelata?

Sí, Joana França, alla quale quindici anni prima aveva insegnato a leggere le prime lettere e i primi rudimenti della calligrafia per alfabetizzarla, era la stessa persona lí presente, con la differenza che ora era piú anziana e vestita a lutto. E chi avrebbe messo in discussione l'affermazione della maestra Carmelita Mendonça? Un demonio, quel Lulú Santos.

Anche Antônio Salema, detto Minhoto, perché era nato a Povoa de Lanhoso in Portogallo, aveva recitato benissimo la lezione che gli aveva insegnato l'azzeccagarbugli – Lulú si era recato fino a Larangeiras in compagnia di Joana per convincerlo e per insegnargli la lezione. Egli confermò il resoconto dell'avvocato; che aveva anticipato gli ottomila cruzeiros richiesti dall'amica e, in risposta alla domanda del patrono Silo Melo, se la querelata fosse analfabeta e fino a quando lo fosse stata, disse che la conosceva come una persona esatta a far di conto, guai a tentar di imbrogliarla!

Il colpo di grazia venne dal fatto di non essersi presentato in aula il terzo testimonio chiamato da Lulú Santos: Joél Reis, meglio noto nell'ambiente della bassa malavita e nelle pubbliche galere col soprannome di Joél Mano-di-Gatto, un ladro matricolato, che nella difficile arte del furto era maestro. Dopo la notificazione del giudice, anzi dopo averla firmata, si era allontanato da Aracajú per non dover spiegare in aula per quale ragione aveva firmato il falso documento di debito, fingendo di firmare per rogatoria a richiesta della signora Joana França, che invece mai gli aveva fatto simile richiesta dal momento che non lo aveva mai visto né conosciuto, e che l'aveva fatto per ordine di Liborio das Neves, suo protettore e padrone. E chi aveva tirato fuori dalle prigioni di Aracajú Mano-di-Gatto se non il querelante, che all'uopo si era servito della sua influenza e delle sue relazioni in certi ambienti della polizia, quelli appunto dove criminalità e polizia fanno tutt'uno? Per chi mai Joél Reis eseguiva le piú sordide incombenze, quali riscuotere l'affitto delle stanze delle prostitute, o la minuziosa preparazione di mazzi di carte segnati? Ora, signor giudice, e per chi altro sarebbe mai? Ma per l'onorato, l'illibato, l'integro Liborio das Neves! Che briccone, Eccellenza!

Era valsa la pena davvero sgobbare tanto, la persuasione della signora Carmelita, il tono commosso con cui le aveva parlato; il rapido viaggio fino a Larangeiras; le minacce fatte a Mano-di-Gatto, il biglietto di seconda classe per il treno della ferrovia *Leste* e la scarsa propina – devi scegliere tra squagliartela o marcire in gattabuia.

Era valsa la pena. Tutto; e per di piú anche la firma, tracciata cinque volte dinnanzi al giudice sulla carta bianca senza esitazioni e senza un solo sgorbio da Joana das Folhas, quella firma chiara, indiscutibile, di Joana França, scritta con caratteri quasi belli, Eccellenza.

16.

Senza un gesto, come una statua scolpita in pietra sul ponte tarlato, Teresa Batista segue i preparativi per la partenza del barcone *Ventania*: le vele gonfie, battute dalla brezza, l'ancora alzata, capitan Gunzá e capitan Gereba a poppa e a prua, al velame, al timone. Poco fa Januario si è arrampicato sull'albero maestro: acrobata da circo, avvoltoio reale, il grande volatore, uccello-gigante-del-mare. Ah, Janú, mio uomo, mio marito, mio amore, mia vita, mia morte: a Teresa si stringe il cuore, il suo corpo snello rabbrividisce, statua di dolente materia.

Il giorno prima, mentre erano seduti davanti al Caffè e Bar Egipto aspettando il risultato dell'udienza per la querela di Liborio das Neves contro Joana das Folhas, Januario le aveva detto: domani, con la prima marea. Chiudendo una mano di Teresa dentro la sua grande mano, soggiunse: un giorno tornerò.

Neppure una parola di piú, solo le labbra di Teresa a un tratto fredde e scolorate, gelida la brezza tiepida del pomeriggio, un sole di cenere, un presagio di morte, strette le due mani, sguardi di lontananza, la certezza dell'assenza. Dalla strada vedono spuntare la negra e il paglietta, raggianti per l'allegria della vittoria: andiamo a festeggiare!

Il mondo è contraddittorio, allegria e tristezza, tutto alla rinfusa. In casa di Joana la tavola apparecchiata, le bottiglie sturate, Lulú che brinda a Teresa augurandole salute e felicità, ahimè! felicità! Ahimè, vita disgraziata! Sulla sabbia dell'ultimo incontro, lei si raccoglie sul petto dell'uomo per il quale è nata e che troppo tardi ha incontrato: un possesso violento, furibondo, con l'amaro sapore della separazione; lei lo morde e lo graffia, lui se la stringe al petto come se volesse penetrarle nella pelle. Sulla sabbia dell'ultima notte d'amore singhiozzi soffocati, è proibito piangere: un'onda che viene a coprirli, il mare che viene a portarselo via. Addio, marinaio.

Januario salta giú dal barcone, è sul molo accanto a Teresa e la prende tra le braccia. L'ultimo bacio riaccende le sue labbra fredde; amor di marinaio dura quanto la marea, e con la marea veleggerà il *Ventania* puntando a sud, verso il porto di Bahia. Teresa aveva desiderato tanto domandargli come era la vita laggiú; ma perché domandare? Gonfie le vele, levata l'ancora, il barcone si allontana dal molo, al timone il capitano Gunzá. Lingue assetate, avide: denti, bocche disperate, dove la lontananza arde in un bacio di fuoco e vita e morte si confondono – Teresa segna il labbro di Januario con il suo dente d'oro.

Il bacio di fuoco si dissolve, sul labbro di Januario una goccia di sangue, il ricordo di Teresa Batista sulla bocca, tatuato dal dente d'oro: fiume e mare, mare e fiume, un giorno tornerò, anche se pioverà a coltello e il mare si sarà trasformato in un deserto, verrò con le zampe dei granchi che vanno all'indietro, verrò sotto il temporale, naufrago ansioso del porto perduto, del tuo seno di tenera pietra, del tuo ventre come un'anfora, della tua conchiglia di madreperla, alghe di rame, ostrica di bronzo, stella d'oro, mare e fiume, fiume e mare, acque dell'addio, onde del mai piú. Dal molo, dalle braccia di Teresa il marinaio balza sul ponte del barcone, un gigante in piedi, un gigante che ha sapore di sale e odora di salmastro, un gigante con le manette ai polsi e le catene ai piedi.

Statua di pietra, Teresa immobile ha gli occhi asciutti; e il sole gira nel grigio del cielo, crepuscolo di livide tristezze, notte vuota di stelle, la luna inutile per sempre, per sempre. Nelle vele la brezza veloce, e in bocca a capitan Januario Gereba il rantolo della tromba a buccina per l'addio piú pungente: addio Tetá *muçurumim*, geme quel suono dal grave accento; addio Janú della mia vita, risponde un cuore straziato nell'agonia dell'assenza. Acque dell'addio, addio, fiume e mare, addio; nelle zampe dei granchi, addio, sulla rotta dei naufraghi, addio per sempre.

Il gigante è in piedi, la buccina rompe lo spazio come per dominare la brezza, e il barcone se ne va abbandonando il porto di Aracajú nel Sergipe-del-Rey, al timone il capitano Caetano Gunzá, e accanto all'albero maestro, fuggitivo, il capitano Januario Gereba, uccello dalle ali mozze, chiuso in una gabbia di ferro, con le catene ai piedi. Sulla frontiera d'incontro dell'acqua del fiume con quella del mare, fiume e mare, il braccio del gigante si alza e la grande mano saluta. Addio.

Statua di pietra sul molo fatto di vecchie assi rose dal tempo. Teresa Batista resta piantata lí, con un pugnale confitto nel petto. La notte la avvolge e la penetra di tenebre e di vuoto, di *saudade* e di assenza, ah! amor mio, fiume e mare, mar e rio.

17.

Col suo dente d'oro e il gelo nel cuore, con ancheggiamenti da *capoeira* e da *samba-de-roda*, Teresa Batista, sfolgorante stella del samba, brillante imperatrice dell'ancheggiamento, fece finalmente il suo ingresso nel programma del Paris Alegre al primo piano dell'edificio Vaticano nella «zona» di Aracajú, di fronte al porto dove era stato all'ancora il barcone *Ventania* del capitano Caetano Gunzá – sul molo echeggia ancora l'eco del suono grave della buccina in cui nell'ora del distacco aveva soffiato capitan Januario Gereba, che era venuto per lavoro, ma anche per spezzare il cuore a chi se ne stava tranquilla coll'anima in pace, occupata a rifarsi una vita. Quegli ancheggiamenti alla moda d'Angola era stato

lui a insegnarglieli, lui l'ambasciatore dell'*afoxé* carnevalesco, lui il *passista* da *gafieira*[1].

La sala del Paris Alegre non era piú stata cosí affollata in
nessuna occasione dopo l'inaugurazione dell'anno precedente, e neppure era piú apparsa altrettanto animata e brillante
la gioventú dorata di Aracajú. Al suono stridulo del Jazz
Band di Mezzanotte le coppie si accalcavano sulla pista da
ballo. E ai tavolini affollati il consumo di birra, di *batida*,
cognac nazionale, whisky falsificato, e di vino di Rio Grande per gli snob, era rimunerativo. Al completo la coorte degli spasimanti: il pittore Jenner Augusto dagli occhi infossati; il poeta José Saraiva coi suoi versi dolenti, la tisi e un
fiore colto passando; il dentista Jamíl Najár, mago della protesi, il vittorioso avvocato Lulú Santos, e il fortunato padrone del locale, pretendente al letto della stella, Floriano Pereira detto Florí Pachola: in agguato, in quanto candidato favorito dalla sua invidiabile posizione di padrone.

Oltre ai quattro nominalmente citati, c'erano poi per lo
meno piú di due dozzine di cuori palpitanti e circa tre di arnesi contratti che pulsavano per la Divina Pastorella del
Samba (come si poteva leggere sui cartelloni a colori). Senza
contare quelli, che, per convenienza e discrezione, non erano potuti venire in persona al cabarè per applaudire il debutto di Miss Samba (anche questo termine appariva sui cartelloni di Florí). Ma ce ne fu uno che volle almeno farsi rappre-
sentare: il senatore industriale, l'uomo piú ricco del Sergipe, a sentire gli economisti e secondo l'opinione della vecchia Adriana. Veneranda, a un tavolino al margine della pista da ballo in compagnia della sua irrequieta comitiva di
ragazze, aveva concesso l'onore della sua presenza, avendo
ricevuto una procura orale da quel pezzo grosso: tagliar corto e offrire quello che era necessario per ottenere l'assenso
della bella alla sua proposta di un pomeriggio di delizie nel
segreto della casa d'appuntamenti. In seguito, se gli fosse
andata a fagiolo, se fosse davvero un bocconcino come pareva, il grand'uomo era disposto a proteggerla, offrendole vitto e alloggio, conto aperto nei magazzini, lussi da concubina,
cioccolatini, orologini d'oro, un anello con brillante (piccolo), e persino, se indispensabile, un gigolò. Sul dorso del mare, all'altezza di Mangue Seco, naviga il barcone *Ventania*

[1] Ballo popolare, balera.

battuto dalle onde e dal vento del Sud. Ah, Janú del mio cuore, tempo di marea sulla via della perdizione, la notte è scura e vuota. Non voglio offerte, non voglio applausi, denaro a fiumi non ne voglio, e neanche un colonnello-protettore, odio i gigolò, i versi del poeta non li voglio, voglio il tuo petto a chiglia, il tuo aroma di salmastro, la tua bocca che sa di sale e di zenzero. Ah, Janú, mai piú.

Poi le luci si spensero; erano le undici di sera; la batteria del jazz attaccò e il trombone fece largo perché passasse lei, la sfolgorante stella del samba. Sulla pista da ballo piovve giú da un riflettore la luce rossa: Teresa Batista in gonnellino corto e con la *bata*, il *torso* da baiana, e sandali, collane e braccialetti, che erano ancora un saldo della Compagnia di Teatro di Varietà J. Porto & Alma Castro; bellezza *muçurumim* o zigana, meticcia negro-india o moretta, insomma una mulatta nazionale tutta languidi vezzi e ancheggiamenti. Battimani, fischi, applausi; Florí con un gran mazzo di fiori, gentile offerta della casa; dal poeta José Saraiva una rosa appassita e un pugno di versi.

Eppure ci mancò poco che il famoso debutto andasse a monte e proprio per lo stesso motivo. Infatti quando cessarono gli applausi, si cominciò a sentire, proveniente da uno dei tavolini lungo la pista da ballo, una brutale discussione tra uno sfacciato mascalzone alle prime armi, intento a esercitarsi nella carriera del garga e una prostituta piuttosto vecchia e stanca.

Teresa si era appena inchinata per ringraziare dei fiori, dei versi e degli applausi, quand'ecco risuonare la voce minacciosa del ruffiano con conseguente piagnucolio della donna:

– Ti rompo il muso!

Raddrizzando la schiena, Teresa con le mani alla cintura e un improvviso lampo negli occhi, dice:

– Provaci a romperle il muso, gradasso, che voglio vedere... Su, spaccaglielo davanti ai miei occhi, se ne hai il coraggio.

Regnò per un attimo una nervosa aspettativa: il bricconcello avrebbe reagito, e il debutto sarebbe stato rimandato di nuovo? Un'altra rissa come la prima, indimenticabile? Un altro dente d'oro da fabbricare meticolosamente per il dentista Najár? Ma quel vigliacco non reagí e restò lí imbambolato senza sapere dove mettere le mani e dove nascondere la faccia; la frase di Teresa aveva messo le cose a posto e tanto bastò.

Le sue parole erano state coperte da un'enorme ovazione e fu in quel mare di applausi che Teresa Batista, regina dell'ancheggiamento, si lanciò nella sua professione di sambista: ne aveva avute tante di professioni, e tante ne avrebbe avute ancora, lei che nella vita desidera solo di essere felice accanto al suo uomo, che è sul mare.

Il pomeriggio precedente era andata in tribunale su richiesta dell'avvocato e da lui accompagnata, e qui, in un'aula del civile era stata presentata al giudice Benito Cardoso, come pure a avvocati, promotori, cancellieri e altri notabili dottori: Teresa Batista stella teatrale. Timida, per essere una stella, un po' imbarazzata, sorriso trepido, ah! com'era bella! E tutti a credere che fosse una conquista recente del leguleio zoppo e donnaiuolo; soltanto Sua Eccellenza sapeva dell'impresa – impresa o miracolo – della maestra improvvisata che aveva insegnato l'abecedario a quella vecchia contadina con le mani come radici, Joana das Folhas. Lo sguardo di ammirazione del signor giudice si trasformò in sguardo di devozione e desiderio: ah! se fosse stato giudice della Suprema Corte di Giustizia del Sergipe, come le avrebbe offerto casa e tenerezza! Ma con gli stipendi che guadagna un pretore, che bastano a malapena per la famiglia legalmente costituita, insomma la casa-civile, chi può pensare a una mantenuta, o a un'amante, un'amica, alla casa-militare?

In un mare di applausi inizia Teresa Batista la sua carriera d'artista, che avrà una traiettoria di alti e bassi, ma comunque un debutto trionfale. Gelido il cuore, ostrica chiusa in se stessa. Ah! se potesse piangere – i monelli non piangono e neanche i marinai! Acque del mare dell'assenza, amor di naufraghi. Dove sarà il capitano Januario Gereba, Janú del mio cuore, che è in rotta verso il porto di Bahia?

Teresa scuote il sedere come le ha insegnato lui, le anche come profonde ondate del mare, il ventre che va e viene, il seme dell'ombelico, calice e fiore. Freddo il cuore, gelo e distanza, ah, Januario Gereba, gigante del mare, avvoltoio reale che vola al di sopra delle onde in tempesta, quando ti vedrò di nuovo per assaggiare sul tuo petto sapore di sale e di salmastro e morire tra le tue braccia, affogata nel tuo bacio, ah, Januario Gereba, capitano Janú del mio cuore, ah, amor mio, quando di nuovo?

La fanciulla che sgozzò il capitano
con il coltello per tagliare la carne secca

I.

*Signoria, lei è uno scocciatore; la conta lunga e non sarò
io a dubitare, ma le voglio domandare se le è già capitato di
vedere un povero cristo coperto di vesciche, tutto una piaga,
con il corpo in carne viva, ficcato dentro un sacco e portato
al lazzaretto così. E mi dica un po' se si è mai caricato sulle
spalle per più di una lega un vaioloso in travaglio d'agonia,
e se lo ha trasportato fino al lazzaretto, malgrado il lezzo
che impesta l'aria e il miele del pus che scorre giù per la ju-
ta. Cose da non si dire, amico.*

*Ci creda chi ci vuol credere, bruci a chi deve bruciare,
ma, com'è vero Dio, sono state le puttane e nessun altro a
liquidare il vaiolo quando, putrido e nero, si scatenò da quelle parti! Com'è vero Dio è un modo di dire, una forma
d'espressione, perché questa qui è una terra abbandonata e
sterile, situata in capo al mondo, e se non ci fossero state
quelle disgraziate di rua do Cancro-Mole, qui non ci sarebbe
rimasta neanche l'ombra di un cristiano a raccontare come
era andata. Dio è pieno di messe e di cose da fare e ha tanti
bei posti dove posar gli occhi, perché avrebbe dovuto occuparsi dei vaiolosi di Buquim? A occuparsene e a porvi rimedio è stata proprio la già citata Teresa Batista in combutta
con Teresa-Rasoiata, Teresa-Ancheggiamento, Teresa-dei-
Sette-Sospiri, Teresa-Passo-Morbido, tutti nomi ben merita-
ti, come pure era meritato quello di Teresa di Omolú[1] proposto e confermato a lei dai macumbeiros di Muricapeba non
appena la peste ebbe termine e si vide la gente di ritorno a
casa. Teresa ha addentato il vaiolo alla gamba, ha masticato il
boccone poi l'ha sputato fuori. L'ha masticato con quei suoi
denti limati e con il suo dente d'oro, dono di un dentista di
Aracajú, che è una bellezza.*

[1] *Orixá* del vaiolo, viene chiamato anche Obaluaê.

81

Cose mai viste e indimenticabili, amico. Io, Maximiano Silva chiamato Maxí o Rei das Negras, custode dell'Ufficio Sanitario di Buquím, sopravvissuto e testimonio, ancor oggi, se chiudo gli occhi, vedo Teresa, con quella bellezza unica, che solleva da terra il sacco – e dentro il sacco c'era il giovane Zacarias, tutto una piaga che gemeva e pregava. Se chiudo gli occhi la vedo: eccola che se ne va curva aggiustandosi il peso sulle spalle diretta al lazzaretto. Teresa Finita-la-Paura, un altro nome che aveva, forse il primo che le hanno dato, tanto tempo fa, vuol saperlo, signoria, come e perché?

2.

Teresa Batista non aveva ancora compiuto i tredici anni, quando sua zia Filipa la vendette per millecinquecento cruzeiros, un po' di viveri e un anello con una pietra falsa ma vistosa a Justiniano Duarte da Rosa, il capitano Justo, la cui fama di uomo ricco, gagliardo e irascibile era diffusa per tutto il *sertão* e anche piú in là. Dovunque il capitano approdasse con i suoi galli da lotta, il suo branco di muli, i cavalli da sella, il camion e il coltellaccio, il mazzo di banconote e i *capanga*[1], la fama l'aveva preceduto, prima del suo cavallo baio e davanti al camion, e aveva preparato il terreno per buoni affari.

Al capitano non piaceva discutere e amava constatare il rispetto imposto dalla sua presenza. «Se la fanno addosso dalla paura» sussurrava soddisfatto a Terto-Cane, autista e pistolero, latitante della giustizia del Pernambuco. Terto tirava fuori il coltello e il cordone di tabacco, e all'intorno cresceva la paura. «È inutile discutere con il capitano, piú si discute e piú c'è da perdere, per lui la vita di un uomo non vale neanche dieci *reis* di melassa». Narravano storie di uccisioni e di agguati, di frodi nelle lotte di galli, di truffe nella contabilità del suo spaccio incassate a sergozzoni da Chico Mezza-Suola, di terre acquistate per un pezzo di pane sotto la minaccia del moschetto o del pugnale, di bambine stuprate nel fiore della verginità, le bambine erano il debole di Justiniano Duarte da Rosa. Quante ne aveva deflorate or-

---

[1] Guardia del corpo, bravaccio.

mai, prima dei quindici anni? Sotto la camicia del capitano tra le pieghe del petto grasso, una collana di anelli d'oro va tintinnando sulle strade come la nacchera del serpente a sonagli: per ogni anello una bambina – e non parliamo di quelle di più di quindici anni, quelle non contano.

3.

Justiniano Duarte da Rosa, attillato, abito bianco, stivali di cuoio, cappello panama, scese dalla cabina del camion, tese con degnazione due dita a Rosalvo e la mano intera a Filipa, tutto gentile con lei e con un gran sorriso sul suo viso rotondo.

– Come va, comare? Posso avere un bicchier d'acqua?

– Si accomodi a sedere, capitano, le farò un caffè.

Attraverso la finestra del misero salottino il capitano lancia un'occhiata cupida sulla bambina che gioca sul prato arrampicandosi sugli alberi di *goiaba*, saltando e correndo insieme al cagnolino bastardo. È sull'albero che addenta una *goiaba*, e sembra un monello con quel corpo gracile, i seni che spuntano appena sotto la camicetta di cotonina, e la breve gonna tra le lunghe cosce. Lunga e magra, ancora senza forma di donna, a tal punto che i ragazzini del vicinato, certi sfacciati pieni di malizia permanentemente a caccia di ragazzine per soddisfare gli inizi del desiderio con la rivelazione dei primi contatti, baci e carezze, a Teresa non badavano neanche – anzi con lei correvano a giocare a *cangaceiros* [1] e alla guerra e l'accettavano persino per comandante, dato che era fin troppo agile e decisa. Alla corsa li vinceva tutti e nessuno era più svelto di lei a salire sui rami più alti. In lei non si era ancora risvegliata la malizia: neanche la curiosità provava di andare con la *aça* [2] Jacira e la grassa Ceição a spiare il bagno dei ragazzi al fiume.

Gli occhi del capitano seguono la bambina che si arrampica di ramo in ramo. I suoi ampi movimenti fanno alzare il gonnellino e lasciano scorgere le mutandine sporche di terra. Gli occhi piccini di Justiniano Duarte da Rosa si strizza-

[1] Bandito, brigante.
[2] Acciaio, si dice dei mulatti con i capelli biondi o albini.

no ancora di piú – per meglio vedere e immaginare. Anche gli occhi smorti e stanchi di Rosalvo, occhi da *cachaça* generalmente fissi a terra, si animano alla vista di Teresa, e si muovono salendo lungo le gambe e lungo i fianchi. Dal focolare Filipa sbircia le occhiate di Justiniano Duarte da Rosa e quelle di suo marito: se aspetta ancora, per poco che sia, Rosalvo se la pappa lui. Delle intenzioni di suo marito riguardo alla nipote, Filipa se ne era accorta da molto tempo. Ragione di piú, e poderosa, a favore dei propositi evidenti del capitano. Tre visite in due settimane, molte chiacchiere e perdita di tempo. Quando si deciderà finalmente a mettere le carte in tavola e a parlare d'affari? Secondo Filipa, sarebbe ora di farla finita con i preliminari, il capitano ormai ha fatto bella mostra della sua ricchezza, della sua potenza, dei suoi *capanga*; e ha anche dato dimostrazione del suo desiderio e delle sue possibilità, perché non si decide a parlare una buona volta?

Non crederà mica di potersi portar via quel bocconcino, gratis? Se ha di queste idee, vuol dire che non conosce Filipa. Il capitano Justo sarà magari proprietario di terra, di campi coltivati, di capi di bestiame e dello spaccio piú importante del paese, sarà a capo di *jagunços*, mandante di assassini, sarà perverso e violento, ma non per questo è padrone o parente di Teresa, e non è stato lui a mantenerla e vestirla per quattro anni e mezzo. Se la vuole, deve pagare.

No, non è stato lui e neanche Rosalvo, schiavo della *cachaça* e della pigrizia, l'indolenza in persona, un resto d'uomo, un peso sulle spalle di Filipa. Se fosse dipeso da lui, non avrebbero raccolto quell'infelice orfana di padre e di madre. Eppure adesso si lecca le labbra quando passa e segue, ingordo, il formarsi del suo corpo, lo spuntare dei seni, le prime curve dei fianchi; con la stessa ingordigia con cui segue il maiale all'ingrasso nel porcile che è nella corte. Uno straccio d'uomo, un buono a nulla, che non sa far altro che mangiare e dormire.

A mandar avanti la casa, comprar la farina, i fagioli, la carne-secca, quei quattro stracci di vestiti, e persino la *cachaça* per Rosalvo, è lei, Filipa, con il lavoro delle sue braccia, piantando, allevando, vendendo al mercato il sabato. Non che Teresa fosse poi costata molto, anzi era persino di aiuto nelle faccende domestiche e nei campi. Ma quello che è costata, poco o tanto che sia, per il cibo, gli abiti, l'abicí e far di conto, i quaderni di scuola, è stata zia Filipa a darle tutto, lei, la sorella di Marieta sua madre, che era morta insieme al marito in un incidente di corriera, quasi cinque anni prima. E adesso che si fanno avanti i pretendenti è giusto che sia lei, Filipa, a ricuperare e riscuotere. Forse è un po' acerba ancora, non è ancora completa; se maturasse per altri due anni, sarebbe al punto giusto. Cosí bambina, è inutile negarlo, è un peccato consegnarla al capitano, ma sarebbe una matta, Filipa, se decidesse di aspettare o di opporsi. Aspettare per vederla a letto con Rosalvo o nei campi con un ragazzaccio qualunque? Opporsi, perché Justiniano la porti via per forza, con la violenza e gratis? In fin dei conti, Teresa compirà tredici anni tra pochi giorni. Pochi di piú ne aveva Filipa, quando Porciano le aveva fatto la festa, e per di piú nella stessa settimana le erano piombati addosso i quattro fratelli di lui, suo padre, e, come se non bastasse, era stata anche insozzata dal nonno, il vecchio Etelvino, che puzzava già di cadavere. Non era morta per questo e nemmeno era rimasta storpia. Anzi neppure il matrimonio le era venuto a mancare, con tanto di benedizione del prete. È anche vero che una vocazione per le corna uguale a quella di Rosalvo, nei dintorni non si conosceva. Cornuto e ubriacone.

È necessario che conduca avanti bene le trattative allo scopo di ottenere il massimo, ha proprio bisogno di un extra di denaro. Per andare dal dentista, per farsi bella, comprare un po' di roba da mettersi addosso, un paio di scarpe. Col passar del tempo sta diventando una frana, gli uomini al mercato non le stanno piú intorno, quando si fermano a guardare è per calcolare l'età di Teresa.

Se vuole la bambina, il capitano deve pagar bene, questa volta non sarà come per tante altre, che si è pappate gratis. Perché quando ne scova una di suo gusto per età e bellezza, incomincia a frequentare la casa dei genitori, si mostra amico, porta un pacco di caffè in polvere, un chilo di zucchero, qualche caramella avvolta in carta blu, canditi di zucchero, parla con dolcezza, e intanto va accerchiando la piccola, un bombon, un nastro, e soprattutto promesse; è largo e generoso di promesse il capitano Justiniano Duarte da Rosa. Ma per il resto è un tirchio.

E un bel giorno, senza previo avviso, si porta via la bambina con il camion, con le buone o con le cattive, ridendo in faccia ai genitori. E chi ha il coraggio di protestare o di denunciarlo? Chi è il capo politico del posto, chi sceglie il commissario di polizia? I soldati non sono forse *capanga* del capitano mantenuti dallo Stato? Quanto a Sua Eccellenza il signor giudice, compra senza pagare nello spaccio del capitano e gli deve del denaro. Per forza, con la moglie e tre figli studenti che vivono tutti nella capitale, e lui lí in quel buco con una mantenuta spendacciona; e tutta questa roba con il salario di fame che guadagnano i magistrati; come fare, rispondete voi, se ne siete capaci.

Una volta c'era stata una querela presentata dal padre di una ragazzotta dal petto prosperoso, lei si chiamava Diva, lui Venceslau: Justiniano aveva fermato il camion sulla porta di quella gente, aveva fatto un cenno alla ragazzina e senza una sola parola di spiegazione se l'era portata via. Venceslau andò dal giudice e dal commissario minacciando mari e monti, parlando di uccidere e di rovinare. Il giudice promise di verificare, verificò che non erano veri né il ratto né la deflorazione, motivo per cui il commissario, che aveva promesso di agire prontamente, prontamente agí: schiaffò in galera il querelante affinché non turbasse piú la pubblica quiete con calunnie contro rispettabili cittadini e, per togliergli la voglia di far minacce e insegnargli come si rispetta la gente, ordinò che gli fosse inflitta una solenne battitura a base di coltellaccio. In cambio, quando il giorno dopo il poveraccio uscí di prigione, sulla porta trovò ad aspettarlo la figlia Diva, che il capitano gli restituiva, ancorché alquanto ammaccata; era rotta e da molto tempo, quella birba.

Filipa non ha intenzione di fare scandali o querele, non è mica matta per mettersi contro Justiniano Duarte da Rosa. Inoltre sa benissimo che un giorno o l'altro quella le sarebbe arrivata con qualcuno, sempre che non si vada a perdere prima nei boschi, sempre che non ritorni a casa pregna. Scopata e impregnata da un ragazzino qualunque, o addirittura da Rosalvo stesso, anzi senz'altro da quello svergognato vecchio cornuto di Rosalvo. E gratis.

Filipa vuole soltanto fare un affare per ottenere un guadagno anche piccolo, Teresa è l'unico capitale che le resta. Se potesse aspettare ancora qualche anno farebbe certamente un affare piú lucroso, perché la bambina sta sbocciando con forza e le donne di famiglia erano tutte bellissime, disputate, fatali. Anche Filipa, che ormai è uno straccio, conserva però ancora un barlume di vigoria, il ricordo di un movimento dell'anca, un fulgore negli occhi. Ah! se potesse aspettare; ma il capitano le ha tagliato la strada. Nulla può fare Filipa.

4.

La voce di Filipa rompe il silenzio pieno di sottintesi e di calcoli.
– Teresa! – chiama. – Vieni qua, diavolo.
La bambina inghiotte il suo pezzo di *goiaba*, scivola giú dall'albero, si precipita in casa di corsa, il sudore brilla sul suo volto color del rame, e l'allegria nei suoi occhi e sulle labbra:
– Mi ha chiamato zia?
– Servi il caffè.
Sempre sorridendo va a prendere il vassoio di latta. La zia la trattiéne per un braccio mentre passa, la fa girare di fronte e di schiena per esibirla, facendo finta di niente:
– Che maniere sono? Non vedi che c'è una visita? Prima di tutto chiedi la benedizione al capitano.
Teresa prende quella mano grassa e sudaticcia, accosta le labbra a quelle dita cariche di anelli d'oro e brillanti, anzi ne nota uno piú bello degli altri, con una pietra verde:
– La benedizione, signor capitano.
– Dio ti benedica. – La mano tocca la testa della bambina, scende sulla spalla.
Teresa davanti a Rosalvo, un ginocchio a terra:
– La benedizione, zio.
Rosalvo sente nella gola un groppo di rabbia, che lo strozza: addio, sogno accarezzato per tanti e tanti anni, mentre la vedeva crescere, formarsi giorno per giorno, e ne presagiva la rara bellezza, la riproduzione in meglio di quello che era stata sua madre Marieta, che era uno splendore, e sua zia Filipa quando era giovane, un sogno, tanto che lui, Rosalvo, si era indotto a strapparla alla prostituzione e sposarsela. Da quanto tempo sta trattenendo l'impazienza, accumulando ansietà, facendo piani? Ed ecco che tutto se ne va a gambe all'aria, e sulla porta c'è già il camion pronto che aspetta con Terto-Cane al volante. Fin dalla prima visita del capitano, Rosalvo l'aveva indovinato. E allora, perché diavolo non ha agito, non ha forzato i tempi, anticipando l'orologio e quel maledetto calendario? Perché non è ancora arrivato il mo-

mento, perché è una bambina ancora impubere, e lui lo sa bene, Rosalvo; sono io che lo so meglio, io che la spio sul far del mattino, non è ancora arrivato il momento per lei di conoscere uomini, Filipa, e poi non si vende una nipotina, la figlia orfana di una sorella morta. Per tutti questi anni ho aspettato con pazienza, pur desiderandola, Filipa; e la casa del capitano, lo sai bene, è un inferno. La figlia di tua sorella, Filipa, quello che stai per fare è un delitto, un peccato mortale, non hai paura, tu, del castigo di Dio?

– Si sta facendo una signorina, – commenta Justiniano Duarte da Rosa, mentre con la lingua si inumidisce le grosse labbra, e gli occhi piccini gli brillano di una luce gialla.

– È già una signorina, – dichiara Filipa dando inizio ai negoziati.

Ma è falso, tu lo sai che è falso, Filipa, vecchia puttana maledetta, senza cuore, ancora non è arrivato il suo tempo di luna, non ha perso sangue, è una bambina, ed è anche tua nipote carnale. Rosalvo si tappa la bocca con una mano per non gridare. Ah! se fosse già grande, in grado di accettare un uomo, io ne avrei fatto la mia donna, ho preparato tutto, manca solo di scavare la fossa per seppellirti, Filipa miserabile, cuore snaturato, che fai mercato di tua nipote. Rosalvo abbassa la testa, piú grande della delusione e della rabbia, in lui, è la paura.

Il capitano stiracchia le corte gambe, si frega le mani una contro l'altra e domanda:

– Quanto, comare?

Teresa è sparita passando dalla cucina e ricompare nel cortile alle prese con il cane; corrono insieme, si rotolano insieme per terra. Il cane abbaia, Teresa ride, anche lei è un animale di campagna sano e innocente. Il capitano Justo si tocca la collana di vergini, i suoi occhiuzzi sono quasi chiusi:

– Dica quanto.

5.

Justiniano Duarte da Rosa tira fuori di tasca il mazzo delle banconote e incomincia a contarle pezzo per pezzo, controvoglia. Non gli piace staccarsi dal denaro, prova un dolore quasi fisico quando non gli rimane altra via d'uscita che pagare, dare o rendere.

– È solo per un riguardo verso di lei, signora, che, come ha detto, ha tirato su la ragazzina e le ha dato da mangiare e anche un'educazione. Se le sto dando un sussidio, è perché lo voglio io. Perché, se la volessi portar via a tutti i costi, chi me lo impedirebbe? – Un'occhiata di disprezzo diretta a Rosalvo; e intanto si bagnava il dito con la lingua per separare le banconote.

Gli occhi smorti di Rosalvo sono fissi a terra mentre ascolta il fruscio delle banconote, pieno di rabbia, di paura, impotente. Di quel denaro arraffato con tanta abilità da quella strega, lui non avrebbe sentito neanche l'odore, salvo se fosse riuscito a rubarlo, il ché era una faccenda rischiosa. Ah! perché aveva aspettato tanto, mentre il suo piano l'aveva già completo nella testa da tanto tempo, con tutti i particolari? Semplice, facile, rapido. Il piú duro doveva essere scavare la fossa per sotterrare il cadavere, ma Rosalvo faceva conto che al momento buono Teresa lo avrebbe aiutato. E chi avrebbe tratto vantaggio dalla morte di Filipa piú di Teresa, liberata dalla tirannia domestica, promossa a moglie di Rosalvo, padrona della casa, dei campi, delle galline e del porco? Per mesi e mesi aveva architettato e perfezionato quel progetto mentre vedeva crescere la nipote, la vedeva farsi donna giorno per giorno. Aveva osservato i semi dei seni che spuntavano, aveva seguito la nascita dei primi peli sul ventre dorato.

Quando Filipa dormiva il sonno di pietra di chi ha passato la giornata al lavoro, lui, nella luce incerta dei primi albori, contemplava Teresa nel suo giaciglio di assi, stracci sporchi e terra, abbandonata, forse sognando. E alla vista di quel corpo nudo dalle forme indecise, ma già belle e vigorose, sentiva come un brivido. Non era necessario neppure che la toccasse, né di toccarsi; solo a vederla, il piacere gli saliva per il petto, gli penetrava la carne, lo inondava.

Figurarsi fra poco tempo, quando si fosse fatta donna, e idonea. In quel giorno felice Rosalvo sarebbe andato a cercare il necessario nel suo nascondiglio nel *mato*, e alla sera avrebbe messo in atto il suo piano. La zappa è un utensile che serve a molti usi ed è quello che ci vuole per liquidare Filipa e per scavarle il sepolcro, una semplice fossa, senza croce né qui-giace, tanto non se lo meritava, quella disgraziata. Rosalvo aveva rubato gli arnesi necessari nel campo di Timoteo piú di sei mesi prima e li aveva nascosti: era piú di sei mesi che aveva deciso di uccidere Filipa non appena Teresa avesse raggiunto la pubertà.

Non gli era passato neanche per la testa che la scomparsa di Filipa potesse dar da pensare ai vicini e ai conoscenti e provocare domande e investigazioni. E meno ancora aveva previsto che Teresa potesse protestare, prendere le difese della zia, o che si rifiutasse di aiutarlo e non lo volesse accettare come il suo uomo. Troppe cose per il cervello di Rosalvo, che si era limitato al furto della zappa e della corda e all'elaborazione del piano: liquidare Filipa mentre quella rinnegata dormiva; perché da sveglia, meglio non pensarci, ché il morto sarebbe stato un altro. Coricato nel letto accanto alla moglie, Rosalvo immaginava la zappa che le sfracellava il cranio e il viso. Nell'oscurità della notte gli pareva di vedere il volto sfigurato, una massa sanguinosa; va' a cercarti un maschio all'inferno, vecchia puttana, brutta sozza. E immaginando il suono rauco della zappa, che nel silenzio dei campi avrebbe spezzato ossa e cartilagini, rabbrividiva di piacere. Ma al di là di quei progetti e di quelle visioni Rosalvo non si avventurava. Ce n'era d'avanzo per riempire le sue giornate vuote, dar sapore alla *cachaça*, speranza alla vita. La vita e la morte sarebbero sgorgate insieme al primo sangue di Teresa, vita per Rosalvo, morte per Filipa.

E adesso sogni e progetti si liquefacevano nelle mani del capitano, per opera e grazie a Filipa, donna tanto pessima da arrivare al punto di vendere la nipote orfana, la figlia di sua sorella, che non aveva nessuno al mondo. Perché non aveva messo in esecuzione il suo piano, perché era rimasto lí ad aspettare che da Teresa sgorgasse il sangue, il sangue che avrebbe colorito la sua piccola rosa d'oro, facendone una ragazza fatta e pronta, perché non aveva agito prima, non aveva anticipato decisamente il tempo di vivere e di morire, che male ci poteva essere? Adesso sarà il capitano a farlo, Filipa ha venduto la piccola, bambina, nipote e orfana, un peccato mortale.

– Chi me l'avrebbe impedito, dica? – dice Justiniano rivolto a Rosalvo. – C'è qualcuno che avrebbe osato, Rosalvo? Lei, per caso?

La voce di Rosalvo viene dal pavimento, dalla polvere e dalla terra, dalle caverne della paura:

– Nessuno, nossignore. Io? Dio liberi, per carità.

Filipa, al momento cruciale del pagamento, diventa amabile, cauta e decisa assieme:

– Però, dica un po' la Signoria Vostra, signor capitano, dove la trovava una ragazza cosí dotata, che in casa e fuori di casa sa far di tutto, sa leggere e far di conto, può rimanere da sola a vendere sul mercato, e poi bella come lei, dove la trova, mi dica? Ce n'è forse un'altra in paese che le arrivi neanche alla suola delle scarpe?

Per scoprire una sua pari, forse andandola a cercare nella capitale, là può darsi. E chi se la godrà? Non è forse lei, capitano?

I biglietti di banca scorrono lentamente, purché non si penta, non faccia un voltafaccia, mantenga la parola:

– Deve sapere, signor capitano, che è già venuta qui una persona, una persona come si deve, mica uno qualunque, a chiedere Teresa in moglie, può credermi.

– In moglie? E chi era, posso saperlo?

– Il signor Joventino, non so se Vostra Signoria lo conosce, un giovanotto che possiede campi di granturco e di manioca a circa tre leghe di qui, dalla parte del fiume. Un vero lavoratore.

Rosalvo si ricorda: i giorni di mercato, che era di sabato, Joventino, dopo aver terminato la vendita del suo carico di granturco, manioca, igname e sacchi di farina, veniva a far due chiacchiere, a raccontar storielle, a commentare gli ultimi avvenimenti, insomma non si staccava da loro. Filipa si era montata la testa, pensando di esser lei l'oggetto di tanta assiduità, ma Rosalvo si era reso conto subito delle intenzioni di quel tizio, che andava dietro alla bambina, ecco la verità. Il suo desiderio era di mandarlo fuori dai piedi, ma gli mancava un pretesto per farlo, perché Joventino era discreto e non andava mai oltre qualche occhiata, qualche parola, e per di piú invitava Rosalvo a bere un bicchierino, offrendo anche birra a Filipa e *guaraná*[1] a Teresa; Filipa faceva ondeggiare il sedere come ai bei tempi di una volta.

Ma una domenica Joventino era arrivato alla fattoria tutto incravattato con quei discorsi di matrimonio. Era stato persino divertente, tutto da ridere. Filipa era diventata una furia. Era rimasta in camera sua mezz'ora a farsi bella, mentre il giovanotto attendeva in sala con Rosalvo e la bottiglia

---

[1] Bibita refrigerante tratta dal seme del guaraná (*Paullinia cupana*).

di *cachaça*, e quando era venuta fuori tutta agghindata e profumata, anziché uno spasimante per farle la corte, aveva trovato un pretendente alla mano di sua nipote. Aveva sbattuto fuori quel povero ragazzo, erano cose da proporre, quelle? E dove s'è mai visto chiedere in moglie una bambina di dodici anni? Non ancora sviluppata, per di piú. Un'assurdità. La zia era piú che indignata e furibonda.

– Aspetterò, e dopo ritornerò, – aveva detto Joventino andando via.

Ma non se la sarebbe beccata né Joventino e neanche Rosalvo, ahimè, il capitano ha finalmente finito di contare e ricontare i millecinquecento milreis, molto denaro, dona Filipa.

– Prenda i soldi e se vuole li conti di nuovo mentre io le faccio il buono.

Strappa un foglio da un piccolo taccuino, scarabocchia la cifra col lapis e firma – una firma complicata, della quale è orgogliosissimo.

– Ecco il buono d'acquisto per il mio spaccio. Può comprare tutto in una volta oppure scontarlo a poco a poco. Cento milreis, neanche un centesimo di piú.

Rosalvo alza gli occhi per vedere il denaro. Filipa piega le banconote e le avvolge nel foglietto sul quale il capitano ha scarabocchiato l'ordine, poi nasconde il pacchettino nella cintura della gonna. Stende la mano, Justiniano Duarte da Rosa domanda:

– Che cosa?

– L'anello, Signoria, ha detto che mi avrebbe dato l'anello.

– Ho detto che l'avrei dato alla ragazza, è la sua dote –. Ride: Justiniano Duarte da Rosa non lascia nessuno a mani vuote.

– Lo tengo io, capitano. Una ragazza di quell'età non sa mica il valore delle cose, le perde, le lascia in qualsiasi posto. Lo serbo per lei. È mia nipote. Non ha né padre né madre.

Il capitano fissa la donna che gli sta davanti, una zingara terribile.

– Fa parte del nostro accordo, capitano, non è cosí? – Aveva portato l'anello per darlo alla bambina, allo scopo di guadagnarsene la simpatia, non ha alcun valore, vetro colorato, dorata latta. Se lo sfila dal dito, oro falso, falso smeraldo, appariscente pietra verde. In fin dei conti non c'è piú motivo di ingraziarsi la bambina, ormai, pagato il prezzo stabilito, è il suo padrone.

Filipa pulisce la pietra nell'orlo dell'abito, si mette l'anello al dito, lo ammira contro luce, soddisfatta. Non c'è niente al mondo che le piaccia come le collane, i braccialetti, gli anelli. Tutti i miseri avanzi di denaro che ha, li spende in chincaglierie dai venditori ambulanti.

Il capitano Justo stiracchia le gambe, si alza, appesa al suo collo tintinna la collana di anelli, sonaglio fatto di vergini. Domani ci sarà un altro anello d'oro diciotto.

– Adesso chiami la ragazza, me ne vado.

6.

Ancora in preda al rapimento prodotto in lei dall'anello, Filipa alza la voce:

– Teresa! Teresa! Svelta.

Vennero tutti e due, bimba e cagnolino, e si fermarono sulla porta in attesa:

– Mi ha chiamato, zia?

Ah! se Rosalvo non fosse inchiodato al suolo, se una scintilla si accendesse nel suo cuore e facesse sí che si alzasse in piedi, signore e padrone come deve essere un marito, dritto in piedi dinnanzi a Filipa! Ma Rosalvo si tappa la bocca e si chiude in petto le bestemmie e le maledizioni che lo soffocano. Filipa, peste di donna malvagia e senza cuore, senza viscere, madre snaturata! Un giorno dovrai pagare per un peccato come questo, Filipa; Dio verrà a chiedererne conto, non si vende una nipotina orfana, una figlia adottiva, nostra figlia, Filipa, venduta come un animale. Nostra figlia, sei una peste, una brutta peste infame.

L'entusiasmo per l'anello rende la voce di Filipa quasi affettuosa:

– Teresa, va' a raccogliere le tue cose, tutto. Vai con il capitano, vai ad abitare a casa sua, sarai *cria*[1] del capitano. Là avrai di tutto, sarai una signora, il capitano è molto buono.

Di solito gli ordini a Teresa non era necessario ripeterli; anche a scuola la maestra Mercedes ne faceva le lodi, comprensione rapida, intelligenza viva, raziocinio pronto, aveva

---

[1] Persona nata e allevata in casa senza appartenere alla famiglia.

imparato a leggere e scrivere in un momento. Però quella novità, Teresa non la capí:

– Ad abitare in casa del capitano? Perché zia?

A rispondere con aria da padrone questa volta fu lo stesso Justiniano Duarte da Rosa. Si era alzato in piedi e tendeva una mano alla bambina:

– Non hai bisogno di sapere perché, è finita con le domande, con me si ascolta e si obbedisce; tientelo per detto, impara una volta per tutte. Avanti.

Teresa sulla porta indietreggiò, ma non abbastanza in fretta: il capitano l'afferrò per un braccio. Grasso e tarchiato, di statura media, faccia rotonda, niente collo, malgrado quel gran corpaccione, Justiniano era agile e forte, leggero e svelto, bravo a ballare e anche in grado di spaccare un mattone con un pugno.

– Mi lasci, – scalciava Teresa.

– Andiamo.

Stava per spingerla via, quando la ragazzina gli morse la mano con forza, con la forza della rabbia. I suoi denti lasciarono un segno sanguigno sulla pelle grassa e pelosa; il capitano la lasciò andare e lei sparí tra i campi.

– Quella figlia-di-puttana mi ha morso, ma me la pagherà. Terto! Terto! – con un grido chiamò il *capanga* che russava nella cabina del camion: – Vieni qui, Terto! E anche voi! – E rivolto agli zii: – Andiamo a prendere quella monella, non ho voglia di perder tempo, io.

Terto-Cane li raggiunge, escono in cortile:

– E Rosalvo, cosa sta facendo lí fermo?

Filipa si voltò fissando il marito:

– Tu non vieni? Lo so che cosa ti piacerebbe a te, sfacciato di un caprone. Vieni, prima che io perda la pazienza.

Vita malvagia, non ho altra via d'uscita se non unirmi agli altri, ma non ci vado per volontà mia, questo peccato, Dio santo, non è mio, è solo suo, di quel demonio; lei sa benissimo che la casa del capitano vuol dire peste, fame e guerra. Rosalvo entra a far parte della caccia a Teresa.

Durò quasi un'ora, forse anche di piú, il capitano non ha guardato il suo orologio da polso, un cronometro di precisione, ma erano tutti con la lingua fuori quando finalmente riuscirono ad accerchiarla nella boscaglia, mentre Rosalvo, adagio adagio, si avvicinava dall'altra parte. Il bastardino a lui non abbaiò, stava attento agli altri. Per l'ultima volta

Rosalvo toccò il corpo di Teresa e tenendola con tutte e due le braccia, l'imprigionò contro il proprio petto e le proprie gambe. L'abbracciava, cosí, prima di consegnarla.

Terto raggiunse il cane con un calcio che lo lasciò disteso con una gamba spezzata, poi andò ad aiutare Rosalvo. Afferrò Teresa per un braccio, mentre Rosalvo, pallido e disfatto tra piacere e paura le teneva l'altro. Lei si dibatteva, cercava di mordere, i suoi occhi fiammeggiavano. Il capitano si avvicinò pian pianino, si fermò davanti alla bambina e incominciò a schiaffeggiarla con la sua mano grande e grassa, aperta. Una, due, tre, quattro volte. Un filo di sangue scese dal naso, Teresa inghiottí a vuoto. Non pianse. Un comandante non piange – l'aveva imparato dai monelli giocando alla guerra.

– Andiamo!

La trascinarono fino al camion, lui e Terto. Filipa tornò a casa, la pietra verde al sole risplendeva. Rosalvo in principio rimase immobile, ancora privo di forza, poi si avvicinò al cane. L'animale con la gamba ferita gemeva.

Sul predellino del camion c'era scritto in gaie lettere azzurre: MONTATOIO DEL DESTINO. Per farla salire, Justiniano Duarte da Rosa, le somministrò ancora qualche sberla, di quelle secche. Fu cosí che Teresa Batista partí per il suo destino: peste, fame e guerra.

7.

La scaraventarono dentro una camera e chiusero la porta. Per farla scendere dal camion Justiniano e Terto-Cane l'avevano dovuta trasportare di peso, uno la teneva per le gambe e l'altro per le braccia. La camera, piccola e scura, era in fondo alla casa e aveva soltanto una finestra condannata in alto, dalla quale aria e luce filtravano attraverso le fessure. Per terra c'era un ampio materasso a due piazze con lenzuola e cuscino, e un orinale. Appese alla parete, una oleografia che rappresentava l'Annunciazione della Vergine con Maria e l'Arcangelo Gabriele, e la frusta di cuoio crudo. Una volta c'era un letto, ma era già crollato due volte durante le peripezie della prima notte: con la negra Ondina, quell'indemoniata, e con Gracinha che era terrorizzata, una matta da manicomio. Cosí Justiniano aveva deciso di abolire il letto:

il materasso sul pavimento era molto piú comodo e rendeva tutto piú facile.

C'era una stanza cosí nella casa di campagna, e una nella casa in città, dietro lo spaccio. Erano quasi identiche, e entrambe destinate al medesimo piacevole ufficio: le nozze del capitano Justo con le pulzelle raccolte da lui per mezzo di ricerche e di intrighi. Gli piacevano giovani giovani, quanto piú acerbe erano, meglio era, raccomandava agli incaricati e esigeva verginità comprovatamente sicura. Quelle che avevano meno di quindici anni, quelle che avevano ancora odor di latte – come aveva detto Veneranda, una ruffiana di Aracajú che si dilettava di belle lettere nell'affidargli Zefa Dutra, che aveva odor di latte, ma faceva la vita già da oltre un anno, quella Veneranda era da prendere a bastonate! –, quelle di meno di quindici anni, se erano realmente vergini, meritavano un anello di piú nella sua collana d'oro. Su questo particolare Justiniano Duarte da Rosa si atteneva a regole rigorosissime. C'è chi fa collezione di francobolli, ce ne sono migliaia e migliaia di tipi cosí in giro per il mondo, dal defunto re d'Inghilterra a Zoroastro Curinga impiegato postale furbacchione; altri preferiscono i pugnali, come ad esempio Milton Guedes, uno dei padroni dello zuccherificio; nella capitale ci sono collezionisti di santi d'antiquariato tutti tarlati, di scatole di fiammiferi, di porcellane, di avori e persino di quelle figurine di terracotta che si vendono sui mercati – Justiniano colleziona ragazzine, raccoglie e allinea esemplari di vari colori e di varie età, alcune anche maggiorenni e indipendenti, ma per la sua collezione contano sul serio solo le bambine piccole che odorano di latte. Ed è riservato a quelle di meno di quindici anni l'onore della collana con gli anellini d'oro.

Su quel materasso della casa di campagna ne ha già domate molte e molte su quello della casa di città. Alcune erano scaltrite, in genere le piú adulte e già maneggiate dagli innamorati, preparate; ma la maggioranza era composta di ragazzine spaurite, spaventate, timide, che si nascondevano negli angoli, e il capitano a dar loro la caccia da vero sportivo. Una volta una di loro, quando lui l'aveva raggiunta e assoggettata, si era fatta pipí addosso dalla paura; si era scompisciata tutta, tutte le gambe e il materasso, una cosa da matti. Justiniano al solo pensarci rabbrividiva di piacere.

Naturalmente, dato che era un tipo sportivo, il capitano

preferiva quelle che offrivano una certa resistenza iniziale. Quelle facili, che avevano chi piú chi meno, qualche nozione e una certa pratica, non gli davano la stessa esultante sensazione di potere, di vittoria, di difficile conquista.

La timidezza, la vergogna, la resistenza, la rivolta, che lo obbligavano a impiegare la violenza per insegnar loro il timore e il rispetto dovuti al loro signore, padrone e amante, i baci ottenuti a sberle, questo sí dava una nuova dimensione al piacere, lo rendeva piú profondo e piú denso. In generale tutto finiva nel modo migliore, qualche pugno, qualche schiaffo, a volte un po' di botte, quasi mai l'uso della cinghia o della frusta di cuoio crudo – ma era stato a frustate che Ondina aveva finalmente aperto le gambe. In capo a una settimana o due al massimo, la fortunata stava già leccandosi le labbra e non voleva piú saper d'altro, alcune diventavano persino seccanti a forza di smancerie, e perciò nella condizione di favorita ci rimanevano per poco tempo. La sunnominata Gracinha, per esempio; per scoparsela in pace aveva dovuto sottometterla a pugni, lasciandola svenuta, tale era il terrore che aveva. Ma non era ancora passata una settimana dalla notte dolorosa in cui aveva imparato timore e rispetto, che già sospirava d'impazienza e era arrivata all'audacia di andarlo a invitare in un'ora inopportuna.

Ad Aracajú, dove si recava abbastanza di frequente per affari, Veneranda gli proponeva delle «donzelle» che erano quasi sempre delle ragazzotte piú o meno recentemente guastate, e rideva volgarmente dello scherzo. Era un casino di lusso il suo, reso quasi ufficiale dal gran numero di uomini politici che lo frequentavano, a cominciare dal signor governatore (era la migliore divisione amministrativa di tutto lo Stato, a stare a quello che diceva Lulú Santos, che con le sue stampelle, era un cliente assiduo) e poi quelli della giustizia, pretori e giudici, dell'industria, dell'alto commercio e delle banche, con la protezione della polizia (l'ambiente piú corretto e piú a posto di Aracajú, comprese le residenze delle migliori famiglie, sempre secondo l'opinione del già citato leguleio); una sola volta era stata sconvolta la tranquillità necessaria al confort e alla potenza degli illustri clienti, e a sconvolgerla era stato il capitano Justo, che aveva cercato di demolire i mobili della camera, dove aveva scoperto il trucco dell'allume, di cui si serviva Veneranda allo scopo di creare l'illusione di tappi integri in una ragazzetta giovane che veniva dalla provincia. Ma una volta passata la rabbia e terminata la terribile scenata, erano diventati amici e la ruffiana, con la sua vernice di donna di lettere, lo chiamava «la belva di Cajazeiras do Norte, domatore di vergini». Nel casino di Veneranda di buono davvero c'erano le gringhe importate dal Sud, francesi di Rio e di São Paulo, polacche del Paraná, tedesche di Santa Catarina, tutte bionde ossigenate e che sapevano far di tutto. Il capitano non disprezzava una gringa che fosse competente; anzi, al contrario, gli piacevano assai.

Ce n'erano fin troppe, nei dintorni, agli angoli delle strade, nei paesi, nei piccoli centri, nelle cittadine vicine e soprattutto in campagna, in quella indigente regione dell'interno, di ragazzine e di chi le offrisse, cioè parenti e familiari. C'era Raimundo Alicate, un contadino che lavorava nelle piantagioni di canna che appartenevano allo zuccherificio, che in cambio di piccoli favori, consegnava ragazzette al capitano. Festaiolo, suonatore di *atabaque*, riceveva in casa i *caboclos* e perciò aveva occasione di rimediare del buon bestiame da macello e quando lui diceva «è vergine» c'era poco da esitare, perché lo era di sicuro. Anche Gabí, la padrona della pensione per donne di vita del paese, ogni tanto scovava in campagna del materiale appetibile, ma con quella vecchia prosseneta bisognava stare bene attenti a non farsi rifilare gatto per lepre. Piú di una volta Justiniano aveva minacciato di far chiudere il suo puttanaio, se avesse tentato di ingannarlo ancora; ma non serviva a niente, perché quell'imbrogliona era sempre recidiva.

Le migliori le reclutava lui stesso, in campagna, al banco dello spaccio, nelle balere, nelle feste popolari, durante le sue gite con i galli da combattimento per battaglie vicine o distanti. Alcune gli erano costate poco, proprio a buon mercato, quasi gratis, per un pezzo di pane. Altre erano piú care e le aveva dovute pagare, elargendo regali e denaro sonante. Teresa Batista era stata la piú cara di tutte, esclusa Doris.

Doveva farla entrare, Doris, nel conto? Perché con lei era stato diverso, aveva dovuto fidanzarsi e sposarla, davanti al prete e davanti al sindaco, e non l'aveva abbattuta in nessuna delle due camerette buie, ma bensí nel letto che era servito alla ragazza da nubile nella casa di Piazza della Cattedrale, quando, dopo la cerimonia civile e la funzione religiosa, «la graziosa nubente, che inizia oggi la sua traiettoria di felicità sul sentiero fiorito del matrimonio» (secondo la poetica frase di padre Cirilo) si era ritirata per cambiar d'abito e vestirsi per il viaggio in treno che avrebbe dato inizio alla luna di miele, una tenuta diversa per ogni circostanza, una piú cara dell'altra, da portar via la pelle!

Né nel bugigattolo col materasso senza letto, né nell'elegante camera dell'Hotel Meridional a Bahia, dove sarebbero andati ad alloggiare. Proprio lí sul suo letto, in prossimità del salotto dove, al comando di sua suocera, decine di invitati davano fondo al mangia-e-bevi, uno sproposito di roba da mangiare, uno spreco di bevande. Proprio lí il capitano aveva incominciato a riscuotere le spese che aveva avuto, quello sperpero di denaro.

Aveva accompagnato Doris e l'aveva aiutata a spogliarsi, strappandole affannosamente il velo, la ghirlanda e il vestito da sposa, nell'ansia di stritolarle le magre ossa. Si mise un dito sulle labbra per imporle il silenzio: nel salone lí accanto l'élite della città, tutto quello che c'era di piú importante e raffinato, la crema, si saziava voracemente, fame e sete, come topi. Con la casa piena di gente Doris non avrebbe potuto neanche emettere un sol gemito.

Sotto le mani pesanti di Justiniano Duarte da Rosa saltano via i bottoni del corpetto, i pizzi delle mutandine si strappano. Doris spalancò gli occhi, incrociò le braccia sopra il suo petto di tisica e non riuscí a trattenere un sussulto, ma il suo unico desiderio era di gridare, gridare forte, tanto forte che tutto il paese la sentisse e accorresse. Il capitano vide quelle braccia in croce sui seni minuscoli, quegli occhi fissi, il sussulto e tanta paura, tanta che la smorfia che facevano le labbra per trattenere i singhiozzi pareva un sorriso. Si strappò via la giacca e i pantaloni nuovi, e si leccò le labbra; quella lí gli era costata un monte di soldi, conto aperto allo spaccio, vestiti e feste, spese varie, l'ipoteca e il matrimonio.

8.

Justiniano Duarte da Rosa aveva già festeggiato i trentasei anni quando si era unito in matrimonio con Doris Curvelo, quattordici anni compiuti, unica figlia del fu dottor Ubaldo Curvelo, ex prefetto, ex capo dell'opposizione e medico, la cui scomparsa era stata compianta da tutta la città.

Il ricordo di lui, la sua fama di persona retta e di grande capacità amministrativa, competenza e senso di umanità nell'esercizio della medicina – «un cervellone per la diagnosi», secondo il farmacista Trigueiros; «la provvidenza dei poveri» per la pubblica voce –, erá tutto quello che aveva lasciato alla moglie e alla figlia dodicenne, oltre la casa ipotecata e montagne di consulti da incassare.

Finché era vivo lui non si erano trovate a vivere in strettezze. Essendo il padrone della piú importante clinica della città, dove quattro medici lottavano per sopravvivere, riusciva a raccapezzare il necessario per la famiglia e anche per una certa qual pompa che piaceva a dona Brigida, in quanto prima dama del comune sia per condizione sociale che per merito proprio; era riuscito persino a comprare e a pagare la casa di Piazza della Cattedrale. Buona parte della clientela era costituita da poveri diavoli senza il becco di un quattrino. Molti percorrevano chilometri e chilometri per raggiungere il suo studio; i piú abbienti portavano a mo' di onorario radici di igname o di manioca, una zucca, un frutto di *jaca*; altri neanche questo, soltanto timide parole, «che Dio la rimeriti, signor dottore»; alcuni ricevevano da lui persino il denaro per le medicine, perché in quella zona di confine tra due Stati la miseria non ha limite. Ma malgrado questo e malgrado i lussi di dona Brigida, il dottore avrebbe lasciato un peculio, un piccolo peculio, se non si fosse dato alla politica per accontentare gli amici e dar lustro alla moglie, il padre della quale ai suoi tempi aveva raggiunto il grado di consigliere municipale.

Le elezioni per la prefettura, la manutenzione del suo partito politico, gli anni di amministrazione con conseguente riduzione del tempo dedicato alla clinica, l'ammanco dovuto a Humberto Sintra, tesoriere dell'Intendenza, compagno di partito e anche organizzatore elettorale, una delle colonne della sua vittoria, disavanzo che era stato insabbiato e coperto integralmente dal dottore con un'ipoteca sulla casa, e soprattutto la campagna elettorale seguente che era stata disastrosa, tutto questo aveva finito per lasciarlo sconfitto, disilluso e senza un soldo.

Uscí dall'ultima battaglia elettorale con i nervi a pezzi e il cuore pesante. I dispiaceri gli tolsero la sua consueta allegria e lo trasformarono in un essere triste e impaziente: se non fosse morto in seguito a un infarto fulminante, non avrebbe

piú lasciato neppure il ricordo di uomo generoso e caritatevole. Quando dona Brigida si asciugò le lacrime per occuparsi dell'inventario, si ritrovò ridotta alla misera pensione
di vedova di un medico funzionario del Dipartimento di Salute dello Stato e agli inesigibili consulti.

Due anni dopo l'indimenticabile funerale del dottor Ubaldo Curvelo, che era stato accompagnato in chiesa da tutta la
città di Cajazeiras do Norte, ricchi e poveri, correligionari e
avversari politici, Governo e opposizione, gli alunni delle
scuole elementari e quelli della Scuola Normale, la situazione di dona Brigida e di Doris si era fatta insostenibile –
l'ipoteca sulla casa che stava per scadere, il denaro mensile
era insufficiente, il credito esaurito. Neppure le apparenze
dona Brigida riusciva piú a salvare; rammendare i vestiti e
cercare di nascondere difficoltà e ristrettezze non serviva
piú. I commercianti reclamavano il pagamento dei loro conti,
e la santa memoria del dottore si andava estinguendo, sva-
niva nel tempo, insomma non si poteva piú vivere su di essa.

Dona Brigida si vedeva in procinto di scendere dal suo trono di Regina-Madre. Essendo stata la prima Signora della città durante la gestione di suo marito, anche dopo la sconfitta
aveva voluto mantenerne la maestà e, morto il dottore, si
era fatta ancora piú altezzosa e arrogante. Una delle sue amiche, dona Ponciana de Azevedo, una malalingua che avrebbe meritato una piazza piú grande per il suo esercizio, una
volta, in una riunione di patronesse della festa di Sant'Anna
le aveva affibbiato il soprannome di Regina-Madre, perdendo cosí tempo e veleno: perché il titolo era piaciuto a dona
Brigida e le si addiceva bene.

Dal punto di vista della forza di sacrificio e della dignità,
manto e scettro li aveva conservati, ma ormai non inganna-
va piú nessuno. Dona Ponciana, vendicativa e tenace, una sera all'imbrunire aveva infilato sotto la porta di casa di dona
Brigida un ritaglio di giornale: «La Regina di Serbia in esilio
soffre la fame e impegna i gioielli». Gioielli ne aveva posse-
duti una mezza dozzina ai bei tempi, ma aveva venduto fin
l'ultimo anello a un turco di Bahia, un rigattiere che andava di casa in casa a comperare oro e argento, santi mutilati e
mobili antichi passati di moda, sputacchiere e pitali di cera-
mica. Ancora non avevano patito la fame – né lei né la figlia
– quando l'insperata gentilezza del capitano Justo aveva impedito che succedesse il peggio, proprio nel momento in cui

gli altri commercianti di generi alimentari cominciavano a rifiutarle il credito.

Gentilezza forse non era la parola appropriata. Justiniano Duarte da Rosa era un uomo scarsamente istruito e perciò non era uso a finezze e a circonlocuzioni, o a sottintesi delicati. Un giorno si era fermato sotto la finestra, dalla quale dona Brigida dominava la strada, e senza neppur dir buona sera, direttamente e brutalmente aveva detto:

– So che lei, eccellenza, è al verde e non può far compre da nessuna parte. Ebbene nel mio spaccio può comprare a credito di tutto e in quantità. Il dottore non ha mai avuto fiducia in me, ma lui era uno dei proceri.

Il capitano aveva imparato la parola proceri durante un suo recente viaggio alla capitale. Nelle vicinanze del Palazzo del Governo qualcuno gli aveva presentato un segretario di Stato, dicendo: «Il dottor Dias è uno dei proceri del Governo». A Justiniano era piaciuto molto quel termine, specialmente perché quel conoscente lo aveva impiegato anche riferendosi a lui: «Eccellenza, il capitano Justiniano Duarte ha parecchio prestigio nel *sertão*. Tra non molto lo si dovrà annoverare tra i proceri pure lui». Tutto soddisfatto aveva pagato birra e sigari a quel tizio, che era un non meglio definito giornalista in cerca di qualcuno che gli offrisse una cena, e, mettendo da parte l'orgoglio, aveva domandato:

– Cosa diavolo sono i proceri? Queste parole straniere, sa, ce n'è qualcuna che non conosco.

– Proceri vuol dire dirigenti politici, personaggi di punta, importanti, uomini di indiscusso valore, illustri. Per esempio: Rui Barbosa, J. J. Seabra, Goes Calmon, il colonnello Franklin...

– È francese o inglese?

– È tedesca, – aveva sentenziato quel ciarlatano ordinando un'altra birra.

I proceri si devono trattare con un certo riguardo, salvo quando si trovano faccia a faccia tra di loro durante una campagna elettorale. Tuttavia anche tali divergenze la morte le cancella, si fa conto di nulla, le offese vengono sepolte insieme al defunto, il dottore era stato un «procero», punto e basta. Conto aperto allo spaccio, eccellentissima.

Un'offerta inaudita; ma qualche giorno dopo dona Brigida scoperse il vero motivo di tale credito e anche degli approcci del commerciante. Per poco non le prese un colpo –

no, non era possibile, era incredibile! Era un assurdo fuòri misura, inimmaginabile, e tuttavia era chiaro ed evidente: il capitano aveva messo gli occhi su Doris, e cominciava a starle attorno.

La vestiva ancora con le gonne corte e i tacchi bassi e benché avesse compiuto i quattordici anni e avesse già le regole, dona Brigida non l'aveva promossa signorina. Continuava a trattarla da bambina, perché costava meno e era piú consono alle sue condizioni e alla sua mancanza di prospettive. Mai era passato per il capo a dona Brigida – questa è la verità nuda e cruda – che qualcuno avrebbe potuto interessarsi di Doris, cosí taciturna, chiusa in se stessa, difficile, senza amiche, tutta chiesa messe e novene. «Quella si fa suora» andavano ripetendo le comari e dona Brigida non lo avrebbe disapprovato. Non vedeva via d'uscita migliore, né una soluzione piú favorevole.

Doris aveva ereditato la sensibilità nervosa del padre, si risentiva facilmente, piangeva per nulla, si cacciava in un cantuccio immusonita col rosario in mano. Senza insistere sulla sua mancanza di attributi fisici, argomento che dona Brigida preferiva passare sotto silenzio, – non era però del tutto brutta di faccia, occhi grandi e chiari, attoniti, capelli biondi con la frangetta; ma il corpo era un disastro, un meschino fascio di ossa, le gambe due stecchi, petto piatto, seni privi di volume – non aveva mai avuto un innamorato. Dona Brigida, del cui amor materno nessuno avrebbe osato dubitare, quando stringeva sua figlia al petto opimo da Regina-Madre, dichiarava con enfasi: «La mia Cenerentola!» Sí, tutto indicava che Gesú sarebbe stato il principe incantato di quella cenerentola di *sertão*; le suore della Scuola Normale e dell'Ospedale coltivavano la sua vocazione al silenzio e le compagne l'avevano soprannominata crudelmente Madre Scheletro.

Ma le pare, capitano! Mai nessun ragazzo per la strada, mai nessun compagno di scuola ha alzato gli occhi su Doris con tenerezza o con malizia, neanche uno le ha mai proposto di seguirlo in collina, il classico rifugio degli innamorati, un cammino quasi obbligato per tutte all'uscita di scuola per un rudimentale apprendistato. Queste cose Doris le conosceva solo per sentito dire. Le compagne provavano una soddisfazione maligna nel prenderla come confidente di baci, abbracci, toccamenti, con particolari eccitanti, e vanitosamente le esibivano macchie violacee sul collo e labbra morse.

In silenzio, senza risa o commenti, Doris ascoltava. Nessun ragazzo l'aveva mai invitata a fare una passeggiata in collina.

Ed ecco che a un tratto il capitano, un uomo ricco e maturo, considerato definitivamente da tutti uno scapolo per sempre, si era messo a occhieggiare quella magrolina, chi l'avrebbe mai detto! Il capitano Justo, un uomo che aveva una cattiva fama, una pessima fama, una fama che peggio non avrebbe potuto essere. Rispettato era rispettato, niente da dire, per il suo denaro e a causa dei *capangas*; un caporione di provincia scaltro, prepotente, violento, sanguinario. Persino il dottor Ubaldo, che prima di occuparsi di politica non diceva male di nessuno ed era estremamente benevolo verso gli altrui difetti, Justiniano non l'aveva mai potuto soffrire e secondo lui era un «mostro». Una delle ragioni per cui era stato eletto il dottor Ubaldo candidato d'opposizione era stato proprio il coraggio che aveva avuto denunciando nei comizi l'intesa segreta esistente tra il prefetto scaduto, il commissario di polizia e il capitano, in collusione contro la città. Furono tante e tali le cose che divennero di pubblico dominio in quell'occasione, e lo scandalo fu cosí massiccio, che se ne occuparono persino i Guedes, che erano una specie di congregazione protettrice della città, e li convinsero a ritirare il loro decisivo appoggio a quella «tenebrosa cricca di potere». Ma una volta eletto, il dottore poco o nulla riuscí a fare contro gli accusati, gli mancarono le prove e la solidarietà; cosí si accontentò di amministrare onestamente, fin troppo secondo i Guedes. Ogni cosa ha un limite, anche l'onestà amministrativa, e infelice quell'uomo politico che non sa distinguere tali sottigliezze della vita pubblica, la sua carriera sarà certamente corta. Da lontano, dai loro campi di canna, dalla casa-grande presso lo zuccherificio, i Guedes prima elessero e poi sconfissero il dottor Ubaldo Curvelo, incontinente nell'onestà. Il capitano Justo, in quegli anni, aveva avuto poca corda sul collo e aveva dovuto subire lo smacco di vedere due *cabras*[1] suoi arrestati durante una lotta di galli. E quando, nelle elezioni seguenti, il dottor Ubaldo era stato sconfitto, Justiniano Duarte da Rosa aveva attraversa-

---

[1] Sicario o bravaccio (originariamente, mulatto scuro).

to la strada principale e la Praça da Matríz a cavallo scaricando il fucile in aria. Il nuovo prefetto non aveva ancora preso possesso del posto, che già il terrore dominava di nuovo nelle zampe dei cavalli, nei colpi di pistola.

Ebbene, colui che si avvicinava lungo il marciapiede pensando alla ragazza, altri non era se non Justiniano Duarte da Rosa, meglio noto come capitano Justo. Era persino stato visto in cattedrale all'ora della benedizione, al crepuscolo: con i suoi piccoli occhi porcini fissi su Doris.

Dona Brigida si mette le mani nei capelli – cosa fare, mio Dio? Vorrebbe correre a discuterne con padre Cirilo, con la comare Teca Menezes, con il farmacista Trigueiros, ma la prudenza la trattiene. Prima di parlarne deve studiarsi la cosa da sola in ogni particolare, c'è fin troppo da pensare e da riflettere.

Dopo cena la vedova e le vicine stavano sedute sulle sedie che solevano portar fuori sul marciapiede per godersi il fresco della sera e anche quello che per loro era il divertimento incomparabilmente piú grande di tutti – tagliare i panni addosso alla gente. Doris ascolta in silenzio. Al vaglio delle comari non esiste perdono, non esiste immunità: i commercianti tutti ladri, i mariti delle canaglie, le ragazze delle svergognate, per non parlare degli adulteri e dei cornuti contenti.

Quando si udí lo scalpiccio del passo del capitano, si fece silenzio, un silenzio nervoso, eccitato, tutti gli occhi erano inchiodati su Justiniano e quelli di lui su Doris. Dona Brigida ebbe l'impulso di alzarsi e di ritirare ostensivamente sua figlia dal marciapiede, portarla dentro, sbattere la porta. Ma ancora una volta la prudenza la trattenne e rispose amabilmente al buonasera del mostro con un sorriso.

9.

Dona Brigida trascorse notti in bianco torturandosi, giornate piene d'ansia, a pesare i pro e i contro, a analizzare il problema, a riflettere sull'avvenire di sua figlia. Toccava a lei calcolare e decidere tutto, dato che quella bimba innocente viveva lontana dal mondo interessandosi veramente soltanto per le cose di chiesa – anche a scuola era un'alunna disattenta e, per giochi e feste, la peggiore compagna che si possa immaginare; di ragazzi e innamorati poi, neanche parlarne, poveretta!

Doris, per cosí dire, era nata zitella. E questo sia per il suo temperamento e il suo modo di fare, sia per il fatto che in paese era difficile riuscire a fidanzarsi e a sposarsi e le ragazze da marito abbondavano, mentre scarseggiavano i pretendenti. I giovanotti, appena non si sentivano piú uccelli implumi, infilavano la strada del Sud in cerca di quelle occasioni che lí in paese erano cosí scarse.

Il bilancio municipale dipendeva praticamente solo dalle imposte pagate dallo zuccherificio di proprietà dei Guedes, banchieri della capitale dello Stato, possidenti terrieri, che avevano le terre veramente fertili, quelle bagnate dal fiume, dove crescevano verdeggianti piantagioni di canna da zucchero, un paesaggio in stridente contrasto con la selvatica zona circostante. L'officina dava lavoro a pochi privilegiati, qualche altro ne impiegava il mediocre commercio delle botteghe e dei negozi; gli altri prendevano il treno e se ne andavano. E le ragazze si contendevano con ferocia i pochi rimasti, ogni tanto qualcuna si attaccava al braccio di un commesso viaggiatore sposato e padre di numerosa prole, e per sfuggire la innocua follia delle zitellone gettava per sempre nel fango l'onore della famiglia. Il tutto tra il palpitare delle comari.

Il gruppo Guedes si faceva vedere in città assai di rado. I tre fratelli, le mogli, i figli e i nipoti andavano e venivano direttamente dallo zuccherificio alla capitale, prendendo il convoglio a una fermata speciale in mezzo alla piantagione di canna. Nel villino a piazza del Convento, che restava chiuso tutto l'anno, c'era soltanto il giardiniere-guardiano Lirio, vagolante in mezzo agli alberi centenari: ogni tanto, ogni due o tre anni, uno dei fratelli si faceva vedere in compagnia della moglie e dei figli alla festa di Sant'Anna, patrona del comune e anche della famiglia. Allora le finestre del villino si aprivano, risa per i corridoi e nelle stanze, ospiti dalla capitale, le ragazze del luogo eccitatissime, i giovanotti che venivano da fuori non ce la facevano con tanta abbondanza. Durava una settimana, dieci giorni, quindici al massimo. E le ragazze, baciate, abbracciate, palpeggiate e subito sul piú bello abbandonate, vergini accese ormai da un fuoco bruciante, ritornavano ai loro insignificanti compagni di scuola e ai loro poveri commessi di negozio, al chiuso delle case e alle feste in parrocchia, già zitellone a vent'anni. Che se mai avessero voluto andarsi a distendere sui materassi del capitano, lui le avrebbe rifiutate come vecchie e navigate.

E Doris, che stava facendosi ragazza e donna in quella pigra cittadina, a che cosa poteva aspirare? Terminate le normali presso le suore, la scelta era tra conquistarsi a forza di richieste e di raccomandazioni e puntando sul fatto di essere la figlia orfana del dottor Ubaldo, un misero posto di maestra elementare in una delle poche scuole del comune o dello Stato, oppure pronunciare i voti e entrare in convento. Insegnante elementare o suora di carità, dona Brigida non riusciva a trovare una terza possibilità. Marito, matrimonio? Impossibile. Altre, che erano in migliori condizioni sia finanziarie che di aspetto, figlie di agricoltori, di commercianti, di funzionari, belle, sane, civette, appassivano affacciate alle loro finestre, senza alcuna prospettiva; a maggior ragione la triste Doris, magra, sgraziata, brutta, taciturna, con poca salute e povera in canna. Sarebbe un miracolo.

E il miracolo all'improvviso successe: il capitano Justo cominciò a dimostrarle chiaramente il suo interesse, e in città ebbe inizio il grande festival di pettegolezzi delle comari fuori di sé dall'eccitazione. Si facevano avanti a due a due, a tre a tre, le piú intime anche sole, tutte in nero, agitando il ventaglio, e giú legnate sul capitano! Dicevano cose terribili, «pare che...», «me l'ha detto una persona che l'ha visto coi suoi occhi...» «poco tempo fa...»: dona Brigida ascoltava quelle storie spaventose scuotendo la testa senza dire né sí né no, una sfinge quella Regina-Madre. Le comari la circondavano come un gregge di grossi scarafaggi, su per la strada, giú per la strada, a messa, alla benedizione, nell'immensità del loro tempo vuoto. E dona Brigida, mosca, come se la faccenda non la riguardasse!

Ma chiusa poi nel silenzio di casa sua, lontano dal chiacchiericcio delle comari, dona Brigida di notte vegliava e per fare il bilancio della situazione passava in rivista l'infinito rosario delle infamie del capitano.

In fin dei conti, però, quelle cose spaventose, quando ci si soffermava a esaminare l'argomento spregiudicatamente e con calma, si riducevano alquanto. Le comari ponevano l'accento soprattutto sul fatto che Justiniano Duarte da Rosa era un donnaiolo e sul libertinaggio a cui si abbandonava. Una sfilata di bambine e di ragazze sul letto della deflorazione, orge nei casini e nei bordelli, mulatte violate, picchiate, abbandonate in braccio alla prostituzione. Ma in fondo il capitano era scapolo, e qual è lo scapolo che non ha al suo attivo fatti e incidenti del genere? Solo un anormale, un invertito, come Nenén Violeta, inserviente di cinematografo e finocchio ufficiale della città; dicono che anche uno dei figli di Milton Guedes sia «cosí», ma quello i parenti lo hanno deportato a Rio de Janeiro.

La storia di Justiniano sembrava piuttosto sovraccarica, ma chi si salva dalla lingua delle comari? Neppure i piú rispettabili uomini sposati ci riuscivano, tutti dei prevaricatori. Persino al dottor Ubaldo – un vero santo, come sappiamo – hanno tagliato i panni addosso; gli avevano attribuito le sorelle Loreto, ragazze sole, che avevano ereditato la casa in cui abitavano e anche un piccolo peculio ed erano clienti del medico. Tutte e due gliele avevano date come amanti.

Nessuno ce la faceva con le malelingue in un posto talmente privo di occupazioni, con tante zitellone nei pomeriggi prima dei lenti crepuscoli: interminabili ore.

Certamente, concludeva dona Brigida, non è il caso di prendere ad esempio il capitano per lezioni di catechismo. Ma dato che è pieno di soldi e libero, è naturale che si diverta con le donne. Tanto piú che ad ogni cantonata e anche in campagna crescevano famiglie enormi, per le strade c'erano intere leve di ragazze, grappoli di donzelle alle finestre in offerta, e i prezzi erano bassi. Non c'erano alternative: quelle cosidette di buona famiglia, a eccezion fatta delle poche che riuscivano a sposarsi o a fuggire, intristivano da zitellone acide. Delle altre che per cosí dire venivano dal popolino, la stragrande maggioranza finiva presto nei bordelli o a far marchetta; erano un esercito.

Il capitano era scapolo e aveva il diritto di divertirsi. E le esagerazioni andavano messe sul conto della sua vigorosa salute e del suo entusiasmo. Del resto dicono che quelli che hanno condotto una vita molto sregolata da scapoli, si trasformano poi nei migliori mariti, mariti esemplari; hanno già consumato prima la loro quota di spudoratezza e dopo mettono la testa a posto e anche il resto.

Per le comari il capitolo della vita sessuale del capitano, cosí sregolata e provocatoria, ha maggior importanza e pesa piú di tutto il resto. Mentre la sua disonestà commerciale, tante volte dimostrata, la violenza del suo modo di agire, i debiti riscossi a forza di minacce, le liti e le truffe per le lotte di galli, gli imbrogli in affari di terreni, i delitti, gli assassini ordinati e commessi – tutto questo pareva loro meno grave. D'imperdonabile c'era soltanto la sfacciataggine – tante soperchierie! Imperdonabili erano il capitano e le prostitute e anche le ragazze e le fanciulle, che venivano giudicate e condannate con un unico atto di accusa insieme a lui. In quell'ambito non vedevano vittime: colpevole lui, quel vizioso, colpevoli tutte loro, «delle ordinarie, delle donne di strada».

Dona Brigida, invece, si soffermava anche su altri aspetti della condotta del capitano e analizzava il vero valore delle storie che le avevano raccontato, a volte con particolari da far rizzare i capelli sulla testa. Per la disonestà nei conti e per il fatto di farsi pagare a suon di urla e di botte, qual è il commerciante immune dalla taccia di scorrettezza? Anzi, disgraziato quello che non si servirà di ogni mezzo in suo potere per incassare i debiti arretrati: lascerà la famiglia in miseria, e il miglior esempio ne era stato il dottor Ubaldo, incapace di presentare un conto, di sollecitare un cliente. Aveva lasciato un sacco di debitori, gente che lui aveva curato e atteso per anni; molti gli dovevano la vita. Ma neanche uno si era fatto vivo con la sua famiglia in lutto, che aveva bisogno, che si trovava in strettezze, per saldare quei debiti d'onore. In cambio erano venuti fuori dei creditori a far la voce grossa.

Durante quelle notti insonni, dona Brigida esamina con imparzialità fatti e accuse. L'immagine di Justiniano Duarte da Rosa acquista contorni umani, il mostro non è più tanto spaventoso. Senza contare le qualità positive: scapolo e ricco.

Imparzialità o buona volontà? Anche con tutta la buona volontà del mondo dona Brigida non può trascurare certe zone oscure e inspiegabili, i sospetti mai sopiti, l'eco dei colpi di fucile degli agguati, la visione di fosse scavate nottetempo. Al processo per l'assassinio dei fratelli Isidoro e Alcino Barreto, uccisi nel sonno, la responsabilità del capitano, che uno degli assassini, Gaspár, aveva indicato quale mandante, non venne dimostrata: il giorno prima della deposizione, quel Gaspár fu trovato impiccato in prigione: rimorso, naturalmente.

Al ricordare quei fatti, dona Brigida rabbrividisce. Vorrebbe poter assolvere il capitano completamente. Ha bisogno di questo per essere in pace con la propria coscienza e per poter convincere Doris, quella sciocca bambina di quattordici anni, talmente lontana da simili intrighi, indifferente ai pettegolezzi, sempre con gli occhi fissi a terra oppure rivolti al cielo; indubbiamente Doris non si era mica ancora resa conto degli approcci del capitano.

Dona Brigida vuol decidere a favore, per questo si adopera fino a notte alta: il matrimonio di Doris con Justiniano Duarte da Rosa, ecco la miracolosa, la perfetta soluzione di tutti i suoi problemi. Vaghe ombre fuggitive la turbano, però, che le fanno paura e la inducono a procrastinare sia la decisione che il discorso a Doris.

Un discorso difficile, che rimanda sempre al giorno dopo. Dona Brigida teme le reazioni di quella figlia nervosa e piagnucolona, quando le rivelerà l'interesse del discusso maggiorente. Una che si sta preparando a mistiche nozze con Gesú di Nazareth nel silenzio del chiostro, come può figurarsi soltanto il capitano e la sua trista leggenda? Ah! Doris non accetterà mai di discutere su questo argomento; lei cosí fragile e lacrimosa e con i nervi a fior di pelle, ma testarda come un mulo, è capace di chiudersi in camera rifiutandosi di ritornare ad uscire fuori per la strada.

Nell'alba insonne dona Brigida, madre devotissima, soppesa sentimenti e doveri. Sa che se sua figlia pesterà i piedi e dirà di no, sarà impossibile per lei obbligarla a sposarsi con Justiniano Duarte da Rosa. Per forza, no. E allora, mio Dio, come fare a persuaderla?

10.

Il discorso capitò inaspettatamente un pomeriggio, mentre madre e figlia stavano ritornando dalla visita protocollare a dona Beatríz, la moglie del giudice, una profumatissima madama della capitale. Era venuta per qualche giorno in vacanza presso il marito e aveva portato con sé il figlio Daniél di diciassette anni, un adolescente di una bellezza soave, un piccolo dandy con un profilo da medaglia. Nel salotto sul davanti c'erano anche altri personaggi importanti, che conversavano con nobile cerimoniosità. Una visita di breve durata.

Per la strada dona Brigida si rivolge all'assorta Doris con un commento:

– Che bel ragazzo! Sembra un quadro.

E la voce di Doris, flebile come sempre:

– Quello un ragazzo? Un bambinone scemo appeso alle sottane della mamma. Non posso soffrire i bambini viziati.

Dona Brigida si stupisce sia del tono che di quel disprezzo:

– A sentirti parlare, figlia mia, vien da pensare che di bambini e di ragazzi te ne intendi... – scherza dona Brigida. – Tu dici bambino viziato, e io ti dico ragazzino furbo. Non staccava gli occhi dalla scollatura di Neuza, tra l'altro quella non è mica una scollatura, è uno scandalo, aveva tutte le poppe di fuori, hai notato? Tu non ti accorgi mai di queste cose. – E tutt'a un tratto le parole le escono di bocca da sole: – Scommetto che non ti sei neanche accorta ancora, che il capitano Justo ti ha messo gli occhi addosso.

– Me ne sono accorta, mamma.

Uno choc, un pugno nello stomaco per dona Brigida.

– Te ne sei accorta quando?

– È un bel po', mamma.

Fanno qualche passo in silenzio, e intanto dona Brigida cerca di ricomporsi.

– È un bel po' di tempo e non mi hai detto niente.

– Avevo paura che tu fossi contraria.

– Eh?

Doris ride, di un riso strano, inquietante, e dona Brigida con il cuore in gola si mette una mano sul petto che ansima, Dio del Cielo!

– Vuol dire che tu... Vuol dire che... non senti avversione per lui... non sei...

– Avversione? E perché? Siamo fidanzati, mamma.

Il cuore palpitante di dona Brigida accelera all'impazzata i suoi battiti, ha urgente bisogno di un cordiale e di una seggiola per sedersi, il sole estivo l'abbaglia e probabilmente le dà anche alla testa. Non crede alle sue orecchie, sarà davvero sua figlia Doris, quella povera ed innocente fanciulletta, che le cammina a fianco per la strada affermando di essere fidanzata con il capitano con la stessa voce bassa e molle con cui si recitano le preghiere del rosario, o quel dialogo è solo una allucinazione?

– Figlia mia, raccontami tutto, per l'amor di Dio, prima che mi manchi l'aria.

Di nuovo quella risata: di trionfo forse?

– Mi ha scritto un biglietto, me l'ha mandato...

– Mandato? Dove? Chi l'ha portato?

– Me l'ha mandato a scuola, l'ho ricevuto per la strada, all'andata. È stato Chico, uno dei suoi servi, a portarlo. Allora io ho risposto, lui mi ha scritto di nuovo ed io ho risposto un'altra volta. Chico mi dà il biglietto mentre vado a scuola, e viene a prendere la risposta al ritorno. Ieri l'altro mi ha scritto chiedendomi se accettavo di diventare la sua fidanzata e che, se avessi accettato, sarebbe venuto a parlare con te.

– E tu? Hai già risposto?

– Il giorno stesso, mamma. Gli ho detto che dal canto mio mi consideravo già come la sua fidanzata.

Dona Brigida si ferma in mezzo alla strada, guarda sua figlia, magrolina, col suo vestitino corto da bambina, scarpe con i tacchi bassi, viso macilento, quasi senza trucco, quasi senza petto, una scolaretta ingenua ed innocente – ah! e dentro un fuoco che la consumava!

11.

L'illustrissimo signor giudice dottor Eustáquio Fialho Gomes Neto, nel tempo libero il poeta Fialho Neto con sonetti pubblicati su giornali e riviste di Bahia – ancora studente, con *Il verziere dei Sogni* aveva conseguito una menzione onorifica in un concorso della rivista «Fon-Fon» di Rio de Janeiro –, un personaggio importante nella intellighentia cittadina, come si vede, sosteneva una tesi sorprendente, e la sosteneva argomentando con serietà: a sentir lui Justiniano Duarte da Rosa si era acceso di vero e profondo amore per la minorenne Doris Curvelo, e questo amore non soltanto era sincero e profondo, ma anche duraturo. Amore nella piú ampia accezione del termine, l'amore che conosce le gioie del Paradiso e le pene dell'Inferno.

– Lei concepisce l'amore in una maniera che è veramente delle piú strane, non c'è dubbio... – per Marcos Lemos, impiegato come ragioniere allo zuccherificio e seguace egli pure delle muse, il giudice voleva soltanto divertirsi alle spalle degli amici, quel mattacchione.

– Al dottor Eustáquio piacciono molto i paradossi... – si destreggiava il pubblico ministero dottor Epaminondas Trigo, un tipo ciccioso, trascurato nel vestire, con la barba mal rasata, cinque figli da tirar su e il sesto in pancia alla madre che non aveva ancora trent'anni. Apparteneva alla ristretta cerchia del fior fiore della cultura locale, meno per essere laureato in giurisprudenza che per la sua perizia con le sciarade. Come giurista era una nullità; ma a decifrare un logogrifo nessuno gli poteva tener testa. Non aveva il coraggio di confutare l'opinione del giudice, che era suo superiore gerarchico.

– Sei un cinico... – motteggiava il quarto membro del gruppo, l'esattore Aírton Amorím, miope, coi capelli a spazzola, assiduo lettore di Eça de Queiroz e di Ramalho Ortigão e amico intimo del giudice. – L'amore è un nobile sentimento... il piú nobile.

– E con questo?

– Il capitano Justo e i nobili sentimenti sono incompatibili tra loro...

– Tu sei ingiusto con il nostro caro capitano e per di piú sei un ben modesto psicologo. È amore, amore vero, te lo voglio dimostrare con i fatti...

Non era soltanto l'élite intellettuale, ma la città intera ad arrovellarsi per spiegarsi il fidanzamento, il matrimonio e altri gesti del capitano, che erano veramente insoliti. Pochi giorni prima che scadesse l'ipoteca sulla casa, lui l'aveva riscattata, salvando madre e figlia dalla minaccia piú grave che incombeva su di loro: perdere l'immobile acquistato dal dottore con tanti sacrifizi.

Tanta generosità, una munificenza simile non è una prova sufficiente che si tratta di amore? – Sua Eccellenza argomentava sulla base di fatti concreti.

E il corredo di Doris? Chi aveva finanziato sete, lini, tele, pizzi e frappe? Chi aveva pagato le sarte? Forse dona Brigida con la sua pensione statale? Era venuto fuori tutto dalle tasche del capitano. Proprio quel capitano che di solito si mostrava cosí tirchio, tirato, tutt'a un tratto eccotelo spendaccione, largo, che paga senza discutere. Dona Brigida aveva ricuperato il credito nei negozi e trionfava sui commercianti di nuovo curvi davanti a lei e pieni di salamelecchi, ed erano gli stessi che poco tempo prima la perseguitavano carognescamente con i loro conti da pagare.

Se quello non era amore, che cos'era? Come spiegare spese, liberalità e gentilezze – sí, gentilezze – del capitano, in altro modo che con l'amore? Perché, diavolo, domandava il giudice alzando il dito, avrebbe dovuto sposarsi se non fosse stato innamorato? Che cosa gli portava Doris, oltre alla sua magra carcassa? Beni forse? Ma se non aveva un quattrino. Il nome onorato di suo padre, certamente, ma di che utilità poteva essere a Justiniano Duarte da Rosa il nome, l'onore, la memoria del dottor Ubaldo Curvelo? Soltanto un amore ardente e cieco...

– Soprattutto cieco... – interrompeva Aírton Amorím, per fare dello spirito.

Soltanto un amore ardente e cieco poteva spiegare fidanzamento, matrimonio, spese e gentilezze, nell'opinione dell'illustrissimo dottor Eustaquio, ed era un'opinione giuridica e poetica degna di attenzione, sebbene non molto condivisa dai suoi concittadini. Fu un periodo pieno di discussioni, di pareri contraddittori e sotto sotto anche di qualche scherzo grossolano. Dona Ponciana de Azevedo, infaticabile, ottenne successo con una delle sue precise definizioni: «È il matrimonio di un asse da lavare con un suino pronto per il mattatoio». Un paragone crudele, ma ben trovato, chi lo può negare? Che fosse per amore, o per un'altra misteriosa ragione qualsiasi, come volevano le comari, il capitano Justo aveva perso la testa e non sembrava piú lo stesso uomo. Uno dei suoi galli fu malamente sconfitto in una lotta: Justiniano non discusse neppure, non parlò di furto e non aggredí il barbiere Renato, padrone del gallo vincitore.

Intanto dona Brigida non era riuscita a liberarsi completamente delle paure che la perseguitavano fino ad alta notte. Aveva preso l'abitudine di ponderare fatti e azioni, larghezze e limitazioni. Il capitano aveva riscattato l'ipoteca in Banca, è vero, ma non l'aveva registrata all'archivio e non aveva dato la ricevuta alla vedova, cioè era diventato lui il creditore. E quando dona Brigida aveva accennato alla cosa, Justiniano l'aveva fissata con i suoi piccoli occhi quasi offeso: non stavano per sposarsi lui e Doris, e non sarebbe quindi rimasto tutto in famiglia, che necessità c'era di spender soldi col notaio per ricevute e altre stupidaggini del genere?

Cosí pure nei negozi succedeva che il venditore con aria di scusa le dicesse:

– Mi perdoni, dona Brigida, ma per una compera cosí importante, solo se domando al capitano...

Meschinerie in tanta larghezza, ma dona Brigida non si sentiva sicura, la fragile copertura di generosità e di gentilezza nascondeva un terreno fatto di violenza, una roccia brulla senz'ombra e senz'acqua. Di indispensabile per un corredo di qualità non era stato omesso nulla: ma che differenza dal grande, ricco, il piú grande, indimenticabile corredo sognato da dona Brigida. Dubbi e ombre le turbavano cosí il sonno e la soddisfazione, seppure non al punto di farle dubitare del reale interesse di Justiniano Duarte da Rosa, né della sua pubblicamente dimostrata passione.

Il fidanzamento durò tre mesi, cioè il minimo indispensabile per preparare il corredo. Dona Brigida, al momento della richiesta ufficiale, aveva proposto sei mesi, un lasso di tempo ragionevole. Sei mesi? Per cucire qualche vestito e tagliare delle lenzuola? Assurdo: il capitano non volle neppure sentirne parlare. Se fosse dipeso solo da lui, si sarebbero sposati il giorno dopo il fidanzamento. Se fosse dipeso da Doris, il giorno prima.

Nel giorno solenne della richiesta formale, Justiniano Duarte da Rosa si era fatto accompagnare dal dottor Eustáquio e dal prefetto e insieme si erano recati alla casa accanto alla Cattedrale. Dona Brigida aveva convocato padre Cirilo e alcune amiche intime e aveva preparato tortelloni fritti, pasticcini salati ripieni, e vari dolci. I curiosi si erano raggruppati in piazza e c'era tutto il comarume e il resto della popolazione. Quando comparve il pretendente, tutto vestito di bianco e con il cappello panama a fianco del giudice e del prefetto, si udí un mormorio.

Il capitano si fermò e si guardò intorno. Era un altro, un uomo pacifico: non alzò il braccio e neppure la voce, non chiamò né Terto né Chico, non estrasse il revolver, solo uno sguardo, ma fu sufficiente. «Sembra che non abbiano mai visto un uomo che si fidanza» borbottò, rivolto al prefetto. «Se non fosse per riguardo alla famiglia, io davo una lezione a quei ficcanasi».

Durante il breve fidanzamento gli accadde piú di una volta di trovarsi sul punto di «dare una lezione a qualche ficcanaso» e gli ci volle del bello e del buono per trattenersi. Quando andava fuori in compagnia di Doris e di dona Brigida diretto al cinema o alla chiesa e qualcuno li fissava con manifesta curiosità, il primo impulso del capitano sarebbe stato di esplodere. Ma perse la testa una volta sola, quando una coppia non si accontentò di guardarlo, ma scambiò anche qualche parola sottovoce. «Non mi hai mai visto, figlio-di-puttana?», gridò loro, e si fece sotto per aggredirli. Se marito e moglie non se la fossero data a gambe piú che in fretta, andava a finir male. Dona Brigida implorava: «Calma, capitano». Doris imperturbabile, in silenzio al braccio del fidanzato.

Ma tutta la curiosità, le discussioni, i giudizi, gli sguardi stupefatti, le visite intempestive delle comari quando c'era lo sposo, gli scherzi e i motti di spirito, tutto questo cessò completamente e all'improvviso. La vittoriosa signora Ponciana de Azevedo, durante una delle sue scappate notturne, che avevano lo scopo di infilare sotto la porta del giudice una lettera anonima riguardante la condotta della sua illustre sposa nella capitale e quella della sua amante lí in città, venne abbordata da Chico Mezza-Suola, un ribaldo alle dipendenze del capitano, e riscuotitore di debiti arretrati, il quale le esibí un pugnale e leggermente con la sua acuminata punta la vellicò. Dona Ponciana riuscí a malapena a tornare a casa, dove si abbandonò al deliquio e a un pianto convulso. Fu una crisi di nervi mai vista: restò chiusa in casa una settimana intera senza metter piede fuori dell'uscio. La storia venne propalata, gonfiandosi addirittura con coltellate e a partire da quel momento la pace discese sulla città.

Cosí trascorsero i tre mesi del fidanzamento. Dona Brigida tentava di stabilire rapporti di amicizia e di fiducia col futuro genero, ma non trovava in lui la necessaria ricettività. Justiniano Duarte da Rosa era un individuo di poche parole e durante la sua visita quotidiana dopo cena riduceva il dialogo all'essenziale: faccende che riguardavano il matrimonio e disposizioni indispensabili.

A parte questo, i fidanzati restavano in salotto, seduti sul sofà, in silenzio. Dona Brigida cercava di animare la conversazione, ma perdeva il suo tempo inutilmente: qualche grugnito dal capitano, da Doris neppur questo.

In silenzio aspettando. Aspettando che dona Brigida andasse in cucina o nella sala da pranzo col pretesto di un caffè appena fatto, oppure a cercare la conserva di banane o di *jaca*, di mango, di *cajú*. Non appena aveva voltato le spalle i fidanzati si abbordavano con baci bocca a bocca e mani impazienti. Tre mesi lunghi a passare, dona Brigida non sapeva piú da che parte girarsi, che cosa fare. Doris non era forse venuta a criticarla con insolenza per il fatto che lei si tratte-

116

neva in salotto a sorvegliarli e che non concedeva loro maggior libertà, non erano fidanzati in fin dei conti?

Una ingravida, partorisce, allatta, alleva, educa una figlia con ogni cura, nel massimo rispetto della morale e della santa religione, crede di conoscerla e di saper tutto di lei, e non sa niente, assolutamente niente, constata dona Brigida melanconicamente, espulsa davanti alla finestra con il viso rivolto alla curiosità altrui e le spalle ai fidanzati.

Il suo tempo era diviso tra la gioia dei pizzi, dei ricami, delle camicie e sottovesti, delle compere e degli arrangiamenti, della preparazione di dolci e liquori e della organizzazione del festino da un lato e dall'altro le preoccupazioni derivanti da quel fidanzamento impaziente e dal timore di una esplosione di collera da parte del futuro genero, fin troppo avvezzo alla violenza – dona Brigida aveva orrore della violenza e durante quel tumultuoso periodo non si sentí completamente a suo agio neanche un solo istante. Ciononondimeno, quando seppe del quasi mortale spavento di dona Ponciana de Azevedo al sentirsi la punta del pugnale tra le costole, non riuscí a reprimere un senso di orgoglio, un'esaltante sensazione di potere. Quella vipera velenosa aveva avuto quel che si meritava, un buon esempio per gli altri. Adesso, carissime amiche, zelanti comari, tenetevelo per detto e vedremo se avrete il coraggio di farvi sotto: toccare Doris o dona Brigida vuòl dire mettere a repentaglio la vita. Chi vuol fare il cretino che lo faccia, gli sarà risposto per le rime immediatamente. Passò un pomeriggio euforico ascoltando almeno dieci versioni del fatto; ma alla sera ricominciarono gli oscuri presentimenti, la paura.

Quel fidanzamento era come un labile cristallo di valore inestimabile, di fragilissima materia. Era preoccupata per il carattere schivo e sornione del genero e era preoccupata soprattutto per Doris che in quell'aspettativa si consumava. Furore, intemperanza, ansia, impazienza, disinteresse per tutto il resto, dov'era andata a finire la timida fanciulla della scuola delle suore? Non aveva mai avuto molto appetito, ma adesso quasi non toccava cibo, occhiaie scure, curve le spalle, sempre piú magra, pelle e ossa. Quando mancava meno di un mese al matrimonio, si manifestò la febbre e una tosse insistente. Dona Brigida chiamò il dottor Davíd. Il quale, dopo un coscienzioso esame, con l'orecchio sulla schiena della malata, colpetti sulle costole con le nocche delle dita, e «dica trentatre», consigliò di portarla a Bahia per fare degli esami di laboratorio e fors'anche delle radiografie. L'ideale sarebbe stato procrastinare il matrimonio, affinché Doris prima si ristabilisse. «È molto debole, troppo debole, e questi esami sono indispensabili», concluse il dottore.

Dona Brigida ebbe l'impressione che tutto crollasse intorno a lei:

– È ammalata di petto, dottore?

– Credo di no. Ma se continua cosí, lo diventerà. Alimentazione, riposo, gli esami, e rimandate il matrimonio di qualche mese.

Dona Brigida, Regina-Madre, donna energica, si riprese. Vecchi rimedi empirici debellarono la febbre, la tosse si ridusse a un po' di catarro, e quanto a procrastinare le nozze non si arrivò neppure a discuterne sul serio, mentre gli esami furono rimandati all'obbligatorio viaggio di nozze nella capitale. Non se ne parlò piú. Fragilissimo cristallo, delicata materia, inestimabile fidanzamento, dona Brigida lo protesse e preservò mandando giú rospi di ogni genere, e tanta paura, tanta.

12.

Maestosa nel suo portamento altero, maestosa tra le sete sfarfalleggianti del vestito lungo, del cappello adorno di fiori artificiali e del ventaglio per farsi vento, maestosa nel compimento del suo dovere, dona Brigida rifulgeva nel giorno delle nozze, definitivo porto e ancoraggio, finalmente. Finita per sempre la minaccia della miseria, ormai non erano piú mendicanti mascherate. Aveva compiuto il suo dovere di madre e riceveva le congratulazioni con un sorriso condiscendente.

Doris col suo vestito da sposa pieno di fronzoli, un modello copiato da un figurino di Rio, il capitano con un abito nuovissimo di lana blu marino, gli invitati col vestito della domenica, cosí venne celebrato il matrimonio piú commentato di Cajazeiras do Norte. La cerimonia religiosa ebbe luogo nella Cattedrale con accompagnamento di lacrime materne e sermone di padre Cirilo; l'atto civile in casa della sposa, con un brillante discorso del giudice dottor Eustáquio Fialho Gomes Neto, anzi del poeta Fialho Neto a giudicare dalle pompose immagini sull'amore «sublime sentimento che trasfigura la tempesta in bonaccia, smuove le montagne e illumina le tenebre», e avanti cosí, ispiratissimo.

Tutta la città si presentò nella Piazza della Cattedrale, compresa dona Ponciana de Azevedo, ormai rimessa dalla paura e pronta a nuove lizze, rispettando però il capitano e la sua famiglia, si capisce – «una sposa bella come Doris non s'era mai vista, mi creda, Brigida, amica cara» – Giubilante, ma dignitosa, dona Brigida accetta le lodi delle comari.

Attentissima, da vera Regina-Madre, essa presiede alla festa, dirige la pappatoria, comanda serve e garzoni con ordini precisi. Vede Doris abbandonare il salotto per cambiarsi in camera da letto. Il capitano la segue e imbocca lui pure la porta del corridoio, mio Dio, è mai possibile? Perché tanta fretta, non possono aspettare ancora un giorno, poche ore, il tempo del viaggio in treno fino a raggiungere la loro camera in albergo? Perché proprio lí, quasi sotto gli occhi degli invitati?

Sí, sotto gli occhi degli invitati, di tutti gli invitati, mamma. Della città intera, se fosse possibile. Di ragazze e ragazzine, tutte senza eccezione, le frequentatrici della collina dietro la scuola, quelle che andavano a sbrodolarsi di baci e di sperma con i compagni, quelle che l'hanno fatto nel giardino della villa dei Guedes con i ricchi, o dietro i banchi dei negozi con i commessi nei pomeriggi deserti. Lí, sotto gli occhi e sul naso di tutte loro, di quelle che venivano a raccontarle di baci e abbracci, di sospiri e gemiti, di seni toccati e cosce aperte, di quelle che per farle invidia e per umiliarla la chiamavano monaca, suora e merda. Che vengano e vedano e chiamino anche tutte le altre donne della città, anche quelle sposate, le serie, le adultere, le pulzelle dolcemente folli dei giardini e dei cortili, le comari alla finestra e in chiesa, le suore in convento, le prostitute del casino di Gabí e le passeggiatrici, portatele tutte a vedere, tutte, che non ne scappi nessuna.

A braccia incrociate sul suo petto di tisica, con gli occhi sgranati, un tremito nel fragile corpo e una gran voglia di gridare, gridare forte. Justo, lasciami gridare, perché mi imponi il silenzio, amor mio? Gridare forte per farle accorrere tutte a vederla tutta nuda, la povera Doris, e di fianco a lei sul letto, in procinto di possederla, di sverginarla, di goder-

119

la, ansante per il desiderio, un uomo. Non un bambinello di ginnasio, non un ragazzetto con le forbici e il metro, per una frettolosa masturbazione, una mano sul petto, una mano tra le cosce – toglile subito e scappa che sta arrivando qualcuno. Un uomo, e che uomo! Justiniano Duarte da Rosa, il capitano Justo, riconosciuto e celebrato da ognuno come un vero maschio ottimo e massimo, è tutto intero di Doris, è suo marito. Avete capito? Suo marito, il suo sposo; con l'anello in chiesa e il contratto firmato in comune. Sposo, amante, maschio, il suo uomo, interamente suo, a letto, lí in camera, a due passi dal salotto, venite tutti a vedere!

13.

Litigare con un altro mortale, la Signoria Vostra mi perdoni e permetta che glielo dica, non è proprio una cosa difficile; ho assistito a tante di quelle liti che è un piacere. Ho veduto il negro Pascoal-do-Sossego far fronte a un plotone di soldati; era un maestro nella capoeira angola e fece il diavolo a quattro, un vero spasso.

Se c'è il porto d'armi, allora diventa ancora piú facile. Qualunque cristiano è coraggioso con la pistola in mano, nessuno è vigliacco, cosí: ficca un cacafuoco in petto al tuo prossimo e ti promuovono subito capo cangaceiro o tenente di polizia. Non è vero, meu branco[1]?

Quello che vorrei vedere per credere è un guappo che abbia il coraggio di affrontare un fantasma. Un fantasma, sissignore, uno spirito dell'al di là, vagante di notte nell'oscurità del bosco, cacciando fuoco dal naso e dai buchi degli occhi, con il sangue che gli sgocciola dalle unghie, insomma un'apparizione proprio tremenda. Lo sa, la Signoria Vostra, quanto son lunghi i denti del Lupo Mannaro? E le unghie? Sono affilate come rasoi e tagliano da lontano.

Una volta avevo preso una scorciatoia che passava nel mato e a metà notte ho sentito lo scalpitio della Mula-Senza-Testa. Non sto mentendo o raccontando balle, ma mi è bastato scorgere da lontano la bestia senza testa, anzi con una fiamma al suo posto, per rimanere lí impalato e senza forza,

[1] Come *meu negro* è un appellativo affettuoso, che si rivolge indifferentemente a bianchi, neri e mulatti.

e mi son messo a gridare: aiuto, padre Cicero, padrino mio, liberami dal male, amen. È a lui che debbo la vita, e anche a questo invincibile scapolare che porto al collo. La bestia maligna è passata a trecento metri da me facendosi il vuoto intorno; tutto ha abbrustolito, alberi e erbe, stecchi e serpi, campi di manioca, piantagioni di canna. Dia retta, Signoria: solo a parlar di fantasmi molti smargiassi se la fanno addosso.

Che avesse il coraggio di esporsi nei posti frequentati dai fantasmi c'è stata soltanto la già menzionata Teresa Batista e con questo sto rispondendo anche alla domanda di Vostra Signoria Illustrissima, che è desideroso di sapere se la ragazza merita davvero tutta la fama di ardimentosa che ha. Lei ha avuto il coraggio di combattere – se dubita della mia parola, amico, basta che interroghi i presenti. Non è scappata e non ha chiesto perdono, e se ha gridato per chiedere aiuto, in quei frangenti nessuno l'ha aiutata, si trovò sola, mai prima di lei una bambina era stata tanto sola, abbandonata da Dio e dagli uomini. È così che si è premunita contro la iella: Teresa Anti-Iella, anti-pallottola, anti-pugnale e anti-veleno di serpe.

Di più non dico e non aggiungerò una parola, perché questo fatto veridico l'ho sentito raccontare da un sacco di punti di vista differenti; ciascuno racconta la storia a modo suo, fa e disfa cambiando certi pezzi, aggiungendo qualche pensiero o qualche abbellimento. Un cantastorie dell'Alagoas, che certamente era stupito di una impresa così straordinaria e voleva trovarle una causa logica, ha detto che Teresa Batista fin da piccola aveva venduto l'anima al Diavolo, e molti ci credono. Luis da Camara Cascudo, altro cantastorie brasiliano molto celebre e stimato, davanti a una così atroce solitudine, mise in mano a Teresa un fiore, fiore che fa rima con dolore, un fiore che rimasse con amore.

Ciascuno la racconta secondo la propria capacità di narratore, ma sull'essenziale sono tutti d'accordo: da quelle parti di anime in pena non se ne vide mai più, che di pene ce n'è d'avanzo nella vita.

Tutto è possibile, io non garantisco niente e non rifiuto niente, niente mi stupisce, non metto in dubbio niente, non prendo partito, «non son di qui», vengo da fuori. Ma veda la Signoria Vostra Illustrissima, come tutto è incerto a questo mondo – la Teresa che ho conosciuto io e sulla quale pos-

*so testimoniare, la chiamavano Teresa-della-Luna-Nuova,
aveva il colore e il temperamento del miele, cantava canzonette, era estremamente calma e tranquilla, estremamente dolce e affettuosa.*

14.

Dona Brigida di ritorno dal fiume vien su parlando da sola, circondata d'ombre. A metà salita le grida la raggiungono
e interrompono il suo monologo monotono; ancora qualche
passo e scorge la ragazzina con le braccia e le gambe legate
che si dibatte alle prese con il capitano e Terto-Cane.

Si nasconde dietro la pianta di manghi, si stringe al petto
la bambina, e rivolta al cielo va mormorando maledizioni,
verrà il giorno che Iddio si accorgerà di tanta malvagità e
manderà il castigo. Allora finirà anche il suo penare.

Le grida le esplodono nel petto, le spaccano il cuore: gli
occhi si spalancano, e, chiusa la bocca, il viso si altera: dona
Brigida si trasforma e si trasforma il mondo che la circonda.
A tener ferma la vittima per le braccia non è piú suo genero
Justiniano Duarte da Rosa, detto capitano Justo; è il Porco,
un demonio smisurato e mostruoso, che si nutre di bambine,
succhiando loro il sangue, masticandone le fresche carni,
triturandone le ossa. Lo aiuta il Lupo Mannaro, abbietto
vassallo che fiuta e alza la cacciagione per il padrone ed è il
cane piú importante di tutta quella muta di maledetti. Falso
e vigliacco, sarebbe pronto a divorarsi le ragazzine alla minima distrazione del Porco, ma codardamente si accontenta degli scarti. Dona Brigida, in momenti come quelli, indovina il
pensiero, legge dentro la gente; è un dono che già da tempo
le è stato concesso.

Oltre al Porco e al Lupo Mannaro, ci sono poi molti altri
personaggi ugualmente paurosi, dona Brigida non riesce a
ricordarli tutti nella sua testa confusa, ma appena uno di loro si fa vedere tra i campi, mercanteggiando carne fresca o
carne di carogna, lo riconosce immediatamente. Una delle
mercantesse di carne di carogna, per esempio, è la Mula-Senza-Testa.

La Mula-Senza-Testa può venire travestita da nobildon-
na, da buona madrina o da cortigiana, comunque non ingan-
nerà mai piú dona Brigida. In occasione del funerale di Do-

ris, era stata lei dona Brigida, a riceverla e intrattenerla in salotto, perché il capitano era uscito a cavallo per recarsi a una sfida di galli. Dona Gabí si era presentata con la ragazzina per mano, dicendosi sua madrina e protettrice; che quella bambinetta l'aveva ordinata il capitano per aiutare ad allevare l'orfana e che era proprio tanto bravina. Dona Gabí aveva maniere distinte, una conversazione piacevole, proprio una vecchietta cosí bene educata, che per una visita di condoglianze non si sarebbe potuto desiderar di meglio, e fu veramente una brava consolatrice per quella madre distrutta.

E mentre si scambiavano confidenze quasi intime, non si erano neppure accorte del ritorno del capitano. Stava sulla porta del salotto, Justiniano Duarte da Rosa, indicandole col pollice, e scrosci di risa sempre piú forti lo scuotevano tutto, fino a farlo scoppiare in una risata che non finiva piú, con la pancia che ballonzolava; di solito il capitano Justo rideva poco, e quando gli capitava di ridere a quel modo non era piacevole a vedersi. Voleva parlare e non ce la faceva, le parole uscivano frammiste alle risate:

– Amiche, amicone, chi l'avrebbe mai detto?

Dona Gabí si stava alzando in piedi confusa, a disagio, tentando di scusarsi.

– Ho approfittato per fare le condoglianze –. Saluta: – Addio, illustrissima.

Aveva fretta di allontanarsi dal salotto e andava tirando la ragazzina che teneva per mano, ma il capitano la fermò:

– Dove va? Può parlare anche qui.

– Qui? No, è meglio...

– Proprio qui. Vuoti il sacco.

– Bene, ho scovato questa piccina, che può essere di aiuto per la bambina... – Guardò dona Brigida; la vedova si stava asciugando le lacrime d'obbligo quando si ricevono delle condoglianze; la mezzana abbassò la voce: – Per la cosa principale è perfetta...

Il capitano stentava a trattenere le risa, mentre Gabí non sapeva se dovesse ridere di paura o piangere di compassione.

– Stasera controllo: se ne vale la pena, domani passo di là e le pago quello che ho promesso.

– Per favore, capitano, mi dia una parte già oggi. Sono al verde e devo pagare chi l'ha portata, che è venuto da lontano.

– Soldi anticipati da me non ne vedrà né oggi né mai. Se lo è scordato o vuole che glielo faccia venire in mente? Pagherò domani, se ci sarà da pagare. Se vuole, può venirli a incassare qui. Cosí farà un po' di compagnia a mia suocera; compagnia a mia suocera, ah! questa è buona...

Di nuovo si sbellicava dalle risa. E Gabí supplicante:

– Mi paghi qualcosa oggi, capitano, per favore.

– Venga domattina. Se è vergine la pago in contanti. Ma se non lo è, le consiglio di non farsi vedere da queste parti...

– Io non assumo la responsabilità. Me l'hanno consegnata come una ragazza vergine e io l'ho subito portata al signor capitano. Tutto il meglio che mi capita sotto mano, io lo porto sempre a lei.

– Non si assume la responsabilità, eh? Ha voluto imbrogliarmi di nuovo, vero? Solo perché l'altra volta non le ho dato quello che si meritava, cioè non ho liquidato la sua topaia, ha creduto di aver a che fare con un imbecille; ma se ci casca, vedrà! E adesso fili; via di qui.

– Mi paghi almeno i soldi che ho speso.

Il capitano le voltò le spalle e si mise a interrogare la ragazzina, lí davanti a sua suocera:

– Di' tu, sei ancora vergine? Non dir bugie che è peggio.

– Non piú, nossignore...

Justiniano si girò, afferrò Gabí per un braccio, e la sbatté fuori.

– Fuori di qui, prima che le spacchi il muso...

– Calma, capitano, che modi sono questi? – intervenne dona Brigida, che ancora non aveva capito il motivo delle risa e dell'eccitazione del genere – Calma!

– Lei si occupi degli affari suoi, e se ne stia nel suo brodo che è meglio per lei.

Al sentire sua suocera che difendeva quella ruffiana ricominciava a sbellicarsi dal ridere:

– Lascia in pace quella povera signora...

C'era da morir dal ridere!

– Ma lo sa chi è quella povera signora? Non lo sa? Ebbene adesso lo saprà. Non ha mai sentito parlare di Gabí-Mulada-Prete, che era l'amante di padre Fabricio e dopo la sua morte ha messo su un casino di prostitute? Coi soldi delle messe... – Gli doleva la pancia dal ridere, era scosso dalle risa dalla bocca alle budella. – Questa è bella...

– Ah! Dio mio!

Al trotto Gabí-Mula-da-Prete guadagnò la strada con la coda tra le gambe. La ragazzina voleva seguirla, ma il capitano glielo impedí:

– Tu, resta qua –. La squadrava da capo a piedi con occhi da conoscitore per vedere se meritava. – Quando è stato?

– Un mese fa, sissignore.

– Solo un mese? Non mentire.

– Un mese, sissignore.

– Chi è stato?

– Il dottor Emiliano, quello dello zuccherificio. Avrebbe proprio dovuto romperle il muso a quella sporcacciona, a quella ladra di una ruffiana, che aveva tentato di vendergli gli avanzi dei Guedes. Erano concorrenti molto forti quei ricconi, specialmente Emiliano Guedes. Dallo zuccherificio arrivavano tutte già bucate, da quella zona il capitano non era ancora riuscito a ottenere neanche un anello per la sua collana.

– Dov'è il tuo fagotto?

– Non ho niente, no, signore.

– Va' dentro, in casa...

Dona Brigida fissò il genero e stava per dire qualcosa, pronunciare qualche terribile anatema di condanna, ma il capitano ricominciò a ridere a crepapelle, «quella povera signora, sí, quella povera signora», e col dito accennava alla suocera. Dona Brigida si alzò di scatto e prese la via del bosco come se fosse la fossa dell'Inferno.

Neanche una briciola di rispetto, come se lei non esistesse neppure. A sera, dopo la lugubre cena consumata alla luce del lume a petrolio, il capitano andò a prendere la novellina nella camera dove dormiva la bambina: «Su, avanti!» E in fondo al corridoio in mezzo al fumo rosso del lanternino dona Brigida vide il Porco, smisurato, tenebroso, immondo, e per la prima volta lo riconobbe.

Si chiude in camera con la nipotina. Fin da prima della morte di Doris, non aveva piú la testa a posto. L'ansimare del capitano passa attraverso le pareti. Quel figlio di puttana di Guedes la aveva rotta davanti e di dietro.

Durante quell'anno e mezzo dopo la morte di Doris la Mula-Senza-Testa si farà viva sovente, tenendo per mano una protetta, ma ormai dona Brigida, solo a scorgerla davanti al cancello o a vederla avvicinarsi da lontano, la identifica subito. A quella vista il mondo per lei diventa un Inferno popolato da diavoli. Perché dona Brigida sta pagando in vita i suoi peccati.

La Mula-Senza-Testa, la sacrilega amante del prete. E non la inganna nemmeno il Porco, i cui ruggiti di rabbia fanno cader le foglie dagli alberi, uccidono il bestiame sull'aia e gli uccellini nel bosco.

– Non mi porti carne stantia, le ho già detto che non voglio mangiare gli avanzi degli altri... Badi che le spacco la faccia, brutta cagna...

Grida e gemiti, il suono delle botte, il fischio della frusta, una negretta che ulula tutta la notte, al collo del Porco una collana di bambine, e l'anello piú grande, tutto d'oro massiccio, era Doris. La testa di dona Brigida si fa sempre piú pesante, un po' al mondo, un po' all'Inferno, quale dei due è peggio?

Dov'è piú quella maestosa Signora Dona Brigida, prima dama della provincia, vedova del benemerito dottor Ubaldo Curvelo, la Regina-Madre che presiedeva al matrimonio dell'unica figlia? Nella sua testa gli avvenimenti si confondono, non ragiona piú bene. Si veste con trascuratezza, macchie sulla gonna e sulla camicetta, vecchie ciabatte, scomposti i capelli. Dimentica fatti e date, confonde i particolari, la memoria va e viene, imprecisa e incostante. Passa giorni e giorni chiusa in sé, parlando da sola e occupandosi della nipotina, ma basta un incidente qualsiasi per sprofondarla improvvisamente nelle sue allucinazioni. La perseguitano dei mostri, e alla testa di quella coorte infernale c'è il Porco che le ha divorato la figlia e vuol divorarle anche la nipotina.

Essa ha però, esatta e completa, la coscienza delle proprie colpe. Sí, perché lei, dona Brigida Curvelo, tale e quale Gabí-Mula-da-Prete, ha alimentato il Porco, proprio come Terto-Cane il Lupo Mannaro, ha alzato la cacciagione per Justiniano Duarte da Rosa, capitano dei Suini e dei Diavoli. Gli ha consegnato sua figlia perché lui ne succhiasse il sangue, ne triturasse le ossa, ne divorasse le scarse carni.

Nessuno cerchi di giustificarla, per favore, facendola passare per una vittima ingannata dalle circostanze fino a prendere per un essere umano il capitano, fino a confondere quello che era soltanto un sordido patto da letto con la nobiltà del contratto matrimoniale. È giusto che ora stia pagando i propri peccati in vita, dopo un simile delitto. Sapeva la verità sin dal principio, l'aveva capito fin dalla prima occhiata d'intesa del capitano, mai si era lasciata ingannare – notti intere aveva passato senza sonno, anzi era proprio durante quelle notti che aveva sviluppato in sé il dono di indovinare il pensiero e di prevedere il futuro.

Lo sapeva, ma non aveva accettato di saperlo, aveva taciuto, aveva ingoiato tutti i rospi e tutto il veleno possibile, aveva toccato con dito la piaga della tuberculosi nel petto di Doris, ma aveva chiuso gli occhi per non vedere, aveva passato una mano di amnistia sulle malefatte del capitano e aveva condotto la ragazzina all'altare e al suo letto di vergine durante il festino nuziale. E il Porco se l'era mangiata a pranzo, a cena, con il caffè del mattino, un pezzo ogni pasto. A parte la pancia della gravidanza, Doris si era fatta sempre piú piccola e sottile; alla fine non ci fu quasi niente da seppellire.

Per un delitto cosí enorme Iddio Onnipossente le aveva dato come castigo di purgare in vita l'Infeno, nella casa maledetta del genero; campi e terre disonestamente acquisiti, lavorati da giornalieri famelici, e poi galli da lotta con speroni di ferro, *cabras* con lo schioppo e il pugnale, e le ragazzine. Bambine e ragazze, a volte donne mature, ma di rado. Quante, dopo la morte di Doris? Dona Brigida ha perso il conto, e del resto sommare quelle di campagna omettendone altrettante cioè quelle della casa in città dietro lo spaccio, non servirebbe a niente.

Di molte cose si dimentica, di altre se ne ricorda solo per metà. Dimentica l'ansia e la passione di Doris – anche se dona Brigida si fosse opposta al matrimonio, Doris, pazza d'orgoglio e di incontinenza, sarebbe entrata nell'alcova con i suoi piedi portandosi dietro il fidanzato; cinica e dissoluta. Si era strappata dalla memoria la visione di Doris in salotto col fidanzato, quando spudoratamente abbandonava mani e lingua alla lussuria. Aveva ricuperato sua figlia, quale innocente scolara priva di malizia, occhi bassi, sposa promessa di Cristo, col rosario in mano, la lingua in preghiera, e la mistica vocazione di farsi suora. Vittima dell'ambizione di sua madre e della libidine del capitano.

Parimenti si era lavata gli occhi e la memoria dell'immagine di Doris sposa, amante, e umile ai piedi del marito come una schiava. Dieci mesi erano durati il matrimonio e il povero sangue di Doris, dieci rapidi giorni per la sua passione, dieci secoli di umiliazioni e di affronti per dona Brigida.

Mai c'era stata prima né ci sarà poi sposa piú devota e ardente. Doris aveva attraversato quei dieci mesi in fregola, ringraziando il capitano senza posa. Era ritornata dalla luna di miele già con la pancia e in preda a una esaltazione che non l'abbandonò piú fino alla morte – il tempo necessario per arrivare a partorire. Pendeva dalle labbra del suo signore e padrone per soddisfarne ogni minimo desiderio, elemosinando un'occhiata, un gesto, una parola, il letto: gonfia d'orgoglio quando, al braccio di Justiniano, qualche rara volta erano andati al cinema, qualche rara volta si erano recati in città. Dona Brigida è diventata debole di mente per lo sforzo che ha fatto per cancellare dalla memoria certe scene tanto disdicevoli – Doris accoccolata la sera davanti al bacile di acqua tepida, che lava i piedi al suino, e intanto li bacia. Li bacia dito per dito. Ogni tanto, solo per scherzo, il capitano le metteva un piede in faccia e lei crollava a terra come un mucchietto d'ossa. Doris tratteneva le lacrime e fingeva di ridere, che scherzo divertente, mamma. Le carezze del capitano erano cosí.

Quante umiliazioni, Signore! Ma a Doris quella vita andava a genio, lei voleva soltando andare a letto col marito e riceverlo tra le gambe, quelle sue misere gambette.

All'inizio dona Brigida, piena di progetti e di rivendicazioni, aveva tentato un dialogo col genero, cercando di trovare un terreno d'intesa. All'ora di cena, a tavola, aveva fatto modeste proposte – abitare in città nella casa in Piazza della Cattedrale, che era di loro proprietà e non richiedeva spese d'affitto; un treno di vita degno di una famiglia rispettabile come la loro, tanto piú che il costo sarebbe stato ridotto dal fatto che buona parte delle derrate sarebbero provenute dallo spaccio; servitú e sarta, gente che praticamente lavorava per un tozzo di pane, quasi gratuitamente; avrebbero ricevuto degli amici, le persone piú importanti della zona, dona Brigida sapeva come si organizzano queste cose con la classe che ci vuole e con poca spesa. Il capitano incrociò le posate e si leccò le dita per ripulirle da un resto di fagioli:

– Solo questo? Nient'altro?

Neanche una parola di piú, che chiarisse meglio il suo pensiero, la conversazione finí nell'incertezza. Ma pochi giorni dopo la vedova venne a sapere che la casa in piazza era stata affittata a un tizio protetto dai Guedes, che era padrone di una distilleria di *cachaça*. Allora dona Brigida, che era ancora ammantata di regalità e di illusioni, era andata su tutte le furie, passando dal dialogo alla discussione, e dalle proposte alle esigenze. Disporre della sua casa senza nemmeno consultarla, che sfacciataggine! Dove sarebbero andati ad abitare, quando avessero dovuto trattenersi in città, o forse suo genero crede che dona Brigida abbia intenzione di restare ad ammuffire lí nel *mato*? O di accontentarsi di quelle stanze dietro lo spaccio, in promiscuità con commessi e con *cabras*? Ma con chi crede di aver a che fare, il capitano? Non è una persona di poco conto, lei.

La discussione cosí aperta si concluse subito e una volta per tutte. Dona Brigida all'auge dell'indignazione, era giunta al massimo dell'enfasi, quando il capitano scattò:

– Merda!

Dona Brigida rimase a bocca aperta con una mano in aria, mentre il capitano la fissava con occhi lampeggianti. Ma che casa o mezza casa, chi aveva pagato l'ipoteca della Banca? Con tutta la sua boria, cara la mia signora gentildonna di cacca, perché lei non è niente altro che un sacco di cacca, lei non ha il becco di un quattrino, e se qui ha trovato un tetto e da mangiare, può dir grazie al fatto che è la mamma di Doris. Se vuole andarsene a far la fame in città vivendo con la sua pensione statale, la porta è aperta, non ha che da accomodarsi che qui non mancherà a nessuno. Ma se decide di continuare a vivere qui alle mie spalle, allora s'infili quella lingua nel culo e non alzi mai piú la voce.

In quell'atroce momento, dov'è Doris che dovrebbe appoggiarla e darle la forza di lottare?

Contrariamente alla sua aspettativa, si era mantenuta sempre dalla parte del capitano contro la sua stessa madre.

– Guarda, mamma, stai diventando insopportabile. Justo ha fin troppa pazienza. Con tutti i problemi che ha da risolvere, e tu a provocarlo. Per l'amor di Dio, finiscila, lasciaci vivere in pace.

Un giorno, sentendo che si lamentava con una persona venuta a visitarla dalla città, Doris si mise contro di lei, furibonda:

– E falla finita una buona volta con questa storia, mamma, se vuoi continuare a vivere qui. Vivi dell'altrui liberalità, e ancora ti lamenti.

Il trono regale si è spezzato: gentildonna di merda, qualcosa si è spezzato anche nel suo cervello.

Si fece cupa, misantropa e per un avanzo di dignità non parlò piú con il genero, e con Doris per lo stretto necessario. E prese a girovagare per i campi parlando da sola.

Quanto a Doris, aveva perso anche l'ultimo vestigio di dignità, di pudore, di amor proprio, era uno straccio in mano al marito, il quale era ritornato alle abitudini e al modo di fare anteriori al matrimonio.

Molto sovente il capitano tornava dalla città all'alba, e nel sudore appiccicaticcio del suo petto grasso Doris sentiva odor di femmina, di profumo a buon mercato, afrori forti e segni visibili – mai sarebbe passato per la testa di Justiniano Duarte da Rosa di nasconderli alla sposa. Ma anche cosí, appena arrivato dalle braccia di un'altra, da una delle stanze dietro lo spaccio o dal bordello di Gabí, la montava, come dessert, e in questi casi quella magrolina superava se stessa, ah! non c'era davvero puttana che le si potesse comparare!

Altre volte gli capitava di essere talmente stanco da non aver neppure la forza di lavarsi i piedi e rifiutando acqua tepida e carezze, con un «Va' all'inferno, lasciami in pace», sprofondava nel sonno. Distrutta, Doris passava la notte in bianco a piangere – a piangere senza rumore per non disturbarlo. Chissà, al risveglio, sul mattino? In aspettativa, come una schiava ai suoi piedi.

Mai che osasse lamentarsi, mai che aprisse bocca per un rimprovero. Neppure quando il capitano, irascibile e brutale, la maltrattava con ingiurie e insulti. Chi si rodeva dentro era dona Brigida, un'amarezza tale che aveva finito per toglierle la ragione. Una volta che Doris ritardava a portargli una giacca che aveva chiesto urlando, Justiniano le diede uno schiaffone sotto gli occhi della madre.

– Non hai sentito che chiamavo, lumaca?

Doris pianse molto in tutti gli angoli della casa ma non volle neppure sentir parlare di andarsene come aveva proposto dona Brigida in un primo impulso di rivolta. «Una cosa da niente, uno schiaffetto senz'importanza, avevo torto io, l'ho fatto aspettar troppo». Queste cose, che si ripetevano piú o meno simili, avevano liquidato sia la signorilità che la ragione di dona Brigida.

In ogni caso in un modo o nell'altro Doris seppe alimentare l'interesse del capitano; forse era perché la consumava il fuoco della tisi e per questo non c'era puttana che le si potesse paragonare – il capitano era competente in materia. Due giorni prima del parto e della morte egli la coperse ancora al modo delle bestie a causa della pancia, e Doris si abbandonò con lo stesso ardore della prima volta nella sua cameretta di vergine nella casa di Piazza della Cattedrale quando era andata a togliersi il vestito da sposa. Ecco un profondo e durevole amore tra coniugi, conforme la comprovata tesi di quel cervellone del signor giudice.

La tubercolosi si dichiarò galoppante nell'ultima settimana di gravidanza. Il catarro del periodo del fidanzamento era diventato, dopo il matrimonio, una tosse cronica, mentre le sue guance si facevano sempre piú incavate e le spalle sempre piú curve, ma soltanto alla vigilia del parto aveva vomitato sangue. Il dottor Davíd, che andarono a prendere in camion, si rifece al consulto anteriore: «Vi avevo pur avvisato. Dovevate rimandare le nozze e fare gli esami. Adesso è tardi e neanche un miracolo la salva piú».

Alla vista della figlia languente che sputava sangue, nella mente di dona Brigida si ruppe ancora qualche corda. Dimenticò i torti; le brutte parole, il disamore, cancellò le immagini lascive e umilianti della fidanzata e della sposa e ritrovò intatta nella sua memoria fallace la ragazzina della scuola delle monache, la pura Doris con gli occhi a terra e il rosario in mano, separata dalla malvagità del mondo e sulla strada del noviziato. Poi, una volta ricollocata la figlia in odor di santità, lei partí per l'Inferno a purgare il suo delitto. Di lucidità le rimase soltanto quanto bastava per occuparsi della nipotina.

Nascita e morte si succedettero durante la stessa notte di pioggia e quasi alla stessa ora. La bambina venne al mondo forte e in carne tra le mani della levatrice Noquinha, e Doris mancò tra quelle del dottor Davíd, che arrivò in ritardo per il parto, ma proprio al momento giusto per l'attestato di morte.

Chissà cosa provò il capitano? Si seppe in città che dopo aver depositato a casa il dottore, diresse il suo autocarro al casino di Gabí, dove c'erano ancora quattro ritardatari che andavano bevendo cognac in compagnia di Valdélice, una ragazzotta che valeva poco. La giovane aveva combinato con uno dei quattro di passare con lui l'intera notte e stava aspettando a forza di sonno e di pazienza che i clienti, che si erano accalorati in una discussione a proposito di football, avessero terminato la *cachaça*. Al banco Arruda, garçon e gigolò di Gabí e tendenzialmente un prepotente, russava. Il capitano attraversò la porta senza dire una parola, afferrò la bottiglia del cognac e la vuotò a garganella. Arruda si svegliò disposto a litigare, ma riconoscendo Justiniano, abbassò la cresta.

In mancanza di meglio il capitano si accontentò di Valdélice. E siccome la ragazza resisteva al suo invito a causa dell'impegno che aveva preso in antecedenza, con un «andiamo!» le affibbiò due belle sberle e, presala per gli scarmigliati capelli, andò a chiudersi in camera con lei. Andò via che era mattina fatta.

Nel centro della città la notizia della morte di Doris con particolari impressionanti aveva fatto riunire fin dall'ora del mattutino l'assemblea delle comari nell'atrio della chiesa. Videro il capitano Justo attraversare la strada venendo dalla direzione del quartiere di Cuia Dagua, dove lavoravano le prostitute. Pesante, spesso, lento, muto, sinistro, un animale.

Dona Brigida, dopo che sua figlia fu morta e seppellita, s'immaginò di esserne l'erede, e con un atto di audacia finale alzò la voce per richiedere l'inventario. Ma il capitano le rise in faccia, egli stesso si fece designare inventariante da Sua Eccellenza il Giudice, e fu molto se acconsentí a concederle una stanza nel retro della casa e di allevare la bimba.

I mesi e le ragazzine si susseguirono e un anno e mezzo dopo il funerale di Doris ecco dona Brigida, sporca e sconquassata, folle innocua, che vive tra mostri da favola, il Porco, il Lobishomem, la Mula-Senza-Testa, perseguitata da un torturante senso di colpa: lei è colpevole di un delitto imperdonabile contro la sua candida e indifesa figlia e lo espia lí, l'inferno in vita.

Però quando avrà completato tutto il suo castigo, quando avrà fatto la penitenza stabilita dal Signore, allora scenderà dai Cieli l'Angelo della Vendetta. Durante interminabili conversazioni con se stessa essa celebra il giorno della liberazione. Un angelo del Cielo, San Giorgio o San Michele, oppure il padre disperato di una figlia stuprata, un mezzadro derubato, un allevatore di galli da lotta imbrogliato nelle scommesse, un *cabra*, un miserabile qualunque, forse quel vigliacco del Lobishomem, scannerà il Porco, e dona Brigida, redenta finalmente dal suo peccato, se ne andrà libera e ricca per offrire alla nipotina il destino che spetta al suo casato. Ah!

purché sia presto, prima che l'infanta si trasformi in ragazzina al punto giusto per il capitano e diventi un altro anello per la sua collana.

Dietro l'albero di manghi, con la piccola stretta al petto, i capelli scarmigliati, vestita di stracci, dona Brigida perde di vista la scena che ha davanti; i mostri hanno portato via la bimba – i mostri si sono sguinzagliati e popolano i campi, le piantagioni, il bosco, la casa, la terra intera.

Buttano nella camera quel corpo ribelle e chiudono la porta dal di fuori. Il capitano si sputa sulle palme delle mani e le sfrega una contro l'altra.

15.

Il capitano infila la chiave nella toppa, apre la porta della camera, entra, cambia di posto la chiave, chiude la porta dal di dentro, colloca per terra il lume a petrolio. Teresa si è ripresa e sta in piedi contro la parete di fondo con le labbra semiaperte, attenta. Justiniano Duarte da Rosa non ha l'aria di aver fretta. Si toglie la giacca, l'appende a un chiodo tra lo scudiscio e l'oleografia dell'Annunciazione, si toglie i pantaloni, scioglie i lacci delle scarpe; per quella notte di festa ha fatto a meno dell'acqua tepida per i piedi – domani la nuova ragazzetta glieli laverà nel catino, prima di cominciare la funzione. In mutande e con la camicia sbottonata, con la pancia in libertà, gli anelli alle dita e la collana al collo, prende il lumino a olio, lo alza, esamina il piatto e il boccale che ha messo lí la vecchia cuoca Guga; il piatto è ancora intatto, ma parte dell'acqua è stata bevuta. Ispeziona poi, con quella scarsa e sporca luce, la mercanzia: cara, millecinquecento *milreis*, piú il buono per il negozio. Ma non se ne pente, è stato denaro ben impiegato – bella di faccia, ben fatta di corpo; e lo sarà ancora di piú quando crescerà, quando sarà una donna fatta nei fianchi e nel petto. Del resto per soddisfare i gusti di Justiniano Duarte da Rosa non c'è niente di comparabile alla freschezza delle bambine cosí, che hanno ancora sulle labbra il sapore del latte materno, come dice Veneranda; Veneranda, quella furbacchiona, quella bricconna, ma che non manca di cervello in zucca, conosceva bene tutte le debolezze e tutte le libidini lei, si serviva di parole complicate, importava le straniere a Aracajú, certe gringhe abilissime, brave a tutto fare; solo che questo non è il momento di pensare a Veneranda, che se ne vada all'inferno portandosi dietro il governatore dello stato, che è il suo amante e anche il suo protettore. Filipa aveva detto la verità: per scoprire una ragazza piú bella di quella lí era necessario andare alla capitale, anzi a Bahia, neanche a Aracajú era possibile trovarne una cosí perfetta, di quel colore decisamente simile al rame, con quei capelli neri che le scendevano sulle spalle, le gambe lunghe, un vero quadro, simile a certi quadri di sante, come quello che c'era lí sulla parete. Vale il suo prezzo e anche di piú, è costata un bel po' di denaro, ma è stato un buon affare, bisogna saper distinguere le cose. Si passa la lingua sulle labbra, appoggia il lume per terra, le ombre si allungano – e, «Sdraiati lí!» ordina. Sdraiati lí!, ripete. Allunga il braccio per obbligarla, la bambina si allontana mantenendosi sempre addossata alla parete; Justiniano ride di un breve riso: allora vuoi giocare a nascondino con me, hai paura dell'uccello in mezzo alle cosce? Se vuoi, io ci sto, non mi dispiace scherzare un po' prima di chiavare. Serve per scaldare il sangue. Anzi il capitano preferisce cosí, quelle che si mettono subito a aprire le gambe e la fessa, senza offrire la minima resistenza, non gli riescono gradite per molto tempo, l'unica è stata Doris, ma era sua moglie – e del resto come avrebbe potuto resistergli Doris in quella cameretta accanto al salone? Non le era stato possibile gridare e aveva mandato giú la paura; e cosí le si era acceso quel fuoco dentro, che neanche nel casino di Veneranda tra tutte quelle francesi, argentine e polacche ce n'era una che le potesse tener testa, tanto per ardore come per efficienza. Al capitano piace la conquista, sentire la resistenza, la paura, quanta piú paura, tanto meglio. Per lui vedere la paura negli occhi di quelle marmocchie è come un elisir, un sorso di un liquore che lo ritempra. Se vuoi gridare, puoi gridare: in casa c'è soltanto quella vecchia matta con la bambina, e nessun altro che si impressioni per i singhiozzi e per le grida. Su, bellezza! Il capitano fa un passo avanti, Teresa lo schiva e riceve una sberla sul muso. Ride di nuovo il capitano, è il momento buono delle lacrime. Il pianto riscalda il cuore di Justiniano, gli accelera i palpiti del sangue. Ma invece di piangere, Teresa risponde con un calcio; abituata a litigare coi monelli, lo colpisce proprio nello stinco a metà della gamba nuda e con l'unghia del pollice gli graffia la pelle – un'escoriazione, una goccia di sangue: ma è stata Teresa a fare uscire il sangue per prima. Il capitano si china per vedere e quando si raddrizza sferra un pugno sulla spalla della ragazzina. Con tutta la forza, che le serva di lezione. Come *jagunço*, soldato e comandante nelle lotte con gli altri monelli, Teresa aveva imparato che un vero guerriero non piange e perciò lei non deve piangere. Ma non riesce a trattenere un grido, quel pugno le ha quasi sconquassata la spalla. T'è piaciuto? Hai capito? Ti basta o ne vuoi ancora? Sdraiati, disgraziata! Sdraiati prima che io ti rovini. Il capitano brucia di desiderio, la resistenza è valsa solo a infuocargli il sesso, è un afrodisiaco piú forte che il *pau-de-resposta* o il *catuaba*, e gli ha messo in moto il sangue, gli ha aperto lo stomaco. Sdraiati! Invece di obbedirgli la disgraziata tenta di colpirlo un'altra volta; il capitano indietreggia. Sfacciata di una cornuta, adesso vedrai! Rimbomba nel petto il pugno, Teresa vacilla e spalanca la bocca per respirare; Justiniano Duarte da Rosa approfitta di quel momento e finalmente la prende tra le braccia. La stringe al petto, la bacia sul collo, sul viso, tentando di raggiungere la bocca. Ma per migliorare la posizione rallenta la stretta del braccio e Teresa con un mezzo giro gli sfugge e caccia le unghie nel grosso viso che ha davanti, ah! manca poco che non accechi quel bravo capitano. Chi ha paura, signor capitano? Negli occhi di Teresa c'è soltanto odio e basta. Brutta figlia-di-puttana, adesso vedrai, lo scherzo è finito. Justiniano avanza, la ragazzina lo schiva, le ombre vanno e vengono, mentre il fumo si alza rosso, soffocante riempiendo le nari. Pazzo di rabbia, il capitano riesce a piazzare un pugno nella cassa toracica di Teresa, un pugno che sembra il rimbombare di un tamburo. Teresa perde l'equilibrio, cade nello spazio tra il materasso e la parete. Justiniano ha il viso in fiamme. Quella puttana disgraziata aveva tentato di cavargli gli occhi. Si china sulla ragazza, ma lei strisciando allunga un braccio, raggiunge e afferra il lume a petrolio. Il capitano sente il caldo del fuoco nei genitali proprio all'altezza dei coglioni. Delinquente! Assassina! Molla subito quella lampada che se dai fuoco alla casa io ti ammazzo. Adesso Teresa è in piedi e la lampada nelle sue mani si alza e viene avanti; ancora una volta il capitano indietreggia riparandosi il viso. Addossata alla parete la bambina sposta la luce per localizzare il nemico, e nel farlo mette in mostra il suo viso sudato e impavido. Dov'è la paura,

135

la paura folle di tutte le altre? Soltanto rabbia. Bisogna insegnarle a temere, a rispettare il suo signore e padrone, che l'ha comprata da chi di diritto per averla in suo potere; se dovesse mancare il rispetto a questo mondo come si fa? Improvvisamente il capitano gonfia le guance, soffia con forza, la fiamma vacilla e si spegne. La stanza sparisce nell'oscurità. Teresa si perde nelle tenebre. Ma per Justiniano Duarte da Rosa è pieno giorno e vede la bambina contro la parete con gli occhi pieni d'odio e l'inutile lanternino in mano. È necessario che le insegni la paura, che la educhi. Adesso è arrivato il momento della prima lezione. Teresa riceve sulla faccia la sua mano aperta, quante volte non lo sa, non le ha contate e neanche il capitano Justo. Rotola via il lanternino, la ragazzina tenta di difendersi il viso con un braccio, ma non serve a granché: la mano di Justiniano Duarte da Rosa è pesante e lui picchia con la palma e con il dorso, le dita sono coperte di anelli. Teresa ha fatto uscire il sangue per prima, una goccia, sciocchezze. Adesso tocca al capitano e il sangue che esce dalla bocca della bambina gli sporca la mano: impara a rispettarmi, disgraziata, impara ad obbedirmi, quando io dico sdraiati, bisogna sdraiarsi, quando io dico apri le gambe, bisogna aprirle subito contenta e soddisfatta. Ti insegnerò io ad aver paura, avrai tanta paura che arriverai al punto di prevenire i miei desideri come tutte le altre e anche piú in fretta. Smette di picchiarla, è stata una bella lezione, ma perché questa figlia-di-puttana non piange? Teresa tenta di sfuggirgli, ma non ci riesce; il capitano la trattiene torcendole il braccio. La ragazza stringe i denti e le labbra, il dolore è lancinante, quell'uomo le vuol rompere il braccio; ma non deve piangere, un guerriero non piange neanche in punto di morte. Un raggio di luna penetra nella stanza attraverso un buco della finestra condannata – un raggio troppo piccolo per uno strazio simile. Teresa dal dolore che sente al braccio si affloscia e cade a terra supina – hai imparato sí o no, sfacciata? In piedi davanti alla bambina caduta a terra, il capitano col sudore che gli cola, una gamba graffiata, il volto ferito, ride vittorioso; meglio sarebbe se gridasse, il suo riso è la condanna definitiva. Egli lascia andare il braccio di Teresa, che, sconfitta, non rappresenta piú un pericolo. Dalla rabbia il capitano aveva finito per picchiare per il gusto di picchiare, maltrattare per il gusto di maltrattare; l'indignazione gli aveva fatto dimenticare lo scopo principale e cosí, invece di eccitarsi aveva terminato la lotta con l'affare molle. Ma il raggio di luna sulla coscia scoperta riaccende il desiderio in Justiniano Duarte da Rosa. Socchiude i suoi piccoli occhi, si toglie le mutande, facendo dondolare i testicoli al di sopra della bambina: guarda, figlia mia, tutto questo è tuo, su, togliti il vestito, svelta, togliti il vestito, te lo comando. Teresa tende la mano verso l'orlo del vestito mentre il capitano accompagna con lo sguardo quel gesto obbediente, finalmente ha avuto ragione della rivolta di quella indemoniata. Piú in fretta, avanti, togliti il vestito, cosí sottomessa è un piacere: su, piú in fretta! Teresa, invece, appoggia una mano sul pavimento, si alza con un salto da monello ed eccola di nuovo in piedi in un angolo. Il capitano perde la testa, te la faccio vedere io, figlia d'un cane! Fa un passo avanti e il piede di Teresa lo colpisce ai coglioni, un dolore straordinario, un dolore dei peggiori, lui lancia un grido tremendo torcendosi e contorcendosi. Allora Teresa raggiunge la porta, la batte con i pugni chiedendo soccorso, per amor di Dio aiutatemi, vuole ammazzarmi. E proprio sulla porta sente il primo morso dello scudiscio di cuoio crudo. Uno scudiscio fatto su ordinazione con sette strisce di cuoio di bue intrecciate e ingrassate, e per ogni striscia dieci nodi. Furibondo, come pazzo per il dolore tremendo che prova, il capitano pensa soltanto a picchiare. La frusta colpisce Teresa sulle gambe, sul ventre, sul petto, sulle spalle, sulla schiena, sul sedere, sulle cosce, sul viso e ad ogni frustata delle sette fruste, a ogni dentata dei nodi, un taglio, uno squarcio, uno schizzo di sangue. Il cuoio è come un coltello affilato; sibilano nell'aria le fruste. Ansimante, fuori di sé dalla rabbia, il capitano picchia come non ha mai picchiato, neanche la negretta Ondina ne ha prese tante cosí. Teresa si difende la faccia con le mani piagate, non deve piangere, ma le grida e le lacrime vengono fuori, le cadono indipendentemente dalla sua volontà, non basta volere: Teresa urla di dolore, ahi! per amor di Dio! Dalla stanza vicina giungono le folli maledizioni di dona Brigida, inutili, non calmano il capitano, non consolano Teresa, non allertano i vicini né la giustizia di Dio. Instancabile capitano: Teresa rotola a terra mezza morta, col vestito pieno di sangue, ma il capitano continua a picchiare per un bel po' di tempo. L'hai capita figlia d'un cane? Nessuno si ribella al capitano Justo e chi si ribella le piglia. Per imparare ad aver paura, a obbedire. Sempre con la frusta in mano, Justiniano Duarte da Rosa si china, tocca quel corpo accasciato, tocca la carne della bambina. Una scintilla di desiderio ricomincia a nascergli negli indolenziti testicoli, risale lungo il corpo, gli rianima la verga, gli restituisce vergogna e orgoglio. Sente un brivido lungo la schiena e un sottile rimasuglio di dolore, ma non ci vuol badare, non sarà questo che impedirà al capitano di dare inizio alla riscossione dei millecinquecento *milreis*. La ragazzina geme, un lacrimoso brontolio, quella indemoniata. Justo incomincia, le strappa il vestito dall'alto in basso, c'è del sangue sulla stoffa, e sangue sulle carni compatte, terse. Le tocca i capezzoli, non ha seno ancora, sono forme nascenti e i fianchi si arrotondano appena. Non è che un principio di donna, un inizio, una bambina fin troppo acerba, proprio come piace al capitano, meglio è impossibile. Un'indemoniata infernale, ma non s'è mai vista una bellezza simile, una verginità cosí fresca, un vero boccone da re. Fa scendere la mano sui rari, neri, setosi peli, sul piccolo ventre, si lecca le labbra e allunga un dito per raggiungere il mistero della rosa in boccio; superato il dolore e la rabbia, il capitano si riaccende di desiderio e, pronto e preparato col suo affare in resta, sta per dar inizio al rito. Ma quella diavola incrocia le gambe e stringe le cosce. Di dove mai le verrà tanta decisione e una tale testardaggine? Il capitano tenta di aprirle le gambe, ma non esiste forza umana capace di farlo. Di nuovo la rabbia fa alzare la frusta nella mano di Justiniano Duarte da Rosa, perseguitato dal Gran Cane nella sua notte di nozze. Si alza in piedi e picchia. Picchia con disperazione, picchia per uccidere. Per essere obbedito quando comanda o chiede. Dove andrebbe a finire il mondo senza obbedienza? Gli ululati di dolore vanno a perdersi nel bosco, dove sta fuggendo dona Brigida con la nipotina in braccio. Il capitano smette di picchiare quando Teresa cessa di gridare, ridotta a un inerte pezzo di carne. Allora riposa un momento, abbandona la frusta per terra, le apre le gambe, tocca il recondito segreto. La bambina tenta ancora di fare un gesto, ma due schiaffi sulla faccia finiscono per sottometterla. Il capitano ama sverginarle ancora acerbe con odore e sapore di latte. Teresa, con sapore di sangue.

Quando la luce smorta dell'alba riuscí a penetrare attraverso le fessure della finestra condannata, Teresa a pezzi, spaccata in due, indolenzita in ogni fibra del suo essere, si trascinò fin sul bordo del materasso e bevve in due sorsi quanto restava di acqua nel boccale. Con grande sforzo riuscí a sedersi, il russare del capitano le dava i brividi. Non pensava a nulla, sentiva soltanto rabbia e odio. Fino a quel giorno era stata allegra e scherzevole, molto aperta e gaia, amica di tutti quanti, una dolce bambina. Quel pomeriggio e durante quella notte imparò a odiare, un odio assoluto e completo. La paura, non ancora.

Si allontanò carponi dal materasso, raggiunse il vaso da notte e nel sedersi diede un gemito di dolore. Al suono dell'orina il capitano si svegliò. Voleva averla da sveglia, non come un pezzo di carne morta. Voleva vederla ricevere l'affare con il corpo vibrante per la resistenza e per il dolore. Il sentirla orinare lo eccitava follemente.

– Sdraiati, divertiamoci un po'.

Tirò Teresa per la gamba facendosela cadere vicino e le morse le labbra, mentre nei testicoli il desiderio dominava di nuovo il sordo dolore persistente. Non stringere le cosce se non vuoi morire a forza di botte. Ebbene, quella maledetta non soltanto chiuse le cosce e le labbra, ma fece di peggio: afferrò con una mano la collana, uno strappo al filo d'oro, e tutti gli anelli rotolarono per la stanza, ogni anello un «tappo» di bambina colto ancora acerbo. Maledizione! Il capitano si raddrizzò d'un balzo dimentico dei testicoli, con il cuore e la coda indolenziti – non c'era niente al mondo, non c'era persona, animale né oggetto, che per Justiniano Duarte da Rosa avesse maggior valore e maggior pregio, neanche la figlia ancora piccina, neanche il gallo Claudionór, campione di pura razza giapponese, neanche la sua pistola tedesca, nulla era tanto prezioso per lui quanto la collana delle vergini. Nella stessa notte i testicoli e la collana, ah! Demonio, demonio figlia-di-puttana, tu non hai ancora imparato, ma adesso imparerai. Andrai a raccogliere gli anelli uno a uno a suon di frusta. Avanti! Gli anelli uno a uno! Cieco di rabbia, con la frusta in mano, un dolore acuto nei coglioni, che seccatura tremenda!

Fu una di quelle battute da portar via la pelle, da far cadere la casa, mancò poco che l'ammazzasse. A distanza, mute di cani rispondevano agli ululati di Teresa: prendi su, cagna, prendi su e impara. La lasciò svenuta, ma gli anelli se li raccolse il capitano.

Quando ebbe terminato di metterli insieme, il capitano stesso si sentí nauseato, con il braccio stanco, per poco non si era slogato il polso, per non parlare della persistente sensazione di pesantezza nel «sacco-della-vita». Mai aveva picchiato tanto qualcuno, a lui piaceva picchiare, era un passatempo divertente, ma questa volta ne aveva abusato, accidenti a quella disgraziata disubbidiente, cosí dura da domare. Gliele aveva date per piegarne la volontà ed era riuscito soltanto a piegarne le forze. Esausto, il capitano, ma indomito, lui era un maschione sempre in forma come pochi, coperse la bambina, quella testaccia perversa, quella verginità che valeva un tesoro.

Abbandonò il corpo di Teresa al cantar dei galli. I testicoli gli dolevano. Ah! figlia-di-puttana-ribelle! ma persino il ferro si piega sotto il peso dei colpi.

17

Il terrore stampato in viso alle ragazzine nell'ora della verità gli aguzza il desiderio, gli dà una dimensione piú profonda, un gusto straordinario. Vederle spaventate, morte di paura, è una delizia; essere obbligato a possederle con la violenza, a forza di botte, è un piacere degno degli dèi; la paura è la madre dell'obbedienza. Ma questa Teresa, cosí giovane, nei suoi occhi il capitano non riesce a scorgere la paura; la prima notte l'aveva picchiata tanto, ma in lei non aveva potuto riconoscere altro che rabbia, ribellione, odio. Di paura, neppur l'ombra.

Justiniano Duarte da Rosa, come tutti sapevano – e riconoscevano –, era uno sportivo, allevava galli da lotta, era il re delle scommesse. Ora vuol fare una scommessa con se stesso; sebbene abbia trasposto le soglie di Teresa, raccogliendo un'altra verginità per la sua collezione di bambine, non andrà ad Aracajú nella gioielleria di Abdón Carteado a ordinare l'anello d'oro commemorativo, se prima non avrà insegnato la paura e il rispetto a quella serva indocile, se prima non l'avrà ai suoi piedi domata, pronta a tutti i suoi ordini e a tutti i suoi capricci, arresa e supplice, disposta ad aprirgli le cosce al minimo cenno e poi chiederne ancora. Le insegnerà a fare tutto quello che fanno le donne del casino di Veneranda, e anche come le gringhe. Doris aveva imparato in un momento ed era diventata maestra oltre che devota: peccato che fosse cosí magra e brutta. Teresa, invece, rassomiglia a una di quelle sante riprodotte nelle stampe, il capitano ha da ricuperare con lei tutti i suoi denari sonanti al doppio, soldo per soldo, anche se dovesse batterla dieci volte al giorno e altrettante di notte. Deve arrivare a vedersela davanti tremante di paura. Allora andrà ad Aracajú nella bottega di Abdón a ordinare l'anello d'oro.

Durante i primi giorni, oltre il tentativo di fuga, non successe molto di piú, perché il capitano si mise a letto con un testicolo gonfio, conseguenza questa del calcio di Teresa – se quella disgraziata avesse avuto le scarpe, avrebbe liquidato Justiniano per sempre. Due volte al giorno la vecchia cuoca Guga apriva la porta, entrava nella stanza con un piatto pieno di fagioli, farina di manioca e carne-secca, oltre al boccale con l'acqua, e portava via il vaso da notte per andarlo a vuotare. La prima mattina, quando comparve la Guga a portare il pranzo, Teresa non si mosse neanche dal materasso, era distrutta, priva di forze. Nell'oscurità della stanza Guga sentí odor di sangue, mise a posto la frusta e intanto scuoteva la testa parlando senza posa:

– A che cosa serve opporsi al capitano? È meglio dargliela vinta subito, perché diavolo vuoi conservare quei tre soldi di merda? A cosa ti servono? Tu sei molto bambina ancora, proprio fatta adesso, una briciola, e ti vuoi mettere a litigare. È meglio che tu faccia quello che vuole lui. Ne hai prese tante, ti ho sentito gridare. Pensi forse che qualcuno verrà in tuo soccorso? E chi? La vecchia matta forse? Tu sei piú pazza di lei. Falla finita con questo chiasso, che noi abbiamo bisogno di dormire e non siamo disposti a sentirti gridare per tutta la notte. Che cosa hai fatto al capitano per costringerlo a mettersi a letto? Tu sei pazza da legare. Ma tu non puoi uscire da questa stanza, l'ha ordinato lui.

Non può uscire dalla stanza, l'ha ordinato lui: staremo a vedere se non posso. Verso la fine del pomeriggio, quando ritornò la negra, Teresa non le diede nemmeno il tempo di entrare: si precipitò fuori dalla porta aperta, tutta avvolta nel lenzuolo, e guadagnò la libertà. In sala dona Brigida la vide passare simile a un fantasma, un avanzo di carne del capitano, un giorno o l'altro Dio gli manderà il castigo. Si fece il segno della croce, l'inferno in vita.

Riuscirono a trovare la fuggitiva soltanto a metà della notte in mezzo a una lontana boscaglia. Il capitano, condannato a un riposo assoluto – il testicolo disforme era nella catinella per lavarsi il viso, immerso in una specie di infuso fatto con coperchi di scatole di sigari, un toccasana per la cura dell'orchite! –, comandava dal suo letto la spedizione di cattura, che era stata messa sotto il comando di Terto-Cane. I *cabras* si sparpagliarono per i campi: Marquinho il bracconiere la scoperse addormentata su un fascio di pruni. L'ordine rigoroso del capitano era di non maltrattarla, non ammetteva che nessuno alzasse le mani su una donna che gli apparteneva, solo lui la poteva battere.

Avvolta nel lenzuolo la portarono in sua presenza. Il capitano stava quasi seduto, con molti cuscini dietro le spalle, e impugnava un regolo, di quelli grandi, pesanti, di legno fino, all'antica, che risaliva al tempo della schiavitù; di quella qualità al giorno d'oggi non se ne fanno piú. I *cabras* tennero ferma Teresa e il capitano le somministrò quattro dozzine di colpi, due per mano. Non piangerò, ma a partire dalla metà alla fine piangeva sottovoce, soffocando i singhiozzi. Di nuovo la chiusero nella stanza in fondo alla casa.

Da quel momento in poi, quando la Guga apriva la porta, un *cabra* si metteva di guardia in corridoio. Il secondo giorno, siccome la fame era troppa, Teresa non riuscí a resistere e ripulí il suo piatto. Non piangerò, e aveva pianto: non mangerò, e aveva mangiato. Chiusa in quella stanza, pensava soltanto alla fuga.

Il capitano, una volta rimessosi del male ai testicoli, ritornò alle fatiche del letto. Un giorno la Guga comparve al di fuori degli orari abituali e con lei venne un *cabra*, che portava una bacinella e un secchio d'acqua calda. La vecchia le consegnò un pezzo di sapone: è per fare il bagno. Ma solo dopo essersi lavata, quando la Guga ritornò ad appendere una lampada alla parete tra il quadro della Vergine con l'angelo Gabriele e lo scudiscio a sette gambe ancora sporco di sangue, solo allora Teresa comprese la ragione di quel bagno. La Guga le consegnò anche un fagotto:

– Ha detto di mettertela, era della buonanima. Cerca di non gridare oggi, che noialtri dobbiamo dormire.

Era una camicia di lino e pizzi, uno dei pezzi migliori del corredo da sposa, già ingiallita dal tempo. E perché non te la metti? Tu sei veramente pazza.

La luce smorta della lampada illumina la figura del capitano, che si toglie i pantaloni e le mutande. Per prudenza si tolse anche la collana che portava al collo e andò ad appenderla sul quadro. Perché non ti sei messa la camicia che ti ho mandato, ingrata di una monellaccia, perché hai disprezzato il regalo che ti ho fatto?

E la bastonatura ricominciò; botte da orbi e grida che erano diventate persino monotone, soltanto dona Brigida fuggiva ancora attraverso il bosco reclamando la giustizia divina – un castigo per quel miserabile, un castigo per colei che faceva tanto scandalo; perché tanto chiasso, tante bastonate e tante grida, forse che quella monella valeva piú di Doris, per farsi tanto pregare e far tanto la difficile? L'inferno in vita.

Ostinato e metodico, il capitano insisteva nel trattamento tante volte sperimentato; Teresa avrebbe finito per imparare ad aver paura e a rispettarlo, avrebbe imparato l'obbedienza, che è la molla fondamentale del mondo. A colpi di maglio anche il ferro si piega.

Teresa le prese per due mesi. Nessuno ha misurato sul calendario quanto durò esattamente, ma durò abbastanza perché la gente si abituasse a dormire cullata dalle sue grida. Che urla orrende sono queste? – volle sapere un viandante curioso. Non è niente, nossignore, è una matta, una domestica del capitano. Per circa due mesi Teresa, dunque, resistette. Ogni volta che il capitano la possedette, fu a botte. Ogni novità richiese tempo e violenza. Succhia, ordinava il capitano; ma quella disubbidiente chiudeva la bocca, lui la batteva con la fibbia della cintura sulle labbra: apri la bocca, cagna! finché l'apriva. Ogni cosa che le insegnava durava notti e notti nell'apprendistato; era necessario batterla sul viso con la mano aperta, sul petto con il pugno chiuso, con la cintura, con il regolo, con lo scudiscio. Finché a Teresa mancavano le forze e acconsentiva oppure eseguiva. Fetore di piscio, di sangue coagulato, urla di dolore, è cosí che Teresa Batista fu iniziata ai misteri del letto. Voltati di spalle, comandava il capitano, mettiti a quattro gambe. Per ottenere che si mettesse a quattro gambe o di schiena Justiniano Duarte da Rosa quasí consumò tutto il cuoio crudo dello scudiscio a sette fruste con dieci nodi per ogni frusta.

Justo era tenace, aveva fatto una scommessa con se stesso, e Teresa doveva imparare la paura e il rispetto, la santa ubbidienza. E finí per imparare, perché non c'era rimedio.

18.

Prima, però, tentò di fuggire una seconda volta. Aveva scoperto che la vigilanza del *cabra* in corridoio durante gli andirivieni della Guga era stata sospesa. Senza dubbio il capitano, al termine di due mesi di trattamento intenso, la considerava quasi piegata, quasi sottomessa al suo volere.

Constatata l'assenza del *capanga*, Teresa si buttò un'altra volta con addosso soltanto la camicia di Doris, svelta come un animale del bosco. Ma non arrivò molto lontano: alle grida della Guga accorsero il capitano e due *cabras*, che l'accerchiarono nelle vicinanze della casa e la portarono indietro. Questa volta il capitano ordinò che venisse legata con delle corde. Come un fagotto senza movimenti venne gettata dentro la stanza.

Mezz'ora dopo Justiniano Duarte da Rosa compariva sulla porta, ridendo del suo riso breve che era come una sentenza irremissibile. Aveva in mano un ferro da stiro pieno di brace. Lo alzò al livello della bocca, soffiò dalla parte di dietro, scintille volarono via dalla punta, dentro sfavillarono i carboni accesi. Si passò un dito sulla lingua e poi sulla parte di sotto del ferro, facendo stridere la saliva sul fuoco.

Gli occhi di Teresa si spalancarono, si sentí stringere il cuore, e fu allora che il coraggio le venne a mancare, fu allora che conobbe il colore e il sapore della paura. La voce le tremava quando disse mentendo:

– Giuro che non avevo intenzione di fuggire, volevo solo fare il bagno, sono sporca, lercia.

Aveva sopportato le bastonate in silenzio, soltanto pianti e grida; non aveva imprecato, non aveva alzato la voce, reagiva finché le forze le bastavano per non cedere. Naturalmente poi piangeva e cedeva; però non aveva mai chiesto perdono. Adesso era finita:

– Non mi bruci, no questo no, per l'amor di Dio. Non

scapperò mai piú, chiedo perdono, farò tutto quello che vuole, mi perdoni. Per amore di sua madre non mi faccia questo, mi perdoni, ah, mi perdoni!

Sorrise il capitano al constatare che negli occhi, come pure nella voce di Teresa c'era la paura; finalmente! tutto ha il suo momento e il suo prezzo a questo mondo.

La ragazzina era legata con la corda e sdraiata a pancia in su. Justiniano Duarte da Rosa si sedette sul materasso davanti alle piante dei piedi di Teresa che erano nude. Le applicò il ferro da stiro prima su un piede e poi sull'altro. Un odore di carne bruciata, lo stridere della pelle, le urla e poi un silenzio di morte.

Dopo che ebbe fatto ciò, il capitano la slegò; ormai non erano piú necessari né corde né vigilanza, né *cabra* in corridoio, né serratura alla porta, dopo quel corso completo di paura e di rispetto, Teresa finalmente era diventata obbediente. Succhia, e lei succhiava. Svelta, a quattro gambe o di schiena. E svelta cosí fece. Era sola al mondo e aveva paura; Teresa Batista, un anello della collana del capitano.

19.

Tra la casa di campagna e il negozio di città, Teresa Batista visse per piú di due anni in compagnia del capitano Justo nella situazione – come dire? –, diciamo di favorita. Per l'opinione pubblica era la nuova amante del capitano; ma lo era poi davvero? La condizione di amante – o di concubina, mantenuta con casa montata, ragazza, amica – implica l'esistenza di un accordo sottinteso tra la donna scelta e il suo protettore; un insieme di obblighi reciproci, di diritti, favori, vantaggi. Una relazione di questo genere, per risultare completa esige spese in denaro e sforzi di comprensione. Una vera amante nell'accezione piú completa e piú esatta del termine, era ad esempio Belinha, l'amica di Sua Eccellenza il giudice. Il magistrato le aveva montato casa in un vicolo discreto, con un orto pieno di alberi di mango e di anacardio, con l'amaca esposta alla brezza, mobili semplici ma decenti, tende, tappeti; e le passava, oltre al necessario per vivere e per l'abbigliamento, anche qualche soldo in piú per le piccole spese. Belinha faceva invidia anche a certe signore sposate, quando tutta in quinci e squinci ma con gli occhi

145

bassi e seguita dalla domestica, si recava dalla sarta. Aveva una persona di servizio per i lavori di casa e per farsi accompagnare dalla sarta, dal dentista, nei negozi, al cinema, che assai fragile è l'onore delle mantenute e ha necessità di una permanente copertura. In cambio di questi vantaggi Belinha si era impegnata a offrire al suo illustre amante la più completa intimità della sua graziosa persona, a farsi in quattro con carezze e premure, e a fargli una compagnia piacevole oltre che fedele – esigenza questa principale ed essenziale. La trasgressione di questa o quella clausola di tali taciti accordi per il quieto vivere dipende solo dall'imperfezione della condizione umana. Si veda ad esempio Belinha: è il paradigma dell'amante ideale, eppure è incapace di fedeltà per una inettitudine congenita della sua gentile persona. Comprensivo e abituato, Sua Eccellenza chiudeva gli occhi sulle visite del cugino della ragazza nei giorni in cui lui aveva udienza, cioè rispettava i legami di famiglia; sua moglie a Bahia aveva una notevole e allegra parentela maschile, come negare un unico e furtivo cugino alla misurata Belinha, che per lunghe ore viveva in solitudine, mentre lui distribuiva la giustizia in provincia? Veterano tra i cornuti, becco convinto; una mansuetudine che in certi casi è la condizione indispensabile al successo completo di un perfetto concubinato.

Teresa non era propriamente una concubina, anche se dormiva nel letto matrimoniale, tanto nell'ampio letto coniugale della casa di campagna che nel vecchio letto della casa di città, il ché era una preferenza che la elevava al di sopra delle altre e la faceva annoverare in una categoria speciale nella filza delle innumerevoli serve, protette e amorazzi che si succedevano nella vita di Justiniano Duarte da Rosa. Era indubbiamente un privilegio assai significativo; però era l'unico – oltre qualche vestito usato del corredo di Doris, un paio di scarpe, uno specchio, un pettine e qualche cianfrusaglia da venditore ambulante. Per il resto era una serva come le altre, a sgobbare dalla mattina alla sera; prima nella casa di campagna, e più tardi, quando Justiniano scoperse la sua abilità nelle quattro operazioni e la sua calligrafia ben leggibile, al banco del negozio. Serva e favorita, Teresa mantenne per due anni e tre mesi il privilegio di dormire nel letto matrimoniale. Ebbe concorrenti e rivali, ma tutte rimasero nelle camerette in fondo alla casa, nessuna ascese dal materasso di paglia al letto con lenzuola pulite.

Nessuna altra donna aveva resistito per tanto tempo nelle preferenze del capitano, a lui piaceva variare. Legioni di ragazze – bambine, fanciulle, donne mature – avevano abitato nelle due case di Justiniano Duarte da Rosa a sua disposizione; ma l'interesse del capitano, molto intenso all'inizio, si esauriva in pochi giorni, qualche settimana, ben di rado durava per qualche mese. Dopodiché quelle disgraziate se ne andavano in giro per il mondo, e per lo più finivano a Cuia Dagua, che era il ridotto delle prostitute locali; qualche altra, poche, più dotata fisicamente, prendeva il treno per Aracajú o per Bahia, che erano mercati importanti; ai quali da più di vent'anni il capitano forniva copioso materiale di qualità variabile per i centri di consumo.

Secondo l'esattore Aírton Amorím, quella mania di variare, in linguaggio scientifico si traduceva con impotenza. Impotenza? Il pubblico ministero Epaminondas Trigo protestava, stufo delle mistificazioni di Aírton, il cui divertimento preferito era quello di abusare della buona fede degli amici inventando assurdità:

– Ecco che ricomincia con le sue invenzioni. La verità è che per avere tante donne, lui ha bisogno della virilità di uno stallone, questo sí.

– Non mi venga a dire, caro avvocato, che non ha letto Marañon?

All'esattore piaceva mettersi in evidenza ed esibire la propria erudizione: Gregorio Marañon, il famoso spagnolo dell'Università di Madrid è stato colui che ha affermato e dimostrato, emerito avvocato – che quanto maggiore è il numero delle donne e la varietà di femmine, tanto più debole è il soggetto.

– Marañon? – si stupí Marcos Lemos, il ragioniere della fabbrica di zucchero. – Io conoscevo questa teoria, ma pensavo che l'autore ne fosse Freud. Marañon, ne è sicuro?

– Ho il libro nel mio scaffale, se vuole accertarsene.

– Anche a me piacerebbe essere un minchione come quello, che scopa e cambia, cambia e scopa tutto il tempo. Quel tipo non fa altro che sverginare, e tu gli dài il titolo di impotente? Dove s'è mai vista un'assurdità come questa? – il pubblico ministero non si capacita.

Aírton alza le braccia al cielo: santa ignoranza! Ma proprio per questo, mio caro avvocato, che ha studiato cinque anni all'università, proprio per questo: quell'individuo ha bisogno di cambiare donna ogni momento per eccitarsi, per mantenersi potente. Ma lo sa, carissimo rappresentante della pubblica accusa, chi è stato il piú grande impotente della storia? Don Giovanni, l'amante per eccellenza, quello delle mille donne. Un altro impotente, impotentissimo: Casanova.

– Questa no, Aírton, non me la dà a bere neanche come paradosso...

Ma il giudice, che non voleva passare per poco colto, sostenne l'esistenza di Marañon e di quella sua tesi strampalata; vera o no, quella teoria era stata affermata e discussa. Molto discussa. Quanto a Freud, la storia è un'altra: la teoria dei sogni e dei complessi e quella faccenda di Leonardo da Vinci...

– Leonardo da Vinci, il pittore? – il dottor Epaminondas lo conosceva attraverso le parole incrociate. – Anche lui era impotente?

– Impotente, no. Finocchio.

L'argomento di queste discussioni, cioè il capitano, fosse egli un impotente o uno stallone a seconda della preferenza dei litiganti, con tante ragazze che aveva ogni tanto si attaccava a una di loro, e quasi sempre si trattava di una ragazzina molto giovane, ancora in fasce – tanto per citare di nuovo la saggia Veneranda, che in tema di sesso era un'autorità altrettanto competente di Freud e Marañon e molto meno complicata. Al diritto a condividere il letto matrimoniale, che era la prova del favore del capitano ed era anche un privilegio e un onore, si aggiunga il regalo di un vestitino a buon mercato, un paio di sandali, degli orecchini, un pezzo di nastro, ed è bell'e finita la relazione delle prerogative delle favorite; il capitano non aveva l'abitudine di buttar via il denaro; sprechi, prodigalità si addicevano all'illustrissimo signor giudice, è facile essere uno scialacquatore con i soldi degli altri.

Neanche una parola affettuosa, una parvenza di tenerezza, una gentilezza, una carezza – soltanto la maggior assiduità, il furore del possesso. Capitava che egli facesse un cenno a Teresa nelle ore piú impensate – a letto, svelta! –: le alzava la gonna, si sfogava, come per una necessità improrogabile, e la mandava indietro al lavoro.

Una simile violenza di desiderio non gli impediva di andare a letto anche con altre. Una volta ebbe due ospiti contemporaneamente: una in campagna e una in città; oltre Teresa, e le cercava tutte quante nello stesso giorno. Uno stallone eccezionale, un caprone era, altro che impotente come diceva quel pagliaccio incorreggibile di Aírton Amorím; non c'è conferma dell'illustre giudice capace di convincere il pubblico ministero, quel famoso Marañon era una bestia.

Quando Teresa Batista si trasferí dalla grande casa di campagna in quella dietro il negozio e venne messa davanti a un tavolino a fare i conti, molti curiosi si diedero a passare per quella strada per sbirciare «la nuova amica del capitano, ne val la pena!». Perché in città le ragazze di Justiniano Duarte da Rosa venivano discusse al parlamento delle comari, come pure nei crocchi dei letterati. Una di quelle ragazze, che si chiamava Maria Romão, aveva provocato un grande scalpore perché era stata vista sotto braccio al capitano davanti al cinema ancheggiando con i suoi ricchi fianchi e mettendo in mostra il suo petto superbo; subito si era saputo del conto aperto per quella mulatta nel negozio di Enock, un avvenimento inedito, degno di venir citato sui giornali della capitale. Era alta, bruna, con i capelli lisci, una vera statua. Lo strano era che non si trattava di una ragazzina giovane giovane, ma aveva già compiuto diciannove anni quando il capitano Justo l'aveva comprata in una «leva» di *paus-de-arara* [1], che venivano dall'altipiano del *sertão*, e erano diretti alle *fazendas* del Sud. Un pari-grado di Justiniano Duarte da Rosa, il capitano Neco Sobrinho, faceva mercato della gente del *sertão*, irreggimentandoli durante il periodo della siccità, per venderli poi nel Goiás, era un affare sicuro, con lucro garantito. Al passaggio, in un momento in cui gli erano venute a mancare le derrate alimentari, scambiò Maria Romão con carne secca, fagioli, farina di manioca e blocchi di mascavato. Ma ad avere il conto aperto in un negozio Maria Romão fu la prima e l'ultima. Una cotta poderosa, quella, che egli aveva spudoratamente mostrato sul muso della popolazione, ma che era durata pochissimo, non era arrivata alla seconda settimana.

Il capitano non era dedito a far confidenze, al contrario: aveva un carattere molto chiuso ed era nemico dei pettegolezzi e dei pettegoli. Eppure, quando mandò via la Maria

[1] Autocarro su cui si ammucchiano gli emigranti degli stati del Nord per raggiungere nel Sud gli stati piú ricchi.

Romão, e il suo amico dottor Eustáquio Fialho Gomes Neto, gli chiese se era vero quanto si diceva in giro, non rifiutò di dargli informazioni sincere. Il giudice, che era arrivato da poco e aveva la famiglia nella capitale, non poteva frequentare le prostitute a causa della sua carica e perciò cercava una ragazza per metterle su casa: Maria Romão gli era parsa proprio quello che faceva al caso suo.

– È vero quello che ho sentito dire, capitano? Che quella ragazza di nome Romão non è piú con lei?

– È un fatto, sí. Ho scambiato tutta quella «facciata» con una piccolina mezza rachitica, che Gabí ha fatto venire da Estancia, cioè dalla fabbrica di tessuti –. Fece una pausa, poi completò: – Gabí crede di avermi imbrogliato. Ancora non è nato quello che imbroglierà il capitano Justo!

– L'ha scambiata, capitano? Come, l'ha scambiata? – Il giudice voleva istruirsi sulle abitudini del paese e su quelle del capitano.

– Io faccio certi baratti con la Gabí, signor dottore. Quando lei ha qualche novità, mi avvisa; se mi piace, la compro, la scambio, l'affitto, insomma faccio una transazione qualsiasi. Poi quando sono stufo della piccola, ricominciamo a negoziare.

– Capisco –. Ancora non aveva capito molto bene, veramente, ma con il tempo avrebbe imparato: – Vuol dire che quella ragazza è libera e chi vuole...

– Basta parlare con Gabí. Ma, se non sono indiscreto, per quale ragione s'interessa di quella ragazza?

Il giudice gli spiegò qual era il suo problema; con il capitano, al quale era stato raccomandato da amici potenti, poteva aprirsi. Che aveva i figli studenti a Bahia, che la moglie si tratteneva piú alla capitale, che non in compagnia di suo marito. Lui pure andava e veniva, nella misura del possibile, ma...

– Una spesaccia del diavolo! – disse il capitano fischiando tra i denti.

Altroché... Meglio non parlarne neppure, ma come fare? L'educazione dei figli esige certi sacrifizi, capitano. Adesso consideri un po' le cose, amico mio: nella posizione di giudice non sta bene che io frequenti delle case con donne, delle vie sospette, insomma lei capitano capirà benissimo che è una situazione delicata. Perciò aveva idea di metter su casa a una ragazza come si deve e che gli piacesse sensualmente. E quando aveva saputo che Maria Romão era libera e che al capitano non interessava piú...

– Non gliela consiglio, dottore. Fa figura, ha un bell'aspetto, ma è marcia dentro.

– Marcia dentro?

– Lebbra, dottore.

– Lebbra? Dio mio! Ma è sicuro?

– La lebbra la conosco dall'ombra che fa, ma quella lí ha già incominciato a fiorire.

Ma col passar dei giorni l'illustrissimo signor giudice aveva acquistato molte conoscenze circa le abitudini locali e circa il capitano. Erano diventati amici, si scambiavano dei favori, uniti da interessi differenti, che secondo la gente erano tutte cose ignobili. Si parlava della quadriglia del capitano, del giudice, del commissario e del prefetto. Ormai pretendeva di conoscere meglio di chiunque i sentimenti di Justiniano Duarte da Rosa. Nel crocchio degli intellettuali, nelle discussioni erudite e oziose – e anche in quei dolci pomeriggi trascorsi nel tepore del seno di Belinha – il dottor Eustaquio parlava della vita sentimentale e sessuale di quel rispettato caporione. Diceva che amore degno di questa sublime parola, quell'amore che può condurre un uomo adulto e di saldi principî morali a commettere pazzie, insomma il vero amore, Justiniano l'aveva provato e sofferto una volta sola; e l'oggetto di questo puro sentimento era stata Doris. E quali erano le pazzie commesse dal capitano a riprova dello stato di cecità e di demenza caratteristico di un amore sublime? Ebbene, cari colleghi, mia dolce amica, il fatto di sposarsi con una creatura tanto brutta, povera e tisica, è stata la follia tra le follie. Amore sublime e sordido, come preferite, però autentico. Il capitano non aveva mai parlato di amore prima di Doris e mai lo aveva poi provato di nuovo in seguito – perché tutto il resto non era altro che una serie di cotte, passioncelle, semplici fatti di letto insomma, di maggiore o minor durata, e quasi sempre minore.

Teresa non ebbe il conto aperto nel negozio di Enock e neppure fu veduta al braccio del capitano all'ora in cui comincia il programma al cinema; in compenso fu l'unica che superò i due anni come favorita di Justiniano Duarte da Rosa, dormendo nel letto matrimoniale. Due anni e tre mesi, per l'esattezza – e quanto tempo avrebbe continuato ad esserlo, se non fosse successo quello che successe?

Il signor giudice, che era un profondo psicologo e anche un vate in contumacia (aveva dedicato a Belinha un intero ciclo di lubrici sonetti nello stile di Camões) si rifiutò non soltanto di collocare Teresa sullo stesso piano di Doris nella graduatoria dei sentimenti di Justiniano Duarte da Rosa, ma non volle neppure designarla, come faceva la gente, col titolo di amante o amica del capitano. Amica? Chi? Teresa Batista? Indubbiamente il fatto che il giudice si fosse venuto a trovare in certo qual modo invischiato negli avvenimenti conclusivi, gli aveva reso difficile l'essere imparziale, aveva tagliato le ali alla sua musa e insomma non gli permise di distinguere tra amore e odio, tra paura e coraggio. Vide soltanto vittime e colpevoli. Vittime erano tutti i personaggi di quella storia, a incominciare dal capitano; il colpevole era uno solo, Teresa Batista, tanto giovane e già cosí perversa, un cuore fatto di pietra e di vizio.

Ci fu anche chi la pensava esattamente al contrario, qualche persona senza importanza, non erano certamente né giuristi né giurati come il dottor Eustáquio Fialho Gomes Neto, per le muse Fialho Neto, e non conoscevano né le leggi, né la metrica. Comunque alla fine, come si vedrà, di chiaro non ci fu nulla, a causa dell'indebito e decisivo intervento del maggiore dei fratelli Guedes, il dottor Emiliano Guedes.

20.

I sentimenti di Justiniano Duarte da Rosa nei confronti di Teresa, sentimenti capaci di un favore tanto costante e di un interesse crescente, rimangono ancora oggi in attesa di una spiegazione adeguata, a causa del mancato accordo dei letterati tra di loro. Invece i sentimenti di Teresa Batista non esigono – né meritarono – discussioni né analisi, in quanto ridotti esclusivamente alla paura.

All'inizio, finché poté resistere opponendo un'ostinazione disperata, essa visse e si fece forte del suo odio per il capitano. Ma poi le restò solo la paura, paura e nient'altro. Durante il periodo in cui abitò con Justiniano, Teresa Batista fu una schiava sottomessa sia sul lavoro che a letto, e attenta, e diligente. Per il lavoro non aspettava ordini; attiva, rapida, precisa, instancabile; aveva sulle spalle le fatiche piú basse e piú pesanti, la pulizia della casa, la roba da lavare e da stirare, insomma sgobbava tutto il giorno. Un lavoro durissimo che l'aveva fatta diventare forte e resistente; e chi ammirava il suo corpo slanciato non avrebbe mai immaginato che essa era in grado di caricarsi sulle spalle dei sacchi di fagioli di quattro *arrobas*[1] e fagotti interi di carne secca.

Aveva offerto a dona Brigida di aiutarla nelle cure della nipotina, ma la vedova non le permetteva neppure di avvicinarsi, e tanto meno di prender confidenza con la bambina. Teresa per lei era la nemica traditrice che usurpava il letto di Doris, che usava i suoi vestiti (i vestiti erano stretti e le segnavano le forme nascenti ed eccitanti), che si faceva passare per lei per rubarle la figlia e anche l'eredità. Dona Brigida viveva immersa in un suo mondo allucinato, in un universo di mostri e si manteneva lucida soltanto per ciò che riguardava la nipotina, unica erede universale dei beni del capitano. Un giorno, l'Angelo Vendicatore sarebbe disceso dai Cieli, e la bambina, ormai ricca, insieme alla nonna riscattata all'Inferno, sarebbe vissuta nell'opulenza e nella grazia di Dio. La nipotina è la sua carta vincente, il documento del suo riscatto, la sua ancora di salvezza.

Quella cagna mascherata da Doris, portata lí dalle profondità dell'Inferno per opera della Mula-Senza-Testa o del Lupo Mannaro per la muta del Porco, è un'intrusa, che intende precluderle l'ultima via d'uscita, rubandole la nipotina, i beni e la speranza. Cosí, quando se la vedeva vicino, subito dona Brigida spariva con la piccola in braccio.

Ma a lei, come sarebbe piaciuto poterla tenere un poco! Non era soltanto per la bambola; a Teresa piacevano i bambini e le bestie e con le bambole non aveva mai giocato. Dona Beatríz, la moglie del giudice, che era la madrina che Doris si era scelta sin dall'inizio della gravidanza, come regalo di compleanno aveva portato una bambola da Bahia. Questa bambola apriva e chiudeva gli occhi, diceva mamma, aveva dei capelli biondi inanellati e un vestito bianco da sposa. Di solito restava rinchiusa nell'armadio e solo alla domenica veniva consegnata alla bambina per brevi ore contate. Una volta sola Teresa l'aveva avuta tra le mani, e subito dona Brigida gliel'aveva strappata bestemmiando.

Lei non si lamentava per il lavoro – pulire i pitali, tenere in ordine la latrina, curare la piaga esposta sulla gamba della

[1] Oggi circa 15 kg.

Guga, oppure fare il bucato –, ma le era penosa l'avversione della vedova e la proibizione di avvicinarsi alla bambina. La guardava da lontano camminare con il suo passo vacillante. Doveva esser bello avere un bambino o magari anche soltanto una bambola.

I suoi doveri a letto erano, però, ancora piú penosi per lei. Lasciarsi montare dal capitano, soddisfare tutti i suoi capricci, cedergli docile in qualsiasi momento, notte e giorno.

Dopo cena, se lui c'era, gli portava la bacinella d'acqua tiepida per i piedi e glieli lavava con una saponetta. Era per farsi passare per Doris, secondo dona Brigida, ma Doris era felice quando lo faceva, e di quei piedi adorati baciava le dita, freneticamente, in attesa del letto e della relativa funzione. Per Teresa, invece era un compito malsicuro e pericoloso; mille volte meglio curare la piaga fetida della Guga. Perché si ricordava di Doris, o forse soltanto per cattiveria, a volte il capitano le dava uno spintone con un piede facendola ruzzolare per terra: perché non me li baci, perché non mi fai mai una carezza, brutta strega? Altre migliori di te lo facevano. E gli metteva un piede in faccia: orgogliosa di merda! Spintoni e calci inutili, semplice malvagità, perché bastava che il capitano lo ordinasse, perché Teresa mandasse giú orgoglio e ripugnanza e gli leccasse i piedi e il resto.

Teresa non sentí mai il minimo piacere, neanche una briciola di desiderio o d'interesse; qualsiasi contatto fisico con Justiniano Duarte da Rosa per lei fu sempre un fastidio e uno schifo e solo per paura si concedeva e faceva quello che voleva lui – era una femmina a disposizione, ubbidiente e pronta. In quel periodo della sua vita, tutto quello che riguardava letto e sesso per Teresa significarono soltanto dolore, sangue, sporcizia, amarezza, schiavitú.

Non immaginava neanche di lontano che quelle cose potessero comportare gioia, reciprocità nel piacere o anche semplicemente piacere – perché Teresa era soltanto un recipiente, dove il capitano si sfogava, versando su di lei il suo desiderio come versava l'orina nel pitale. Che si potesse fare in altro modo, con affetto, carezze, godimento, non le passava neppure per la testa. Perché sua zia Filipa si chiudesse in camera con degli uomini non lo capiva. Desiderio, ansia, tenerezza, gioia non esistevano per Teresa Batista.

E non chiese mai niente di niente, quell'orgogliosa di merda, che però era incosciente del proprio orgoglio. Justiniano

154

le diede dei vestiti che avevano appartenuto al corredo di Doris, un paio di scarpe comprato nel negozio di Enock, e qualche fronzolo a buon mercato nei giorni di estrema allegria, cioè quando un gallo di sua proprietà aveva lasciato l'avversario morto sul campo, distrutto dai suoi speroni di ferro. Ma neppure tali fatti eccezionali alterarono mai l'unico sentimento veramente forte nel petto di Teresa, ossia la paura. Solo all'indovinare un'ombra d'ira nella voce e nei gesti del capitano, immediatamente le ritornava quel senso di morte sulle piante dei piedi e tornava a sentire quello stesso gelido terrore, che l'aveva penetrata quando l'aveva visto con il ferro da stiro in mano tra le faville svolazzanti. Basta che lo senta parlare con voce alterata, scontenta, gridare una parolaccia, o ridere il suo riso breve, perché un freddo mortale stringa il cuore di Teresa Batista, le bruci i piedi con un ferro infuocato.

21.

Ma il capitano Justo, lo sapeva che le donne sono capaci di provare piacere tanto quanto gli uomini? Forse lo sapeva, ma era un argomento che non lo interessava. Mai si era preoccupato di condividere desiderio e godimento con una compagna di letto. Mutuo possesso, sensazioni reciproche, piacere in comune, erano chiacchiere degne di certi disgraziati contafrottole privi di spina dorsale. Le femmine devono essere possedute e basta. Il capitano considerava che una ragazza era buona da letto, quando gli eccitava il desiderio perché era un'acerba vergine, oppure una ragazzetta inesperta e terrorizzata, o viceversa perché si trattava di una prostituta abilissima e furbissima. Come tutti sapevano, le preferiva molto giovani, al punto di far collezione delle verginità delle ragazze di meno di quindici anni che aveva avuto, con quella famosa collana di anelli. Non cercò mai di trarre dalle donne altro che esclusivamente un piacere personale. Si rendeva conto, è chiaro, che alcune erano piú ardenti, piú ansiose, piú partecipi. Cosí era stata Doris, che la febbre consumava, neanche nel casino di Veneranda tra le gringhe aveva mai trovato una puttana tanto puttana. Punto nel suo orgoglio di maschio, il capitano si sentiva soddisfatto nel constatare entusiasmo e veemenza, perché attribuiva il fatto alle proprie qualità virili, lui, lo stallone, che era capace di passare un'intera notte sfogliando una verginità, o di andare oltre l'alba in compagnia di una prostituta abile. Le vere fonti della sua eccitazione non dipendevano dal piacere e dall'attaccamento delle compagne. Anzi si irritava, piuttosto, quando una, piú smancerosa delle altre, per fingersi innamorata, gli chiedeva reciprocità, attenzione e tenerezza; dove s'è mai visto? Un vero maschio non lusinga mai una donna.

Ma che cosa era successo, allora, con Teresa, e perché essa era rimasta cosí a lungo nel letto matrimoniale? Perché il capitano non era stato capace di sbarazzarsene, perché non se n'era stancato? Due anni era un periodo di tempo spropositato. Ma se metteva gli occhi addosso a Teresa, subito il desiderio gli irrompeva dentro i testicoli, lo assaliva al petto. Se partiva per un viaggio alla capitale, dove trovava donne di lusso – di Teresa non si dimenticava. Una volta, in campagna, gli era successo di rompere la verginità di una giovane creatura sul materasso dello stanzino, e poi, di seguito, tornare nel letto matrimoniale e infilarsi in Teresa ancora imbrattato del sangue dell'altra.

Perché? Perché era bella, bella di viso e di corpo, uno splendore che tutti gli invidiavano. Un pomeriggio al casino Gabí, nel metterlo al corrente di una nuova scoperta fatta da lei – per questa metto la mano sul fuoco, se non è una vergine dal candido manto, non c'è neanche bisogno che mi paghi –, e vedendo che il capitano era interessato, gli aveva proposto di scambiarla con Teresa, perché era proprio di un viso d'angelo come quello che si sentiva la mancanza nel suo esercizio.

– Ho già persino una lista di candidati che fanno la fila.

Il capitano non ammetteva che si facessero dei piani per una donna che gli apparteneva: chi non si ricordava del caso di Jonga, quel ricco fittavolo agricoltore? Ci aveva rimesso i campi e anche l'uso della mano destra, e se era sfuggito alla morte era stato per colpa del medico dell'ospedale della Santa Casa da Misericordia; e questo solo per aver attaccato discorso con Celina sulla strada che portava al fiume. Gabí non aveva ancora finito di parlare che già il sorriso le andava di traverso; Justiniano Duarte da Rosa, furibondo, stava demolendo il salone del casino:

– Una lista? Me la faccia un po' vedere che voglio sapere

chi sono quei figli-di-puttana che hanno la faccia tosta... Fuori la lista!

A questo punto i pacati clienti del pomeriggio erano spariti, e Gabí sudò sette camicie per calmare l'iracondo capitano: che non c'era nessuna lista, che era stato un modo di esprimersi per lodare la bellezza della ragazza.

— Non c'è bisogno che la lodi.

Malgrado questa proibizione lodi e commenti piovevano da tutte le parti e la lista di attesa e di precedenza raccoglieva nuovi nominativi in segreto. In tutta quella zona cosí estesa non ce n'era nessun'altra che fosse piú carina e piú desiderata, e perciò il capitano si sentiva solleticato nella sua vanità per il fatto di essere il proprietario di un simile gioiello, che era riuscita a attirare l'attenzione persino del ricco, nobile e esigente dottor Emiliano Guedes. Justiniano la portava con sé alle lotte dei galli e quando in campagna riceveva la visita di un *fazendeiro* oppure allo spaccio quella di un commesso viaggiatore, chiamava sempre la sua ragazzina per servire caffè o *cachaça*; cosí se la godeva a fare il proprietario invidiato, e del desiderio degli ospiti, — restando tuttavia sempre molto meno orgoglioso della ragazza di quanto lo fosse del suo gallo Claudionór, campione invitto, feroce uccisore.

Il capitano non era particolarmente sensibile alla bellezza a non essere quando si trattava di negoziare, scambiare, vendere, quando cioè il viso e il corpo della ragazza, la sua bellezza, la sua grazia rappresentavano denaro, soldi sonanti. A letto però altri valori avevano maggior peso sulla bilancia delle sue preferenze. Doris, che era brutta e malata, durò finché visse; ma Teresa perché era rimasta tanto tempo nel letto matrimoniale?

Chissà? Forse perché da lei non ottenne mai, in nessun momento, un abbandono completo. Sottomessa, questo sí, lo era, e di un'obbedienza assoluta, sempre di corsa a servirlo, disposta a eseguire i suoi ordini e i suoi capricci senza una parola di protesta; agiva cosí, però, per non prenderle, per evitare il castigo che si realizzava con il regolo, la cintura, lo scudiscio di cuoio crudo. Lui ordinava e lei obbediva; mai però che prendesse l'iniziativa, mai che si offrisse. A letto apriva le gambe, la bocca, si metteva carponi, faceva e disfaceva tutto quello che il capitano comandava; ma mai si offerse spontaneamente. Doris a letto si faceva in quattro.

Provocante, si offriva e lo preveniva, «voglio popparti il cazzo e tutto»; neanche le gringhe di Veneranda facevano cosí. Teresa invece, tacita e efficiente, obbediva semplicemente agli ordini. Naturalmente il capitano non poteva fare a meno di sentirsi soddisfatto di una simile sottomissione: gli era costato tanto insegnare la paura a quella disobbediente, domarla, spezzarle la volontà. L'aveva spezzata, perché era uno specialista in queste cose. E proprio per questa ragione ogni pretesto era buono, o anche senza pretesto, per metter mano al regolo o alla frusta; per mantenere viva la nozione di rispetto ed impedire il rinascere della rivolta. Senza la paura, il mondo cosa sarebbe?

Prima di mandarla via, prima di negoziarla con Gabí o con Veneranda – quella era degna del casino di Veneranda, era proprio un bocconcino da capitano –, prima di venderla al dottor Emiliano, il capitano aspettava forse di averla conquistata completamente e di averla posseduta piena d'amore, spasimante, supplicante, provocante, come erano state tante altre a cominciare da Doris? Una sfida, un'altra scommessa con se stesso? Chi poteva saperlo dal momento che il capitano era di carattere chiuso e assai scarsamente dedito alle confidenze?

La maggior parte della gente – comprese le comari, il signor giudice e il circolo dei letterati – si accontentava di attribuire una passione cosí lunga a un'unica causa: la crescente bellezza di Teresa Batista che stava per compiere i quindici anni; piccoli seni ritti, fianchi rotondi, quel colore speciale che ricordava il rame, tutta la pelle dorata. Una pelle di pesca secondo il paragone poetico del giudice-bardo – disgraziatamente pochissimi ebbero occasione di verificare l'esattezza dell'immagine perché ignoravano quel frutto straniero. Marcos Lemos, il ragioniere della fabbrica di zucchero che aveva tendenze di tipo nazionalista, preferí farla rimare con la melassa della canna da zucchero e con la polpa del *sapotí*. Del resto il nome di Marcos Lemos si trovava all'inizio della lista di Gabí.

E per il capitano a cosa rassomigliava? Chissà, forse a un puledro selvatico? Un puledro che aveva domato e su cui cavalcava a forza di scudiscio e di speroni.

22

La bambina disinvolta, libera, allegra, che si arrampicava sugli alberi, che correva qua e là con il cane, che si dava alle scorrerie e alle battaglie di *cangaceiros* con i monelli, che era rispettata nel momento del bisticcio, che rideva sempre con le compagne di scuola, che aveva un'intelligenza e una memoria degni degli elogi della maestra, la bambina ridanciana, aperta e fiduciosa era morta sul materasso dello stanzino sotto il regolo e sotto la frusta. Torturata dalla paura Teresa visse sola, senza far amicizia con nessuno, nel suo cantuccio, chiusa di dentro. Era sempre in preda al panico; la tensione si allentava soltanto quando il capitano partiva per affari, andava a Aracajú oppure faceva un viaggio a Bahia due o tre volte all'anno.

Aveva cancellato dalla memoria i giorni spensierati dell'infanzia, quando era in casa degli zii, a scuola da dona Mercedes, con Jacira e Ceição, e faceva eroiche battaglie coi monelli, o andava al mercato al sabato che era la festa di ogni settimana; pur di non ricordarsi di zia Filipa quando le aveva ordinato di partire con il capitano, il capitano è una brava persona, in casa sua avrai di tutto, sarai trattata come una principessa. Zio Rosalvo aveva staccato gli occhi dal pavimento, era uscito dalla sua cronica inerzia per aiutare ad acchiapparla, era stato lui a prenderla e consegnarla. Al dito della zia l'anello che brillava. Che cosa ho fatto, zio Rosalvo, che crimine ho commesso, zia Filipa? Teresa vorrebbe dimenticare, è brutto ricordare, fa male dentro; per di più ha sempre sonno. Si alza allo spuntar dell'alba, non conosce né domeniche né altre feste; e di notte c'è il capitano, che a volte la tiene sveglia fino allo spuntar del giorno. Quando capita che lui vada in viaggio o si trattenga in città, sono sante notti, notti benedette, in cui Teresa dorme, si riposa dalla paura; a letto spazza via dalla memoria l'infanzia ormai morta, e per ultimo, nel suo sonno di pietra, la segue il cane.

Teresa avrebbe potuto desiderare di stabilire rapporti amichevoli con fittavoli e *cabras* e quelle poche donne, ma non sarebbe stato facile. Era la concubina del capitano, che dormiva nel letto matrimoniale, e perciò tutti la sfuggivano per timore della facile ira di Justiniano Duarte da Rosa. Perché una che era protetta da lui non poteva permettersi di andare in giro a chiacchierare a vanvera senza ritegno. I paesani raccontavano quello che era accaduto a Jonga, una cosa che tutti avevano sentito dire. Jonga aveva avuto la fortuna di uscirne vivo. Ma Celina aveva pagato chiacchiere e risate sulla punta del coltello e quando era arrivata al quartiere di Cuia Dagua faceva pena a vedersi. Le donne del capitano sono un pericolo mortale, una malattia contagiosa, sono veleno di serpe.

Il capitano l'aveva portata due volte alle lotte dei galli caricandola in sella con sé. Era orgoglioso dei suoi galli e della sua bella amante e provava piacere nel suscitare l'invidia degli altri. Con i suoi rotoli di banconote in tasca per le scommesse, i suoi *cabras* intorno, i suoi pugnali, le sue pistole. E poi la lotta dei galli sanguinanti, con gli speroni di ferro, il petto spennacchiato, la testa spruzzata di *cachaça*. Teresa aveva chiuso gli occhi per non vedere, ma il capitano le aveva ordinato di guardare – non esiste uno spettacolo piú emozionante di questo, dicono che la corrida di tori sia anche meglio, ma io ho i miei dubbi, vedere per credere. Tutte e due le volte i galli del capitano avevano perso in brutto modo, una sconfitta senza precedenti veramente inspiegabile. Ma una spiegazione ci doveva essere, ci doveva pur essere un colpevole; e la colpa era di Teresa, è chiaro, con quei suoi occhi pieni di rimprovero e di compassione, con quel grido angosciato quando il gallo era caduto stramazzando a terra, mentre un fiotto di sangue gli usciva dal petto. Qualunque gallista sa che per il campione impegnato in una lotta è fatale la presenza tra gli spettatori di un piagnucolone, uomo o donna che sia. È iella senza rimedio. La prima volta Justiniano si era accontentato di qualche sgridata accompagnata da sberle; per insegnarle a valorizzare e incentivare i galli. Ma la seconda volta le aveva anche dato una bastonatura coi fiocchi; allo scopo di curarle la iettatura e rifarsi del denaro perduto nelle scommesse e della delusione per la sconfitta. D'allora in poi non se la portò mai piú in groppa al cavallo e le proibí di assistere alle lotte dei galli; come si fa a non apprezzare i combattimenti dei galli, a mostrarsi mollacciona a quel modo? Teresa considerò la battitura un prezzo onesto per quella insperata liberazione. Nei suoi rari momenti liberi preferiva spidocchiare la Guga e schiacciarle le lendini.

Passarono cosí in un panico continuo due anni della vita

di Teresa nella casa di campagna del capitano. Ma un giorno egli la sorprese mentre scriveva con un mozzicone di lapis su un pezzo di carta. Toltele di mano carta e lapis, le fece:

– Chi è che ha scritto qui?

Su quel foglio Teresa aveva scarabocchiato il suo nome, Teresa Batista da Anunciação, quello della scuola Tobias Barreto, e quello della maestra Mercedes Lima.

– Io, sissignore.

Allora il capitano si ricordò di Filipa che tesseva le lodi della bambina, che sapeva leggere e scrivere, quando al momento della transazione quella stava facendo l'articolo in vendita; ma lui non ci aveva badato, interessato com'era soltanto alla sua verginità.

– E i conti li sai fare?

– Sissignore.

– Le quattro operazioni?

– Sissignore.

Pochi giorni dopo Teresa venne trasferita nella casa in città e il suo fagottino venne messo nella camera del capitano. Non si portava dietro rimpianti per la casa di campagna, e neppure della Guga con la sua piaga aperta e i suoi pidocchi. Nel negozio sostituí un giovane che era emigrato verso il Sud, e che era l'unico in grado di fare le quattro operazioni. Quanto a Chico Mezza-Suola, l'uomo di fiducia, lui conosceva lo stock a memoria, e infelice colui che avesse avuto in mente di stornare qualche merce! Ma quell'insostituibile esattore di conti arretrati, coi suoi denti e il suo coltello in mostra, a mala pena sommava due più due. I giovani commessi poi, che si chiamavano uno Pompeo e l'altro Pappa-Mosche, sapevano rubare sul peso e sulle misure, ma in aritmetica erano debolucci. Teresa annotava gli addendi, li sommava, riceveva il denaro, dava il resto e faceva i conti del mese. Justiniano la controllò per tre giorni, poi si considerò soddisfatto. I clienti la guardavano di sottecchi, constatandone la bellezza e il portamento, ma non cercavano di parlarle; le donne del capitano sono un pericolo mortale, una malattia contagiosa, sono veleno di serpe.

23

Una volta, quando Teresa abitava ancora in campagna, era venuto il dottor Emiliano Guedes per trattare certi affari di bestiame. Justiniano Duarte da Rosa si interessava di molte cose, comprava e vendeva un po' di tutto, cioè comprava a buon mercato e vendeva con lucro, che è l'unico modo di guadagnar denaro. Qualche mese prima aveva acquistato una mandria di buoi da un certo Agripino Lins sulla strada di Feira de Sant'Ana. Era un armento malandato, le bestie erano pelle e ossa, uno dei vaccari si era ammalato di tifo, alcuni capi erano morti, e il bovaro gli aveva venduto il resto per un pezzo di pane. Al momento di pagare, poi, Justo aveva scontato ancora sul prezzo una vacca che era morta all'arrivo nella sua proprietà piú altre due che erano piú morte che vive. Il bovaro voleva protestare, ma il capitano si era irritato, non alzare la voce, non darmi del ladro, non lo ammetto, piglia il tuo denaro e vattene via finché sei in tempo, brutto figlio-di-puttana! Poi fece liberare il bestiame al pascolo, all'ingrasso.

Era per esaminare questo bestiame e scegliersi alcune vacche, che il dottor Emiliano Guedes era smontato dal suo cavallo nero, coi suoi speroni d'argento, le sue staffe d'argento, i suoi finimenti di cuoio e d'argento; Justiniano lo ricevette con i salamelecchi dovuti al capo della famiglia Guedes, il piú vecchio dei tre fratelli, insomma, il vero padrone di quelle terre. Nei suoi confronti il ricco e temuto capitano Justo non era nessuno, era un tapino che perdeva ogni insolenza e ogni tracotanza.

In salotto il visitatore, che stringeva nella mano nervosa un frustino dal manico d'argento, intravide dona Brigida, invecchiata, distante, a strascicare le sue ciabatte dietro la nipotina – non pareva piú la stessa donna.

– Dopo la morte della mia povera moglie ha incominciato a dare i numeri. S'è abbandonata al dolore e non le importa piú di null'altro. La tengo in casa per carità, – spiegò il capitano.

Il maggiore dei Guedes accompagnò con lo sguardo la vedova che stava dirigendosi verso i campi:

– Chi l'avrebbe mai detto, una signora cosí distinta.

Ma quando Teresa entrò in salotto per portare il caffè,

Emiliano Guedes dimenticò subito dona Brigida e gli strani casi della vita. Si accarezzò i baffi e intanto misurava la serva dalla testa ai piedi. Era un competente e non riuscí a controllare lo stupore: Dio del cielo!

– Grazie, figliola –. E cominciò a mescolare il caffè, gli occhi fissi sulla ragazza. Era un pezzo d'uomo, alto, magro, capelli grigi, folti baffi, naso adunco, occhi d'aquila, mani curate. Teresa gli voltava le spalle per servire il capitano, e Emiliano soppesava ogni qualità, fianchi e cosce, il sedere compresso nel vestito di un'altra, uno spettacolo! E ancora in formazione: ben trattata, con affetto e con delicatezza, quella ragazza poteva diventare un vero splendore.

Dopo aver bevuto il caffè, andarono a cavallo a vedere il bestiame; Emiliano mise da parte le vacche migliori e combinò il prezzo. Quando furono di ritorno ed ebbero sistemato gli ultimi particolari della vendita, egli fermò il suo cavallo sulla porta del capitano e lo ringraziò rifiutando il suo invito a smontare:

– Molte grazie, ho fretta –. Alzò il frustino, ma, prima di spronare il cavallo per partire, si lisciò i baffi e disse: – Non vuole aggiungere al lotto quella manzetta che ha in casa? Se ci sta, faccia un prezzo, ché il suo prezzo è il mio.

Il capitano non capí subito:

– Manzetta, in casa? Ma quale, dottore?

– Parlo di quella ragazzina, quella serva sua. Ho bisogno di una cameriera in fabbrica.

– È una mia protetta, dottore, un'orfana di padre e di madre che mi hanno dato da allevare e non ne posso disporre. Se potessi, era sua; voglia scusarmi per non poterla servire.

Il dottor Emiliano abbassò la mano e con il frustino dal manico d'argento si diede un colpetto sulla gamba:

– Non parliamone piú. Mi mandi le vacche, arrivederci.

Antica voce di comando di atavica signoria. Con i suoi speroni d'argento toccò la pancia dell'animale e con le redini lo trattenne dritto sulle zampe posteriori, superbo!, e cosí in piedi lo fece volteggiare. Istintivamente il capitano arretrò di un passo. Il dottore fece un segno di saluto e gli zoccoli del cavallo toccarono il suolo alzando polvere. Pazienza! Se quella serva fosse stata sua, neppur lui avrebbe fatto un prezzo; aveva scorto nei suoi occhi un bagliore, un bagliore di diamante ancora rozzo, ma degno della lapidazione di un esperto orefice; un gioiello di una qualità simile è una rarità, eccezionale e singolarissimo. La scorse di nuovo che andava al fiume col fagotto di biancheria sulla testa e le anche che ondeggiavano; il sedere incominciava a mostrarsi. Ben curata, in mezzo alle comodità e all'affetto avrebbe potuto diventare davvero una perfezione, una meraviglia divina. Ma quel Justiniano, una bestia dagli istinti rozzi, era incapace di vedere, di ammorbidire e sfaccettare gli spigoli, insomma di dare il giusto valore al bene che gli è toccato per ingiustizia della sorte. Magari fosse appartenuta a Emiliano Guedes, lui l'avrebbe trasformata in un gioiello regale, e l'avrebbe fatto con perizia, cura, calma e piacere. Ah! il bagliore di quegli occhi neri, sorte ingrata!

Intanto il capitano Justo, dalla veranda di casa sua, osserva in lontananza la focosa cavalcatura, uno stallone di razza e di gran prezzo, che poco prima, quando si era alzato sulle zampe posteriori, gli aveva fatto prendere uno spavento – e l'arrogante cavaliere con i suoi finimenti di argento. Justiniano Duarte da Rosa giuoca con la sua collana di anelli d'oro, verginità colte ancora verdi, e la piú difficile era stata quella di Teresa, a botte aveva dovuto farla fuori. Teresa gli era costata millecinquecento *milreis* piú il buono per lo spaccio, Teresa, che era nuova di zecca, tredici anni incompleti, Teresa, che sapeva ancora di latte e aveva una verginità da bambina; se avesse voluto venderla, sverginata e tutto, l'avrebbe venduta ancora con lucro, guadagnando denaro nella transazione. Se avesse voluto venderla, il dottor Emiliano Guedes, il maggiore dei Guedes, padrone di chilometri e chilometri di terra e di servi a non finire, avrebbe pagato fior di quattrini per mangiare i suoi avanzi. Ma non aveva intenzione di venderla, per lo meno per ora.

24.

Le piogge dell'inverno inumidirono la terra indurita, le sementi germinarono a formare i campi, fruttificarono le piantagioni. Alle tredicine e alle novene dei santi festaioli le ragazze intonavano canzoni, tiravano la sorte per il matrimonio, facevano voti; sulle strade di campagna nelle notti di ballo, il suono delle armoniche e lo scoppiettio dei razzi – dopo le orazioni e le preghiere rivolte al santo, c'erano i balli, i liquori, la *cachaça*, i corteggiamenti, gli amori, corpi rovesciati nel bosco tra risa e proteste. Era il mese di giugno, il mese del granoturco, delle arance, della canna caiana, delle ciotole di *canjica*, dei dolci di farina gialla, delle *pamonhas*[1], dei liquori di frutta, come ad esempio quello di *jenipapo*, di tavole apparecchiate, di altari illuminati, sant'Antonio paraninfo, san Giovanni cugino di Dio, san Pietro devozione dei vedovi; e gli scolari erano in vacanza. Il mese in cui si impregnano le donne.

Nel salotto che dava sulla facciata della casa dell'illustrissimo signor giudice dottor Eustáquio Fialho Gomes Neto, il Fialho Neto degli ardenti sonetti, le luci sono accese; e le seggiole sono occupate dai visitatori venuti a dare il benvenuto alla signora dona Beatríz Guedes Marcondes Gomes Neto, la moglie quasi sempre assente, perché, da madre amorosa, sta «nella capitale a occuparsi dei ragazzi, ai tempi che corrono non si può mica abbandonare i figli da soli in una gran città, con tutte le lusinghe e i pericoli che ci sono!»

Anche per dona Beatríz le piogge invernali sono state benefiche; infatti dalla rapida visita di febbraio a questa del giugno, nel cosí breve spazio di quattro mesi è ringiovanita di almeno dieci anni. La pelle del suo viso è liscia, stirata, senza rughe né doppio mento, il corpo snello con i seni alti, non dimostra piú di trenta focose primavere, che Dio la benedica quella sfacciata, bofonchiava eccitatissima con le amiche dopo la visita dona Ponciana de Azevedo, quella dalle frasi velenose: «Quella tipa lí è la glorificazione ambulante della medicina moderna». Perché per dona Ponciana la chirurgia plastica era un delitto contro la religione e contro il buon costume. Cambiarsi la faccia che Dio ti ha dato, tagliare la pelle, ricucire i seni e chissà cos'altro ancora, vade retro! Mariquinhas Portilho non era d'accordo e non scorgeva niente di male in quelle cure; lei non l'avrebbe fatto mai, è chiaro, né aveva una ragione per farlo dato che era vedova e povera, ma la moglie del giudice risiedeva nella capitale e frequentava l'alta società.

— Quella alta e quella bassa, amica mia, e piuttosto quella bassa che quella alta... — interrompeva dona Ponciana implacabile. — Ha superato di parecchio i quaranta e adesso ti compare con una faccia da ragazzina, e per di piú cinese...

[1] Dolci di granturco, maturo il primo, verde con cacio e zucchero avvolto in foglie di banano il secondo.

Si riferiva ai nuovi occhi a mandorla con i quali dona Beatríz aveva scambiato i suoi di prima, che erano grandi, macerati, melanconici, supplici ed erano stati importanti fattori del suo successo anteriore, ma disgraziatamente erano ormai gonfi, pieni di rughe e di zampe di gallina e troppo veduti.

– Piú di quaranta? Tanti cosí?

Piú di quaranta di sicuro. Malgrado la dote e le parentele che aveva, si era sposata tardi: perché era stato necessario aspettare un indomito cacciatore di dote che avesse il coraggio di far finta di non sentire le dicerie dei piú, cioè che a dona Beatríz prima di sposarsi piaceva molto andare in camporella. Ora, suo figlio Daniél che l'accompagna questa volta ha circa ventidue anni ed è il secondo. Il primogenito, Isaías, deve averne ventisette – tra i due c'è stata una bambina che è morta di crup –, e in dicembre si laurea in medicina. Sí, sappilo, tu, Mariquinhas, tu che la difendi tanto: i bambini per la cui innocenza si dà tanta pena a Bahia, per i quali abbandona qui il marito nelle mani di una donnaccia, sono quei due ragazzoni, e Vera, la Verinha, che ha piú di vent'anni, è rimasta ancora al ginnasio ma è già al terzo fidanzamento. La signora vive a Bahia giocando alle carte e facendo la bella vita, e non si vergogna di atteggiarsi a sposa che si sacrifica per i figli come se noi non fossimo altro che un branco di vecchie pazze che non hanno altro da fare che parlar male dei fatti altrui. E non lo siamo, per caso? – rideva la buona Mariquinhas Portilho; tuttavia le altre sono d'accordo con dona Ponciana Azevedo, la quale è cosí bene informata sulle faccende di famiglia di Sua Eccellenza da certi suoi amici che stanno nella stessa strada di dona Beatríz: testimoni oculari, oculari, signore mie! Tutti i pomeriggi l'amorosa madre esce per andare a giocare a carte in casa di altre pari sue per sfacciataggine, oppure per incontrarsi con il dottor Ilirio Baeta, professore universitario che è il suo amante da piú di vent'anni; pare che sia stato lui a farle la festa, quando era ancora studente. E non si accontenta mica di mettere le corna al giudice, ma le mette anche a questo illustre esculapio, perché è avida di giovanotti. Ecco spiegata la necessità di farsi rammendare la faccia, ricondizionare il corpo, di farsi risuolare non mezza suola ma la suola intera, di farsi aggiustare gli occhi, ricucire i seni e chissà cos'altro ancora. L'invidia fa scoppiare il cuore alle comari, rende loro la bocca amara e le lingue piene di fiele.

A quattr'occhi con il marito, in un intervallo della sfilata di beghine – venute solo per pettegolare, quelle streghe velenose, quello sciame di avvoltoi –, dona Beatríz non nasconde la triste impressione che ha avuto il giorno prima durante la visita fatta a dona Brigida e alla figlioccia:

– Quella povera donna si trascura enormemente, tutto il giorno dietro alla bambina, nel piú completo abbandono. In questi ultimi mesi è decaduta ancora di piú; fa pena. E sempre con quelle sue storie da far rizzare i capelli. Se c'è anche soltanto un briciolo di verità in quello che racconta, quel tuo amico Justiniano, che è nostro compare, è il piú grande vizioso del mondo.

Allora il giudice le ripete le spiegazioni di sempre; gli toccava di difendere il capitano ogni volta che sua moglie andava a far visita alla figlioccia e anche con molte altre persone amiche del defunto dottor Ubaldo Curvelo e di dona Brigida:

– È pazza, una povera pazza, non ha sopportato la morte della figlia. Vive a quel modo perché lo vuole lei, non c'è verso di convincerla a curarsi un po'. Che cosa doveva fare, il capitano? Mandarla al manicomio di Bahia? Oppure a quello di San Giovanni di Dio? Sai benissimo in che condizioni vivono i matti. Il nostro compare, viceversa, la mantiene in campagna dove le dà tutto quello che vuole e la lascia allevare la nipotina, a cui è veramente affezionata. Per il capitano sarebbe facile, con tutte le relazioni che ha, farsi mettere a disposizione un posto al manicomio per lei e la faccenda sarebbe liquidata.

Aggiunge ancora:

– Ti chiedo caldamente, amica mia, di evitare qualunque commento spiacevole riguardo al capitano. Sarà quello che sarà, ma è nostro compare, è stato per noi un amico premuroso e gli dobbiamo molti favori.

– Dobbiamo, no, amico mio –. Diceva «amico mio», con la voce solenne e leggermente ridicola di Sua Eccellenza. – Tu gli devi... gli devi del denaro, credo.

– Il denaro che mi serve per le spese spicciole. Oppure tu credi che il mio stipendio di giudice sia sufficiente per il nostro tenore di vita?

– Non dimenticare, amico mio, – di nuovo quel tono di scherno, – che io pago le mie spese personali con le rendite che ho ereditato, o meglio, con la piccola parte di esse che tu

167

non hai sperperato e che per miracolo sono riuscita a salvare.

Sua Eccellenza si era già sentito sbattere quel denaro sul muso tante di quelle volte, e ogni volta reagiva allo stesso modo: alzando le mani al cielo e aprendo la bocca per una energica protesta; solo che non protestava, non diceva niente come chi, sentendosi vittima della piú grande delle ingiustizie, rinunciasse a qualsiasi indiscutibile spiegazione o fulminante difesa per amore della pace coniugale.

Dona Beatríz, con un leggero sorriso, abbassa sulle sue unghie lunghe e ben curate gli occhi a mandorla – le stavano molto bene, avevano detto tutti a Bahia –, sviandoli dal marito, quel poveretto che si sforzava inutilmente di rifare la solita mimica, i soliti vecchi gesti, rendendosi ridicolo. Eustáquio le faceva pena con la sua amante campagnuola, la sua maschera di rispettabilità e i suoi versi da galletto, quel vecchio cornuto. Era completamente nelle mani del capitano, una canaglia della peggior specie; anzi ai suoi servizi, proteggendo le sue bricconate e le sue malefatte. Meno male che non c'era nessuna possibilità di una svolta in politica e che lei, dona Beatríz, era parente dei Guedes per parte di madre, il ché rappresentava una sicura garanzia. È a loro che era ricorsa per la nomina di Eustáquio a magistrato dodici anni prima quando, al constatare la rovina economica, che aveva compromesso persino la sua eredità, essa gli aveva imposto questa soluzione per evitare la separazione legale e il disonore per lui. Alzò le spalle, non ne parliamo piú, del resto dona Brigida non le interessa né poco né tanto. È andata a farle visita per compiere un dovere sociale, come per dovere sociale e convenienza personale è venuta a passare qualche giorno col marito: né i figli né, ancor meno, i cugini, sarebbero stati soddisfatti di vederla separata o abbandonata dal marito. Il mondo è pieno di queste ipocrisie, sono le regole del gioco ed è necessario attenervisi, nessuno può far finta di non conoscerle.

Nessuno, neppure Daniél, il suo figlio prediletto, che era il ritratto di sua madre e stava entrando nella stanza col suo permanente sorriso pieno di seduzione –, non aveva forse dovuto venire, Daniél, a passare il suo mese di vacanze in compagnia del padre per mettere distanza e assenza tra sé e i sessant'anni milionari di Pérola Schwartz Leão, perché non ne poteva piú degli anelli, delle collane, dei singhiozzi, delle gelosie di quella vecchia senile? In fondo Dan con tutte le sue arie da cinico e da dissoluto non era altro che un ragazzetto, un bambino.

Daniél si accorge della tensione che c'è nella stanza, e siccome odia liti, discussioni e facce immusonite, tenta di rasserenare l'ambiente:

– Sono andato in giro a esplorare il borgo; un po' triste, vero? Mi ero già dimenticato com'era, d'altra parte è un secolo che non vengo da queste parti. Non so come fai a resistere qui tutto l'anno, paterno, con due viaggi soltanto a Bahia; dev'essere un disastro. Io piglierò la laurea in legge come tu desideri, ma non chiedermi di fare il giudice in provincia, è roba da morire.

Dona Beatríz sorride al figlio:

– Tuo padre, Dan, non è mai stato ambizioso, è un poeta. Intelligente com'è, con gli studi che ha fatto, abituato a scrivere per i giornali e con il prestigio della mia famiglia alle spalle, avrebbe potuto fare la carriera politica; non ha voluto, ha preferito la magistratura.

– Ogni cosa ha i suoi vantaggi, figlio mio –. Sua Eccellenza ha di nuovo rivestito il manto della rispettabilità.

– Lo credo, papà, – ammette Daniél ricordandosi di Belinha, la mantenuta del signor giudice che aveva salutato per la strada.

– Qui posso studiare tranquillamente e preparare con calma i miei due libri, quello di diritto penale e quello di poesie. Quando andrò in pensione ho intenzione di concorrere a una cattedra universitaria; perché l'Università mi attrae, mentre la politica non mi ha mai tentato, al contrario: mi ripugna! – Ormai è rivestito da capo a piedi d'importanza e di dignità, come se si fosse ravvolto in una toga morale.

Dona Beatríz preferisce cambiare argomento, quei modi solenni da parte di Eustáquio le dànno ai nervi, che noia!

– Hai già suscitato grandi passioni, Dan? Ci sono molti cuori in agitazione? Quanti mariti, quante famiglie minacciate? – Si interessava agli amori dei figli, era una comprensiva confidente, e quando Daniél aveva a che fare con una del giro con cui giocava a carte, era per lui una complice sorridente.

– Le donne non valgono granché, materna, ma sono aggressive. Fregola generalizzata, mai vista una cosa simile, le

169

finestre sono al completo. Roba di scarso interesse, per lo meno per ora.

– Niente che ti abbia attratto, dunque? Dicono che le donne di qui, anche se sono contadine sono piuttosto focose –. E rivolta al marito: – Tuo figlio, Eustáquio, è il conquistatore numero uno di Bahia.

– Esagerazioni dell'amor materno, non darle retta, pater. Ho una certa fortuna con le matusa, qualche amore romantico, ma nell'insieme poca cosa.

Il giudice osservò in silenzio sua moglie che era tutta concentrata sulle sue unghie, e poi il figlio che aveva sulla bocca un mezzo sbadiglio, si assomigliavano tanto quei due e per lui erano quasi due estranei. In fin dei conti che cosa gli restava a questo mondo? Le diatribe con i geni locali, le difficoltà della metrica, i pomeriggi e le notti nel tepore di Belinha. Dolce Belinha, cosí sollecita, modesta, discreta, che, peccato veniale, aveva un cugino.

Si udí un battimani davanti alla porta – era l'illustre sposa del prefetto che veniva a render visita all'illustrissima moglie del giudice. Daniél scivola via e se ne va a fare la ronda intorno allo spaccio del capitano.

25.

– Sono un romantico incurabile, che cosa ci posso fare? – Spiegava Daniél, il popolare Dan delle matusa, nel cortile dell'università. Era studente in Legge, ma dottore e professore in birbonate al cabarè, al casino, nei postriboli; era un bellissimo languido ragazzo, alto e sottile: occhi maliardi, grandi e tristi (gli occhi che aveva dona Beatríz prima della moda orientale), uno sguardo da puttana, dicevano i suoi compagni, labbra carnose, capelli ondulati, di una bellezza leggermente equivoca, non perché fosse effeminata ma piuttosto un po' morbosa – Dan era diventato il coccolo delle ragazze nei postriboli e delle dame eleganti in società, dame che in generale erano al tramonto, alle ultime «plastiche». Tanto dalle une che dalle altre accettava regali e denaro, che mostrava orgogliosamente – cravatte, cinture, orologi, tagli di stoffa, biglietti da mille *milreis* –, servendosene per illustrare con essi racconti piccanti che alleggerivano la noia delle lezioni.

Zazá Bocca-Dolce, per non offendere la sua sensibilità gli metteva di nascosto nella tasca della giacca una parte cospicua del suo incasso giornaliero; Dan andava a prenderla all'alba nel casino di Isaura Maneta e con lei scendeva per la via São Francisco in pieno idillio, verso la sua stanzetta ordinata, con foglie di *pitanga* sul pavimento di cemento e un letto rifatto con lenzuola pulite profumate di lavanda: era durante il percorso che Zazá, discretamente e delicatamente, trovava il modo e il momento opportuno per infilargli in tasca il denaro senza che lui se ne accorgesse, quell'ingenua Zazá Bocca-Dolce.

– Basta che mi distragga che la grana mi scivola in tasca, – spiega Daniél, – senza ferire i miei sentimenti.

Dal canto suo dona Assunta Menendez do Arrabál, quarantenne nel pieno dell'appetito e con un marito vecchio e pacioso, esponeva sul letto regali e denari valorizzando le proprie offerte, rivelandone i prezzi, è costato carissimo, bello mio, un sacco di denaro (lei usufruiva di certi sconti nei negozi degli amici di suo marito), e vantava provenienza e qualità, stoffa inglese, bello mio, di contrabbando; dissoluta, appendeva le cravatte all'affare di Dan, gli copriva il ventre di banconote: guarda che mani bucate ha questa tua tardona, bello mio!

Con quel fisico perfetto da gigolò, l'aria ambigua da cherubino libertino, sentimentale e vizioso, con tutte le conoscenze necessarie all'esercizio del suo nobile ufficio, efficiente e virile, buon ballerino, chiacchierone – aveva la parola facile, voce sonnolenta, morbida e calda, inebriante –, bravo a letto – sono il migliore succhia-succhia di Bahia anzi del Nordeste e forse del Brasile –, con tante qualità unite insieme, non riusciva però a diventare un vero professionista, a quanto diceva confidenzialmente agli amici:

– Sono un romantico incurabile, che cosa ci posso fare? Mi innamoro come un idiota di una vacca, mi concedo per niente, spendendo ancora del mio; dove s'è mai visto un gigolò che si rispetti, un gigolò come si deve, che butta via denaro con una donna? Non sono altro che un dilettante.

I colleghi ridevano di tanta sfacciataggine, con Dan non c'era niente da fare, era un tipo impossibile, troppo cinismo, seppure i piú intimi fossero d'accordo sull'esistenza in lui di passioni improvvise che lo inducevano ad abbandonare ricche protettrici e confortevoli relazioni. La sua fortuna

171

in amore era diventata proverbiale nell'ambiente degli studenti e degli scioperati, che gli attribuivano intere serie di amanti e moltiplicavano le sue avventure. Fin da ragazzino, quand'era ancora soltanto un pollastrello insolente, già guadagnava e spendeva denaro con le donne.

Ben di rado i figli del giudice andavano a trovarlo nella sua lontana residenza. Dona Beatríz, che badava alle convenienze e alle buone maniere, ogni tanto, a forza di catechizzarli con buone ragioni e con promesse, otteneva la compagnia di uno di loro durante le sue visite al marito e padre, visite noiose, indubbiamente, ma imprescindibili per il buon nome della famiglia. Daniél, il piú ribelle e il meno disponibile di tutti, già da cinque anni non saliva piú sulla lenta composizione della Ferrovia Leste Brasileira – perché mi devo andare a sotterrare un mese in quel buco, mater, se posso vedere il paterno quando si fa vivo qui lui, senza contare che per le prossime vacanze ho già un altro programma –, in compenso aveva visitato Rio, São Paulo, Montevideo, Buenos Ayres, in compagnia e a spese di generose devote del suo fisico e dei suoi talenti. Eppure questa volta dona Beatríz non aveva avuto bisogno di adularlo o di discutere; inaspettatamente Daniél stesso si era offerto di accompagnarla: voglio cambiar aria, mater! Solo cosí avrebbe potuto liberarsi di dona Pérola Schwartz Leão, una matusa conservata a forza di cosmetici e gioielli, una penosa caricatura di giovinetta, che non poteva neanche piú ridere a volontà, tanto le avevano tirato la pelle del volto, e con questo, soldi a palate e un penetrante odor d'aglio. Era una vedova sessagenaria di São Paulo in visita alle chiese di Bahia; in quella di São Francisco aveva incontrato quello studente barocco e celestiale, e, persa la testa e il contegno, aveva affittato una casa in riva al mare aprendo a lui il suo ben fornito portafoglio. Cosí i soldi della sua industria di maglieria passavano direttamente nelle graziose mani di Tânia, petulante mulattina arrivata recentemente nel casino di Tiburcia, per la quale Daniél si era preso una bella cotta.

Poi si era stufato di tutte e due allo stesso tempo. Non c'è chirurgia che possa attenuare l'odore d'aglio che emanava dal seno di dona Pérola, e il denaro e il successo avevano distrutto la modestia di Tânia rendendola pretenziosa e esigente – le passioni di Dan non erano che un fuoco di paglia. Non gli restava che la fuga e perciò se ne era andato con dona Beatríz all'estremo limite dello Stato dove suo padre amministrava la giustizia e scriveva sonetti d'amore.

Sua sorella Verinha, eletta recentemente Principessa degli studenti – aveva perduto il titolo di regina per un'evidente parzialità del giurì –, aveva fatto vedere ai fratelli alcuni dei sonetti paterni che erano stati pubblicati nel supplemento letterario di «A Tarde»:

– Ragazzi, il vecchio deve aver scovato una meraviglia in fatto di donna, perché queste poesie sono afrodisiache, non parlano che di seni, ventre, letto d'amore, possesso, passione. Mi piacciono, le trovo sensazionali. Isaías, tu che sai tutto, cosa vuol mai dire il vecchio con coito fornicario?

Isaías, il maggiore, stava già per laurearsi, era fidanzato con l'unica figlia di un uomo politico in evidenza, aveva l'impiego pronto all'Istituto di Igiene, ma non sapeva e non voleva sapere il significato della parola fornicario: a fargli far la parte dell'indignato bastava il coito semplice.

– Al vecchio manca la doverosa dignità, in fin dei conti è un giudice. Certe cose si fanno ma non si sbandierano neppure in versi –. Come aspetto e come carattere Isaías era il ritratto di suo padre; è Eustáquio sputato e cagato, diceva dona Beatríz non senza una certa amarezza, chiunque può sbagliarsi sul suo conto, non io che conosco la mia gente.

Dan rassomigliava alla madre e la pensava in modo diverso; ciascuno faccia quello che gli pare e lasci gli altri in pace; se al paterno faceva piacere di sbandierare in versi erotici gli attributi della sua musa contadina, era affar suo, perché criticarlo? Viveva solo in quella cittadina addormentata, dove né la moglie né i figli avevano intenzione di andargli a far compagnia, e se voleva ammazzare il tempo dell'esilio contando sillabe e armeggiando con rime difficili, faceva benissimo. Ma cosa diavolo significa fornicario? Però in questa casa non c'è neanche un dizionario.

I sonetti avevano suscitato la sua curiosità e perciò, arrivando a Cajazeiras, si preoccupò di scoprire l'ispiratrice delle furibonde estasi paterne. Fu Marcos Lemos, importante impiegato degli uffici della fabbrica di zucchero e collega in belle lettere del giudice a dargli informazioni su Belinha; e poiché era chiacchierone, fu lui che gli parlò anche di Teresa Batista.

Quando era venuto lí per l'ultima volta, Dan era un ragazzetto di diciassette anni e si era andato strofinando alle ragazzine in fregola, come pure aveva, in stretti corridoi, palpeggiato i seni di qualche disinvolta donna sposata dalla scollatura pronunciata; tutto qui. Adesso quando passava per la Piazza della Cattedrale o risaliva la via principale, le finestre si riempivano, sorrisi, occhiate, donzelle a dozzine. Tutte condannate al celibato, anzi allo zitellaggio – parola maligna: quella piú giovane ha già un piede nello zitellaggio, quell'altra è già zitella fatta, quanto dire che erano condannate alla bigotteria, all'isteria, alla follia. Daniél non aveva mai visto tante pinzochere e tante pazze, tante donne che mendicavano il maschio. Il Governo, disse rivolto a Marcos Lemos e a Aírton Amorím, mentre pigliava posto nell'assemblea dei letterati, se si interessasse veramente alla salute e al benessere della popolazione, dovrebbe assoldare mezza dozzina di robusti sportivi e metterli a disposizione delle masse femminili ridotte alla disperazione. Aírton Amorím, che amava scherzare, aveva approvato la proposta:

– Ben pensato, ragazzo mio. Solo che per il nostro comune sarebbero necessarie perlomeno due o tre dozzine di robusti campioni.

Se avesse voluto riempire il suo mese di vacanza a palpeggiare vergini negli angoli dietro le porte, avrebbe avuto a sua disposizione un materiale ricchissimo, una scelta copiosa; molta cura avrebbe dovuto prendersi, però, per non commettere qualche fatale negligenza e addio verginità, giacché quelle fanatiche non desiderano altro per potersi mettere subito a gridare – a me giannizzeri! Hanno abusato di me, sono stata deflorata, ero vergine, sono gravida, portatemi il prete e il giudice –, proclamandolo vile seduttore e promesso sposo per un matrimonio fissato a tutta velocità: proprio lui, il figlio del giudice, no, non ci casco. Le vergini non erano il suo genere, preferiva le sposate, le mantenute o quelle libere da qualsiasi impegno. Le sposate, lí in quell'angolo campestre, era ben raro che valesse la pena di guardarle; perdevano ben presto ogni incanto a forza di lavori domestici, di parti successivi, di sonnolenza e di noia quotidiana. Daniél quasi non aveva riconosciuto quella i cui seni tumidi aveva toccato cinque anni prima durante un fugace incontro; una grassa matrona dal busto flaccido e con il colore della clausura. Una che era piú carina, con un viso malizioso, furbi occhi da araba, e che meritava un'irresistibile occhiata di desiderio, nel rispondere al suo sorriso lasciò vedere una

bocca priva di denti, sdentata, una tristezza, una trascuratezza assurda.

Senza contare il pericolo di scandalo. Si pensi a un marito
offeso e non abituato alle corna, che accusa lui, il figlio di
Sua Eccellenza, di distruggere una famiglia cristiana felice,
di infangare la sacra istituzione del matrimonio o anche peggio: minacce di vendetta e di morte, fughe, schioppettate;
Dan era sempre stato allergico a qualsiasi tipo di violenza.

Non poteva fare una porcheria cosí al paterno, né esporsi
alle rustiche gelosie di contadini primitivi che erano rimasti
alle storie dei tempi che Berta filava, quando l'onore insozza-
to si lavava nel sangue. A Bahia il marito ingannato uccide
solo nelle classi cosiddette meno favorite e sempre piú raramente; a partire da un certo livello economico se la rabbia
è grande perché è grande l'amore, il marito castiga la moglie
infedele a botte; se ha la testa troppo delicata e non può
sopportare il peso delle corna, si separa e va a cercarsene
un'altra; la stragrande maggioranza però si fa una ragione e
quanto piú è ricco il soggetto, tanto piú facilmente si adatta.
Daniél in questo campo è un maestro, bisogna credergli. Ma
in quella selvaggia provincia popolata di *fazendeiros* e di
jagunços, dove la civiltà non è ancora arrivata, è consigliabile evitare le signore sposate e dar prova di rispetto per la
famiglia legalmente costituita e di prudenza.

In compenso ci sono le mantenute – amanti, concubine,
ragazze, amiche, relazioni. Siccome tale rapporto non comporta impegni d'onore assunti davanti a un giudice e a un
sacerdote, ma soltanto giuramenti d'amore e patti finanziari,
il pericolo di scandalo è quasi nullo e quello della violenza
anche minore. Chi è che va a montare uno scandalo a causa
di un'amante, o a uccidere per una concubina? Secondo il codice di Daniél in questi casi non è lecito tirar fuori la famiglia distrutta o l'onore offeso.

Un rapido esame della popolazione delle amanti locali gli
aveva rivelato immediatamente il cattivo gusto predominan-
te: valorizzazione eccessiva del grasso come elemento di bellezza e esigenza di svariate capacità domestiche riguardanti
soprattutto il campo della culinaria, una buona concubina
dev'essere una cuoca dalle mani di fata. Degne di attenzione
ce n'erano soltanto tre, e di una di esse non si poteva parlare
con precisione come di un'amica, dolce nome, o qualsiasi altro sinonimo di questo; era piuttosto una serva, una ragaz-

zetta che viveva tra le lenzuola del padrone a suo capriccio.

La prima, una mulatta bianca molto distinta, soda di carni, seppure un po' piena di corpo, chiara di colore, ma negra di lineamenti, bocca golosa su un volto sereno, indubbiamente efficiente a letto – si vede da come muove i fianchi –, era da più di un lustro la vera moglie dell'esattore Aírton Amorím, dato che l'altra era una paralitica che viveva su una poltrona a rotelle; difficilmente avrebbe messo a repentaglio l'eccellente posizione raggiunta e la prospettiva di recarsi davanti al prete e al giudice non appena ricevesse la grazia dalla Madonna dell'O' [1], della quale era fervente devota: la grazia di far in modo che la prima si togliesse di mezzo al più presto, chiamandola a miglior vita, in fin dei conti, Madre del Cielo, passare le giornate su una poltrona a rotelle, paralitica, senza parlare, senza muoversi, vedendo soltanto un filo di luce, non è vita per nessuno, e se quella disgraziata non molla è solo per cattiveria, per dar fastidio.

La seconda, essa pure visibilmente competente, aveva sapore di incesto giacché si trattava di Belinha, la mantenuta del giudice. Marcos Lemos gliela aveva indicata da lontano per la strada mentre veniva avanti col suo parasole accompagnata dalla cameriera, diretta forse dal dentista. Daniél si fece avanti per incrociarla e squadrarla da vicino: e Belinha, studiando meglio il suo passo affettato, alzò gli occhi scontrosi per osservare il figlio del giudice. Daniél le sorrise gentilmente e la salutò: la benedizione, mamma. Essa non parlò ma rispose allo scherzo con un dolce sorriso e se ne andò a occhi bassi facendo dondolare il sedere. In assenza di Sua Eccellenza si consolava con un cugino, e questi erano argomenti familiari che potevano tentare lo studente in vacanza dall'università e dall'agitata vita cittadina, non fosse che la ragazzetta del capitano era un sogno, tanto che vicino a lei le altre non esistevano neppure, come aveva fatto a spuntare in quella terra selvaggia un fiore così meraviglioso? Marcos Lemos, nella sua vanità di cicerone del simpatico giovanotto, non aveva resistito e gli aveva rivelato la presenza di quella cenerentola (aveva intitolato *Cenerentola* un madrigale ispirato a Teresa), che era l'amante del capitano. Anzi non esattamente l'amante, ma soltanto uno dei numerosi capricci di Justiniano Duarte da Rosa.

[1] Maria Ausiliatrice: letteralmente Madonna *da Oita* (ant. aiuto).

Quando Daniél l'ebbe sotto gli occhi diventò come matto: le sue passioni erano travolgenti fiammate.

26.

Pessima, la fama del capitano. Irascibile, violento, attaccabrighe, brutti modi e brutti istinti. Daniél, sebbene fosse prudente e nemico delle grane, non si spaventò troppo di queste informazioni che gli venivano da Marcos Lemos; dovevano essere esagerazioni del simpatico ragioniere. Dan confidava nella sua fedele buona stella e nell'esperienza che gli avevano dato anteriori avventure, e non pensava che quello spaccamonti avrebbe dato poi molta importanza al comportamento di una delle sue numerose, come dire, Daniél?, diciamo ragazze, parola ricca di infiniti significati, dal momento che le dedicava un affetto cosí scarso che arrivava ad averne altre due o tre contemporaneamente a lei, sia in campagna che nei casini, agli angoli delle strade e persino lí, dietro il negozio, sotto il naso della ragazza.

E poi perché diavolo il capitano avrebbe dovuto venirlo a sapere? Saranno necessarie molta prudenza e molta cautela; e in fatto di prudenza e di cautela Daniél può dar lezione a chiunque. Per di piú in questo episodio intervenne anche l'aiuto delle circostanze, insomma la buona stella di Dan non fece cilecca.

Proprio di fronte al negozio si ergeva il villino delle Morais, una delle piú belle residenze della città, abitata da quattro sorelle, ultimi rampolli di un clan già potente, e eredi di case d'affitto e di Buoni del Tesoro Federale. Allegre, ricche, belle, perfette padrone di casa, se avessero vissuto nella capitale certamente non sarebbero mancati loro pretendenti alla mano e alla dote. Invece lí, mentre la piú anziana si avvicinava già ai ventotto anni e la piú giovane ai ventidue, intristivano nell'aspettativa dello zitellaggio, senza altre prospettive se non le feste religiose, fatte di novene e di tredicine, di presepi di Natale, di preparazione di dolci e di budini. Questo, naturalmente, prima di quelle vacanze di Giugno e prima che comparisse Dan sul marciapiede di fronte.

Magda, la piú vecchia, strimpellava un po' il piano che aveva studiato dalle suore; Amalia declamava *I Miei Otto*

Anni, Le Colombe, In Extremis, con molta espressione; Berta copiava paesaggi con le matite colorate e gli acquarelli, tutti visibili alle pareti del villino e in casa di famiglie amiche; Teodora aveva avuto un'avventura con un famoso prestigiatore greco del Grande Circo d'Oriente, si erano scambiati baci e anelli sotto la luna e anche al buio, ed essa dapprima aveva parlato di fuggire, e in seguito di uccidersi, quando il corteggiatore, condotto al commissariato per chiarimenti (su richiesta di Magda, richiesta fatta in segreto all'ispettore, ma che non lo sappia mai nessuno, se tale indebito intervento della primogenita arriva alle orecchie di Teodora, casca il mondo), messo con le spalle al muro e minacciato di frustate, ammise la sua origine connazionalissima e si confessò ammogliato, seppure tradito e abbandonato dalla consorte. Era una ben meschina e melanconica deposizione, ma forse Teodora avrebbe, malgrado tutto, mandato a quel paese l'onore familiare, seguendo l'infelice artista sulla affascinante pista della mediocrità, se quell'ateniese di Cataguazes non avesse tagliato la corda al calar del sole senza neanche aspettare che fosse smontato il padiglione del circo.

Romantico episodio che aveva commosso tutta la città. Era stato un idillio breve, ma intenso; i due innamorati andavano insieme da tutte le parti a esibire le loro carezze, Teodora non ascoltava né consigli né rimbrotti; sogni d'amore finiti in barzelletta, ancora oggi permane un dubbio che sfida la malizia delle comari: il re internazionale dei giochi di prestigio (cosí era definito sui programmi del circo), era andato fino in fondo con la giovane Teodora, alleggerendola della sua verginità, oppure essa era rimasta illibata, incolume, onorata, e bada come parli? Neppure le sorelle, che morivano dalla voglia di saperlo, lo sapevano, poiché colei che avrebbe dovuto aver il maggior interesse a farsi considerare senza macchia, integra e pura, cioè Teodora stessa, preferiva mantenere il dubbio, rispondendo a mezze parole, con risolini incerti e con profondi sospiri a qualsiasi insinuazione o tentativo di chiarimento.

Con la sua minaccia di suicidio subito dopo la partenza del circo, aveva messo in allarme la sorella Magda:

– Sai, Magda, sono preoccupata. Ma non dir niente alle sorelle.

– Preoccupata? Perché? Dimmi tutto, Teó, per amor della povera mamma.

178

– Non sono ancora venute. Se non verranno, mi ammazzo, te lo giuro.

– Non dire sciocchezze. Cos'è che non è ancora venuto? Per l'amor di Dio, dimmelo.

– Le mie regole questo mese.

– Sono molto in ritardo?

Erano in ritardo di qualche giorno e le facevano male i seni, sono sintomi, Magda. Magda riuní le sorelle in segreto, Teó è incinta, mie care, è una tragedia, che cosa dobbiamo fare? Parla di uccidersi, è capace di tutto quella scervellata. Se fosse successo a un'estranea, disse Amalia, direi che le sta bene, se ha voluto godersela, che paghi, ma siccome si tratta di Teó le sembra opportuno chiamare Noquinha la levatrice che è una esperta fabbricatrice di angeli. Noquinha? Che sia abile non c'è dubbio, ma è linguacciuta, incapace di un minimo di discrezione, obbietta Magda; non sarebbe meglio il dottor Davíd che è il medico di famiglia? Né la Noquinha né il dottor Davíd, secondo Berta: Teó ci sta menando per il naso per farci credere che la cosa è successa. E tu pensi che non sia successa? Proprio cosí; né fatto, né dato, né preso. Basta allora, ordinò Magda che era la piú vecchia, aspettiamo.

La suspense durò poco, le regole vennero, ma Teodora continuò a mostrarsi ambigua, distante e seria, con quell'aria di superiorità di chi possiede un passato e un segreto; e le sorelle continuarono a discutere l'argomento, piene d'incertezza e d'invidia. Come pure tutta la città, il dubbio dura ancor oggi. Teodora sognante alla finestra, occhi perduti in lontananza, sospira. Il piú appassionante tra gli enigmi di Cajazeiras do Norte.

Lo spaccio del capitano Justo rappresentava una distrazione continua per le quattro sorelle che se ne stavano alle finestre del primo piano a controllare la clientela, valutando l'entità degli acquisti, rispondendo ai saluti, ammazzando il tempo infinito da povere zite. Ultimamente il movimento era aumentato, era cresciuta la clientela maschile. Magda aveva preso il pretesto di occupazioni improrogabili della domestica per andare di persona a far le compere, e cosí aveva messo in chiaro il motivo del pellegrinaggio. Appena entrata aveva capito tutto: la curiosità riguardava la ragazza che sommava addendi, cioè l'amante del capitano. Era una ragazza molto giovane, coi capelli sciolti e la faccia spaventata, cosí la descrisse Magda alle sorelle e non mancava di essere una descrizione esatta. Col tempo quella curiosità diminuí, solo Marcos Lemos era diventato assiduo e comprava sigarette al mattino e fiammiferi al pomeriggio quando ritornava dall'ufficio in fabbrica.

Quando Daniél fu visto per la prima volta studiare con attenzione le persiane del villino, le quattro sorelle rabbrividirono dalla testa ai piedi. Magda si mise al piano e riempí l'aria di valzer; Amalia si schiarí la voce, Berta preparò i colori per l'acquerello e Teodora si piantò alla finestra, vestita a festa e piena di speranza. Impossibile trovare un uomo piú bello e piú cavalleresco. Educatissimo, non foss'altro perché era studente a Bahia e figlio del signor giudice: quando la timida Amalia si fece sulla porta di strada, per salvare dai pericoli della libertà il gatto Mimoso, che era castrato e obeso ma non perciò meno dissoluto e libertino – era diventato finocchio –, Daniél tagliò la strada al fuggitivo, consegnandolo nelle mani di Amália che quasi sveniva. Compiti salamelecchi, sorrisi e occhiate salutarono Magda e Berta quando si fecero vedere alla finestra; e ringraziò con parole degne di un poeta il bicchier d'acqua fresca chiesto alla domestica e servito personalmente da Teodora. Questo proprio nel momento esatto dell'arrivo del capitano Justo che, proveniente dalle sue campagne, scendeva dalla cabina dell'autocarro giusto in tempo per assistere a quello scambio di sorrisi e di parole amabili; Teó chinata per mettere in rilievo i seni nella scollatura della camicetta, Daniél che arrendevolmente le baciava la mano.

– Come va, capitano.

– Come se la passa da queste parti? – e poiché Daniél si era avvicinato e gli porgeva la mano, il capitano abbassò la voce per fare un malizioso commento: – Vedo che il mio caro amico non ha perso tempo e già sta in piè di guerra.

Daniél non disse di no. Prese sottobraccio il capitano con un sorriso di complicità, sempre fissando la porta dove Teó continuava l'offerta dei seni, quindi le finestre del primo piano verso Magda, Amalia e Berta, a ciascuna un'occhiata a turno. Non avrebbe potuto trovare copertura migliore, quelle zitellone erano una manna del cielo, Dio era dalla sua parte. Del resto la piú giovane, se non fossero state le complicazioni, poteva ben meritare qualche trombata, non era poi da buttar via. Ma con la bambina del capitano a portata di mano, quello splendore, come pensare a un'altra donna? Entrò in negozio al braccio di Justiniano Duarte da Rosa.

27.

Improvvisamente Teresa sentí il peso degli occhi che la guardavano e alzò lo sguardo: era quel giovane che parlava con il capitano e sembrava molto sicuro di sé. Teresa, sia per disinteresse che per prudenza, in generale non ci teneva a guardare in faccia i clienti. Si era accorta benissimo degli andirivieni di Marcos Lemos, del suo sguardo ghiotto, dei suoi sorrisi, della sua quotidiana presenza. Grande e grosso e scombinato, quel Marcos Lemos che dimostrava piú dei suoi cinquant'anni, le strizzava l'occhio e le faceva dei cenni. La prima volta Teresa aveva trovato la cosa divertente ed era scoppiata in una risata: un uomo cosí grosso e coi capelli bianchi che strizzava gli occhi come un monello di strada. Quindi era passata a ignorarlo e a tenere lo sguardo fisso sul quaderno dove annotava i prezzi che le gridavano Pompeo o Pappa-Mosche, o anche Chico Mezza-Suola, quando casualmente il *cabra* di fiducia veniva ad aiutare i commessi – Chico si occupava di tutto quello che avveniva fuori sulla strada, ricevere la merce che arrivava col treno oppure a dorso di mulo, trattare con i carrettieri, i mandriani, i facchini, esigere i conti mensili e quelli arretrati e perciò era raro trovarlo al banco. Marcos Lemos si tratteneva per accendere la sigaretta nella speranza di rubare un'occhiata di Teresa o di vederla ridere di nuovo; alla fine se ne andava un po' dubbioso ma sicuro di avere almeno un posto garantito nella fila: era il primo nome nella lista di Gabí, e nessuno si era presentato in negozio prima di lui; quando si fosse trovata sola, cioè abbandonata dal capitano sulla strada del dolore, si sarebbe ricordata di lui. Si considerava in buona posizione.

Al rumore delle risate, Teresa alzò nuovamente la testa, il giovane la fissava al di sopra delle spalle del capitano; il quale, piegato in due, andava scuotendo la pancia in preda ad uno di quei suoi incontrollabili accessi di riso. Il giovane sorrideva tenendo una mano appoggiata sul banco: quelle labbra semiaperte, quegli occhi languidi, quei capelli inanellati, quella dolcezza sul viso, come mai Teresa li riconosceva, se non l'aveva mai incontrato prima d'allora? Perché quel sorriso e quella grazia le erano familiari? Improvvisamente si ricordò: l'angelo del quadro dell'Annunciazione nella casa di campagna appeso alla parete dello stanzino era uguale, identico, né piú né meno. Quel quadro era la cosa piú bella che Teresa avesse visto in tutta la sua vita; e adesso vedeva l'angelo in persona. Nell'abbassare gli occhi sorrise, ma non lo fece apposta.

Pappa-Mosche le dettava gli addendi, un chilo e mezzo di carne secca a millequattrocento, tre litri di farina a trecento réis, un litro di fagioli a quattrocento, un litro di *cachaça*, duecento grammi di sale. Poi la voce del capitano ancora impastoiata dal riso:

– Quando avrai finito quel conto, Teresa, va' in casa a preparare un caffè.

Daniél stava snocciolando la cronaca dei casini e dei cabarè di Bahia, con personaggi, nomi, soprannomi, avventure, aneddoti; Justiniano Duarte da Rosa si compiaceva nel sentirsi al corrente del movimento delle donnine della capitale, era un cliente assiduo quando vi si recava in viaggio, e poi il ragazzo raccontava con molto spirito.

Teresa posò sul banco il vassoio con la caffettiera, le tazzine e la zuccheriera; mentre serviva il caffè sentí che il giovane diceva al capitano – senza smettere di fissarla negli occhi col suo sguardo supplice e insistente:

– Capitano, mentre preparo l'assedio alla fortezza, posso servirmi del suo negozio come trincea? – Nell'aria cominciava a sentirsi il profumo del caffè, Dan ne bevve un sorso. – Delizioso! Posso sperare di meritare ogni tanto un caffè come questo?

– Dalle sette del mattino alle sei del pomeriggio lo spaccio è aperto per servirla, e il caffè basta chiederlo –. E ordinò a Teresa: – Quando il mio amico Daniél viene qui, e credo che ci verrà spesso, – rise, toccando col suo grosso dito la pancia del giovanotto, – preparagli un caffè. Nel caso che tu sia troppo occupata, lui aspetta, non ha fretta, non è vero, furbacchione?

– Nessuna fretta, capitano, tutto il mio tempo adesso è dedicato a questa faccenda, esclusivamente –. E intanto teneva gli occhi fissi in quelli di Teresa, come se parlasse di lei e per lei.

Quando Teresa fu sparita con la caffettiera e le tazzine, il capitano raccontò:

– Risulta che Teodora, lo sapeva che si chiama Teodora? E di soprannome Teó. Ebbene dicono che non ha piú niente da difendere, perché la strada è stata aperta da un artista del circo che è passato di qua e ha approfittato per farle quel lavoretto. Io per dirla francamente, ho i miei dubbi. Che siano arrivati ai baci e agli abbracci è certo, li ho visti anch'io, qui dal negozio, bocca a bocca sulla porta di casa di lei; che abbiano fatto molte porcherie, per questo devono averle fatte, ma niente di piú, a mio parere. Dove avrebbero potuto essersi andati a nascondere? Cajazeiras non è Bahia, dove i posti non mancano, e neanche la campagna, dove ci sono boschi a volontà. Senza contare che qui ciascuno controlla la vita degli altri, se ne accorgerà presto; c'è una sola persona che se ne infischia di tutto questo e fa quello che vuole, e cioè io stesso, per servirla. Lascio che parlino e intanto mi pappo tutto quello che c'è di meglio. In compenso, però, evito la gente importante del genere di queste vicine. Una sola volta ho avuto a che fare con gente cosí ed è stato quando mi sono sposato. Preferisco cacciagione di piccolo taglio, quella che non dà da fare e neanche fastidi. Per dirla con franchezza, io credo che la ragazza e il suo tipo si sono andati stropicciando l'uno all'altra, ma se lei ha sentito il peso del bastone è stato in mano, e tutto il resto sono soltanto chiacchiere. In ogni modo, vergine o bucata che sia, è un bel pezzo di donna.

Daniél alzò il registro della voce guardando Teresa e rivolgendosi a lei al di sopra della spalla di Justiniano Duarte da Rosa:

– È la donna piú bella che io abbia mai visto in vita mia.

– Ehi! Che cosa sta dicendo? Non esageriamo. Non soltanto è già un po' sfiorita per i miei gusti, perché, senza volerne fare poco conto, io do la preferenza alle giovincelle, ma per di piú direi che ne conosco delle altre senza confronto meglio di lei. A Aracajú nel casino di Veneranda, c'è una gringa, russa o polacca, chi lo sa, quello che so è che è tutta bionda dalla testa ai piedi, dalla peluria delle braccia ai peli del culo. I suoi capelli sono quasi bianchi da tanto biondi che sono e lei dice che i capelli cosí al suo paese hanno un nome, qualcosa come d'argento.

– Platinum-blonde, – confermò Dan.

– Esatto, non è quel nostro biondo o albino, è un'altra cosa, una ghiottoneria. Ho voglia di andare in Europa solo per comprarmi una piccola gringa ben giovane, con una fichina bionda e tutta bella bianca, dalla testa ai piedi.

Daniél fingeva di stare attento, ma teneva gli occhi spalancati fissi sulla ragazzina. Anche Teresa Batista non aveva mai visto nessuno che fosse tanto bello. Nessuno? Forse il dottore, il padrone della fabbrica di zucchero, ma era ben diverso; senza volere, alza lo sguardo su Dan e, turbata, socchiude le labbra e sorride.

28.

Turbata, sorridendo senza saper perché, guardando senza voler guardare. Il giovanotto fa la ronda, su e giú per il marciapiede o entrando addirittura in negozio. Solo per parlarle, chiedeva un bicchier d'acqua. Posso offrirle un caffè? Vado di là a prepararlo. Teresa è confusa, la voce le trema, è imbarazzata. Intanto che aspetta, Daniél regala ai commessi sigarette americane di contrabbando. I due ragazzotti non pensavano male, convinti com'erano che l'intreccio del film fosse tutt'altro e Teodora vi fungesse da protagonista. Osservavano con incontrollata invidia tutti i passi di quel birbante di un conquistatore, che era venuto dalla città grande per ghermire la vittima innocente; del resto era un birbante simpatico e la ragazza non era poi tanto innocente.

Su un letto di ferro col materasso di paglia in fondo al corridoio, cioè in camera di Pompeo, baciandogli il viso adolescente, unto e pieno di pedicelli, Teodora aveva dormito molte volte e qualche volta anche Teresa; l'una e l'altra egli le aveva possedute nel palmo della mano destra in trascinanti pellicole, come pure innumerevoli stelle del cinema e ragazze del luogo – ma di preferenza Teodora e Marlene Dietrich. E sul pancone di legno di Pappa-Mosche, che era scuro con le labbra grosse e con una crespa capigliatura compatta, nella sua mano piena di calli e di sogni si erano sdilinquite Teodora, le sue tre sorelle, parecchie clienti, e si era abbandonata anche Teresa e persino – perdono, caro amico Dan – dona Beatríz, che Pappa-Mosche aveva avuto occasione di vedere praticamente nuda durante le ultime vacanze quando, prima di diventare commesso nello spaccio, faceva da fattorino al giudice – dopo il bagno dona Beatríz si tratteneva in camera trafficando con creme, cosmetici e profumi e per coprire le sue ricche nudità si serviva di un semplice e inutile asciugamano; se aveva fortuna, il ragazzetto ne intravedeva l'opulenza attraverso la fessura della porta, e si estasiava: accipicchia che madama pulita, fin sulla fessa si mette il profumo! Però la preferita davanti a tutte restava Teodora, la misteriosa Teó: Pappa-Mosche immaginava se stesso artista di circo mentre ne godeva l'intimità.

A volte succedeva che Teodora venisse in negozio a fare un acquisto, col suo vestito svolazzante, la sua scollatura e la curva dei seni. E loro si disputavano a pari e dispari il privilegio di servirla per lavarsi gli occhi nel candore del suo collo. Teodora, fingendo di non accorgersi di niente, partecipava al divertimento dei commessi, tirandola in lungo, con i gomiti appoggiati al banco per aumentare la scollatura; soleva venire senza reggiseno. Cosí insieme agli acquisti portava via con sé il misero tributo di quei ragazzotti: e nelle notti insonni le occhiate di sfuggita dei poveri commessi erano uno spunto per sognare. Intanto, appena essa aveva girato le spalle, Pompeo si sputava nel palmo della mano destra e si precipitava alla latrina; mentre Pappa-Mosche serbava l'esaltante visione per una notte d'amore.

Per quei due non c'era dubbio: se Daniél non aveva ancora pappato Teó, se la sarebbe scopata ben presto; non passò mai loro per la testa che lo studente potesse avere un interesse qualsiasi per Teresa. E questo non soltanto perché credevano che fosse l'amante di Teodora, ma anche perché, dato che Teresa apparteneva al capitano, ci voleva un matto da manicomio per averne il coraggio. A meno che non fosse nelle tenebre della notte, nel gran segreto della mano e dello sputo.

Non sempre Teresa si trovava davanti al tavolino a fare i conti. Aveva l'incarico di occuparsi della stanza e degli abiti del capitano, mentre la pulizia sommaria della casa e del negozio, compresa la latrina che si trovava nel cortile, la facevano i commessi quando arrivavano al mattino presto, e Chico Mezza-Suola metteva al fuoco il tegame con dentro fagioli, carne secca, zucca, manioca, igname, un tocco di salsiccia – aveva imparato a cucinare in prigione. Sul mezzogiorno, se il movimento era scarso, Chico e i due ragazzi entravano in casa a mangiare, e Teresa rimaneva sola in negozio nell'eventualità che si presentasse qualche cliente. Quando il capitano era in città, Teresa metteva una tovaglia sul tavolo, i piatti, le posate e gli serviva la *cachaça* prima, e la birra durante il pranzo. Il pranzo di Justiniano veniva dalla pensione di Corina dentro un portavivande ricco e variato. Il capitano mangiava con appetito dei piatti enormi e poteva bere quanto voleva senza ubriacarsi. Chico Mezza-Suola aveva diritto a un bicchierino di *cachaça* a pranzo e uno a cena, uno solo, e lo trangugiava in un sorso. In compenso alla sera del sabato o alla vigilia di feste civili o religiose beveva fino a cadere come un sacco di patate sulla sua branda o in camera di una prostituta a buon mercato. Ma in assenza del padrone, Teresa non metteva la tovaglia sulla tavola e non usava posate; mangiava con le mani il cibo preparato da Chico, standosene accoccolata in un angolo.

Daniél si informò rapidamente degli usi e costumi dello spaccio attraverso domande casuali rivolte ai commessi, mentre, per la gioia dei due ragazzotti, si faceva vedere dalle sorelle impavide alle finestre del villino.

Ansiose sorelle, divorate dall'impazienza e dallo stupore: perché quella assurda timidezza? Era arrivato da Bahia con la fama di audace conquistatore, di terrore dei mariti, e persino di gigolò – dona Ponciana de Azevedo, che sapeva delle passeggiate di Dan sul marciapiedi di fronte, era venuta a far loro visita e a raccontare particolari scandalosi –, e adesso quella bellezza si manteneva distante, discretissimo, senza forzare le cose, perdendo tempo in preliminari e, cosa ancora piú straordinaria, mostrando uguale interesse per le quattro sorelle e distribuendo tra le quattro gentilezze e insinuazioni – chissà se quella incomprensibile timidezza derivava proprio dalla difficoltà di decidersi per una di loro? Teodora, la piú giovane e l'eroina, aveva già dato come sicuro che era lei l'unica ragione della presenza dello studente prima di pranzo e nel tardo pomeriggio. Preferenza d'altronde contestata dalle sorelle – oggi mi ha fatto ciao, riferiva Magda; mi ha lanciato un bacio, annunciava Berta; ha fatto il gesto di stringermi al petto, declamava Amalia. Teodora non diceva niente, sicura della verità. Tutte e quattro si erano impegnate in una vera battaglia a base di vestiti, pettinature e belletti – pizzi e sete che avevano odore di naftalina e di muffa, perché provenivano dai bauli aperti per l'occasione. Esse che prima erano tanto unite, non andavano piú d'accordo; adesso regnava un clima di sospetto e di contesa, di parole acide e di sorrisi di scherno. Ognuna alla sua finestra, e Daniél sul marciapiede di fronte col sorriso sulle labbra. Faceva due o tre giri andando e venendo per la strada sotto il sole di mezzogiorno o alla brezza della sera, poi si ritirava nell'ombra dello spaccio. Sospiravano le quattro sorelle al davanzale; Berta andava di corsa a far pipí, perché solo al vederlo passare le veniva un freddo sotto che l'obbligava stringere per non farsela addosso.

Anche il capitano chiedeva informazioni sui progressi di Daniél.

– Allora, ha già assaggiato il frutto?

– Calma, capitano. Quando succede, glielo dico.

– Voglio solo sapere se è ancora pulzella o no. Scommetto di sí.

– Dio l'ascolti, capitano.

I due continuavano a conversare animatamente e il tema era sempre lo stesso: la vita dei postriboli di Bahia, l'argomento che piú appassionava Justiniano Duarte da Rosa. Dan aveva conquistato la sua fiducia ed erano andati insieme al casino di Gabí a bere una birra e a vedere le donne. Ma mentre, appoggiato al banco del negozio, Daniél fa un'analisi critica dell'alta prostituzione locale, nello stesso tempo, sotto il naso dell'implacabile capitano, lui sta facendo la corte a Teresa nel muto linguaggio delle occhiate e dei sorrisi carichi di significato; insomma prepara il terreno.

– È materiale di terza categoria, capitano, quello della nostra Gabí. Decisamente mediocre.

– Non mi dica che non le è piaciuta quella ragazzina; non sono ancora tre mesi che fa la vita.

– Non era un granché. Quando lei verrà a Bahia, capitano, voglio farle da cicerone e le farò vedere come deve essere una donna. E non mi dica di nuovo che conosce bene Bahia; chi non ha frequentato il casino di Zeferina e non è stato nella casa di Lisete, non conosce Bahia. E neppure venga a raccontarmi la storia della polacca di Aracajú: cosa sia una bionda naturale, platinum-blonde davvero e non con i capelli tinti, glielo farò vedere io, e che classe! Mi dica una cosa, capitano: le hanno già fatto qualche volta il buscê arabo?

– Di buscê migliaia, mi piacciono molto, quando una donna va a letto con me deve saper far funzionare la lingua. Ma quello arabo non so com'è. Ho sempre sentito dire che il buscê è una cosa francese.

– Ebbene, lei non sa quel che ha perso. Questa bionda che le presenterò è una specialista; è un'argentina indiavolata. Si chiama Rosália Varela, canta tanghi. Ma la preferisco a letto, per cantare non vale molto. Ma per succhiare non ha rivali. Nel buscê arabo, poi, è sensazionale.

– Ma insomma, com'è questa faccenda?

– Non glielo dico perché a raccontarlo prima perde interesse, ma, capitano, quando avrà provato mi dirà qualcosa. C'è il fatto, però, che Rosália esige il viceversa.

– Che storia è questa di viceversa?

– La parola stessa lo dice: viceversa, tu dài una cosa a me e io do una cosa a te, in altri termini il noto sessantanove.

– Ah! questo mai. Io, leccare una donna? A una che me l'ha proposto, una disgraziata che era venuta da queste parti a indovinare il futuro con le carte, ho rotto quel suo muso di figlia-di-puttana perché non osasse farlo di nuovo. Che una donna lo faccia a un uomo, va bene, è legge di natura, ma un uomo che lecca una donna non è un uomo, è un cagnolino da cocotte; mi scusi se la offendo, ma è proprio cosí: un cane da cocotte –. Aveva imparato questa frase da Veneranda e orgogliosamente la ripeteva.

– Mio caro capitano, lei è proprio un po' indietro, ma voglio vedere se una volta nelle mani di Rosália non farà tutto quello che vuol lei; le dico di piú: in ginocchio, le chiederà di farlo.

– Chi? Io? Justiniano Duarte da Rosa, il capitano Justo? Mai.

– Quando viene a Bahia, capitano? Fissi la data e io scommetto su Rosália a dieci contro uno. Se non ci riesce, la festa non le costa niente, sarà gratuita.

– Solo che io vado a Bahia uno di questi giorni, subito dopo le feste. Ho ricevuto un invito dal governatore per i festeggiamenti del due luglio, ci sarà un ricevimento a palazzo. È stato un amico mio, che è nella polizia, a farmelo avere.

– E si trattiene molto? Magari faccio ancora a tempo a raggiungerla.

– Non lo so neanch'io, dipende dal giudice, ho una pendenza in tribunale. Intanto ne approfitto per vedere gli amici nelle segreterie, funzionari del governo, conosco molta gente a Bahia e le beghe di qua, dopo i Guedes, sono io che le risolvo. Credo che mi tratterrò quasi quindici giorni.

– Anche cosí non faccio a tempo a raggiungerla, ho promesso al vecchio di passare tutto il mese con lui. Senza contare questa vicina, devo mettere in chiaro la faccenda e scoprire la verità, se è vergine o no. È un punto d'onore per me. Ma facciamo cosí: le do una lettera per Rosália e lei, amico mio, la va a cercare da parte mia al Tabarís.

– Al cabarè Tabarís? Lo conosco, ci sono già stato.

– Ebbene, lei canta lí tutte le sere.

– Va bene, mi dia la presentazione e io vado a provare questo famoso buscê arabo. Ma le scriva di rispettarmi, lei lo fa a me e basta, se non vuol buscarle.

– E io mantengo la mia scommessa, capitano, Rosália le farà girare la testa.

– Ancora non è nata la donna che darà ordini al capitano Justo e molto meno quella che lo trasformerà in un cagnolino da cocotte. Un vero uomo non si abbassa a far certe cose.

– Mille *milreis* miei contro cento *milreis* suoi che il signor capitano lecca la Rosália e chiede il bis.

– Non ripeta una cosa simile neppure per scherzo, e quanto alla scommessa, non accetto. Scriva a quella tizia, le dica che la pagherò bene, ma che deve rispettarmi e non farsi gioco di me. Perché quando mi arrabbio, è meglio non parlarne.

Con tutta la sua fama di orco non è che un ingenuo, concluse Daniél. Del resto cosa pensare di un tipo che si appende al collo una collana di anelli d'oro in memoria della verginità di povere contadine? Ruttando virilità, mentre Daniél seduceva Teresa sotto il suo naso.

Seduceva Teresa. Senza volere, senza sapere perché, all'insaputa della sua volontà, Teresa risponde a quelle occhiate – come erano tristi quegli occhi, com'erano azzurri e funesti, e la bocca rossa, e inanellati i capelli d'angelo caduto dal Cielo. Quando uscirono fuori sulla strada, una conversazione che non finiva piú, Teresa si nascose in petto il fiore che le aveva portato lui. Daniél, dietro le spalle del capitano, le aveva mostrato quella rosa appassita e dopo averla baciata, sul banco la posò. Per lei l'aveva colta e l'aveva baciata; sul banco bisunto una rosa rossa, un bacio d'amore.

29

Alla fine di quella settimana incerta e febbrile, Magda, con l'autorità della sorella maggiore, collocò il problema sulla tavola da pranzo:

– Bisogna che prenda posizione. Qualunque sia la sposa che sceglierà, noi ci metteremo d'accordo, le altre tre si rassegneranno e cominceremo ad occuparci del corredo. Tutte e quattro, però, è impossibile, dato che lui è uno solo.

– E sí che basterebbe almeno per due... è cosí alto! – azzardò Amalia, disposta a qualsiasi tipo di compromesso.

– Non dir scemenze, non renderti ridicola.

– Ma piú ridicola è una donna anziana che corre dietro a un giovanotto.

Siccome avevano i nervi a fior di pelle, Magda si offese; e scoppiò in lacrime:

– Io non gli corro dietro, è lui che corre dietro a me, e poi non sono vecchia, sono ancora sulla ventina come voi –. Le sue parole erano interrotte dai singhiozzi.

Amalia, pentita, – su, sorellina, scusami; sono irritata! – e le due sorelle si abbracciarono e piansero insieme.

– Ma perché deve prendere posizione, se è tanto piacevole cosí? – saltò fuori Berta, la meno bella, che si accontentava di poco, poco è sempre meglio di niente e lei era felice del piacere che aveva: il ragazzo che andava su e giú per la strada e quel freddo alla vescica al solo vederlo. – Incominciate a far storie e vedrete che non si fa piú vivo.

Ah! Questo sarebbe davvero la fine di tutte le speranze – di nuovo la noia, l'amarezza, le lacrime senza motivo, i malumori, gli svenimenti, le piccole cattiverie, le ipocrisie, le provocazioni, l'acrimonia, la vita da rinnegate delle zitelle. Sí, Berta ha ragione, non ci conviene forzargli la mano, fissando termini e esigendo decisioni. Ma Magda fa un voto a sant'Antonio, protettore delle nozze, Amalia va in cerca di Aurea la veggente che non ha rivali per i problemi amorosi e le paga anticipatamente un pianeta della sorte infallibile; Berta preferisce la negra Lucaia, che sta all'angolo della strada, e le compra tisane e polveri per il bagno, tutte parimenti infallibili.

Teodora sorride soltanto, in silenzio, lei ha esperienza e sicurezza. Questa volta, mie care e odiate sorelle, le cose andranno diversamente, Teó non se lo lascerà scappare, se ne andrà via insieme a lui anche se ci dovesse andar di mezzo tutto il suo peculio, anche se dovrà vendere i Buoni del Tesoro e le case d'affitto. Dicono sí o no che lui accetta denaro da donne sposate e persino da donne di strada? Dona Ponciana lo sostiene con sicurezza e con prove – a Bahia una prostituta gelosa aveva fatto una scenata per la strada rivelando le cifre e le date esatte. E allora benissimo: Teó è disposta a pagare, ha del denaro da parte e una rendita mensile; e se sarà necessario rubare le economie delle sorelle, con piacere lo farà, Dan.

Tra domande, chiacchiere e appostamenti Daniél era riuscito a scoprire l'ora ideale. A mezzogiorno, durante il pranzo di Chico Mezza-Suola e dei commessi, Teresa, sola in negozio, sta al banco; potrebbe magari venire un cliente, per miracolo. Clausola indispensabile a garantire il suo piano: l'assenza del capitano, che sia fuori città per affari oppure occupato in campagna. Daniél ha atteso diligentemente.

Pochi giorni di attesa e di pazienza e già Daniél rifiutava allegramente un invito del capitano per una breve gita dalla mattina alla sera per assistere a una lotta di galli in una località vicina entro il territorio del Sergipe; si trattava di dieci leghe di strada pessima a causa delle piogge, ma Terto-Cane era un buon volante, in due ore ce la faceva e i feroci lottatori in lizza meritavano il sacrificio. Era anche una buona occasione perché il suo caro amico vincesse qualche soldo scommettendo sui galli del capitano. Che peccato che Daniél non potesse accettare; proprio quel giorno aveva già fissato un appuntamento in un posto segretissimo, e quella era un'occasione unica per poter stringere tra le braccia la bella vicina e scoprire finalmente la verità; un vero peccato, capitano.

È una ragione valida, non insisto, sarà per un'altra volta. Faccia la verifica per benino e poi mi dica se non avevo ragione: quella ragazza è pulzella, se ha fatto molto se l'è preso tra le cosce –. Il capitano salutò sedendosi nella cabina di fianco a Terto-Cane. – Ho fretta, devo passare ancora in campagna, arrivederci.

Prima di pranzo, durante la sua ormai abituale penitenza di fronte al villino, Daniél beve acqua fresca da un orciuolo di terracotta e riceve il bicchiere dalle mani di Teodora, nella scollatura il bagliore dei seni – grazie e ancora grazie per aver placato la sete di un assetato amante, adesso vado a casa a placare la fame, arrivederci, formosa *iara* [1].

– Posso invitarla a pranzare con noi, non vuole dividere con noi il nostro pasto frugale? – Teodora ancheggia languidamente sulla porta, offrendosi tutta intera.

Accetterà un'altra volta e sarà un onore e un piacere, ma oggi i genitori lo stanno aspettando ed è già in ritardo; vuol dire che l'invito sarà per un altro giorno, Teodora, piú tardi, nelle prossime ferie, chissà? Oggi assaggerò un cibo divino, una manna del Cielo; addio, dirò al capitano che ho constatato che sei pulzella e che ho rispettato la tua verginità per timore delle conseguenze, ma la verginità soltanto e niente piú, il resto me lo sono pappato, un'orgia di cosce, di seni, di natiche.

Vuote le finestre del villino, deserta la strada, sbuca dall'angolo Daniél di ritorno, diretto allo spaccio. Teresa al vederlo entrare rimase immobile, senza voce, incapace di una parola o di un gesto. Non si era mai sentita cosí, col cuore che batte disordinatamente – non è paura né ripulsa, cosa può essere? Teresa non sa.

Non si scambiarono una sola parola. Lui la prese tra le braccia, accostando il suo viso infuocato al freddo volto di Teresa; l'alito del giovane era un profumo, un profumo da far girar la testa. Nei capelli, nella pelle, nelle mani, nella bocca semiaperta. Il capitano puzza di sudore acido, il suo fiato sa di *cachaça* – un vero maschio non usa profumi. Senza allontanarsi da lei, Daniél ha alzato tutte e due le mani fino al volto di Teresa, incorniciandolo tra le dita, e nel guardarla fisso negli occhi ha accostato a poco a poco la sua bocca semiaperta e le ha preso la sua. Perché Teresa non volta la testa se ha orrore dei baci, schifo della bocca del capitano sulla sua, che succhia, che morde? Perché piú grande dello schifo era la paura. Quel giovane, però, non le fa paura; e allora, perché acconsente, non volta la faccia, non lo manda via?

La bocca di Dan, le sue labbra, la lingua, lunga soave carezza: la bocca di Teresa a poco a poco si arrende. A un tratto nel suo petto qualche cosa è esploso e i suoi occhi, fissi negli occhi celestiali dell'angelo, si sono inumiditi – è possibile piangere per altri motivi che non siano il dolore delle botte, l'odio impotente, l'incontrollato terrore? Esisto-

---

[1] Naiade della mitologia afro-brasiliana.

no, oltre queste, altre cose nella vita? Non lo saprebbe dire, lei aveva tranguigato solo la parte brutta; peste fame e guerra, la vita di Teresa Batista.

Rumori distanti di piatti e di posate di latta, Teresa rabbrividisce. Dopo quell'abbraccio e quel bacio si staccano, Dan posa ancora le labbra sui suoi occhi bagnati e svanisce nella strada battuta dalla pioggia. Durante gli acquazzoni invernali germinano le sementi, sbocciano le gemme e nella terra selvaggia, secca e incolta esplodono frutti e fiori.

Quando Pompeo il commesso entrò nel negozio seguito a ruota da Pappa-Mosche, Teresa era ancora allo stesso posto, ferma, dimentica di tutto, fuori del mondo, tanto differente e strana che quella sera durante la notte di pioggia, sia l'uno che l'altro, nel letto di ferro, sul pancone di legno, tradendo la prediletta Teodora, nel piú profondo segreto della palma della mano possedettero Teresa.

30.

Dan la baciò sugli occhi, poi sulla bocca, mentre la sua mano destra scivolava dalle spalle ai fianchi, e la mano sinistra si infilava tra i capelli di Teresa. Erano passati quattro giorni dal primo bacio ricevuto dal giovane, ma Teresa l'aveva ancora tutto sulle labbra al momento del secondo. Quella voce calda le accendeva una fiammata nel petto:

— Domani è la notte di San Giovanni, — disse Daniél, — e il capitano mi ha detto che va a una festa che dura tutta la notte, fino all'alba...

— Lo so, ci va tutti gli anni, è nella tenuta del sor Mundinho Alicate.

— Domani trovati alle nove di sera al cancello dietro la casa, alle nove in punto. Faremo la nostra festa di San Giovanni.

Di nuovo la sua bocca e il bacio, Teresa toccò leggermente, piena di timore i riccioli dei capelli di Dan morbidi come la lana della *barriguda*[1]. Domani avremo la nostra festa, è certo.

---

[1] Albero tropicale detto anche albero della lana.

31

Neppure a Doris, che era la moglie legittima, quanto meno a Teresa, una ragazzina qualunque, il capitano aveva l'abitudine di render conto dei suoi passi, dei suoi andirivieni, di dove si fermava la notte, o dei suoi progetti e delle sue decisioni; non aveva mai dato a nessuna donna il diritto di sapere dove avrebbe passato la notte, se in casa con lei, se nel serraglio di Gabí bevendo birra e assaggiando le nuove pensionanti, oppure se in qualche posto vicino occupato dai suoi molteplici affari o da un combattimento di galli – un uomo degno di questo nome mantiene le donne al loro posto.

Di viaggi piú lunghi, a Bahia o a Aracajú, Teresa veniva a sapere la vigilia, giusto il tempo di preparargli la valigia – camicie stirate alla perfezione, abiti bianchi brillanti di spermaceti. Era un caso se veniva a sapere da un brano di conversazione tra il capitano e Chico Mezza-Suola di un programmato soggiorno in campagna per mettere in andamento i lavori, di una gita a Cristina per controllare la bottega del negro Battista, che apparteneva al negro soltanto di nome, perché denaro e mercanzia era tutto di Justiniano; notti intere da trascorrere qui o là, nei *fandangos* in casa di conoscenti, nei paesi e nelle piantagioni, giacché era un buon ballerino sempre ben disposto per una festa da ballo, anche perché simili festicciole erano i posti migliori per reclutare ragazzine acerbe, proprio al punto giusto che piaceva al capitano. Quelle erano notti di riposo per Teresa.

Della festa di San Giovanni in casa di Raimundo Alicate, un podere distante che faceva parte delle terre dello zuccherificio, Teresa era al corrente, perché il capitano non vi mancava mai, la sua presenza era essenziale e immancabile tutti gli anni. Questo Mundinho Alicate, un protetto dei Guedes e bravaccio di Justiniano, era una figura popolare nella zona perché oltre a lavorare nella canna da zucchero, vendeva vari tipi di *cachaça*, alcuni dei quali si diceva fossero afrodisiaci come la *catuaba*, il *pau-de-resposta*, il *levanta defunto*, l'*eterna giovinezza*, e nei giorni feriali riceveva i *caboclos* in un capannone dietro casa sua, primo di tutti il *caboclo* Rompe-Mato; per questo era conosciuto anche come Raimundo Rompe-Mato o Mundinho di Obatualá, perché diceva di essere stato nominato santo angola a Bahia dal defunto *babalorixá*[1] Bernardino del Batti-Lastra. Si aggiunga a tutto questo le ragazze che arruolava per fornirle al capitano e ad altre persone grate (riservando, secondo la voce corrente, le piú attraenti per i Guedes della fabbrica), alla pensione di Gabí e a diversi covili della Cuia Dagua. Festaiolo incomparabile, passava il mese di giugno in baldoria in casa sua o nel capannone dei *caboclos* inneggiando a sant'Antonio, a san Giovanni, a san Pietro. La festa piú grossa era quella di san Giovanni che si celebrava con un grande falò, montagne di mais, sibilanti fuochi artificiali, salve di mortaio, scoppi di mortaretti e balli sfrenati. Veniva gente da tutte le parti, a cavallo, sul carro tirato dai buoi, a piedi, col camion o con la Ford. Raimundo Alicate uccideva un porco, un capretto, un agnello, galline e polli, erano feste con molta pappatoria. Chitarrini, armoniche e chitarre, valzer, *jotas*, polche, mazurche, fox e samba, musica e ballo per tutta la notte. Il capitano dirigeva la quadriglia e da bravo ballerino non perdeva un giro; buon bevitore, buona forchetta e occhio pronto a scegliere tra la folla la merce che piaceva a lui; quando si decideva, Raimundo, interessato e adulatore, pensava lui a concludere. Da quella festa il capitano non era mai ritornato a mani vuote.

Teresa gli aveva inamidato l'abito bianco e la camicia celeste. Il completo lavato e stirato è steso sul letto; sulla sponda, seduto e nudo, il capitano. Teresa gli lava e gli asciuga i piedi, quindi esce per vuotare la bacinella, tremando di paura. Non era il solito terrore di maltrattamenti e di botte; oggi essa teme che lui, come era abituato a fare, le ordini di sdraiarsi e di aprire le gambe e che si sfoghi su di lei prima di vestirsi per la festa. Oggi no, mio Dio! Quel compito sgradevole e penoso Teresa lo compie sottomessa quasi tutti i giorni con lo spauracchio del castigo. Ma oggi no, mio Dio! Fa' che non gli venga in mente!

Ma se il capitano lo ordina dovrà obbedire, non c'è modo di rifiutare. Non serve neanche mentire, dicendo di essere indisposta, nei suoi giorni; Justiniano adora possederla durante le regole, al vedere il sangue guasto del mestruo si eccita e nel rovesciarla dice: è la guerra! (altra espressione imparata da Veneranda). Viva la guerra! Succede cosí da quando il sangue della vita è sgorgato per la prima volta rendendola

[1] Stregone, fattucchiere.

una donna capace di procreare. È la guerra, sporcizia e schifo, in quei giorni l'obbligo diventa ancora piú penoso. Ma oggi sarebbe ancora piú terribile. Oggi no, mio Dio del Cielo!

Ritorna nella stanza; ahi, mio Dio! Il capitano ha trasportato i capi del completo dal letto alla seggiola; lungo disteso, col suo busto pesante e il corpo grasso, in attesa – solo la collana di anelli sul petto carnoso. Teresa conosce il suo dovere – se il capitano si è coricato, anche lei deve coricarsi senza attendere ordini. Disubbidire è impossibile. Morta di paura, della permanente paura delle busse, malgrado tutto Teresa fa conto di non vederlo e va a prendere gli indumenti.

– Dove diavolo vai? Perché non ti sdrai?

Allora si dirige verso il letto con piedi di piombo e con una ripugnanza dentro peggiore di quando è nei suoi giorni – ma non c'è salvezza di sorta; si toglie le mutandine con gesto lento.

– Avanti. Andiamo!

Lei sale sul letto, si sdraia, la mano pesante le tocca la coscia per aprirle le gambe. Teresa si contrae, ha un nodo in gola; è stato sempre duro per lei, mai cosí tanto, però; oggi è troppo, è un'altra sofferenza, piú grande, è il cuore che fa male. Quando egli la cópre e la cavalca, la sua resistenza interna è tanto grande, da chiuderle le porte di quel corpo che egli ha abbattuto a forza di bastonate piú di due anni fa.

– Stai ridiventandomi pulzella o per caso ti sei messa a passarci l'allume? – Veneranda fa cosí con quelle che hanno pochi anni e sono già bucate, scheggia loro un po' di allume nella pudenda per ingannare i babbei.

Il capitano ci provò quasi lo stesso gusto della prima volta. Teresa era tesa, dura. Non piú quel corpo amorfo, abbandonato, inerte; adesso è rigido, difficile, resistente – partecipando finalmente, pensa soddisfatto il capitano, sentendosi ancora una volta vittorioso sulla natura ribelle della ragazzina: di maschioni uguali a lui, non ce n'è.

Era tanto eccitato che al momento del piacere le prese la bocca. Bocca amara, di fiele.

Nella fretta di vestirsi neanche si lavò, il capitano; quando Teresa arrivò con la bacinella piena, lui si era già infilato le mutande dopo essersi pulito con un lembo del lenzuolo. Teresa si mette le mutandine, come le piacerebbe fare una doccia; ne aveva presa una prima, dopo aver terminato i lavori domestici e quelli nel negozio, pompandosi l'acqua del pozzo nel piccolo serbatoio del bagno. In ginocchio Teresa mette le calze e le scarpe al capitano; poi man mano gli porge la camicia, i pantaloni, la cravatta, la giacca, e per ultimo il pugnale e la pistola.

Terto-Cane sta aspettando nella cabina del camion davanti al negozio; lui è autista, *capanga*, brillante compagno di danze, suonatore di armonica e per il resto un campione. Chico Mezza-Suola era già uscito per l'interminabile maratona delle notti di San Giovanni; di casa in casa, bevendo acquavite, cognac e liquori – al *jenipapo*, all'anacardio, alla *pitanga*, di *jurubeba*, lui non ha preferenze di qualità o di marca. All'alba si trascina fino alla sua branda in uno degli stanzini della casa in mezzo a rotoli di carne secca, sacchi di pesce salato, col pavimento melmoso e mosche in quantità; a meno che non vada a finire scornato in una stanza di puttana nell'ultimo bordello della Cuia Dagua.

Di bianco vestito, un vero figurino, un capintesta, un procere, mentre si aggiusta il nodo della cravatta il capitano considera per un istante l'eventualità di portare con sé Teresa, infilandole un vestito di Doris poco usato: una bella bambina, una figuretta degna di venir esibita al ballo di Mundinho Rompe-Mato. Quando il dottor Emiliano Guedes si trovava in fabbrica per San Giovanni, faceva sempre una scappata al *fandango* di Alicate con parenti e invitati per mostrare ai suoi ospiti della capitale «una tipica festa di giugno in campagna!» Si tratteneva poco, un bicchiere, un giro di ballo, e poi il ritorno ai lussi della casa accanto alla fabbrica, ma il dottore, lisciandosi i baffi, pesava con occhi da conoscitore le femmine presenti, mentre Raimundo stava attento a qualsiasi dimostrazione d'interesse e al minimo segno di gradimento, per occuparsi subito della transazione e mettere la prescelta a disposizione del padrone della terra.

Al capitano piacerebbe molto ostentare la ragazza Teresa sotto il naso e per l'invidia del piú vecchio dei Guedes, del signore di Cajazeiras do Norte. Ma il dottor Emiliano sta facendo il turista in terre foreste, si è imbarcato da poco e viaggerà per mesi. Eppure il capitano sta quasi per aprir la bocca per dare ordine a Teresa di vestirsi per la festa, dopo averla squadrata dalla testa ai piedi con aria di approvazione.

Teresa indovinando le sue intenzioni, era di nuovo in preda al terrore, non piú dei maltrattamenti né delle schifezze a letto, ma un terrore anche piú grande: se il capitano la portava con sé, quel giovane sarebbe rimasto ad aspettare sotto la pioggia accanto al cancello del cortile, e la festa promessa sarebbe impossibile per sempre, mai piú quella fiamma nel petto, la morbidezza dei capelli, la bocca impaziente.

Il dottor Emiliano era andato a divertirsi in Francia con le gringhe; e poi, e se alla festa venisse fuori qualche novità, un bocconcino, una ragazzina di quelle che piacciono al capitano, e lui volesse portarsela alla casa di campagna? Cosa se ne sarebbe fatto di Teresa? Mandarla indietro col camion, sola con Terto-Cane? Una donna di Justiniano Duarte da Rosa con un altro uomo di notte non ci va; sebbene sia un *cabra* di fiducia, non gli risulta che Terto sia castrato e al buio il diavolo è tentatore. Anche se non succedesse niente la gente andrebbe a dire in giro che è successo il peggio, e chi può provare il contrario? Justiniano Duarte da Rosa non è fatto per portar le corna; di lui tutto si può dire e tutto si dice dietro le spalle. Lo tacciano di essere un bandito crudele, un seduttore di minorenni, un defloratore e un vizioso, un ladro di terra, che ruba sul peso e sui conti, un baro nella lotta di galli, colpevole di omicidi – tutto dietro le sue spalle, perché in faccia chi ce l'ha il coraggio? Mai però gli hanno attribuito le corna o lo hanno chiamato becco, devoto di san Cornelio, caprone, o di essersi lasciato ingannare da una femmina. Né cornuto, né finocchio, né colibrí succhiatore. Il giovane Daniél, con quella faccia da bambola, il parlare malizioso, gli occhi sdolcinati e la sua fama di gigolò, è ben capace di leccarla, lui, altroché, il capitano non si sbaglia. Ma un uomo che si rispetti non si abbassa a queste schifezze. Questi ragazzi della capitale sono dei fantocci in mano alle donne. Daniél non era forse rimasto per tutta la mattinata chiuso con la ragazza del villino – lo aveva raccontato lui – senza scoparsela per paura delle conseguenze? Ma il resto l'aveva fatto. Quale resto? Andiamo, caro amico, signor capitano, che domande sono, esistono anche cosce e pieghe, dita e lingua. Certamente con la lingua, signor cagnolino da cocotte. Quanto a lui, Justiniano, se alla festa troverà una verginella di suo gusto, non starà ad aver riguardi né pietà; cosce e pieghe possono aspettare, la lingua mai, non è un cane da gringa, lui. È meglio non portare Teresa, oggi la ragazzina ha già avuto la sua brava razione.

– Quando esco, spegni la luce e va' a dormire.

– Sissignore –. Teresa respira; ah, quante diverse paure aveva sofferto in quell'inizio della notte di San Giovanni!

Il capitano Justo si avvia verso lo spaccio e apre la porta. Fuori, per la strada, piove.

32.

Il cortile dava su uno stretto vicolo formato esclusivamente dal retro di case di abitazione, dove i camion e i carri scaricavano le merci che poi venivano immagazzinate nelle stanze della casa per non sovraccaricare il negozio. Durante i suoi viaggi il capitano comprava saldi a buon mercato, articoli in liquidazione, raccolti di fagioli, caffè e mais; siccome aveva denaro liquido per pagare a vista, otteneva sconti speciali dai grossisti – guadagnare comprando e guadagnare vendendo era il suo motto, non troppo originale forse, ma non per questo meno valido.

La pioggia spegne per le strade i falò, nel vicolo forma delle pozzanghere piene d'acqua e per terra si fa mota. Avvolto nel suo impermeabile di gomma, nell'angolo formato da un portone di fronte al muro del cortile dello spaccio, Daniél scruta la notte, l'orecchio attento al minimo rumore, gli occhi intenti a trafiggere la cortina di pioggia e l'oscurità.

Quella sera dopo cena Daniél aveva domandato a dona Beatríz:

– Vecchia, non hai mica un ciondolo qualunque, non di valore ma bellino, da cedermi perché io ne faccia dono a una diva? Il commercio locale è una frana, fa pietà.

– Non mi piace che tu mi chiami vecchia, Dan, lo sai bene. Non sono poi tanto vecchia né tanto da buttar via.

– Scusa, mater, è soltanto un modo di dire affettuoso: sei una tardona ancora in piena forma e se io fossi il paterno qui presente non ti lascerei gironzolare da sola a Bahia, – rise tutto allegro trovandosi intelligente e spiritoso.

– A tuo padre, figlio mio, di me importa assai poco. Lasciami vedere se trovo qualche sciocchezzuola che ti possa servire.

In salotto padre e figlio soli; il giudice avverte Daniél:

– Mi risulta che tu stia ronzando attorno alla casa delle signorine Moráis, forse stai dietro a Teodora, devi aver sentito dei pettegolezzi, tutte fantasie; la ragazza è perfettamente a posto, tutta la storia non è stata altro che uno sciocco amoretto. Io ti raccomando molta attenzione, quelle ragazze appartengono a una famiglia distinta e uno scandalo con loro avrebbe una pessima ripercussione. In fin dei conti il paese è pieno di ragazzine libere, senza il becco di un quattrino, senza storie e senza complicazioni.

– Non preoccuparti, paterno, non sono un bambino, non metto la mano nei vespai e non sono venuto qui per darti dei fastidi. Quelle ragazze sono simpatiche, io le frequento e basta. Del resto non ho preferenza per nessuna.

– Per chi è il regalo, allora?

– Per una che è libera, senza il becco d'un quattrino, senza storie e senza complicazioni, sta' tranquillo.

– Un'altra cosa: tua madre vive a Bahia per causa vostra. Io preferirei che stesse qui, ma non può lasciare sola tua sorella.

– Verinha? – rise Daniél: – paterno, puoi credere a quello che ti dico: Verinha è la testa migliore di tutta la famiglia. Ha deciso che sposerà un milionario e puoi considerare il fatto come consumato, quando Verinha vuole una cosa, la ottiene. Per Verinha non è il caso che ti preoccupi.

Per il senso di rispettabilità di Sua Eccellenza, Daniél era un po' troppo cinico. Dona Beatríz ritornò in salotto portando una piccola *figa*[1] incastonata in oro. Può andare, figlio mio? Perfetta, mater, *merci*.

Nel vicolo, nell'angolo del portone, gioca con la *figa* dentro la tasca dell'impermeabile. Accende un'altra sigaretta, le raffiche di pioggia gli lavano il volto. Sulla strada davanti allo spaccio il grande falò delle sorelle Morais si sta estinguendo, non si ode piú il crepitare dei rami di legna da ardere sul fuoco ravvivato dalla servitú. Nella notte miracolosa di San Giovanni, solitarie nel loro villino davanti alla tavola imbandita con *canjica*, *pamonha*, *manuês*[2] e liquori, le quattro sorelle sono anch'esse in attesa. La fitta pioggia impedisce le visite; che son poi le comari, qualche vago parente, qualche amico. E Daniél? In varie famiglie si fanno delle danze im-

[1] Amuleto a forma di mano chiusa a pugno col pollice che spunta tra l'indice e il medio; in legno o argento lavorato.
[2] Frittella di polenta e miele.

provvisate: in quale di esse starà ballando Daniél? Oppure avrà ricevuto un invito per il fandango di Raimundo Alicate? Daniél pensa alle quattro sorelle, tutte e quattro simpatiche e al limite impaziente dell'ultima speranza, la piú giovane ancora desiderabile con i suoi seni accesi; domani andrà da loro in visita senza fallo, andrà a mangiare *canjica* in compagnia di tutte e quattro e a tutte e quattro farà una timida corte, Magda, Amalia, Berta, Teodora, la sua perfetta copertura. La pioggia scorre sul volto del ragazzo; se non conservasse in bocca il sapore di Teresa, se non avesse sentito sul suo petto il brivido di quel corpo sottile, se non avesse visto in quegli occhi umidi quel repentino fulgore, sarebbe già andato via.

Il suo orecchio attento percepisce finalmente il rumore del motore del camion, che era fermo dinanzi al negozio: il capitano sta per partire, e parte in ritardo quel figlio di una buona madre. Subito appare alla svolta la luce dei fari che tagliano l'oscurità e poi spariscono nella pioggia. Daniél si concede un'altra sigaretta americana di contrabbando. Abbandona il riparo del portone, si avvicina di piú per poter guardare, la pioggia lo avvolge, gli inzuppa i riccioli. Ecco uno spiraglio al cancello del cortile del negozio; Daniél riconosce il viso bagnato, i capelli sciolti grondanti d'acqua, la faccia di Teresa Batista.

33.

C'è chi disdegna i miracoli, ma io non sono di quelli. Lei può non farci caso o tenerli in poco conto, come Vossignoria preferisce, come meglio le piace. Vossignoria si fa sotto pian piano con un sacco di domande, una piú scaltra dell'altra — la gente che parla dolce dolce è sempre un pozzo di astuzia, confonde i dabbenuomini e alla fine ottiene confessioni e testimonianze. Ho conosciuto un commissario che era proprio cosí, nessuno lo prendeva in considerazione, lui non gridava, non picchiava, nessun prigioniero in mano sua le ha prese mai; otteneva tutto a chiacchiere, raccontami, dimmi un po', fammi il favore: seminava oggi per raccoglier domani. Vossignoria non è un poliziotto, lo so, stia tranquillo, non ho intenzione di insultarla, non si offenda per questo paragone — ma sta indagando tanto su Teresa Batista, che uno rimane con la pulce nell'orecchio, dove c'è fumo c'è anche il fuoco, e chi domanda vuol sapere, insomma qual è il motivo del suo interesse? Vuol forse far circolare queste informazioni quando sarà di ritorno al suo paese e andare a raccontare tutti i particolari nei crocchi sulle banchine del porto? E allora deve sapere che, soltanto qui al mercato, Vossignoria può comprare piú di trenta fascicoli che raccontano passi della vita di Teresa Batista, tutti in versi secondo la cadenza della trama e della rima. Trecento reis l'uno, non costano niente, proprio a buon mercato; in questo mondo di carestia dove tutto si paga caro-amaro, Vossignoria non troverà, di accessibile al popolo, altro che la poesia della vita. Per quattro soldi Vossignoria impara a conoscere il valore di Teresa.

Circa quello che le hanno raccontato e assicurato voglio aggiungere semplicemente questo: che i miracoli esistono; se il nostro paese non fosse pieno di santi beati e miracolosi, cosa ne sarebbe del popolo? Padre Cicero Romão, la beata Melânia di Pernambuco, la beata Afonsina Donzela, il santo lebbroso delle ripe di Propriá, di nome Arlindo das Chagas, il Signor Bom Jesus da Lapa, che è beato anche lui e guarisce qualsiasi malattia, se non fosse per loro che levano di mezzo la siccità, le epidemie, le inondazioni, che si preoccupano della fame e delle piaghe del popolo e aiutano i cangaceiros nella zona degli sterpai a vendicare tante disgrazie, ah!, se non fosse per loro, mi dica un po', distinto signore, cosa ne sarebbe di noi? Dovremmo aspettare l'ausilio di qualche dottore o di un coronél o del Governo? Ah, poveri noi! se dipendesse dal Governo e dai pezzi grossi, dai lord, nel sertão si morirebbe di fame e di malattia; che il popolo sia ancora vivo è un vero miracolo.

Un testimonio oculare di quello che ha patito Teresa Batista, la ragazzina rovinata, sforzata, trascinata, scompisciata, disonorata, innocente, nel sangue manipolata, sostiene che a fare il miracolo è stato l'angelo Gabriele, ma non si stupisca Vossignoria se scoprirà che in questa faccenda è coinvolta anche la beata Afonsina Donzela, che ha molta esperienza in materia: quella se la fecero fuori diciotto jagunços in una volta sola, e l'ultimo fu Berilo Lima, detto Berilo Palo-da-Cancello a causa della grandezza molto orribile dello strumento, e questo Berilo lì stesso e sull'istante morí per il gran male alle budella; mentre la beata, finita la festa, era perfetta, vergine come prima. Che sia stato l'angelo, o la bea-

ta, o entrambi uniti insieme ad assumersi il miracolo, tutti
sanno che Teresa Batista quando cambia uomo ridiventa pul-
zella, vergine con un bel tappo nuovo di zecca e il buco chiu-
so, e che questo le ha recato molta fama e molti vantaggi.

Un miracolo proprio giulivo, caro il mio giovane ficcana-
so, veramente mirabile, cantato anche in versi dal cieco
Simão das Laranjeiras sulle strade del Sergipe:

> Fu un miracolo garbato
> semplice e avverato
> che a Teresa è successo
> e a lei sola fu concesso
> la sera era deflorata,
> al mattino vergine tappata.
> Magari čapitasse adesso
> alla mia vecchia lo stesso.

C'è chi disdegna i miracoli, ma io non sono di quelli.

34.

Quella notte, lunga piú di cent'anni, cominciò lí nel cortile, sotto la pioggia. Con Teresa fra le braccia, Daniél la bacia
in viso, sugli occhi, sulle guance, sulla fronte, sulla bocca.
Come può, in meno di un'ora, una cosa trasformarsi da brutta
in bella, da una disgrazia in una gioia? A letto con il capitano era tutta tesa, con un nodo in gola, un groppo nello stomaco, schifo e ripugnanza in tutto il corpo di dentro e di fuori. Quando era uscita di camera per andare a prendere la bacinella con l'acqua, quando finalmente l'aveva lasciata andare,
Teresa aveva sputato fuori un rigurgito acido di vomito.

Col suo vestito di cotonina incollato sul corpo, stretta al
petto di Daniél – una čauta mano le tocca il seno, labbra
di pioggia le percorrono il volto –, Teresa è dominata da
sentimenti e da sensazioni a lei sconosciuti: un languore che
le scende lungo le gambe, un senso di freddo nel ventre, un
calore che le brucia le guance, una subita tristezza, voglia di
piangere, voglia di ridere, una gioia simile l'ha provata soltanto nel toccare la bambola quando era in campagna – lascia
stare la bambola, peste! –, ansia e benessere, tutto insieme e
mescolati, ah! com'è bello!

Appena aveva sentito il ruggito del camion e il rumore
della macchina perdersi in lontananza, era corsa a lavarsi

con l'acqua che aveva portato nella bacinella per il capitano e della quale non si era servito dalla fretta che aveva di uscire per andare alla festa. Era partito in ritardo, stava ancora vestendosi quando la campana della chiesa aveva battuto le nove; alle nove in punto aveva detto l'angelo. Teresa non aveva avuto il tempo di pompare acqua dal pozzo per un bagno completo. Nella catinella da faccia – la catinella dei piedi di Justiniano all'ora di andare a letto – si ripulí del capitano il piú possibile, del suo sudore appiccicaticcio, del suo sputo, del viscidume che ancora le cola sulle cosce. Ma se lo sentiva ancora dentro a insozzarle le viscere.

Lí accanto al cancello la pioggia la lava e la pulisce; il cuore di Teresa pulsa contro il petto di Dan ed essa fissa il volto dell'angelo Gabriele disceso dal cielo; le labbra di lui sono padrone della sua bocca, e la punta della lingua cerca di penetrare. Teresa non reagisce, lo lascia fare, ma ancora non partecipa, ancora è chiusa nella sua paura e nel suo ribrezzo. Lí nel cortile in quell'inizio di una notte smisurata, quando Daniél le aperse le labbra e con la lingua e coi denti penetrò nella sua bocca, in Teresa rinacque l'antico odio, il sentimento che l'aveva sostenuta per due mesi a tener testa al capitano, prima che il timor panico facesse di lei una schiava. La paura persiste, ma Teresa sta ricuperando l'odio ed è la prima conquista della notte del ritorno. Per un istante l'odio la domina, sovrapponendosi alla tristezza e alla gioia e rendendola tesa a tal punto, che Daniél si accorge che c'è qualcosa di strano e interrompe le carezze. La pioggia gli impedí di vedere il bagliore di un lampo negli occhi della ragazza; e se l'avesse visto, sarebbe stato in grado di capire?

Senza nemmeno sospettarlo Daniél avanza tra l'odio e la paura – le bacia le labbra, gli occhi, il viso, le succhia la lingua, i lobi delle orecchie: e Teresa si lascia andare, non pensa piú al capitano; dentro di lei un grande sollievo. Quando per un istante lui la lascia respirare, essa sorride imbarazzata e dice:

– Non torna prima che si faccia giorno. Se vuole possiamo andar dentro.

Allora Dan la prese e la sollevò tra le braccia e sempre tenendo Teresa distesa contro il suo petto, sotto la pioggia la trasportò dal cancello del cortile fino all'entrata del salotto; nelle vecchie riviste di Pompeo e Pappa-Mosche gli amanti del cinema cosí trasportano le spose nelle notti di nozze.

Sull'uscio di casa la depose, perché non sapeva dove dirigersi. Teresa lo prese per mano, attraversò il salotto e il corridoio e poi lo percorse fino in fondo, dove aprí la porta di una stanzetta piena di sacchi di fagioli, pannocchie di granturco, latte, rotoli di carne secca e di lardo – nonché un tavolaccio. Nell'oscurità Daniél inciampa nelle pannocchie:

– Dobbiamo stare qui?

Lei fa di sí con la testa. Daniél si accorge che trema; certamente è la paura.

– C'è la luce?

Teresa accende una lampada appesa al soffitto. In quella luce debole e triste Daniél nota il suo sorriso di scusa; è soltanto una bambina.

– Quanti anni hai, bellezza mia?

– Ne ho compiuti quindici ier l'altro.

– Ier l'altro? E da quanti vivi con il capitano?

– Sono già piú di due anni.

Perché tante domande? L'acqua piovana gronda dall'impermeabile di Daniél, dal vestito di Teresa appicciato alla pelle, formando delle chiazze sul pavimento di mattoni. Teresa non desidera parlare del capitano, rammemorare cose passate, brutte. Era stato tanto bello, al cancello del cortile, al buio e in silenzio, soltanto labbra e mani che la toccavano. Che cosa interessa all'angelo di sapere se Justiniano è stato il primo e l'unico, perché indaga, lí fermo grondando pioggia e freddo? Il primo e l'unico, non ce ne sono stati altri, l'angelo del quadro ha visto tutto e lo sa bene. Smette di fare attenzione alle domande per ascoltare soltanto la musica della voce, che è ancora piú languida dello sguardo, voce notturna di mollezza e di letto (quando sento la tua voce desidero il letto con urgenza, questa la definizione di Madame Salgueiro dell'alta società baiana) e quella voce vibra dentro Teresa. Non risponde alle domande: come mai è capitata in casa del capitano, dove sono i suoi parenti, i suoi genitori, i fratelli? Senza accorgersene neanche, cullata da quella voce, essa ripete il gesto di Daniél il giorno del primo incontro da soli nel negozio: gli incornicia il viso fra le mani, gli bacia la bocca. Dan raccoglie sulle sue labbra esperte il primo bacio dato dall'inabile bocca di Teresa Batista e lo sostiene prolungandolo all'infinito.

– Ho indovinato che era il tuo compleanno e ti ho portato un regalo –. Le porge la *figa* incastonata in oro.

– Come poteva saperlo? Sono io sola a saperlo –. Sorride docile e felice mentre osserva il piccolo *balangandā*. – È bellissima, solo che non posso accettarla, non so dove nasconderla.

– Cerca di trovare un nascondiglio, un giorno ti potrà servire –. Dal pavimento emana un odore umido di carne e di lardo: – ma dimmi, non c'è un altro posto?

– C'è la sua camera, ma ho paura.

– Di che cosa, se lui per ora di certo non ritorna? Prima che arrivi me ne sarò già andato.

– Ho paura che si accorga che qualcuno è entrato in camera sua.

– E non c'è un'altra camera?

– Ce n'è un'altra, ma è precisa a questa, piena di merce; è dove dorme Chico e ci sono il suo letto e le sue cose. Ah! c'è quella del materasso.

– Del materasso?

– Ce n'è una qui e un'altra nella casa di campagna. È dove lui...

– Ne ho già sentito parlare, andiamoci, questa qui è tremenda.

Su quel materasso se ne erano coricate molte, lí erano state deflorate o semplicemente possedute molte ragazze nella maggior parte giovani; e tante lí le avevano buscate, avevano pianto, avevano scalciato, erano state domate a forza di grida, schiaffi, pugni, frusta (una frusta larga, fatta di un'unica cinghia, diversa dall'altra che era nella casa di campagna), sangue sulla stoffa stinta, anelli alla collana del capitano. Il lenzuolo conserva ancora il sudore dell'ultima ragazzina che si è sdraiata su quel materasso circa venti giorni prima, una povera demente che si era messa a pregare ad alta voce e a invocare in ginocchio la Vergine e i Santi alla vista di Justiniano Duarte da Rosa nudo e col bischero armato. È san Sebastiano, aveva esclamato in estasi provocando in lui un incoercibile scroscio di risa, uno di quelli. Il capitano se l'era scopata in mezzo alle litanie; preghiere, invocazioni del nome della Vergine, grida, risate, il pianto infantile: san Sebastiano o il Demonio infernale? Teresa sola a letto dall'altra parte della casa non aveva potuto approfittare della sua notte di libertà per dormire. Ma non era durato piú di quattro giorni, perché il capitano non era riuscito a sopportare tutte quelle preghiere e tanta idiozia, e siccome per una pazza nella pensione di Gabí non c'era posto, l'aveva resa ai genitori insieme a un biglietto di dieci *milreis* e un pacchetto di provviste.

35.

Lí per lo meno non si conservano balle di lardo, di carne secca, di pesce salato. A uno dei chiodi del muro Daniél appende l'impermeabile, la giacca e la cravatta. Un fischio di stupore quando vede la frusta; solo a pensare al dolore provocato dal colpo della cinghia di cuoio crudo rabbrividisce.

– Togliti il vestito, cara, altrimenti ti prendi un raffreddore.

Ma fu lui a toglierglielo, e insieme al vestito le tolse anche il reggiseno, cosicché sul corpo di Teresa restarono soltanto le mutandine di cotonina a fiori: fiori di un rosso sbiadito. Teresa tace di nuovo, in attesa. I seni dritti, in mostra, non tenta di nasconderli. Dio mio, pensa Daniél, è possibile che non sappia nulla? Si comporta come se non si fosse mai trovata da sola in camera con un uomo per coricarsi con lui a far l'amore. Eppure deve sapere, non può non sapere, è certo; vive da piú di due anni con il capitano Justo, va a letto con lui; ma allora che specie di animale è questo Justiniano Duarte da Rosa con la sua frusta di cuoio?

Il Daniél delle matusa, il Daniél delle madame, il gigolò delle prostitute: gli era successo a volte di cascare su donne sposate (alcune anche sposate da parecchi anni), madri di figli e ciononostante vergini di qualsiasi sensazione di piacere, possedute e ingravidate soltanto. In casa con la moglie il dovere, il rispetto, il pudore, un letto per far dei figli; fuori con l'amante o con la prostituta, il piacere, le raffinatezze, un letto di lussuria, libertinaggio – questa la divisa, il comportamento di molti mariti di eccelsa moralità familiare. Donne affamate, che al primo incontro con un amante si struggevano di vergogna e di rimorso, piangendo sul loro peccato: «Ahimè, povero marito mio, sono una pazza, una miserabile, una disgraziata, che cosa sto per fare? Ahimè, dov'è andato a finire il mio onore di donna sposata!» Dan era l'ufficiale competente nell'opera di consolazione, era l'uomo adatto a asciugare quelle lacrime. A lui toccava insegnare a quelle vittime della rigida morale dei virtuosi consorti tutti i gradini del piacere. E quelle imparavano rapidamente, meravigliate, grate, insaziabili e assolte da qualsiasi colpa, nette da peccato, libere dal rimorso e con fin troppe ragioni per commettere l'adulterio. Come trattare, infatti, un marito che, per preconcetto maschile o per eccesso di rispetto, considera la sposa come un recipiente, una cosa, un corpo inerte, un pezzo di carne? Applicandogli sulla fronte eccelsa un bel paio di corna di quelle di un lucido brillante che fioriscono per il piacere dei passanti.

Con Teresa, però, è differente. Non era né sposa né madre di figli e neanche un'amante o un amorazzo da rendez-vous, ma una ragazzetta qualunque, quale rispetto poteva dedicarle il capitano? Eppure eccola lí ferma, in silenzio, che aspetta. Non sa neppure baciare, la sua bocca è esitante, incerta. Non piange, non dimostra rimorso, non si rifiuta, non si lamenta: sta ferma e aspetta. Una ragazzina di quindici anni col corpo ancora in formazione però destinato a una crescente bellezza, e allo stesso tempo matura, senza un'età precisa, perché chi può contare gli anni sul calendario della sofferenza? Sicuramente non Daniél, inconseguente giovanotto della capitale, leggero e petulantemente avvezzo a facili amori; per il bel Dan delle matusa la piccola Teresa è un oscuro, indecifrabile mistero.

Ma constata la bellezza del suo corpo e del suo viso e se ne compiace; Teresa è tutta di rame e carbone dalla testa ai piedi, e il carbone è negli occhi e negli sciolti capelli. I seni, due ciottoli di fiume bagnati dall'acqua, la lunghezza delle gambe e delle cosce, il ventre terso, le anche rotonde, ma le natiche ancora adolescenti ostentano già la loro opulenza. Sotto il limite fiorito delle mutandine, solo la rosa piantata nella sua valle color del rame Daniél non ha voluto per ora svelare. Piú tardi coglierà la rosa nascosta al momento giusto. E il resto, Daniél? In silenzio Teresa è in attesa.

Per una volta in vita sua Daniél non trova le parole.

Si toglie la camicia e i pantaloni. Gli occhi neri di Teresa si inteneriscono alla vista del corpo dell'angelo, il suo petto peloso, la pancia piatta, i muscoli delle gambe; quando Daniél si toglie le scarpe e le calze, essa gli vede i piedi magri con le unghie curate, sarebbe un piacere lavarli, coprirli di baci.

Eccoli uno davanti all'altro, Daniél sorride, ancora senza parole per Teresa. Parole ne conosce molte, tutte belle, in-

fuocate dalla passione, parole d'amore, persino alcuni versi
eccitanti di Sua Eccellenza. Tutte parole consunte a forza di
dirle a vecchie signore, a focose maritate, a romantiche prostitute di cabarè e di casa chiusa, ma nessuna di esse serve per
la bambina che sta davanti a lui. Sorride e Teresa risponde
al suo sorriso; poi si avvicina e l'abbraccia corpo a corpo.
La mano di Daniél scende fino alle mutandine, ma prima di
toglierle quello straccetto fiorito, colla punta delle dita sente
la cicatrice. Si china per vedere: il segno di un'antica ferita
e in mezzo sembra perforata come se ci avessero piantato un
chiodo. Che cosa è stato, cara? Perché vuole saper tutto, perché turbare con domande e risposte il tempo unico di questa
corta notte che forse non si ripeterà mai piú? È stata la
punta della fibbia della cintura durante una delle battiture.
Ti picchiava molto? Con la frusta di cuoio crudo? Mi picchia ancora, ma perché vuol sapere, perché si allontana e
smette di toccarmi il corpo guardandomi con quell'aria da
angelo perplesso? Di che cosa si stupisce? Forse non ci crede, ma l'angelo del quadro nell'altro stanzino, quello della
casa di campagna, lui ha visto tutto, la frusta e il ferro da
stiro. Sí, mi picchia ancora; per qualsiasi sciocchezza c'è il
castigo; basta niente, un errore nei conti e entra in scena il
regolo; ma a che cosa ti serve di saperlo, se non c'è niente da
fare? Non domandarmi piú nulla, la notte è breve; tra poco,
spenti i falò, taceranno le fisarmoniche facendo cessare danze e fandango – allo spuntar del giorno il capitano di ritorno
occuperà il letto matrimoniale e la schiava Teresa.

Ma al di là dell'egoismo, della turbolenta sfacciataggine
giovanile, della superficialità dei sentimenti, dell'inconseguenza e dell'avventura, il giovane Daniél commosso – se ne
vedono di quelle a questo mondo! – si inginocchia e bacia la
cicatrice sul ventre di Teresa. Ah, amor mio! essa dice, pronunciando per la prima volta la parola amore.

Una notte cosí corta, lunga cent'anni.

36.

Durante i cento anni di quella breve notte tutto fu ripetizione, e tuttavia la ripetizione fu novità e scoperta. Ancora
in ginocchio, Daniél solleva le mani per raggiungere i seni,
mentre la sua bocca provocante percorre il tratto tra la cica-

trice e l'ombelico, dove la sua lingua penetra, acuto pugnale che accarezza. Dai seni le sue mani scivolano lungo il torace, lungo la cintura, tastando la curva dei fianchi, il rilievo delle natiche, le colonne delle cosce e delle gambe; sui piedi il rame acquista la patina nera e verde del bronzo. Di nuovo salgono le mani di Daniél per afferrare quelle di Teresa e farla inginocchiare; restano cosí uno di fronte all'altro, abbracciati, la bocca della ragazzina semiaperta, supplice. Baciandosi si coricano, le gambe si incrociano; i seni di pietra palpitano contro la selva vellutata; le cosce levigate strette tra i muscoli tesi del giovane. La mano impaziènte di Dan penetra dentro le mutandine, raggiunge il nero giardino dove appassisce addormentata la rosa d'oro – perché lí nel segreto mistero il rame si è fatto oro. Ah, amor mio! ripete Teresa dentro di sé, ancora timorosa di dirlo a voce alta. Ruvida, la mano della bambina si infila fra i riccioli della chioma dell'angelo; poi si fa coraggio e scende lungo il viso, pavidamente sul collo, sulla spalla, finalmente trionfante nel velluto del petto. Daniél si accoccola, sfila le fiorite mutandine di Teresa, con la mano aperta copre il giardino di neri peli al limite dello scrigno e della rosa. Poi si alza e si toglie le mutande; Teresa sdraiata contempla l'angelo in piedi in tutta la sua grandezza, in tutto il suo celeste splendore: dolci e fulvi i riccioli intorno alla spada sguainata. Ah, amor mio! Lui torna a sdraiarsi al suo fianco, il peso della coscia sopra la sua coscia, la peluria del petto, ermellino, felpa, velluto, dove le dita di Teresa giocano, mentre la mano sinistra di Dan passa da un seno all'altro stuzzicando i tumidi capezzoli, che si fanno ancora piú tumidi quando la sua bocca li succhia prima di appropriarsi golosamente del seno intero e triturare la pietra suggendola col bacio e ubriacandosi di parole: sono il tuo figliolino, voglio succhiare il tuo petto, alimentarmi con il tuo latte. In quel momento Daniél trova le parole necessarie, le stesse consunte parole di sempre forse, ma dette ora senza artificio, senza inganno, senza furberia rinnovate dalla semplicità, dalla dolcezza, dall'imbarazzo di quella notte impareggiabile: amor mio, mia bella bambolina, ragazzina mia, stupidina mia, mia vita, bambina, la mia bambina. La sua bocca le sussurra tenerezze all'orecchio, le labbra toccano il lobo, i denti lo mordono, voglio divorarti tutta, la lingua si introduce nell'ardente conchiglia dell'orecchio e, quante volte Teresa crede di svenire? Le mani di Teresa stringono il

braccio, l'omero del giovane, affondano nel vello del petto e
la bocca impara a baciare; avida palpita la lingua. La mano
destra di Daniél mantiene il possesso del nero cespuglio dove si nasconde lo scrigno con la rosa d'oro. Un dito, l'indice,
gli scappa dalla mano e fugge dentro Teresa, sottile e tenace
la penetra; ah, amor mio! Di nuovo Teresa sospira e rabbrividisce, come può dare il massimo della gioia ciò che è stato
prima un obbligo inesorabile? La mano della ragazza, inesperta, impacciata, si muove sul corpo flessibile dell'angelo
ed egli la dirige verso i riccioli fulgidi e morbidi, verso la
folgorante spada; Teresa la tocca con la punta delle dita. È
fatta di fiore e di ferro, in mano la impugna. Daniél svela il
mistero dello scrigno, la rosa fiorisce con il calore di una brace accesa, la prima. Faville si spandono verso le punte dei seni, sulle labbra palpitanti, nelle orecchie addentate, lungo le
cosce, nella valle del ventre, nel solco tra le natiche. Il palpitante fiore, la spada fiammeggiante. Si aprono le gambe di
Teresa, le cosce della bambina finalmente donna; è lei che si
scioglie, che si offre, si abbandona, nessuno le dà ordini e
non ha paura – per la prima volta. Daniél depone un bacio
nel nero cespuglio di peli prima di partire con la bambina
verso la rivelazione della vita e della morte, perché sarebbe
davvero bellissimo morire in quel punto quando la notte di
san Giovanni bagnata di pioggia si è bruciata nei falò dell'a-
more e Teresa Batista è rinata. Ah, amor mio! essa ha ripetuto nel primo momento e nell'ultimo, ah.

37.

Teresa all'inizio era una cosa, e un'altra alla fine di quella
rapida notte fatta di minuti d'ansia e di deliquio, notte lunga
cent'anni piena di rivelazioni e di doni.
Quando si riprese dopo il possesso dal quale si risvegliò
con un sospiro, gemendo per il primo godimento, un godimento prolungato, violento, di cuore e di viscere, un godimento dalla punta dei piedi alla punta dei capelli, Teresa
sentí Daniél al suo fianco, che la teneva stretta per la cintura
e richiamava il suo corpo riconoscente accanto al suo:
– Tu sei la mia cara piccola donna, una sciocchina che
non sa ancora niente, ma che imparerà com'è piacevole, t'in-

segnerò una cosa alla volta e vedrai com'è buono, – e la baciò lievemente.

Nulla rispose Teresa, ancora languida sorrise. Se ne avesse il coraggio gli direbbe di incominciare immediatamente, con urgenza, perché le resta soltanto qualche ora, e poi mai piú. Di impegni irrevocabili nel programma di bisbocce del capitano c'era soltanto il fandango della notte di san Giovanni a casa di Raimundo Alicate. La sera di san Pietro era possibile che ritornasse al ballo in cerca di novità oppure che restasse nel casino di Gabí a bere birra con le ragazze senza orario prestabilito per rincasare; se presto o tardi era imprevedibile. Fa' presto, angelo mio, fa' presto, non c'è un minuto da perdere, direbbe, se non le mancassero la voce e il coraggio.

Appena si accostò di nuovo a lui, petto contro petto, gamba contro gamba, coscia contro coscia, già il desiderio appena risvegliato ricominciò ad accendersi, giovane ed esigente. Non disse niente ma prese a discendere con la mano lungo il corpo di Daniél toccando centimetro per centimetro; allungò il braccio per arrivare fino ai piedi e li accarezzò. A tutto preferiva i peli del petto, dove infilava la mano a dita aperte: pettine che ti pettina[1], anche tra i riccioli del capo. E cosí andò imparando. Con la bocca sfiorò le labbra di Daniél. La mia bella non sa ancora baciare, vediamo di insegnarle. Gigolò per vocazione, quasi di mestiere, Daniél traeva un vero piacere dal piacere della compagna di letto, fosse essa una ragazzina giovane e ansiosa o una vecchia ricca e snob. Voglio farti godere come nessun'altra donna ha mai goduto; e manteneva l'impegno preso, per denaro, o gratuitamente per incoerente entusiasmo. Labbra denti e lingua, Teresa impara a baciare. Le mani di Daniél moltiplicano le sensazioni nei piú reconditi recessi, nell'umido antro del ventre, nella fossa occulta negli abissi delle anche. Le mani di Teresa scoprono altre preferenze: i peli in basso, morbido gomitolo di lana e l'augello addormentato che si sveglia al suo tocco. Due bocche avide, quella di lui che sa dove cercare l'ansia nascosta, e quella di lei, che seppur novellina nella pratica del bacio, sta rivelandosi impaziente e audace.

Ecco che l'augello, tra le dita di Teresa, si è alzato impetuosamente nella vertigine del volo mentre le dita di Daniél rivelano miele e rugiada mattutina nel pozzo dove la rosa

[1] Pettine che ti pettina, allusione a una canzonetta popolare.

212

d'oro sboccia ansiosamente. Non potendo piú sopportare simile preparazione la solerte novellina – questa ragazzina impara in fretta, è bravissima, basta spiegarle le cose una volta, diceva la maestra Mercedes Lima ai tempi morti di una volta –, slegandosi dall'abbraccio si è messa in posizione di attesa, sdraiata a pancia in su, offrendo al volo dell'augello il suo nido di carbone e d'oro.

Daniél scoppia in una risata e dice di no: perché ripetere, cara, se varie e multiple sono le posizioni, e ciascuna ha il suo nome, una piú squisita dell'altra, in tutte ti educherò. Se la mise di nuovo di fianco contro il petto e alzandole la coscia di lato la prese, entrambi allacciati l'uno nell'altro e, senza che nessuno gliel'avesse insegnato, con le gambe a tenaglia Teresa lo strinse per la cintura e sul materasso rotolarono. Cieca e muta, avida e ubbidiente, Teresa imparava. Pulzella piú che pulzella, vergine dai mille suggelli, tutto è per la prima volta; mai Daniél aveva provato una sensazione simile, anche per lui è una scoperta e una novità. Nello sbocciare di Teresa egli prolunga il proprio piacere, ma non riesce a trattenere la sua impaziente e incompetente compagna, non riesce proprio a controllarla. Esausta, a occhi chiusi, Teresa scioglie il nodo delle gambe, ma Daniél rimane e continua adagio; con raffinata sapienza la va a cercare e di nuovo la trasporta nel volo dell'augello e adesso sí i due raggiungono insieme la grazia di Dio. Si è acceso nella notte di san Giovanni il falò di Teresa Batista e dopo averlo acceso in esso si è bruciato Daniél, in quel fuoco recente e peregrino ma che brucia in fretta in un crepitare di sospiri e di gemiti soffocati; nessun altro si alzerà mai tanto in alto per calore e lingue di fuoco.

Dopo quella seconda volta, Daniél prese una sigaretta dalla tasca della giacca e appoggiando la testa nel fervido grembo di Teresa la fumò mentre lei gli accarezzava i capelli. Ti cerco i pidocchi, annunciò, e risero entrambi. Altre carezze non conosceva Teresa; questa l'aveva imparata durante la prima infanzia da sua madre quand'era viva prima dell'incidente della corriera. Daniél spense la sigaretta sulla suola della scarpa e si mise la cicca in tasca per non lasciar tracce. Poi tornò a posare la testa sul ventre della ragazza e lei sentiva i suoi riccioli biondi sul suo nero cespuglio e i peli che si mescolavano le facevano solletico; sotto le sue carezze Daniél si addormentò.

Teresa vegliò il sonno dell'angelo, che era ancora piú bello di persona che nel quadro a colori. Pensò molte cose mentre lui dormiva. Si ricordò del suo cagnolino, di Ceição, di Jacira, dei monelli, quando giocavano al *cangaceiro* e a far la guerra, della zia chiusa in camera con sconosciuti, di zio Rosalvo con i suoi occhi da alcolizzato, la caccia sull'aia e lo zio che la consegnava, zia Filipa con l'anello al dito, il viaggio in camion, lo stanzino nella casa di campagna, le sue fughe, la battuta col regolo, la frusta, la cinghia, il ferro da stiro. Improvvisamente tutto è superato, come fosse stato soltanto un episodio da anime in pena, una storia di fantasmi raccontata da dona Brigida, una delle stramberie della vecchia vedova. Quella notte di pioggia aveva inumidito la terra secca e screpolata, tenerezza e allegrie erano germogliate sopra l'antico dolore e il terror panico. Per niente al mondo sarebbe ritornata sotto il dominio del capitano.

Adesso può morire, ma non morirà triste e sconsolata, sola nella sua paura. Meglio morire che ritornare al letto del capitano, alla saliva del capitano. In campagna Teresa era andata a vedere Isidra, una ragazza che si era impiccata con una corda sulla porta della sua camera; aveva la lingua nera che le usciva dalla bocca aperta e gli occhi pieni di spavento. Si era impiccata quando aveva saputo della morte di Juarez, il suo uomo, pugnalato in una rissa tra ubriachi. In negozio la corda non manca; nell'intervallo tra l'uscita dell'angelo e il ritorno del capitano avrà tempo d'avanzo per prepararsi il laccio.

38.

In quella notte innumerata senza principio né fine, notte di incontro e di distacco, di successive aurore, Teresa, condannata a morte, sfuggí alla forca galoppando su un cavallo di fuoco.

Dormiva, ed essa vegliava sul suo sonno, l'angelo celestiale; ma avrebbe voluto trovarsi tra le sue braccia ancora una volta, sentirlo di nuovo contro il suo petto prima dell'addio finale. Timorosamente gli tocca il viso. Gli angeli discendono in terra per compiere missioni importanti, poi ritornano a renderne conto a Dio secondo dona Brigida, che di angeli e di demoni se ne intende. A Teresa sarebbe piaciuto morire tra le sue braccia celesti; invece morirà sola sul capestro, appesa alla porta con la lingua fuori.

Sotto il tastare malsicuro della mano della ragazza, Daniél si sveglia e vede che è triste: perché sei triste, cara, non è stato bello, non ti è piaciuto? Triste? No, non è triste, è piena di allegria di vivere, di allegria di morire, notte impareggiabile di felicità infinita, la prima e l'ultima, notte senza seguito, senza dopo, senza l'attesa di un'altra, e piuttosto morire che ritornare alla schiavitú della bacchetta, della catinella piena d'acqua, del letto matrimoniale, del tanfo di Justiniano Duarte da Rosa. In negozio la corda non manca, e il laccio lo sa fare.

Sciocona, non dire stupidaggini, perché non ci dovrebbero essere altre notti uguali o anche migliori di questa? Sí, ce ne saranno certamente. Daniél si siede, adesso è Teresa che appoggia il capo nel suo grembo, sentendo sotto la nuca il tepido augello e il solleticante gomitolo. Riposati e ascolta, cara: le mani dell'angelo le coprono i seni schiacciandoli dolcemente e la sua voce divina cancella la tristezza, apre nuovi orizzonti, salva dalla forca la condannata Teresa. Forse lei non è al corrente del progettato viaggio del capitano a Bahia e di una data prevista? Un viaggio d'affari e di piacere, un invito del governatore per la festa del due di luglio — quell'idiota non sa che la festa è pubblica, che le porte del palazzo all'ora del ricevimento sono aperte a tutti e che l'invito stampato è una semplice formalità, che serve soltanto a qualche poliziotto per farsi bello con un fanfarone qualunque di Cajazeiras do Norte che vuol fare la parte del furbacchione che la sa lunga, e invece è un imbecille completo —, udienze in tribunale, visite a qualche sottosegretario e ai fornitori del negozio, una lettera di presentazione per Rosália Varela, canterina di tanghi al Tabarís, specialista di bocchini, campionessa del buscê arabo: un giorno, cara, te lo insegno, è una delizia senza pari, quando il capitano andrà a Bahia e le nostre notti saranno tutte notti di festa.

L'importante è aver pazienza, sopportare ancora per qualche giorno le esigenze e la volgarità del capitano, mostrandosi docile come prima e non lasciargli capire nulla. Ma certamente lui vorrà averla a letto, e questo no, mai piú! E perché? Non ha nessuna importanza, invece, purché Teresa non partecipi, si mantenga assente come sempre ha fatto, non condivida, non lo assecondi, non goda tra le sue braccia. Tra le braccia del capitano Teresa soffoca dalla nausea, può crederlo. E allora? Si tratta di assoggettarsi come prima; e adesso sarà molto piú facile, perché sopporterà quel bestione allo scopo di vendicarsi poi di tutto quello che le ha fatto patire: gli metteremo le corna piú fronzute di tutta la provincia, vogliamo adornare il capitano con corna da generale.

Le spiegò come doveva comportarsi, lui aveva esperienza e chiacchiera sufficiente. Anche lui del resto, sebbene contro voglia, si sarebbe recato il giorno dopo a casa delle sorelle Morais a mangiare *canjica*, bere liquori, profondersi in gentilezze, una barba, ma necessaria. Il capitano era convinto che Daniél facesse la corte a una delle sorelle, la piú giovane. Era grazie a questo piccolo trucco che lui aveva potuto venire continuamente allo spaccio a trovare Teresa senza provocare sospetti. E poi, chissà se prima del viaggio del capitano non verrà fuori un'altra occasione per trovarci? Per esempio la sera di san Pietro? Non parlare di ucciderti, non far la sciocca, bambina, la vita è bella e se per caso un giorno quel bestione ci sorprende, non aver paura – Daniél gli darà una dura lezione per insegnargli a portare le corna con la dovuta cortesia e con giubilante modestia.

Di tutto quanto aveva sentito una cosa sola sembrò a Teresa veramente importante: che il capitano doveva partire per un lungo viaggio alla capitale, dieci, quindici giorni, dieci, quindici notti d'amore. Afferra le mani di Daniél e piena di gratitudine le bacia. Per Daniél, invece, il particolare piú difficile da risolvere era Chico Mezza-Suola. Come comportarsi? Comprandolo con delle buone mance? Mance, no, angelo del Cielo, nessuna mancia può aver ragione della fedeltà di Chico verso Justiniano, ma non era il caso di considerare quel *cabra* come un problema: durante i viaggi del capitano dormiva in negozio, e del resto della casa aveva cura Teresa. Se Daniél entrava dal cancello del cortile e gli amanti si servivano della stanza matrimoniale, che era la piú distante dallo spaccio, Chico non si sarebbe accorto di niente. Hai visto? Tutto è a nostro favore, basta non permettere che nella mente di Justiniano nasca il minimo sospetto. Neanche il minimo, hai capito, Teresa? Capiva benissimo: non gli avrebbe dato motivo di sospetto, anche se per questo le fosse toccato di gettarsi nel fuoco.

A partire dalla metà di questa conversazione le mani di Daniél avevano ricominciato a percorrerla, sostando ad ogni protuberanza o rientranza con una lenta, lunga, continua carezza, come un'ansia sotterranea. Ancora turbata da quei pensieri e da quelle parole, Teresa sembra chiudersi e aprirsi alternativamente alla paura, alla rabbia, alla disperazione, alla speranza, all'amore. Daniél, dopo aver detto il necessario, porta alla bocca un seno di Teresa e lo contorna con la lingua; poi avanza lungo la spalla, lungo il collo e la nuca, fino a raggiungere l'orecchio e poi le labbra. E tutto ricomincia; mille volte ricominceremo, cara, di te non mi stancherò mai; ci saranno altre notti. Che bello, amor mio!, disse Teresa.

Daniél la volle sopra di lui. Cosí Teresa non aveva mai fatto prima, perché il capitano non l'aveva ordinato – farsi cavalcare da una donna giammai, un maschio degno di questo nome non fa da ronzino a una donna. A cavallo della sua focosa cavalcatura Teresa Batista partí cosí, rinunciando alla forca per la libertà. Stando al di sopra dell'angelo vedeva il suo viso sorridente, gli inanellati capelli, gli occhi maliardi, il volto incandescente. Galoppò sui campi della notte, verso l'aurora. Quando disfatta crollò, poté sentire ancora l'inebriante profumo del sudore del suo destriero – cavallo, angelo, uomo, il suo uomo!

39.

Al sorgere dell'alba Daniél la salutò al cancello con un bacio fatto di lingua, denti e sospiri. Sola di ritorno a casa, Teresa andò a pompare acqua per il serbatoio del bagno. Aveva il corpo profumato dal sudore di Daniél, e si lavò con sapone di cocco. Come avrebbe desiderato poter conservare sulla sua pelle quel dolce aroma, ma il capitano aveva un fiuto da cacciatore e lei doveva ingannarlo se voleva meritarsi un'altra visita dell'angelo. Si spogliava del suo profumo ma intanto conservava il sapore del giovane in bocca, nel seno, nel lobo dell'orecchio, nel ventre, nel cespuglio nero dei peli, nella profondità del suo corpo. Prima ancora del bagno, Teresa aveva spazzato lo stanzino e aveva cambiato il lenzuolo lasciando la porta aperta affinché il vento del mattino portasse via l'odore del tabacco e l'eco delle notturne gioie – sul sordido materasso di triste memoria si era acceso l'arcobaleno.

Parole, gesti, suoni, carezze, un mondo di ricordi: nella camera del capitano ancora buia, sdraiata nel letto matrimoniale, Teresa rammenta ogni istante. Dio mio, come può essere cosí bello ciò che era stato sempre una penosa agonia? Quando Daniél l'aveva penetrata, dopo averle risvegliato i sensi e acceso il desiderio, quando l'aveva posseduta ed essa gli si era data e insieme avevano sospirato – solo allora Teresa seppe perché, mentre zio Rosalvo beveva *cachaça* nella botteguccia di Manuel Andorinha giocando a domino, zia Filipa, senza obbligo né necessità, gratuita e soddisfatta si chiudeva in camera con altri uomini, conoscenti del mercato e delle campagne vicine, o anche semplici passanti. Minacciava Teresa: se lo dici allo zio, ti do una battuta che te ne ricordi per un pezzo, ti lascio senza mangiare; sta' sulla porta a guardare la strada, e se lo vedi arrivare, corri ad avvisarmi. Teresa saliva sull'albero di manghi e scrutava la via in lontananza. Quando si apriva la porta della camera e l'uomo riprendeva la sua strada, zia Filipa, tutta gentile e sorridente, la mandava a giocare e piú di una volta le aveva dato persino dei pezzi di zucchero bruciato. In quegli anni in casa del capitano, al ricordarsi della vita nella cascina degli zii – faceva il possibile per dimenticare, ma nelle notti in cui era sola, nelle notti in cui poteva dormire e riposare, figure e fatti venivano a frotte a rubarle il sonno –, Teresa si domandava sempre la ragione di quelle strane abitudini di sua zia; che lo facesse con Rosalvo, va bene, erano sposati e il marito ha certi diritti e la moglie certi doveri. Ma mettersi con altri a una bisogna cosí penosa, perché? Nessuno la obbligava a botte o a frustate. E allora perché? Adesso capisce finalmente il motivo: può essere orribile oppure fin troppo bello, dipende dalla persona con cui si va a letto.

Il capitano ritornò soltanto al pomeriggio e arrivando davanti allo spaccio – che aveva le porte chiuse perché era il giorno di san Giovanni –, sentí ridere in casa delle sorelle Morais. Guardò dalla finestra: il grande salotto buono era aperto e là dentro il giovane Daniél circondato dalle quattro sorelle se ne stava con un bicchiere in mano, delicatissimo e simpaticissimo a raccontar fatti della capitale e pettegolezzi di società. Justiniano fece un cenno di saluto all'allegra compagnia. Bisogna che dica a quel ragazzo di star ben attento a non far fare un figlio a Teó, nel caso che si decida a liberarla della sua verginità. Se lo fa discretamente, dato che è maggiorenne non ci saranno storie. Ma con un bambino in pancia vorrà il matrimonio, si metterà a gridare come un'aquila, sarà uno scandalo di quelli; tanto piú trattandosi del figlio del giudice. Le sorelle Morais appartengono a una vecchia famiglia e Magda è un osso duro, lo può dire quel prestigiatore, che ha fatto fagotto al commissariato sotto la minaccia della frusta. Alza le spalle: quello studente non era tipo da mettersi a repentaglio per una verginità; cosce e pieghe, dita e lingua gli bastavano a quel succhiatore, a quel cagnolino da pulzella.

In sala da pranzo Teresa sta stirando, in negozio Chico Mezza-Suola smaltisce la *cachaça* della sera prima – quando non c'è il padrone, lui in casa solo con Teresa non si trattiene mai. È un *caboclo* robusto e con poche ore di sonno si rimette dalla sbornia settimanale immancabile nelle sere di sabato e alla vigilia di feste e giorni santificati. In ogni modo non si può neanche paragonare a Justiniano Duarte da Rosa, che è in grado di bere per quattro giorni e quattro notti senza chiuder occhio, scopando femmine, e poi partirsene a cavallo: una resistenza di ferro. Chico scorbacchiato sta russando; il capitano invece è perfettamente a posto, nessuno direbbe che ha bevuto e ballato per tutta la notte; al mattino presto era partito per la casa di campagna guidando il camion – Terto-Cane, ubriaco, era rotolato sotto la panca dove stavano seduti i suonatori –, al suo fianco in cabina una ragazzina dai capelli rossi giovanissima con una faccia da finta tonta e piuttosto bruttina. Raimundo Alicate, quando lo aveva visto arrivare al *fandango*, era venuto a salutarlo di corsa portandosi dietro quella pollastrella ipocrita con gli occhi a terra.

– Alza la testa e fa' vedere il muso al capitano, disgraziatella.

Giovane giovane, acerba, proprio dentro i limiti della collana del capitano, se è vergine, è chiaro.

– L'ho messa da parte per Vossignoria, capitano, è ancora in fasce come piace a lei. Non cercherò di ingannarla dicendo che è illibata, i suoi tre soldi di verginità glieli hanno già fatti fuori, è gente che sta dalle parti della fabbrica, e giú di là lei lo sa come vanno le cose, le pulzelle è difficile che arrivino a maturazione. Ma è fresca e pulita, ancora non ha fatto la vita, non ha nessuna malattia, insomma se non è vergine ci manca poco.

Quei figli-di-puttana dei Guedes, ce n'era sempre uno all'erta in fabbrica, mentre gli altri due se ne stavano a farsela bene a Bahia, a Rio, a São Paulo, o addirittura in Europa o nell'America del Nord; si davano il cambio sul lavoro e nella raccolta delle vergini. Il piú efficiente dei tre per dirigere gli affari è il dottor Emiliano, che è quello che comanda di fatto; ed è anche il piú esigente riguardo all'aspetto delle ragazze, non accetta una qualunque, per lui bisogna sceglierle una per una. Anche se fosse in fabbrica invece che in Francia a buttar via denari con le gringhe, non sarebbe certo lui a farsi portare quella rossa col naso schiacciato. Era troppo borioso per questo.

– Chi ti ha fatto il servizio?
– Il signor Marcos...
– Marcos Lemos? Figlio-di-puttana!

Quando non è uno dei padroni, sono i dipendenti, anche del ragioniere gli tocca di papparsi gli avanzi, al capitano, avanzi di zuccherificio, zucchero grezzo, impura melassa. A casa sua, però, in città, lui possiede una ragazzina di lusso, una faccia e un corpo a cui nessuno può trovar nulla da ridire, la ragazza piú bella del posto, non ce n'è in città, nelle campagne, in fabbrica, ricca, povera, né ricca né povera, pulzella, bucata, prostituta, un'altra cosí. Non che il capitano ci faccia caso, bella o brutta, se è giovane lo solletica lo stesso, però gli è gradito sapere che il dottor Emiliano Guedes, il maggiore dei fratelli, il capo della tribú, il padrone delle terre, arrogante sul suo cavallo nero coi finimenti d'argento, è disposto a spendere per averla e non fa questione di prezzo. I suoi modi indolenti e l'insolenza della sua voce – non vuol mica vendere quella manzetta lí? – non riescono a nascondere il suo interesse, il suo desiderio: il suo prezzo è il mio. E a chi appartiene questa bellezza tanto desiderata, che c'è persino una lista di attesa nel casino di Gabí e una sfilata di clienti in negozio? A Justiniano Duarte da Rosa, chiamato capitano Justo per essere proprietario di terreni, di capi di bestiame, di uno spaccio ben fornito e di galli da combattimento. Un giorno, man mano che cresceranno i chilometri delle sue terre, il suo credito in banca, le sue case d'affitto, e il suo prestigio politico, diventerà *coronél* Justiniano, e sarà veramente uno dei proceri, ricco e influente come i Guedes. Un giorno parlerà con loro da pari a pari e allora potrà discutere di manze e di vergini e persino effettuare scambi di ragazze senza per questo sentire in bocca l'amaro sapore della superbia altrui. Un giorno, per ora no.

– Teresa, vieni qui.

Al sentirsi chiamare, lei resta col ferro da stiro sospeso in mano. Dio mio, avrà la forza di sopportare? La paura la avvolge come un lenzuolo; come ravvolta in un lenzuolo era fuggita la prima volta. Perché non fuggire con Daniél lontano di lí, lontano dal letto matrimoniale, dalla voce e dalla presenza del capitano, lontano dalla bacchetta, dalla frusta, dal ferro da stiro? E dal ferro per marcare il bestiame che doveva segnare quella che un giorno avesse osato ingannarlo, ma chi ne avrebbe il coraggio? Nessuna era pazza a quel punto. Il coraggio l'aveva avuto Teresa, che era matta sperticata. Appoggia il ferro, piega quello che stava stirando, e si fa cuore con l'anima tra i denti.

– Teresa! – la voce è minacciosa.

– Vengo.

Egli allunga i piedi e lei gli slaccia le scarpe, gli toglie le calze e porta la bacinella piena d'acqua. Piedi grassi, sudati, unghie sporche, afrore penetrante, pianta callosa. I piedi di Daniél sembrano ali per volare, per alzarsi nell'aria, magri, puliti, asciutti, profumati. Fuggire con lui è impossibile. È il figlio del giudice lui, un ragazzo di città, studente, quasi laureato, neanche come prostituta o come domestica gli servirebbe; in città ne ha a montagne, basta scegliere. Però le diceva amor mio, mia cara, non ne ho mai vista una cosí bella, di te non mi stancherò mai, ti voglio avere per tutta la vita; perché glielo avrebbe detto, se non fosse vero?

Lava i piedi del capitano con efficienza e rapidità, deve mantenerlo senza neanche un'ombra di sospetto, affinché non rinunci al viaggio a Bahia, non metta dei *cabras* di guardia, non prenda il ferro che serve a marchiare il bestiame, vacche e buoi, e le donne traditrici. Una volta durante una battaglia di galli dove l'aveva condotta per esibizione, l'aveva sentito che diceva:

– Se un giorno una disgraziata avesse l'audacia di tradirmi, cosa che nessuna farà, prima di farla finita con quella sciagurata le farei un marchio sulla faccia e in quel posto con il ferro che serve a marchiare a fuoco il bestiame; cosí le insegnerei il nome del padrone e morirebbe sapendolo.

Il capitano si toglie la giacca, stacca dalla cintura il pugnale e la pistola. In quella mattina di san Giovanni aveva mangiato gli avanzi della fabbrica, ma quella finta tonta sapeva muoversi, era diligente e conosceva il *balancé*. Sfacciatella di una rossa, adatta per un momento di spasso, per variare, perché in queste cose il divertimento stava tutto nella varietà, ma non era una da mettersi nel letto matrimoniale, notte e giorno, in qualsiasi momento, per anni e anni. Un giorno, quando si stancherà della ragazza Teresa, e prima o poi succederà senz'altro, egli la manderà al dottor Emiliano Guedes in regalo, tra proceri ci s'intende – dottore, può riceverli e papparseli, ecco gli avanzi del capitano. Per ora no, vicino ai Guedes lui non è nessuno, e del resto anche stanco, di ritorno da una notte in cui non ha fatto che ballare e bere *cachaça*, dopo aver passato tutta la mattina sopra una femmina focosa e smaniosa, basta che abbia sotto gli occhi Teresa Batista che i testicoli gli si accendono e la verga risponde.

– A letto, svelta.

Le alza il vestito, le strappa le mutandine, si sbottona i pantaloni e monta Teresa. Ma che cosa le succede? È ridiventata vergine, si è chiusa di nuovo? Era sempre rimasta stretta, il ché è una peregrina virtú perché al mondo non c'è niente di peggio di una mollacciona. Un brutto muso e un corpo imperfetto non hanno importanza, il capitano non si ritira dal combattimento per cosí poco. Ma non sopporta le donne troppo aperte, spalancate come un passaggio a livello, come una ciotola di *canjica*. Una fessura stretta, difficile da attraversare come uno spiraglio di porta, ecco come si era mantenuta Teresa. Ma adesso era chiusa del tutto, né fenditura, né fessura, né spiraglio, era vergine di nuovo. Il capitano non si ferma, è pratico lui di pulzelle; Teresa adesso merita due anelli al collare delle vergini; non si accorge dei baleni d'odio di quegli occhi spauriti, neri come il carbone.

40.

Giorni d'ansia e d'impazienza quelli che precedettero la partenza del capitano per Bahia. Una volta soltanto Teresa poté scambiare un bacio frettoloso con Daniél nell'intervallo di mezzogiorno, ed egli le disse una parola incoraggiante: il viaggio è deciso. Il giorno prima aveva lasciato sul banco un fiore appassito, e Teresa durante quei cinque giorni di mortale attesa era vissuta di quei petali avvizziti.

Daniél veniva tutti i giorni, quasi sempre in compagnia di Justiniano, ridendo e chiacchierando amichevolmente con lui; col cuore in tumulto Teresa seguiva ogni gesto, ogni sguardo della celeste apparizione, cercando d'indovinare un messaggio d'amore. Se il capitano non c'era, il giovanotto entrava e usciva immediatamente, buongiorno, arrivederci, sigarette americane per i commessi e per Teresa una languida occhiata, uno schiocco delle labbra che significava un bacio, ben poco per la sua fame avida, esigente.

In cambio tutti i pomeriggi faceva merenda con le sorelle Morais davanti a una tavola piena di dolci, i migliori del mondo – di *cajú*, di mango, di *mangaba*, di *jaca*, di goiaba, di *araçá*, di ribes, di *carambola*, citando a memoria fatalmente si commettono ingiustizie e si dimentica di menzionare delizie essenziali come il dolce di ananas per esempio, quello di arancia selvatica, perbacco, quello di banane a rotelle! – Tutte le varianti del mais, dalle pannocchie cotte alla *pamonha* e *al manuê*, per non parlare della *canjica* e dello *xerém* che sono d'obbligo in giugno e poi la *umbuzada*, la *jenipapada*, le fette di *parida* con latte di cocco e il formaggio fresco, i succhi di *cajá* e di *pitanga*, i liquori di frutta. Modesta merenda, dicevano le sorelle; il banchetto delle fate, secondo il goloso e galante Daniél. Nel salotto il piano coperto con uno scialle spagnolo, ricordo di passate grandezze, gemeva sotto le dita di Magda le note di *Prima Carezza*, della *Marcia Turca*, di *Le Lac de Côme*, un repertorio scelto e fortunatamente ridotto. Berta con i lapis a colori tentava di riprodurre il profilo di lui – le sembra rassomigliante? Rassomigliantissimo, lei è un'artista. Applausi per la declamante Amalia; Daniél era disposto a tutto, e dopo che essa, tremante di emozione, ebbe recitato *In Extremis* e *La bocca che baciava la tua bocca ardente*, chiese ancora il bis. Teodora col pretesto di fargli le unghie gli toccava le mani e, tenendo le ginocchia raccostate a quelle del giovane e i seni in permanente esibizione, era arrivata a mordergli la punta di un dito – mentre le altre sorelle biasimavano all'unanimità la falsa manicure e quel sotterfugio sleale e indecente; ma Teó faceva finta di niente con le forbicine la limetta e il boccettino di acetone in mano, non aveva mai visto mani così morbide.

Incipriate, dipinte, imbevute d'acqua di colonia e d'estratti, le quattro sorelle erano quasi in delirio. In città, poi, le comari si erano suddivise in fazioni: un gruppo prevedeva al piú presto il fidanzamento tra Daniél e Teodora, cioè che il povero ragazzo sarebbe stato accalappiato nella trappola organizzata nel villino dalle terribili sorelle; un'altra tendenza piú libertina, capeggiata da dona Ponciana de Azevedo, puntava invece su Daniél: lui vuol scoparsi quella sfacciata di Teó e intanto approfitta dei manicaretti e dei dolci; quanto alle altre tre, non se le farà soltanto se non ne avrà voglia. Il capitano, testimonio oculare, al quale quello studente spassoso e chiacchierone riusciva simpatico – malgrado certe indegne abitudini, un uomo degno di questo nome non lecca in quel posto una donna –, l'aveva avvertito del pericolo di mettere incinta la Teodora. E Daniél per tutta risposta gli aveva raccontato una serie di impagabili storielle a proposito del problema di evitare figli, una piú divertente dell'altra, quella faccia tosta sapeva raccontare gli aneddoti alla perfezione e mancava poco che il capitano non crepasse dal ridere.

La mattina del giorno di san Pietro Justiniano andò a prendere Daniél a casa del giudice per portarlo a un combattimento di galli; partirono in camion. Pranzarono sul posto e il capitano ritornò solo alla fine del pomeriggio. Teresa si cullava ancora nella speranza che andasse al fandango di Raimundo Alicate, ah! cosí lei e Daniél avrebbero avuto a disposizione una serata libera, una serata di festa. Il capitano invece non si cambiò neanche; con l'abito che aveva addosso uscí subito per andare a tracannare qualche birra nel casino di Gabí per poi tornare presto a dormire. Teresa, col cuore grosso, gli lavò i piedi. Che voglia di fuggire in cerca di Daniél per la strada, in casa del giudice o al villino delle Moráis e poi partire con lui per andare in capo al mondo. Era tanto angustiata e infelice che non capí subito il senso delle parole di Justiniano: domani prendo il treno per Bahia, occupati della valigia e delle mie cose. Subito, rispose terminando di asciugargli i piedi. Adesso no. Domattina presto, c'è tempo. Quando tornò dopo aver vuotato la bacinella, lui era già nudo ad aspettarla. Mai il capitano si era sentito tanto legato a quel letto matrimoniale, il letto di Teresa. Non ce n'era stata nessuna che fosse durata tanto e cosí a lungo l'avesse attratto, eran già passati due anni, presto sarebbero stati tre, e il suo interesse anziché estinguersi cresceva. Perché era bella? Perché era stretta? Perché era molto bambina? Perché era scostante? Chi lo sa, il capitano non lo sapeva neppur lui.

Durante i dieci anni in cui era sopravvissuta al marito, dona Engracia Vinhas de Moráis, vedova inconsolabile e festevole, aveva reso omaggio a san Pietro, patrono delle vedove, di mattina in chiesa e alla sera nel salotto del villino. Un enorme falò per la strada, in casa tavola imbandita; venivano l'illustre parentela, numerosi amici e giovanotti che ballavano con le ragazze di casa, le sue quattro figlie da marito, Magda, Amalia, Berta e Teodora. E ancora adesso queste figlie nubili, quasi zitelle, conservano devotamente la tradizione materna: a messa accendevano ceri ai piedi dell'immagine dell'apostolo, alla sera aprivano il villino. Alcuni parenti poveri, pochi amici, nessun giovanotto. Ma quella volta la festa di san Pietro delle Moráis aveva preso un nuovo slancio: c'erano frotte di comari in cerca di pettegolezzi e il giovane Daniél con i suoi occhi maliardi e il suo umido sorriso, ma con il pensiero fisso nella casa in faccia, dove Teresa stringeva l'anima coi denti nel letto matrimoniale di Justiniano Duarte da Rosa.

Il giorno dopo Teresa fece la valigia del capitano, mettendoci, come aveva ordinato lui, l'abito di lana blu marino, che si era fatto per il matrimonio e aveva usato pochissimo, praticamente era nuovo, un abito da cerimonia – per il due di luglio a Palazzo con il governatore. E poi i completi bianchi, le migliori camicie in quantità, a quanto pare ha intenzione di trattenersi a lungo.

Prima di uscire per prendere il treno diede gli ordini a Teresa e a Chico Mezza-Suola: la massima attenzione possibile in negozio, occhio ai commessi – con il padrone in viaggio può venir loro in mente di sgraffignare qualcosa e di portarsi a casa il maltolto. Come d'abitudine quando il capitano si assenta, Chico Mezza-Suola, ottemperando ai suoi ordini, dormirà in negozio su una branda: per far la guardia alla merce, è una misura di sicurezza; ma certamente anche per tenerlo fuori dai limiti della casa propriamente detta di notte, senza nessuna possibilità di contatto con Teresa.

Quanto a Teresa, aveva la proibizione di mettere i piedi fuori di casa o del negozio e di dar corda ai clienti, le conversazioni dovevano esser ridotte all'indispensabile. Dopo cena Chico deve chiudersi in negozio e lei starsene chiusa in casa, a letto a dormire. Il capitano non vuole che una donna sua sia sulla bocca di tutti; se è giusto o meno non gli interessa.

Senza una parola – arrivederci, a presto –, senza un cenno di saluto si diresse alla stazione con Chico Mezza-Suola che gli portava la valigia. Nella tasca interna della giacca, insieme all'invito del governatore, aveva la lettera di presentazione per Rosália Varela, *porteña* che esercitava il mestiere a Bahia, cantante da cabarè specialista in tango argentino e in passatempi di bocca, boccuccia di chiara fama, celebrata a suon di musica: «*La tua bocca viziosa di bagascia...*»

Poco prima di uscire, mentre si cambiava, vedendo Teresa Batista di schiena accanto all'armadio, il capitano aveva sentito quel certoché nei testicoli e allora le aveva alzato il vestito e afferrandola per le spalle come commiato l'aveva presa da tergo.

41.

Furono esattamente otto notti nel letto matrimoniale del capitano, e una si prolungò fino alla prima mattina della domenica, mentre Chico Mezza-Suola smaltiva la sbornia della sera prima. Sabato sera aveva bevuto due bottiglie di *cachaça*, ma l'aveva fatto dentro lo spaccio – quando il padrone era in viaggio, per nulla al mondo avrebbe abbandonato le merci che gli erano state affidate.

Subito dopo che la campana della chiesa di sant'Anna aveva suonato le nove di sera, ora limite per gli innamorati e per il passeggio delle ragazze in piazza, Daniél giungeva al cancello del cortile. Se ne andava prima che spuntasse il sole, nell'ultima ombra. Durante il pomeriggio (dormiva un sonno solo fino all'ora di pranzo) andava a far merenda con le sorelle Moráis, ma prima faceva un salto in negozio col pretesto di chiedere notizie del capitano a Chico – ancora non ha telegrafato comunicando la data dell'arrivo, signor dottorino. Sigarette americane per Pompeo e Pappa-Mosche, una moneta a Chico, i languidi occhi teneramente fissi su Teresa. Intanto ingrassava a forza di dolci e di *canjica* e confondeva le quattro sorelle con discorsi reticenti e con gesti indecisi – le tre piú vecchie a sospirare, e quanto a Teodora, mancava solo che se lo trascinasse a letto a forza –, chissà, se non fosse la passione per Teresa, forse Daniél quel favore a

Teó l'avrebbe fatto, ché era graziosa e appassionata a sufficienza per meritarselo.

Ma colui che cavalca Teresa e da lei si lascia cavalcare, colui che le fa trasporre le porte della gioia e le insegna il colore dell'alba non può pensare a un'altra. Violata da circa due anni e mezzo, posseduta quasi ogni giorno dal capitano, bloccata dalla paura, essa si era mantenuta innocente, pura e fiduciosa. In quelle rapide notti che passavano volando, in lei si era risvegliata la donna ed essa si era trasformata in un mare di infinito godimento, era fiorita in bellezza. Prima era una bella bambina, piena di grazia semplice e adolescente, adesso l'olio del piacere le aveva unto volto e corpo, il gusto e la gioia dell'amore le avevano acceso negli occhi quel fuoco del quale il dottor Emiliano Guedes aveva percepito il fulgore mesi prima. E oltre a ciò aveva imparato pure alcune espressioni di tenerezza, le varianti del bacio, il segreto di certe carezze. E questo, pur non essendo poco per chi non aveva niente, non fu neppur molto, perché tutto si svolse in un breve lasso di tempo, troppo in fretta, la gioventú non permettendo a Dan una completa padronanza del mestiere, cioè quella specie di lenta dilatazione del piacere, il massimo di raffinatezza, il calmo possesso, adagio, proprio adagio. Impetuoso e impaziente, Daniél sapeva già prima l'avara misura di quella avventura estiva in campagna, il breve tempo di Teresa. Teresa invece nulla sapeva, né desiderava indovinare, discutere, mettere in chiaro. Averlo vicino, rotolarsi nel letto chiusa tra le sue braccia, essere montata da lui e montare su di lui, soddisfare il desiderio ripagata della stessa moneta, schiava e regina, che cosa poteva desiderare di piú? Andarsene con lui, certamente; ma dal momento che su questo erano già d'accordo, considerava l'argomento chiuso e fuori posto qualsiasi domanda o discussione. Daniél, un angelo del Cielo, un dio bambino, la perfezione.

Aveva promesso di portarla con sé, liberandola dal giogo del capitano. Perché non immediatamente mentre Justiniano è in viaggio? Doveva aspettare certi denari da Bahia, un'operazione rapida. Promessa vaga, spiegazione anche piú vaga. Di concreto c'erano le sue audaci affermazioni: che provi il capitano a alzar la voce e imparerà chi dei due è uomo davvero, qual è la differenza tra coraggio e millanteria.

I progetti di fuga, i piani per il futuro non occuparono

molto tempo durante quelle corte notti destinate alle gioie del letto. Ma Teresa non pensò a mettere in dubbio le parole del giovane, perché avrebbe dovuto mentire? Durante la prima delle otto notti, di ritorno dal forte assalto iniziale, quando Daniél ancora ansimante aveva posato la testa sul grembo umido di Teresa, essa gli aveva detto commossa: «Portami via di qui, sono disposta a far la serva, ma con lui mai piú». E Daniél quasi con solennità aveva promesso: «Tu vieni a Bahia con me, sta' tranquilla», e sigillò la sua promessa con un profondo e ansioso bacio.

Tutto quello che prima col capitano era stato sporco e penoso, con Daniél era diventato una delizia del Cielo. Daniél non aveva detto succhia!, come aveva fatto il capitano brandendo lo scudiscio dalle sette fruste, dieci nodi ogni frusta. La seconda notte – ah! perché non nella prima, Dan? – l'aveva fatta sdraiare immobile: sta' ferma, aveva detto; poi aveva cominciato con la punta della lingua partendo dagli occhi. Poi fuori e dentro l'orecchio, torno torno al collo, sulla nuca, sui capezzoli e intorno ai seni, sulle braccia – i denti a morderla sotto le ascelle, giacché denti e labbra partecipavano alla carezza –, sul ventre, nell'ombelico, nel nero ciuffo dei peli, sulle cosce, sulle gambe, sulle piante dei piedi e tra le dita, e di nuovo sulle gambe, sulle cosce per finire tra le gambe, all'entrata segreta, all'eccitante fiore: bocca e lingua la succhiavano, ah, Dan, mi sento morire! Ecco come glielo chiese, mettendolo in atto prima su di lei. Afferrò Teresa la spada rifulgente; e per concludere insieme lo fecero, Teresa intende che è giunta l'ora della morte: magari!

Morta cosí di piacere, la testa abbandonata sopra il ventre dell'angelo, disse Teresa: «Credevo di morire, e volesse il Cielo che fossi morta. Se non vado a Bahia mi ammazzo, mi impicco alla porta, ma con lui mai piú. Se non vuoi portarmi con te, non mentire, dimmi la verità».

Per la prima e unica volta lo vide irritato. Non ti ho già detto che ti porto? Dubiti di me? Sono forse un uomo menzognero? Le ordinò di star zitta: che non ripetesse mai piú delle cose del genere, perché mescolare minacce e tristezza alla gioia di quei momenti? Perché sminuire, sciupare una notte di piacere parlando di morte e di disgrazie? Ogni cosa a suo tempo, ogni discorso al momento giusto. Anche questo Teresa Batista imparò dallo studente di Diritto Daniél Gomes per non dimenticarlo mai piú. Non gli fece piú domande sulla fuga combinata, né tornò a pensare alla corda per impiccarsi.

Daniél non le disse: giú bocconi, a quattro gambe, come Justiniano Duarte da Rosa quando voleva piegarla a forza di cinghia e della fibbia della cinghia, di cui Teresa portava ancora la cicatrice. Durante una di quelle notti di risurrezione l'angelo tracciò sull'ampio territorio delle sue natiche le frontiere che univano il paradiso terrestre e il regno dei cieli; alzando il volo dall'aureo pozzo dove si era annidato venne l'augello audace ad alloggiarsi nella fossa di bronzo. Amor mio! disse Teresa.

Cosí rinacque colei che era morta sotto la bacchetta, sotto la cinghia, sotto la frusta, sotto il ferro da stiro. Il sapore di fiele e i segni del dolore e della paura andarono cancellandosi tutti ad uno ad uno; ricuperata ogni particella del suo essere, al momento giusto senz'ombra di paura si eresse intera quella celebrata Teresa Batista, bellissima, fatta di miele e di coraggio.

42.

Né Daniél né nessun altro si accorse di quando, poco prima dei rintocchi della campana alle nove di sera, nel salotto del villino a luci spente, Berta, la piú brutta delle quattro, condusse Magda, la piú vecchia, davanti a una fessura della finestra e assieme si appostarono in agguato.

– Eccolo, guarda, – disse Berta, e lei lo sapeva con liquida certezza, perché appena presentiva la sua presenza le veniva sotto quel freddo e quella voglia di far pipí.

Nascoste dietro la finestra esse seguirono quell'ombra lungo la strada, lo videro scantonare, ascoltarono i suoi passi sordi allontanarsi nel vicolo.

– È arrivato al cancello, deve star entrando.

Magda era un osso duro; persuasa della sua responsabilità di primogenita, vegliò fino all'alba, fino a riconoscerlo quando tutto allegro e soddisfatto ritornava sul far del giorno dalla notte passata con Teresa. Dunque quell'infame si era servito delle quattro sorelle come paravento, una solida, ideale copertura per nascondere a Justiniano Duarte da Rosa e a tutta la città l'immondo baccanale con la ragazzina dello spaccio, che era l'amante di quel vanesio capitano: «Mai nessuna oserà tradirmi». Naturalmente quella canaglia aveva comprato la complicità di Chico Mezza-Suola con quattro soldi di *cachaça* – ci voleva un primate come Justiniano per affidare beni e donna a un bandito prezzolato – e per garantirsi una completa impunità, aveva abusato della buona fede, della cortesia, dei sentimenti, della tavola imbandita (anche piú imbandita del solito per riceverlo) delle quattro sorelle, Magda, Amalia, Berta, Teodora, tutte e quattro sulla bocca della gente e prese di mira dalle forbici della maldicenza; e quella monella a letto a farsela bene.

A scuola Magda aveva ottenuto molti premi di calligrafia, ma per un certo tipo di corrispondenza preferisce servirsi di lettere stampate, seguendo i competenti precetti di dona Ponciana de Azevedo. Cosí da quel chiassoso incidente essa trasse almeno una gioia, melanconica gioia di zitellona – poter scrivere quelle parole maledette, il cui uso era proibito alle ragazze e alle signore distinte: becco, caprone, cornuto, gigolò di merda, quella puttana di quella ragazzina, ah, che puttana quella ragazzina!

43.

Dopo la scalata verso il Cielo, Teresa si era addormentata. Daniél fumava una sigaretta e intanto pensava al modo migliore per comunicarle la sua imminente partenza per Bahia, dove l'attendevano l'università e i cabarè, i compagni di scuola e quelli della dolce vita, le vecchie signore e le romantiche ragazzine: «Dopo ti manderò a prendere, cara, non ti agitare, non piangere, soprattutto non piangere e non lamentarti; provvederò appena arrivato». È un quarto d'ora difficile da superare, una vera seccatura. Daniél ha orrore delle scene, delle rotture, addii, pianti e lamenti. Gli toccherà di rovinarsi l'ultima notte, a meno che non glielo dica all'ultimo momento, all'alba presso il cancello del cortile, dopo il bacio di labbra, lingua, denti.

Ma forse era piú consigliabile lasciar tutto per il giorno dopo: andrà allo spaccio al mattino a salutare tutti assieme – una chiamata urgente, improrogabile, dall'università, se non ci va perde l'anno, deve prendere il primo treno, ma starà via per poco tempo, una settimana al massimo. Ma e se

Teresa non si rassegnasse e vedendosi tradita si mettesse a gridare e a fare uno scandalo in presenza di Chico Mezza-Suola e dei commessi? Quale sarebbe stata la reazione del fedele *capanga* nel rendersi conto delle corna che avevano messo al suo padrone e protettore praticamente sotto il suo naso? Quello era un assassino, Chico stesso aveva raccontato a Daniél che doveva la commutazione della pena agli sforzi e alle manovre del capitano. La cosa migliore era proprio andarsene via senza dir niente. Una vigliaccata senza dubbio, e di quelle grosse; la ragazzina era cosí semplice e fiduciosa, cieca di passione al punto di crederlo un angelo disceso dal Cielo e lui che se ne scappa di nascosto, senza una parola di scusa o di addio. Ma cos'altro può fare? Portarsela a Bahia come aveva promesso? Neanche pensarci, una pazzia simile non gli era mai passata per la testa, ne aveva parlato soltanto per evitare pianti e lamentele, e i discorsi sulla forca.

La voce di Justiniano Duarte da Rosa strappa Daniél dal letto d'un balzo e sveglia Teresa. Il capitano è fermo sulla porta della camera, dal polso del braccio destro gli pende il largo scudiscio di cuoio crudo e sotto la giacca aperta spuntano il pugnale e la pistola tedesca:

– Cagna rinnegata, con te faccio i conti tra poco, aspetta. Te lo ricordi il ferro da stiro? Adesso sarà con quello da marchiare i buoi e proprio tu lo farai scaldare –. Rise di quel riso breve e cattivo che era una sentenza fatale.

Addossato alla parete, Daniél, pallido e tremante, è ammutolito dalla paura. Il capitano volge le spalle a Teresa – avrebbe avuto tutto il tempo di occuparsi di quella disgraziata, per ora è sufficiente che si ricordi del ferro rovente –, poi in due passi lo raggiunge e gli somministra un paio di schiaffi sul muso che gli fanno sanguinare la bocca – le dita di Justiniano Duarte da Rosa sono coperte di anelli. Daniél terrorizzato si pulisce l'angolo della bocca con la mano, guarda il sangue, si mette a singhiozzare.

– Figlio-di-puttana, cagnolino da gringa, lulú da cocotte, succhiatore di quel posto, come hai potuto aver questo coraggio? Sai che cosa ti tocca fare, tanto per incominciare? Per incominciare... – ripete, – tu mi succhi il cazzo e tutti lo devono sapere, tanto qui che a Bahia.

Si apre i pantaloni e tira fuori tutto. Daniél piange a mani giunte. Il capitano stringe il manico della frusta e vibra il colpo all'altezza delle reni: una nerbata rossa, un urlo terribile. Lo studente si china, piega le ginocchia, si piscia addosso.

– Succhia, finocchio!

Di nuovo alza il braccio, il cuoio sibila nell'aria – ti decidi a succhiare o no, figlio-di-puttana? Daniél inghiotte a vuoto e mentre la frusta alzata fischia nell'aria, si prepara a obbedire, quando il capitano sente la coltellata alle spalle, il freddo della lama, il calore del sangue. Si volta e vede Teresa in piedi con la mano alzata, un bagliore negli occhi, la sua bellezza accecante e il suo odio smisurato. Dov'è la paura, il rispetto che ti ho insegnato e che hai imparato tanto bene, Teresa?

– Lascia andare quel coltello, maledetta, non hai paura che io ti uccida? Hai già dimenticato tutto?

– È finita la paura! È finita la paura, capitano!

La libera voce di Teresa coprí il cielo della città, risuonò per leghe e leghe, attraversò le strade del *sertão* e l'eco raggiunse la riva del mare. In prigione, al riformatorio, nel casino di Gabí la chiamarono poi Teresa-Finita-La-Paura; molti furono i nomi che le attribuirono nel corso della sua vita, questo fu il primo.

Il capitano la vede, ma non la riconosce. È Teresa, certamente, ma non è la stessa che lui ha domato, che a colpi di frusta ha piegato alla sua volontà, non è quella alla quale ha insegnato paura e rispetto, perché senza l'obbedienza, dite un po', che cosa ne sarebbe del mondo? È un'altra Teresa che incomincia adesso, Teresa-Finita-La-Paura, un'estranea, che sembra piú alta come se fosse rifiorita durante le piogge d'inverno. È la stessa ed è un'altra. Cento volte l'aveva vista nuda e l'aveva posseduta sul giaciglio delle frustate, nel letto largo di campagna e anche proprio lí in quel letto di casa, ma la nudità di adesso è diversa, il corpo di rame di Teresa sembra risplendere, un corpo mai toccato, mai posseduto da Justiniano Duarte da Rosa. L'aveva lasciata bambina e la ritrova donna fatta, l'aveva lasciata schiava della paura e la paura è finita. Ha osato ingannarlo, deve morire, dopo che l'avrà marchiata col ferro che porta le sue iniziali intrecciate. Sgorga il sangue dalla ferita del capitano, un bruciore, un prurito spiacevole. Ma lui sente nascergli nei testicoli il desiderio che cresce, gli sale al petto, deve possederla un'ultima volta, forse la prima volta.

Justiniano Duarte da Rosa, chiamato capitano Justo e da dona Brigida il Porco, lo spettro spaventoso, lascia Daniél e

232

fa il gesto di avanzare – mentre quel piscione ne approfitta e piangendo convulsamente, nudo come Dio l'ha fatto, entra senza chieder permesso nel villino delle Moráis: avanza Justiniano con l'intenzione di afferrare quella maledetta, gettarla sul letto, romperle l'eterna e ultima verginità, penetrare quella stretta fessura, stracciarle le viscere, e con quel ferro marchiarla là dentro, poi stringerla al collo, ucciderla al momento del piacere. E per far questo si chinò: allora Teresa Batista tuffandosi dal di sotto scannò il capitano con il coltello per tagliare la carne secca.

Abc del combattimento
fra Teresa Batista e il vaiolo nero

A

AMICO, *permetta che glielo dica, ma lei dev'essere uno di quegli sfotti-piano, che tormentano le orecchie altrui senza tregua, senza misericordia; un sorso di* cachaça, *e giú un fiume di domande. Non le sembra che ognuno abbia il diritto di vivere la propria vita in santa pace, senza che gli altri ci ficchino il naso?*

Una padrona di casa perfetta, sissignore; nata libera e poi venduta come schiava, il giorno che si ritrovò in casa sua, con salotto e camera da letto, giardino in fiore, orto pieno d'alberi frondosi e con l'amaca all'ombra, era un piacere vedere Teresa Batista pacifica e ordinata, tutta attenzioni e gentilezze. Una casa bella e ben tenuta nelle mani di Teresa, ricco il vitto, piena d'allegria, profumata di pitanga, al canto delle cicale, non c'era in Estância, che è un posto dove ci tengono a trattarsi bene, una residenza da paragonare alla sua. Ecco qua, amico, la mia opinione sincera, che è poi la stessa di moltissima altra gente, tutti quelli che l'hanno conosciuta all'epoca del dottore; e gliela do gratis, questa informazione, senza esigere in compenso niente di piú che questi parchi sorsi di cachaça *— sebbene ci siano molti, signor mio, che trovano che tutte queste domande comincino a scocciare e che ai curiosi sarebbe meglio non rispondere nemmeno; insomma, a che cosa serve tutto questo interrogatorio? L'opinione di mia moglie è che lei, caro signore, ha intenzione di mettersi insieme con la ragazza, e perciò rimesta tanto nei fatti suoi e fa il ficcanaso. Può darsi, ma in questo caso non le consiglio di continuare, ci rinunci sull'istante, non insista, lasci in pace Teresa.*

E perché mai dovrebbe accettare un forestiero, quando ha rifiutato un riccone pieno d'importanza e di denaro e anche influente politicamente, pur di non sostituire alla finezza e al garbo del dottore la grossolanità e l'insolenza di un qualunque pezzo grosso, panciuto, industriale magari, banchiere, senatore e ricco sfondato? Uomo avvisato mezzo salvato, quindi lei non insista nel suo piano, perché se va avanti fa fiasco. Per sostituire la bontà, la gentilezza, la dolce compagnia interrotta ci vuole il manto dell'amore, amico caro, perché, come ha scritto in dolenti versi una ragazza che ho conosciuto in un cabarè di Ilheus, città del cacao e piena di agreste poesia, «l'amore è come un manto di velluto che ricopre le imperfezioni dell'umanità». Coperta da un manto di velluto, Teresa Batista si fa rispettare e stimare; e lei, signor mio, lasci in pace quella giovane.

Del mestiere di padrona di casa, l'unica cosa che non ha mai imparato è comandare i dipendenti, a trattare la servitù con la necessaria distanza e la spregiativa bontà riservata ai domestici e ai poveri in genere. Lei, che dal dottore tante cose ha imparato, insegnò qualcosa pure a lui, dimostrandogli giorno dopo giorno, che è falsa e vana qualsiasi differenza che si voglia stabilire tra gli uomini basandosi sul peso del denaro e della posizione sociale. Le differenze si rivelano in tutto il loro peso e nel loro esatto valore soltanto quando si tratta di battersi con la morte, quando si combatte in campo aperto: e allora l'unica norma è l'integrità della persona. Tutto il resto sono soltanto sciocchezze, ragioni di denaro o di falsa sapienza. Inferiore a chi, e perché? Teresa è stata l'eguale tanto del ricco come del povero, ha mangiato con posate d'argento e raffinata educazione, e ha mangiato con le mani, che così il mangiare è più buono. Il dottore le diede un guardiano che si occupava del giardino e dell'orto e doveva far la guardia alla sua porta (anzi all'inizio quando non conosceva ancora bene la correttezza del suo comportamento, doveva anche vegliare sulla sua lealtà e sull'onore di lui) oltre una domestica per il servizio e la cucina, la chiamò mia regina e la colmò di affetto. Eppure chi lavorava di più in quella casa era lei, mai a far la parte dell'oziosa madama, dell'indolente e esigente mantenuta di un lord, occupata solo a ingrassare nei piaceri del comando.

Se lei pensa in termini di concubinaggio, rinunci, signor mio, e la lasci vivere dimentica del mondo, ravvolta in un manto d'amore. In ogni cosa, ad ogni istante, la perfezione viene una volta tanto, non si ripete — e Teresa Batista non ha cercato di ripetere un concubinaggio perfetto, perché il ricordo di quegli anni e la memoria del dottore le bastavano.

*Quanto all'altro dottore di cui le hanno parlato, caro ami-
co, il dottorino, quello non è stato il suo amante, e neanche
molto meno di questo: era, per cosí dire, un compagno per le
vacanze, al massimo un fragile accordo per ammazzare il tempo e sfuggire l'insistenza di altri pretendenti. Anzi, a proposito di quella mezza-porzione di dottore, stia a sentire se
non aveva ragione Teresa Batista nel considerar ricchi e poveri: perché è soltanto al momento della paura che si possono misurare tutti quanti, considerando e comparando con il
peso e la misura della verità. Quel laureato prese il due di
coppe, e invece il suo dovere di medico era di mettersi alla testa degli altri e dirigerli. Macché! Quando il vaiolo piom-
bò su Buquím, ad affrontarlo rimasero soltanto le mignotte,
caro signore, capitanate da Teresa Batista. Quella Teresa
Batista che sino a poco prima era ancora Teresa-Favo-di-Mie-
le, Teresa-della-Dolce-Brezza, si trasformò ad un tratto in
Teresa-di-Omolú o Teresa-del-Vaiolo-Nero. Colei che già di
miele, fu poi di pus coperta.*

B

BEL DERETANO, *Maricota, Mani-di-Fata, Focaccina-Molle,
la vecchia sessagenaria Gregoria, piú Capretta, una ragazzina che aveva quattordici anni d'età e due di mestiere, una
sfilza di puttane, amico: e da sole hanno affrontato e vinto il
vaiolo nero nella zona di Buquím, dove quell'assassino maledetto si era scatenato: al comando della battaglia, a fianco
del popolo, Teresa Batista.*

*Una guerra terribile; se Teresa non si fosse messa a capo
delle bagasce di rua do Cancro-Mole nel quartiere di Muricapeba, a raccontar la storia non sarebbe rimasto nessuno. Gli
abitanti non potevano neanche battersela, perché questo privilegio era riservato alla gente agiata del centro della città,
proprietari, commercianti, professionisti, a incominciare dai
medici, che furono i primi ad alzare i tacchi, a disertare il campo di battaglia, uno diretto al cimitero e l'altro a Bahia – una
corsa pazza, niente bagagli e niente saluti, vado a Aracajú a
chiedere aiuti, ma il dottorino sbaglia treno, incurante di
direzione e di meta, pur di filarsela il piú lontano possibile!*

*Il vaiolo arrivò rabbioso, da tempo ce l'aveva su con quel-
la popolazione e con quel sito; era venuto di proposito, deci-*

so a uccidere e a farlo con maestria, freddezza e cattiveria, una morte brutta e orribile, era un vaiolo dei piú virulenti. Prima o dopo l'epidemia, sei mesi prima o tre anni dopo, dice ancor oggi la gente, che stabilisce la divisione del tempo con un calendario particolare prendendo come punto di partenza delle due ere del prima e del dopo l'avvenimento tremendo, quella paura senza ritegno, incoercibile, e chi non era terrorizzato? Ma Teresa Batista non si spaventò, né dimostrò di aver paura – e se ne provava se l'è tenuta chiusa nel petto: altrimenti non le sarebbe stato possibile alzare il morale delle prostitute e trascinarsele dietro in quella tregenda di pus e d'orrore. Il fegato, caro mio, non è una prerogativa di coloro che provocano e litigano, i campioni del pugnale o del coltello pernambucano; quella è roba che una persona qualunque la può fare, se capita l'occasione o che si renda necessario. Ma per curare i vaiolosi, per far fronte al fetore e ai lamenti, alle strade putride e al lazzaretto, il coraggio di questi campioni non basta: coglioni ci vogliono e anche stomaco e cuore, e soltanto le donne perdute posseggono una competenza simile, perché se la guadagnano esercitando il loro duro mestiere. Con le malattie-del-mondo fanno l'abitudine al pus, e spregiando i virtuosi, gli sdegnosi e i ben messi, imparano quanto poco vale la vita e il molto che essa vale; hanno la pelle incallita e la bocca amara, eppure non sono aride né insensibili o indifferenti alla sofferenza degli altri – esse hanno il vigore di un coraggio smisurato. Basterebbe il nome: donne-di-vita.

In quei giorni tutti i maschioni si erano trasformati in froci, erano scomparsi; cosí la virilità passò a loro, le puttane, la vecchia e la ragazzina. Se la popolazione di Muricapeba disponesse di denaro e di potere, un monumento in piazza dovrebbe fare alzare a Teresa Batista e alle donne di strada, oppure a Omolú, che è l'orixá delle malattie e specialmente del vaiolo; tanto che c'è chi dice che il vero responsabile è stato Omolú incarnato in Teresa, e che lei, nella famosa lotta, non sarebbe stata altro che un cavalo-de-santo[1].

Queste opinioni non si discutono, sono atti di fede, si devono rispettare. Il fatto si è che, sia ammettendo che essa fosse padrona di sé, signora dei propri pensieri e delle pro-

---

[1] Adepta (figlia) di un *terreiro*, che funge da strumento per mezzo del quale la divinità (*orixá*) si manifesta.

prie azioni, e stesse utilizzando la lezione appresa fin da bambina dai monelli dei campi, quando giocava a guardie e ladri, lezione poi rafforzata dalle traversie della vita, quello che s'è visto e quello che ancora s'ha da vedere, sia che si voglia credere invece che fosse rivestita del coraggio soprannaturale e dell'incanto del vaioloso Omolú, ad affrontare il flagello e a tenergli testa fu Teresa Batista – e se il coraggio degli orixás, la bellezza degli angeli e degli arcangeli, la bontà di Dio e la malvagità del Demonio altro non fossero se non un riflesso del coraggio, della bellezza, della bontà e della malvagità di noi uomini?

C

CIECO, *vuoti i buchi degli occhi, le mani sgocciolanti pus, tutto piaghe e fetore, il vaiolo nero sbarcò a Buquim in un treno-merci della Ferrovia Leste-Brasileira che veniva dalle sponde del fiume São Francisco, una delle preferite tra le sue molte residenze: è in quelle scarpate che i vari tipi di pestilenza celebrano i loro trattati e i loro accordi, si riuniscono in conferenza, tengono congresso – il tifo accompagnato dalla sua funebre famiglia di febbri tifoidee e di paratifi, la malaria, la lebbra millenaria ma sempre piú giovane, la malattia del sonno, la febbre gialla, la dissenteria specializzata nel far fuori i bambini, la vecchia peste bubbonica ancora sulla breccia, la tisi, e diverse altre febbri, nonché l'analfabetismo, padre e patriarca. Qui, sulle sponde del São Francisco, nel* sertão *di cinque stati, le epidemie hanno a disposizione dei potenti alleati, cioè i padroni della terra, i colonnelli, i commissari di polizia, i comandanti dei distaccamenti della Forza Pubblica, i capibanda, i mandatari, i politicanti, e finalmente il governo sovrano.*

Gli alleati del popolo, invece, si contano sulle dita di una mano: il Bom-Jesus-da-Lapa, qualche bigotto e una parte del clero, a volte qualche medico e qualche infermiere, maestrine mal pagate, insomma una ben misera truppa per fronteggiare il numeroso esercito di quelli che hanno interesse che le pestilenze continuino in vigore.

Non fossero il vaiolo, il tifo, la malaria, l'analfabetismo, la lebbra, la tripanosomiasi, la schistosomiasi, e tanti altri meritori flagelli in libertà per i campi, come conservare e

ampliare i confini di tenute grandi come nazioni, come colti-
vare la paura, come imporre il rispetto e sfruttare il popolo
a dovere? Senza la dissenteria, il crup, il tetano, la fame
propriamente detta, qualcuno ha mai pensato all'infinità di
bambini che crescerebbero, diventerebbero adulti, cioè sala-
riati, operai, mezzadri, enormi battaglioni di cangaceiros —
non quelle misere bande di jagunços *che crepano sulle stra-*
de al suono del clacson dei camion – i quali prenderebbero
le terre e se le dividerebbero? Necessari e benemeriti flagel-
li, senza di loro sarebbe impossibile l'industria delle secche
che rende così bene; senza di loro, come tenere in piedi la
società costituita e reprimere il popolo, che di tutti i flagel-
li è il peggiore? Pensi un po', vecchio mio, quella gente, se
avesse la salute e sapesse leggere, che pericolo tremendo sa-
rebbe?

D

DI LÍ, *dalle riparate stanze sulle sponde del São Francis-*
sco e dalle gole pietrose di Piranhas è sbucato fuori il vaio-
lo: salì sul treno a Propriá e scese a Buquim. Tanto per met-
tere alla prova le sue armi e non perder tempo, si inoculò
nel fuochista e nel macchinista, ma lo fece con calma, dando
loro il tempo di andare a morire a Bahia con allarmanti noti-
zie sui giornali. Pochi giorni dopo i telegrammi dall'interno
acquisivano titoli su sette colonne in prima pagina: il vaiolo
di nuovo all'attacco.

Perché sarà venuto e perché così virulento? Esattamente
e comprovatamente non lo si è mai saputo. L'opposizione at-
tribuí l'epidemia maligna alle commemorazioni provocato-
rie, irritanti. Sebbene le affermazioni dei politici (tanto più
se dell'opposizione) debbano essere ascoltate con orecchio
scettico e con una logica riserva senza attribuir loro troppo
credito, insomma con un ragionevole sconto, noi dobbiamo
registrare qui in ogni caso, in queste storie dove si narra quel
memorabile combattimento, la versione che si riferisce ai
festeggiamenti. Perché al di fuori di questa non si conosce
un'altra valida spiegazione – a parte l'assenza completa di
qualsiasi vera misura preventiva, il menefreghismo delle au-
torità preposte alla pubblica salute, l'incuranza per il proble-
ma delle malattie endemiche e epidemiche della zona rurale,

i cui fondi vengono inghiottiti da chi di diritto; però questa versione è già stata smentita dagli organi competenti.

I festeggiamenti erano destinati proprio ad applaudire e a dimostrare la generale gratitudine per l'annunciata estinzione del vaiolo, della malaria, del tifo, della lebbra e di pestilenze minori, approfittando per tali festività del soggiorno a Buquím dell'illustrissimo direttore del Dipartimento di Salute Pubblica dello Stato con la sua allegra carovana (di borgo in borgo visitando gli Uffici di Igiene e pappandosi i banchetti).

Banchetti, salve di mortaretti, marziali bande di musica, discorsi e ancora discorsi che continuavano a martellare il famoso risanamento della regione, già baluardo del vaiolo, e ora, secondo i comunicati governativi, persino il morbillo, che ammazza cosí poco, era sparito dai mercati, dalle strade, dalle cantonate, dai vicoli nascosti. Spazzati via per sempre dal sertão il vaiolo, la malaria, il tifo, tutte pestilenze endemiche sotto i Governi precedenti, come è a conoscenza di tutti. Viva il nostro benamato governatore-generale, infaticabile difensore della salute del popolo, viva, evviva! Viva il benvoluto direttore della Salute Pubblica, sfolgorante talento consacrato al benessere dei cari conterranei e per ultimo viva il prefetto cittadino avvocato Rogerio Caldas, tra tutti colui che ha mangiato meno dei fondi destinati alla lotta contro le endemie rurali, giacché bocche piú grandi e meglio situate se li erano andati divorando lunghesso il processo burocratico nel trattato tra la capitale e l'interno del paese — ma anche cosí ne era avanzata una bella fetta per lo zelante amministratore.

Tra tante eloquenti scipitaggini, quelle del signor prefetto, che parlava a nome della popolazione riconoscentissima (un branco di ingrati scettici e burloni l'avevano però soprannominato Pappa-Vaccini), furono le piú violente e le piú conclusive; perentorie affermazioni: con la estinzione completa delle epidemie, il comune entrava nell'età dell'oro della salute e della prosperità, ed era ora. Un'orazione di grande respiro, che aveva meritato le congratulazioni fervide dell'illustre direttore. Usò la parola anche il giovane e valente dottore Oto Espinheira, il quale da poco aveva assunto la direzione dell'Ufficio di Igiene installato a Buquím, che a parer suo era «completamente equipaggiato e attrezzato, in condizioni di affrontare qualsiasi contingenza e che si giova-

va dell'opera di un personale devoto e competente». Il simpatico giovanotto, erede delle tradizioni e del prestigio della famiglia Espinheira, si preparava alla carriera politica e aspirava ad essere eletto deputato. Comunque, i discorsi fanno venire una fame del diavolo, e così divoravano i banchetti.

Non era ancora trascorsa una settimana da quella patriottica commemorazione, che il vaiolo nero, sbarcato dal treno merci della ferrovia Leste, fosse per coincidenza o fosse di proposito, liquidò tra i primi il prefetto Pappa-Vaccini, che era chiamato così per essersi lasciato coinvolgere, in cambio di appoggio politico e di una commissione, in un complicato imbroglio con i vaccini, vaccini per il bestiame stornati dal comune e venduti a prezzi irrisori ai fazendeiros vicini; e non, come hanno scritto, a causa della mancanza totale di vaccino per il vaiolo a quell'Ufficio di Igiene così ben attrezzato. Di quella faccenda la colpa non era sua. Non era di nessuno del resto: dal momento che il vaiolo era stato completamente estirpato e che in paese non c'era nessuno che avesse intenzione di recarsi all'estero, in quegli arretrati paesi d'Europa che ancora erano soggetti a quel flagello, a che cosa servivano i vaccini, ditemelo?

Appena sbarcato, il vaiolo fece fuori il giorno stesso il prefetto, un poliziotto, la moglie del sagrestano (quella vera, non l'amante, per fortuna), un carrettiere e due braccianti della fazenda del coronél Simão Lámego – i quali vengono citati per ordine d'importanza, lasciando in coda tre bambini e una vecchia decrepita, dona Aurinha Pinto, che morì subito al primo soffio della malattia senza aspettare che le scoppiassero le bolle che le erano apparse sul viso, sulle mani, sui piedi, sul petto consunto, perché lei non era così stupida da restar lì a marcire sul letto soffrendo atrocemente; andò a buttar fuori il pus dentro la cassa da morto, e fu una cosa proprio brutta a vedersi.

E

ESTIRPATO un cavolo! Trionfante era il vaiolo, e si scatenò nella città e in campagna. Mica come l'anemico vaioloide, quel vaiolo bianco comune, che è una costante compagnia per il popolo in campagna e per le strade e che al mercato si trova gratis tanto all'ingrosso come al minuto. Quando si seccano le pustole il vaiolo diventa ancora piú contagioso: per le strade, sui mercati, nelle fiere, nei vicoli le croste delle ferite si sparpagliano al vento portando avanti compar vaioloide e garantendogli una presenza permanente nel paesaggio del sertão.

Il vaiolo bianco non è molto pericoloso, perché ben di rado uccide le persone adulte – un certo numero ne uccide sempre, tanto per fare il suo dovere di malattia, ma, a forza di soggiornare nella zona, finisce che il popolo ci si abitua e stabilisce certe regole di convivenza: le famiglie degli ammalati non si fanno vaccinare, non si spaventano, non chiamano il medico, ma si servono di rimedi empirici a buon mercato, erbe e foglie, e badàno soltanto agli occhi senza troppo curarsi del resto; in cambio il vaioloide si accontenta quasi sempre di segnare i visi, pizzicare la pelle, somministrare qualche giorno di febbre e di delirio. Oltre alla bruttezza del viso butterato, di un naso rosicchiato, di un labbro deformato, il vaiolo bianco si diverte a mangiarti la luce degli occhi, ad accecarti; e serve anche per uccidere i bambini aiutando la dissenteria nella sua opera di risanamento. È un vaiolo insulso, non molto piú pericoloso del morbillo e della varicella; ma questa volta non si trattava di quello, non era quel vaiolo timido e irresponsabile ad arrivare dalle sponde del rio São Francisco sul treno della Leste-Brasileira – era il vaiolo nero e era venuto per uccidere.

Appena giunto si mise al lavoro senza perder tempo. Con intensa azione al centro di Buquim diede inizio all'esecuzione del programma tracciato a partire dalla casa del prefetto e dalla parrocchia dove vivevano il prete e la famiglia del sagrestano, quella legalmente costituita. Aveva fretta, il maledetto, aveva fatto un piano molto ambizioso: liquidare la popolazione della città e dei campi completamente, senza lasciare anima viva a cantare l'accaduto. Dopo qualche giorno si constatarono i primi risultati: veglie funebri, funerali, casse da morto, pianto e lutto.

Un prurito per tutto il corpo che subito si copre di bolle, che in seguito si aprono e diventano piaghe, febbre alta, delirio, e il pus che si diffonde coprendo gli occhi, addio, colori del mondo; tutto è finito e pronto per la bara in capo a una settimana, un tempo sufficiente per piangere e pregare. Piú tardi i tempi si restringono; non c'è piú spazio per il pianto e la preghiera.

Rapido e feroce, dal centro il vaiolo si diffuse per tutto il paese e il sabato giunse a Muricapeba, che è un abitato nei dintorni della città dove vivono i piú poveri tra i poveri, e anche le poche prostitute di professione localizzate in rua do Cancro-Mole. A Buquím, che è una città piccola, arretrata e di risorse limitate, soltanto una mezza dozzina di donne perdute si dedica esclusivamente al mestiere e abita nella «zona». Le altre cumulano i lavori di letto con quelli domestici di cucina e di bucato, per non parlare di una galante sartina e di una maestra elementare bionda e occhialuta, entrambe provenienti da Aracajú e entrambe care, fuori dalla portata della maggioranza e perciò riservate ai notabili.

A Muricapeba, terreno favorevole con le sue vie pantanose, il puzzo, i rifiuti, il vaiolo ingrassò, crebbe, si fortificò in vista della battaglia appena incominciata. Cani e bambini rivoltavano montagne di spazzatura cercando cibo, cioè gli avanzi delle tavole del centro del paese. Gli avvoltoi volavano alti sulle case di fango battuto, dove vecchie senza età si spidocchiavano nell'afa del pomeriggio, divertimento eccitante e unico; con il vento il puzzo si alzava nell'aria, pestilenziale. Per il vaiolo era una pacchia.

Tacquero nel povero quartiere le canzoni e il suono delle fisarmoniche e delle chitarre. Come era successo in centro, nelle vie di quelli con le palanche, anche a Muricapeba i primi morti furono sepolti ancora al cimitero. Dopo, successe quel che successe.

F

FATTA *eccezione di Agnelo* macumbeiro *che aveva un ter-reiro-de-santo a Muricapeba, e della medicona Arduina, entrambi con una vasta clientela e una grande nomea, della salute della popolazione del comune di Buquím si occupavano due medici, il dottor Evaldo Mascarenhas e il dottor Oto Espinheira, piú Juraci, infermiera senza diploma esiliata da Aracajú e impaziente di ritornarci, Maximiano Silva detto Maxí-das-Negras, un misto di infermiere, guardiano e fattorino dell'Ufficio di Igiene, e il farmacista Camilo Tesoura, una affilata cesoia, esso pure di grande competenza clinica e sempre occupato a esaminare i contadini, a ordinare medici-*

244

ne e a ficcare il naso nei fatti altrui al banco della Farmacia Piedade.

Il dottor Evaldo Mascarenhas aveva piú di settantasette anni, una diagnosi limitata e un ancor piú limitato ricettario e si trascinava a visitare i malati, mezzo sordo, quasi cieco, completamente rimbambito, a sentire il farmacista. Quando il vaiolo sbarcò dal treno della Leste il vecchio clinico non si sorprese: viveva a Buquim da cinquant'anni e piú d'una volta aveva sentito le autorità governative dar notizia dell'estinzione del vaiolo e ogni volta l'aveva visto di ritorno a braccetto con la morte.

Il dottor Oto Espinheira era un giovanotto alla moda laureato da un anno e mezzo e non era ancora riuscito ad ottenere la fiducia degli abitanti di Buquim a causa della sua età (aveva quasi trenta anni, ma con la sua barba scarsa, la sua faccia da bambino anzi da bambolotto, ne dimostrava venti) e del fatto che era scapolo e aveva una mantenuta, requisiti che per gli avvocati vengono considerati qualità, ma per i medici difetti: e non è difficile scoprirne le sagge ragioni. Tuttavia egli non si preoccupava della mancanza di clientela. Apparteneva a una famiglia importante e piena di prestigio ed era stato nominato medico dell'Istituto di Igiene Statale appena laureato per un tirocinio di sei mesi – neanche un giorno di piú! – a Buquim, giusto il tempo necessario per giustificare una promozione; il lavoro del clinico non lo seduceva, perché accarezzava propositi piú alti che quelli di fare il medico di campagna: voleva tentare la politica, farsi eleggere deputato federale e, a cavallo del mandato, andarsene verso il Sud, dove si vive una vita di lusso, mentre nel Sergipe si vegeta, a quanto dicono sperimentati buontemponi, dottori specializzati o anche semplici vagabondi. Quando venne a sapere dei primi casi letali di vaiolo in città fu preso dal panico: aveva creduto ai discorsi commemorativi e circa la cura e la lotta contro il vaiolo ricordava soltanto vagamente alcune lezioni dei professori dell'università, ma molto vagamente. In compenso aveva un sacro orrore delle malattie in generale e del vaiolo in particolare, una malattia spaventosa, che quando non uccide sfigura. Immaginò se stesso col volto tutto butterato, quel suo viso bruno, rotondo e galante da bambolotto, che era uno dei fattori essenziali del suo successo con le donne. Mai piú ne avrebbe agganciata una che valesse la pena.

Negli anni di università a Bahia aveva fatto l'abitudine al-
le belle ragazze. E così, quando Teresa Batista, dopo una
tournée artistica piuttosto accidentata nell'Alagoas e nel Per-
nambuco, ricomparve ad Aracajú (dove Oto era venuto, fug-
gendo per qualche giorno da Buquím, col pretesto di discute-
re problemi di igiene locale con i suoi capi e con la direzio-
ne), siccome era libera e disponibile, appena conosciuta l'a-
veva noleggiata. Perché Eneida, importata da Bahia, che era
una divertente compagna dei bei tempi di prima, non aveva
sopportato la quiete campestre più di venti giorni.

Teresa era piuttosto di malumore, capricciosa, niente la
consolava né le dava soddisfazione. Neppure il cambiar aria,
veder paesi nuovi, città sconosciute, le chiese di Penedo, le
spiagge di Maceió, il mercato di Caruarú, i ponti di Recife,
neppure gli applausi per la Regina del Samba, i cuori trafitti,
i sospiri appassionati, le proposte e le dichiarazioni, avevano
rappresentato una medicina per i suoi mali. E neanche alcu-
ne grane in cui si era andata a mettere con quella sua mania
di prendersi a cuore le ingiustizie ficcando il naso dove non
c'entrava per la smania di rimediare i torti altrui — mentre
invece non riusciva a rimediare neanche ai propri, cioè al
tremendo dolore che aveva in petto.

Perdinci, che donnina petulante, quella era nata per fare
il prete o il comandante e per rompere l'anima al prossimo,
aveva detto in Alagoas quell'attaccabrighe di Marito Farinha
quando, trovandosi inaspettatamente privo del suo coltello,
si era visto obbligato a cedere e a consegnare il denaro a
quella piagnucolona di Albertina per le spese del parto. E,
in voce di scherno e di burla era stata pure soprannominata
Teresa-Provvidenza-Divina da certi rachitici fumatori di ma-
conha, dalle unghie e dall'impotenza dei quali Teresa aveva
liberato una sventata scolaretta una sera sulla spiaggia di
Recife, dove la curiosità di quell'adolescente si era trasfor-
mata in paura, sicché essa si era messa a reclamare l'ausilio
della provvidenza divina con urla che molti avevano udito,
solo che chi aveva il coraggio di affrontare quella malfamata
combriccola di viziosi? È meglio non intromettersi, quei tipi
lì sono pericolosi, consigliarono i prudenti accompagnatori
di Teresa quella sera, ma lei non diede ascolto ai loro avver-
timenti — se c'era lei nelle vicinanze in condizioni di interve-
nire, nessuna donna e meno ancora una ragazzina poteva es-
ser presa per forza, con la violenza — ed ebbe la meglio, per-

*ché quei sudicioni si ridussero ad accontentarsi di qualche
scherzo pesante, qualche insolenza, improperi inconseguenti: guarda la divina provvidenza, il pizzardone dei bebè, la
spocchiosa. Dopodiché quei vili drogati piantarono là quella
pettegola e se la squagliarono. Niente di tutto ciò, tuttavia,
serviva di consolazione alla sua perenne tristezza: né le passeggiate, né gli scherzi, né le feste, né i corteggiamenti, niente vinceva la saudade in cui si struggeva il suo cuore. Per
terra e per mare l'ombra di Januario Gereba che si dissolveva nell'aurora. Davvero di cattivo umore, senza entusiasmo
e senza iniziativa era ritornata Teresa Batista.*

*Florì Pachola, il padrone del Paris Alegre, che era suo
buon amico, andava anche lui a cresta bassa a causa degli affari: movimento scarso, pochi quattrini in giro, non c'erano
le condizioni adatte per contrattare due stelle allo stesso
tempo per la luminosa pista del suo cabarè. Due, sì, perché,
sebbene gli affari gli andassero male, gli amori dell'impresario andavano invece benissimo: Florì aveva il cuore in subbuglio a causa della presenza nel suo locale di una nuova
artista, Rachel Klaus, una rossa dalla gran chioma, sul cui seno punteggiato di efelidi aveva finalmente superato la sua
disperata passione per Teresa; per mesi e mesi aveva sofferto orribilmente di mal di gomito, sempre con gli occhi supplici rivolti alla ragazza color del rame, chiedendo e supplicando, mentre lei, malgrado mantenesse un atteggiamento
sempre gentile e sorridente, continuava a rifiutarsi, inflessibile. Lo aveva salvato dalla tristezza, dallo strazio e dall'umiliazione prodotti dall'intransigenza e in seguito dalla partenza
di Teresa, il tempestivo arrivo in città di Rachel Klaus, una
cantante specializzata in blues, una freddolosa gaucha, candidata a esibirsi al Paris Alegre e a cullarsi tra le braccia del
suo malinconico proprietario: risollevando così dalle ceneri
di Teresa cabarè e cabaretier. E gli altri amici? Il poeta
Saraiva era in giro per il sertão alla ricerca di un miglior
clima dove morire, il pittore Jenner Augusto era partito per
Bahia sulle ali della gloria, il famoso dentista Jamíl Najár si
era fidanzato e stava per sposare una ricca ereditiera sulla
quale aveva effettuato cinque bellissime otturazioni. Quanto
a Lulú Santos, il più caro di tutti, era morto improvvisamente in maniera insolita, cioè in piena aula di tribunale, mentre difendeva un bandito dell'Alagoas.*

Avvilita, senza amici e senza lavoro ad Aracajú, Teresa si trovò nuovamente ad esser fatta bersaglio delle proposte di quel riccone di cui abbiamo parlato in precedenza, l'uomo più ricco del Sergipe, secondo gli esperti in patrimoni altrui, industriale, senatore e donnaiuolo. A forza di insistere, giacché aveva la cattiva abitudine di ottenere rapidamente tutto quello che desiderava, era diventato sgradevole e minacciava di renderle la vita impossibile se essa non avesse ceduto alle sue proposte peraltro generose. La mezzana Veneranda non le dava tregua: che bisognava esser matta da manicomio per rifiutare la protezione di quel pezzo grosso.

Matta da manicomio, in un momento difficile, e leggermente colpita dall'aspetto del giovane medico belloccio e affabile, decisa a non arrendersi al padre-della-patria (amante di un uomo anziano, mai più, non voleva correre quel rischio un'altra volta), Teresa finì per accettare l'invito del dottorino ad accompagnarlo a Buquim, senza impegno di tempo e di permanenza, né di un legame durevole, insomma per una avventura senza conseguenze.

Sebbene non sperasse di rivedere Januario Gereba, il capitano di saveiro che aveva incontrato un giorno nel porto di Aracajú e al cui calore era rinato il suo morto cuore, amore senza speranza, pugnale piantato nel petto, Teresa Batista gli riservava una sorta di speciale fedeltà, per cui non voleva compromettersi con legami o relazioni che minacciassero di assumere un carattere definitivo. Matta da manicomio certamente, Veneranda, ma libera di andarsene quando si presenterà l'occasione.

G

GRADEVOLMENTE celiando Oto Espinheira l'aveva invitata a salvarlo dall'inevitabile fidanzamento e conseguente matrimonio di cui sarebbe stato vittima se, recandosi da solo in provincia, si fosse venuto a trovare al centro delle brame delle matrone in cerca di un genero – senza peraltro prometterle niente di più che delle vacanze tranquille. Aveva già fissato la data del ritorno a Buquim, quando, sentendo che essa diceva di essere stufa delle grandi città, come Recife, Maceió, Aracajú e che stava pensando a fare un viaggio all'interno del paese, le aveva proposto di passare un periodo di riposo con lui: a Buquim c'è una calma perfetta, una pace *assoluta, nulla vi succede a non essere il passaggio quotidiano di due treni, uno diretto a Bahia e l'altro a Aracajú e Propriá.*

Cosí, ben fornito in fatto di donna, non avrebbe corso il pericolo di andarsi a mettere con una ragazza da marito in quella città malinconica e di trovarsi fidanzato da un giorno all'altro – i medici sono ultraquotati in quel mercato di matrimoni cosí carente –, oppure di frequentare prostitute malate; insomma di finire davanti al sindaco e al prete oppure appestato da una buona dose di sifilide. La bellezza del viso bruno e il chiacchiericcio futile e gradevole del medico le ricordavano Dan, il primo uomo che Teresa aveva amato e al quale si era abbandonata completamente; anche se fondamentalmente non gli rassomigliava, perché Daniél era marcio dentro, senza spina dorsale, bugiardo, falso come la pietra dell'anello in cambio del quale zia Filipa l'aveva venduta al capitano. Quel ricordo deprimente aveva spinto Teresa a cedere e ad accettare l'invito. A parte le chiacchiere e la facciata, però, Oto Espinheira, col suo temperamento allegro, i suoi modi aperti e la mancanza di promesse, era esattamente il contrario, il rovescio di Dan; perciò Teresa finí per accettare.

Dan era un pusillanime e un ipocrita, che si era fatto passare per buono e coraggioso, onesto e corretto, giurandole eterno amore, promettendo di portarla con sé a Bahia, liberandola dalla schiavitú del regolo e della frusta di cuoio crudo, mentre invece era pronto a piantarla in asso senza neanche dirle addio. Aveva saputo tutto questo in prigione, dove naturalmente non mancava gente disposta a dirle tutto a incominciare dalla Gabi. E la deposizione di Dan non l'aveva forse sentita Teresa? Una difesa inaudita, in cui l'accusava dalla prima parola all'ultima, sostenendo che era stata lei, quella viziosa puttana, a trascinarlo nella camera da letto del capitano col pretesto di metterlo al riparo dalla pioggia e poi aveva mostrato le sue intenzioni libidinose; siccome Daniél non era di ferro, era successo l'inevitabile, tanto piú che essa gli aveva cinicamente giurato che da piú di un anno non esisteva piú nessun genere di rapporto sessuale fra lei e il capitano e che ormai non era altro che una domestica e niente piú; se avesse saputo che era ancora l'amante di Justiniano, avrebbe respinto le sue profferte insistenti perché lui, Daniél, era amico del capitano e aveva l'abitudine di rispet-

tare la famiglia e la proprietà degli altri. Teresa Batista se l'era vista brutta in quel periodo; ma la cosa peggiore in mezzo a tutto quello che aveva sofferto in quell'occasione cosí atroce era stato ascoltare la lettura della deposizione di Dan; fino a quel giorno aveva conosciuto soltanto gente cattiva, ma Daniél aveva superato tutti quanti, forse era anche piú repellente dello stesso capitano.

Perciò Teresa in prigione sembrava una bestiolina e se ne stava in un angolo della cella, chiusa in se stessa senza fidarsi di nessuno. Quando era comparso Lulú Santos, che veniva dal Sergipe per incarico del dottore, lei non aveva voluto parlare, convinta che anche l'avvocato fosse uguale agli altri, c'è forse qualcuno che valga qualcosa in questo mondo pieno di dolore e di viltà? Dopo averla arrestata ci si erano messi in tre cabras in divisa, un caporale e due soldati della Polizia Militare, per domarla a botte. Cosí anche quando il legale era riuscito a toglierla dalla prigione e a farla ricoverare in un convento affidandola a certe suore disposte a ricuperarla – ricuperarla da cosa? – ciononostante Teresa aveva continuato ad essere in dubbio sulle vere intenzioni di Lulú, tanto che era fuggita senza attendere gli altri provvedimenti che le aveva promesso; anche perché l'avvocato, per discrezione, non aveva mai pronunciato il nome del dottore.

Solo al tempo del dottore (e all'inizio aveva dubitato anche di lui) Teresa avrebbe ricominciato ad aver fiducia nella vita e negli uomini. Perché aveva accettato di partire con Emiliano Guedes quando era andato a prenderla nel casino di Gabí e tenendole una mano tra le sue aveva detto: dimentica il passato, adesso per te comincerà una nuova vita? Forse per sfuggire alla fila dei clienti che cresceva interminabile ogni giorno di piú? Se fosse stato solo per questo avrebbe potuto farlo prima, giacché Marcos Lemos non faceva che proporle la stessa cosa tutti i santi giorni senza saltarne uno, che andasse a vivere con lui come mantenuta liberandosi dalla clientela e dal casino. Aveva visto il dottore un'unica volta, quand'era ancora in campagna, eppure non aveva discusso né si era fatta pregare, perché? Perché di tutti gli uomini che aveva conosciuto era il piú attraente – non già il piú bello della facile bellezza di Dan, ma piuttosto il piú bello nel senso che possedeva una specie di intimo calore, che era una cosa che in quell'epoca a Teresa riusciva inspiegabile e indefinibile? Forse per la sua autorità, per il suo aspetto impe-

rioso da dominatore? Il perché Teresa non lo seppe mai,
e tuttavia, malgrado il timore di illudersi ancora una volta,
essa lo aveva accompagnato; e mai ebbe ragione di pentirse-
ne, dimenticò il passato e incominciò una nuova vita come
egli le aveva detto; con il dottore aveva imparato persino a
giudicare senza preconcetti.

Così poté giudicare il dottor Oto Espinheira; il quale, a
differenza di Dan, non si serviva del proprio scorrevole chiacchiericcio per attrarla, promettendole mari e monti, affetto
duraturo, tenerezza prolungata e profonda, non aveva neppure parlato d'amore; la invitava semplicemente a una partita di piacere, una semplice gita in provincia, possibilmente
divertente. Proprio perché le prometteva così poco Teresa
aveva deciso di accettare, almeno non sarebbe rimasta delu-
sa, dal momento che non nutriva la minima illusione sul suo
compagno di strada. Simpatico e scherzevole, lui l'aiutava
ad andarsene da Aracajú sfuggendo così all'insistenza, alle
sollecitazioni e alle minaccie dell'industriale – quell'aspiran-
te pieno di soldi le aveva mandato dei tagli di stoffa della
sua fabbrica e un piccolo gioiello di valore; e Teresa aveva
restituito i regali: al dottor Emiliano non sarebbe piaciuto
vederla a letto e nelle mani del senatore.

H

HA scoperto a Estância un gran casone coloniale maltratta-
to dal tempo e dall'incuria, tutto dipinto di azzurro, e il
dottore, nel calmo pomeriggio le mostra la bellezza di quel-
l'architettura, sottolineando particolari della costruzione, insomma, senza parere, istruendola e portandola a distinguere
ciò che da sola non saprebbe né riconoscere né valutare. A
quell'epoca non la teneva più nascosta e sembrava anzi che
ci tenesse a farsi vedere con lei, a mostrarsi al suo fianco.

L'industriale (che ancora non era stato eletto senatore),
piccolotto e tarchiato, aveva attraversato la strada a minuti
passetti per salutare il dottor Emiliano Guedes e si era trattenuto a chiacchierare, verboso, irrequieto, euforico, mentre
con cupidi occhi denudava Teresa. Il dottore aveva tagliato
corto, in modo cortese ma conciso, anzi monosillabico, e, sebbene l'altro si mostrasse desideroso di farsi presentare, aveva mantenuto Teresa al margine dell'incontro, come per evi-

tare che venisse toccata neppure dalla punta delle dita, da
una frase, da una parola, da un gesto del tozzo riccone. E
dopo che finalmente l'aveva visto allontanarsi, aveva commentato con inusitata durezza:

– Quello è come il vaiolo, infetta tutto quel che tocca;
quando non uccide, sporca di pus. È vaiolo nero, di quello
contagioso.

Per sfuggire al contagio di quel perverso industriale, Teresa era venuta fino a Buquim insieme al bagaglio del medico
dell'Ufficio di Igiene con l'etichetta di mantenuta, proprio
quando l'altro vaiolo, quello vero, vi arrivava per stermina-
re la popolazione.

Meglio quel putridume e la morte, però; vivere con qualcuno senz'altro interesse che il denaro era peggio. Una cosa è
fare il mestiere della donna venale: non implica obblighi, non
esige intimità, non lascia il segno; un'altra, e molto diversa, è
convivere come mantenuta da letto e da tavola, fingendo ar-
dori da amante, rappresentando la parte dell'amica. Amica,
dolce parola il cui significato essa aveva appreso dal dottore.
Amico e amica erano stati lei e il dottor Emiliano Guedes,
un rapporto perfetto. E questo non era riuscito con nessun
altro, neanche con Oto Espinheira, dottorino di poco sapere
e limitato incanto. Ah! Januario Gereba, dove sei, tu amante, amico, amore, perché non vieni a prendermi, perché mi
lasci appassire ai limiti della putrefazione?

I

INTIMITÀ, neanche parlarne, e d'amore anche meno. I
rapporti di Teresa Batista con il dottor Oto Espinheira rimasero limitati a una superficiale convivenza, interrotta poi subito dagli avvenimenti. Meglio così, pensò Teresa quando si
vide sola ad affrontare il vaiolo scatenato e fatale, che sopportare il castigo di trovarsi in un letto sbagliato: né giaciglio di prostituta né letto di amante. Siccome era incapace di
lussuria pura e semplice, per abbandonarsi con fervore, per
aprirsi al piacere aveva bisogno di vero affetto, di amore; solo così si accendeva in lei un desiderio infuocato e febbrile e
allora era difficile trovare un'altra donna come Teresa.

Doveva essere proprio molto sconsolata e confusa ad Aracajú quando aveva pensato di trovare piacere e serenità nel-

la compagnia e nel letto di quel dottorino dal volto di bam-
bolotto grazioso e cinico, senza sentirsi battere in petto il
cuore per lui. Il suo cuore non aveva piú palpitato dal gior-
no della partenza del barcone Ventanía *con il capitano Ja-*
nuario Gereba al timone verso il porto di Bahia. Quel mari-
naio che sembrava libero come il vento, eppure aveva le ma-
nette ai polsi e le pastoie ai piedi.

Teresa aveva accompagnato il medico per sfuggire alle mi-
nacce del riccone, per evitare persecuzioni, per non essere
nuovamente cacciata e battuta, confidando scioccamente nel-
la possibilità di una serena vacanza senza troppi obblighi né
impegni. Ma avrebbe fatto meglio a ritornare a Maceió o a
Recife a esercitarvi il mestiere di prostituta, ché durante la
tournèe le proposte non le erano mancate; le padrone di
case chiuse, le tenutarie, le ruffiane le correvano dietro a
frotte. Aveva rifiutato quelle offerte nella speranza di mante-
nersi con i proventi del mestiere di ballerina, ma nei cabarè
la paga è misera, quasi simbolica, perché il canto e il ballo
devono servire soltanto di copertura per una prostituzione
piú cara, meno sfacciata e evidente; era da sciocca voler vive-
re col proprio lavoro di artista perché il titolo e gli applausi
non avevano altra utilità se non quella di farsi pagar piú ca-
ra la marchetta. A Aracajú Florì le aveva pagato un salario
fuori del comune perché sperava di conquistarla, era acceca-
to dalla passione. E adesso faceva lo stesso con Rachel Klaus
e perdeva denaro — ma questa volta almeno pagava e se la
scopava. Invece durante la tournée, i padroni dei cabarè le
offrivano un compenso irrisorio e se lei diceva che era poco,
le consigliavano di arrotondare lo stipendio in compagnia
dei generosi frequentatori del loro esercizio: l'etichetta di
ballerina, il nome scritto sui manifesti e i trafiletti sui giorna-
li valorizzano la donna e quelle che sanno amministrarsi co-
me si deve fanno la piazza con vero successo e incassi abbon-
danti. Cosí Teresa era stata obbligata a esercitare in proprio
il mestiere in giro per il mondo, con la stanchezza che le
macinava il corpo e la saudade che la consumava di dentro.
Come mai aveva creduto possibile convivere allegramente
con il dottorino, provar piacere andando a letto con lui e
sentirsi di nuovo capace di aprirsi al desiderio e al piacere?
Forse, trovandolo attraente, aveva sperato di soffocare nella
compagnia di lui il ricordo del capitano di saveiro, tentando
di strapparsi cosí dal petto il pugnale che vi stava conficcato.

*Amore senza speranza, di cui doveva liberarsi. Una cosa faci-
le da pensare ma impossibile da realizzare; se lo portava dentro al cuore e sulla pelle, l'avviluppava tutta rendendola
impenetrabile a qualsiasi sentimento o desiderio. Sciocca,
irresponsabile, idiota.*

*Quando, a Buquím, andò a letto con il dottorino, quando
egli la prese tra le braccia, il freddo la invase, un manto
di ghiaccio come quello che la copriva sul letto della prostituta e serviva a mantenerla integra, distante dall'atto, vendendo soltanto la sua bellezza e la sua competenza, nulla
piú. Che idiozia aver sperato di potersi divertire, di sentire
il piacere diffondersi partendo dalla punta dei piedi, matu-
rando nei seni e nel ventre, forzando il suo corpo e il suo
cuore a dimenticare il gusto di sale, il profumo di salmastro,
il petto a chiglia. Sciocca irresponsabile, tre volte idiota.*

*Un corpo freddo e distante, quasi ostile da tanto chiuso
che era, nuovamente pulzella, e per questo piú apprezzata.
Il dottorino sembrava impazzito – non ho mai visto una donna cosí stretta, non c'è vergine che le si possa paragonare, è
una cosa da matti, incredibile! – era fuori di sé. Per Teresa
era la molesta esperienza di sempre: ahimè, come aveva potuto illudersi, idiota. Ah, Januario Gereba, che per sempre
hai sigillato il mio petto, il mio cuore, il mio sesso!*

J

JANUARIO, *non lo poteva piú sopportare il desiderio scatenato del dottorino, senza orario e senza tregua, che la voleva
e la invitava ad ogni istante, convinto indubbiamente che lei
stesse partecipando e raggiungendo insieme a lui gli stessi
apici. Cosí faceva il capitano, quando l'aveva a disposizione
come schiava, senza curarsi dell'ora, dell'opportunità, del
luogo. E siccome a Buquím non c'era nient'altro da fare, al
disponibile direttore dell'Ufficio di Igiene non mancavano
giustificazioni – è meglio ammazzare il tempo divertendoci,
dolcezza mia. Se fosse dipeso dal dottorino le notti si sarebbero prolungate per tutto il giorno e i due avrebbero vissuto
sempre a letto senza nessun altro appetito e nessun'altra occupazione che non fosse quella fame e quel possesso, che Oto
supponeva reciproci, mentre erano soltanto suoi; per Teresa, una penosa fatica.*

Ma come fare a dirgli me ne vado, non c'è nulla che mi

trattenga qui, sono stanca di far la commedia, niente mi stanca di piú, sono venuta in tua compagnia per un disgraziato equivoco, posso far la prostituta ma non mi sento di abbandonarmi come amica e come amante? Come fare a dirglielo, dal momento che aveva accettato di venire e che lui la trattava con gentilezza e persino con una certa tenerezza nata dalla lussuria che lo rendeva meno cinico e presuntuoso, quasi grato? Come piantarlo lí in quella cittadina priva di qualsiasi distrazione, dove non c'era nulla per occupare il tempo? Eppure doveva farlo, quella maschera asfissiante fissa sul volto non la sopportava piú.

Durò quattro giorni, giusto il tempo che le pustole si aprissero nella città contagiata e condannata.

K

KTE ESPERO[1], *annuncia sulla porta una primitiva insegna fatta di un pezzo di legno con le lettere scarabocchiate a vernice nera: e il miserabile botteghino non merita maggiore pubblicità, privo com'è di illuminazione elettrica, talché si deve accontentare di una fumosa lampada. Alcuni uomini bevono* cachaça *e masticano tabacco in compagnia di due donne. Sembrano nonna e nipotina, la vecchia Gregoria e la piccola Cabrita ossuta e cadaverica, ma sono due prostitute in attesa di un cliente, di una moneta, qualsiasi cifra per modesta che sia, ché non tutte le notti pescano un accompagnatore.*

Un ragazzone, Zacarias, si fa sulla porta, è un bracciante delle vicinanze che lavora nella fazenda *del* coronél *Simão Lámego; si appoggia al banco e la lampada gli illumina il viso. Missú, il padrone della bottega, alza le sopracciglia in muta interrogazione.*

— Due dita di quella buona.

Missú serve una dose di cachaça *al bracciante, che adesso sta esaminando con interesse la ragazzina in piedi addossata alla parete; era venuto per questo, per pagarsi una mignotta, è un mese che non lo fa per mancanza di mezzi. Si pulisce la bocca col dorso della mano prima di bersi la pinga. Gli occhi di Missú si abbassano dalla faccia alla mano del cliente. Zacarias alza il grosso bicchiere, apre la bocca, le pustole appaiono piú visibili al di sopra e al di sotto delle labbra.*

---

[1] *Que te espero*, che t'aspetto.

Missú conosce intimamente il vaiolo per esperienza: ha avuto un vaiolo bianco molto forte, e se l'è cavata, restando però segnato sul volto e per tutto il corpo. Zacarias butta giú la cachaça, posa il bicchiere sul banco, sputa sul pavimento di terra battuta, paga e rivolge gli occhi alla ragazza. Missú incassa la moneta, dice:

— Scusi la domanda, amico, ma s'è accorto che ha il vaiolo?

— Il vaiolo? Macché vaiolo. È uno sfogo.

La vecchia Gregoria si era avvicinata al bracciante in attesa: se caso mai non gli piacesse la ragazza, forse sceglierà lei, per lei si fa ogni giorno piú difficile trovar clienti. Alle parole di Missú fissa in viso il giovanotto, anche lei se ne intende, ha vissuto piú di una epidemia di vaiolo senza prenderselo mai, chissà perché. Non c'è dubbio, è vaiolo e di quello nero. Si allontana rapidamente e si dirige verso la porta tenendo per un braccio Cabrita e trascinandola fuori.

— Ehi! Dove andate? Aspettate un momento, diancine —. Zacarias protesta ancora.

Le due donne spariscono nell'oscurità. Il bracciante affronta gli uomini a testa bassa, masticando tabacco; rivolto a tutti dice:

— Uno sfogo, una cosa da niente.

— Secondo me è vaiolo, — ribatte Missú, — e il meglio che può fare è andar subito dal dottore. A vedere se è ancora in tempo.

Zacarias percorre con lo sguardo il minuscolo ambiente e gli uomini in silenzio; poi si guarda le mani, rabbrividisce e esce dalla porta. In distanza la vecchia Gregoria sta trascinandosi dietro a forza la ragazza Cabrita, che resiste senza capire per quale motivo la vecchia non le ha permesso di soddisfare quel giovanotto e di guadagnare quei soldi cosí rari, ogni giorno piú rari, non è proprio il momento di lasciar perdere un cliente. Il fetore del pantano, il fango sulla strada, un immenso cielo stellato, e Zacarias curvo che cammina rapidamente diretto al centro della città.

L

LE LEGGI *si promulgano affinché vengano rispettate — le leggi, i regolamenti, gli orari. L'orario dell'Ufficio di Igiene* era attaccato alla porta ben in vista: dalle nove a mezzogiorno al mattino, e dalle due alle cinque del pomeriggio. Questo teoricamente, perché tanto Maximiano che Juraci rifuggono dalle interruzioni durante il tempo dedicato allo studio e alla preparazione dei numeri del gioco del *bicho* per il primo, e alla scrittura di quotidiane e commoventi lettere al fidanzato per la seconda: un tempo sacro. Quanto al dottore, non ha obbligo d'orario rigido e si fa vivo quando ne ha voglia, al mattino o al pomeriggio, ma sempre di fretta; se poi ci fosse qualcosa di veramente urgente, basterebbe che l'infermiera o il custode attraversassero la strada – poiché l'abitazione del medico è situata difaccia all'ufficio – a chiamarlo, strappandolo quasi sempre dal letto, dove, se non era occupato a scopare Teresa, se la dormiva della grossa, dimentico persino delle sue ambizioni politiche e del progetto di organizzarsi un nucleo elettorale in paese.

Zacarias, stufo di bussare e di gridare *ehi di casa!*, comincia a battere la porta con tutti e due i pugni chiusi. Il farmacista Tesoura era fuori città, era partito per Aracajú e il dottor Evaldo si trovava a casa di un malato, sicché gli era rimasto solo l'Ufficio di Igiene con il suo medichino troppo giovane. Zacarias ha dentro una grande paura e minaccia di sfondare la porta. Alla cantonata appare un uomo, che affretta il passo e giunto davanti al bracciante, dice:

– Che cosa desidera?

– Lei lavora qui?

– Sí, sissignore, e con ciò?

– Dov'è il dottore?

– E tu cosa vuoi dal dottore?

– Voglio una ricetta.

– A quest'ora? Sei matto? Non sai leggere? Guarda lí l'orario, dalle...

– E Vossignoria crede che le malattie abbiano un orario?

Con voce roca Zacarias alza le mani all'altezza degli occhi di Maxí:

– Guardi un po'. Credevo che fosse uno sfogo, ma a quanto pare è vaiolo, di quello nero.

Istintivamente Maxí fa un passo indietro, anche lui ne sa qualcosa del vaiolo e lo riconosce a prima vista. O è di quello bianco molto forte o è la peste nera. Sono le dieci di sera, la città è addormentata, e il dottorino deve starsene a letto al calduccio con quel pezzo di ragazza che si è portato da Aracajú, una cabocla *da toglierti il fiato, è di una cosí che avrebbe bisogno Maximiano. Sarà il caso di svegliare il dottore rischiando un cicchetto? Strapparlo dal suo confortevole tepore, anzi magari addirittura di tra le braccia della sua bella? A nessuno piace essere interrotto quando sta chiavando* e *Maxí esita. Ma se è proprio vaiolo nero come sembra? Torna a fissare in viso il bracciante, le bolle sono marron scuro, tipiche di quella maledetta peste mortale. Maximiano è un funzionario della direzione dell'Istituto di Igiene da diciott'anni, ha lavorato sempre in giro all'interno del paese e qualche cosa ha pur dovuto imparare.*

– E va bene, compare, la casa del dottore è proprio qui vicino, di fronte.

A rispondere al suo richiamo è la donna, si chiama Teresa Batista, il custode l'aveva sentita nominare e ricordava quel nome.

– Son io, Maximiano, signora padrona. Dica al dottore che qui in ambulatorio c'è un uomo colpito dal vaiolo, dal vaiolo nero.

M

MEDICI *si diventa con la pratica*, affermava il professor Heleno Marques, *che occupava la cattedra di Igiene presso la Facoltà di Medicina di Bahia, al momento di dare inizio al corso sulle epidemie imperversanti nel* sertão. *All'Ufficio di Igiene di Buquím, in piena notte, col sudore freddo sulla fronte e un cuore piccolo cosí, il dottor Oto Espinheira, medico laureato da poco, si sforza di imparare in pratica ciò che non aveva appreso in teoria; e in pratica è ancora piú difficile, ripugnante, terrorizzante. È evidente che si tratta di vaiolo nella sua forma piú virulenta,* variola maior, *quello che il popolo chiama vaiolo nero e per riconoscerlo non è necessario aver studiato sei anni alla Facoltà di Medicina, basta osservare il volto di quel contadino con gli occhi fuori dalla testa e la voce piena di spavento:*

– Mi dica, dottore, è vaiolo nero?

Un caso isolato o il principio di un'epidemia? Il dottorino accende una sigaretta, quante ne ha accese e subito gettate via dal momento in cui Teresa gli ha trasmesso la notizia? Per terra c'è una montagna di cicche. Perché diavolo aveva

258

accettato di venire a Buquím a caccia di una promozione e di una base elettorale? Gliel'aveva pur detto Bruno, quel suo collega che la sapeva lunga: non c'è miraggio che mi faccia abbandonare Aracajú, la provincia è il regno delle malattie e della noia, è una cosa da morire, caro Oto. Lui aveva combattuto la noia, anzi l'aveva liquidata portandosi dietro Teresa, una vera «madrevite», sublime. Ma come combattere e liquidare il vaiolo? Butta a terra la sigaretta, la schiaccia con un piede, si lava le mani con alcool ancora una volta.

Per la strada si sentono dei passi strascicati, poi una mano che trema sulla maniglia della porta: entra in ufficio trascinandosi a stento il dottor Evaldo Mascarenhas, che ha in mano la sua valigetta consunta da anni d'uso, e con la debole vista cerca il giovane direttore, che finalmente individua:

– Ho visto la luce accesa, caro collega, e sono entrato per comunicarle che Rogério, Rogério Caldas, il nostro prefetto, è in fin di vita, si è preso il vaiolo, un caso gravissimo, ho pochissime speranze. E il peggio è che non è l'unico caso: anche Licia, sa chi è? La moglie del sacrestano, quella vera, l'amante si chiama Tuca. Anche lei è tra la vita e la morte, si tratta di un focolaio di vaiolo, Dio voglia che non sia un'epidemia. Ma vedo che il mio caro collega è già stato informato, dal momento che ha aperto l'ufficio a quest'ora, indubbiamente allo scopo di prendere i provvedimenti del caso, cominciando naturalmente col vaccinare tutta la popolazione.

Tutta la popolazione, quante migliaia di persone saranno? Tre, quattro, cinquemila, calcolando, oltre la cittadina, anche le campagne? Qual è la riserva di vaccino che abbiamo in ambulatorio? Dove si trova? Lui, il dottor Oto Espinheira, direttore dell'Ufficio di Igiene, non aveva ancora mai posto gli occhi su una sola fiala, e del resto non era mai andato a informarsi circa quelle benedette riserve. Ma anche con un grande stock di vaccino, chi lo inoculerà? Accende un'altra sigaretta, si passa una mano sulla fronte, è sudore freddo. Schifosa di una vita: potrebbe essere rimasto a Aracajú con tutte le comodità insieme a una ragazza appetitosa, o la stessa Teresa dalla stretta fessura o un'altra qualunque purché di buona qualità, e invece si trova nella zona del vaiolo con le spalle al muro e pieno di paura. Il vaiolo, quando non uccide, ti sfigura. Immagina se stesso col viso distrutto dalle cicatrici, il suo bel viso bruno da bambolotto, che per le donne costituiva la sua attrattiva principale, sfigurato, irriconoscibile, mio Dio! Oppure morto, annegato nel pus.

Il dottor Evaldo Mascarenhas avanza nella sala a passi strascicati e va a fermarsi accanto a Zacarias cercando di riconoscerlo: è forse Maximiano, l'infermiere dell'ambulatorio? Invece è uno sconosciuto col viso coperto di macchie; guarda meglio, non sono macchie, sono apostemi, è il vaiolo:

– Anche questo si è già preso quella maledizione. Guardi, è una epidemia, caro collega; e allora si sa chi ne vede l'inizio, ma non chi resterà alla fine. Io ne ho già viste tre dal principio alla fine e adesso da questa non me la scampo, col vaiolo nessuno ce la fa.

Il dottor Oto Espinheira butta la sigaretta per terra, tenta di dire qualcosa, ma non trova le parole. Zacarias vuol sapere:

– E io cosa faccio, dottore? Non voglio morire, perché dovrei morire?

Intanto l'infermiera Juraci, convocata dal dottor Oto, arriva finalmente in ambulatorio; sognava che stava facendo delle porcherie con il fidanzato, quando Maxí aveva svegliato tutti in casa della gente da cui essa aveva affittato una camera con pensione – la sua voce è piena di contrarietà e di sfida:

– Dottore, mi manda a chiamare a quest'ora, perché? – il dottorino non ha niente da fare, di giorno non si fa vedere e poi ci fa svegliare di notte. – Cosa è successo di tanto urgente?

Il direttore non risponde e di nuovo si fa sentire la voce roca di Zacarias:

– Per l'amor di Dio, dottore, mi aiuti, non mi lasci morire –. Si è rivolto al dottor Evaldo che è conosciuto in tutta la zona.

L'infermiera Juraci ha lo stomaco delicato, ahimè, e la faccia di quell'uomo è tutta una piaga! Non ritorna a domandare perché l'hanno tirata giú dal letto a quell'ora tarda. Il dottor Evaldo ripete, monotono:

– È un'epidemia, caro collega, un'epidemia di vaiolo.

Incolume aveva superato ben tre epidemie, curando malati, confortando moribondi, aiutando per i funerali, riuscendo persino a salvare qualcuno dalla morte. Riuscirà a superare la quarta? Al dottor Evaldo importa ben poco di morire, *riflette il dottor Oto Espinheira: si tratta di un matusa, senile, che ormai non serve più a niente, ma lui, Oto, ha appena incominciato a vivere. Ciononedimeno, sebbene sia quasi cieco, mezzo sordo, smemorato, addirittura rimbambito secondo il maldicente farmacista, il dottor Evaldo ama la vita e lotta per la vita con le sue limitate risorse di medico di campagna. Di tutti i presenti solo lui e Zacarias pensano a far fronte alla malattia. L'infermiera Juraci ha voglia di vomitare; Maxí das Negras sta cercando di ricordarsi quando si è vaccinato per l'ultima volta, dev'essere già più di dieci anni e l'effetto del vaccino sarà svanito: quanto al dottor Oto, accende e spegne sigarette.*

Un'ombra appare sulla porta e domanda:

— È lì il dottor Evaldo?

— Chi mi cerca?

— Son'io, Vital, il nipotino di dona Aurinha, dottore. Mia nonna è morta, sono andato a cercarla dappertutto e poi sono venuto a finire qui. È per il certificato di morte.

— Il cuore?

— Magari, dottore; le è venuta fuori una quantità di bolle da tutte le parti e poi un febbrone, non abbiamo fatto neanche a tempo a chiamarla che già aveva tirato le cuoia.

— Delle bolle? — Il dottor Evaldo chiede particolari, sospettoso.

— Sulla faccia e sulle mani, dottore, e per tutto il corpo, poveretta; si grattava ed è morta quando la febbre è salita — il termometro del vicino segnava più di quaranta gradi.

Il vecchio medico si rivolge al giovane direttore dell'Ufficio di Igiene:

— È meglio che lei venga con me, caro collega. Se si tratta di un altro caso di vaiolo, avremo constatato il focolaio epidemico e il primo decesso.

Un'altra sigaretta, la fronte bagnata di sudore, la bocca senza parole, il dottor Oto acconsente con un cenno del capo, cosa fare se non andarci? Anche l'infermiera Juraci si prepara ad accompagnarli, non c'è forza capace di trattenerla lì, in quell'ambiente infettato da quell'uomo orribile col vaiolo esposto in viso. Se lei, Juraci, morirà in quell'epidemia, il colpevole sarà stato il direttore dell'Istituto di Igiene dello Stato, lo sappiano tutti, il quale l'aveva perseguitata per meschini motivi politici esiliandola a Buquím, perché sapeva che essa apparteneva all'opposizione e che era vergine, giacché Sua Signoria non tollerava nessuna di queste due caratteristiche.

Prima di uscire, dinanzi all'assenteismo totale del collega, il dottor Evaldo raccomanda a Maxí di dare a Zacarias una soluzione di permanganato da passare su tutto il corpo e delle compresse di aspirina per la febbre. E tu, ragazzo mio, ritorna a casa, disinfettati col permanganato, avvolgiti tutto in foglie di banana, evita la luce, coricati e aspetta.

Aspettare che cosa, dottore? Un miracolo celeste o la morte, cos'altro può essere?

N

NELLA *stanza libera da altri mobili e da parenti, al sordo mormorio di una donna dalla testa canuta che piange, Aurinha Pinto è stata deposta sulla tavola e dorme il famigerato ultimo sonno; se n'è andata al primo soffio di febbre, senza aspettare il resto; ma neanche così la sua dolente carcassa ha riposo.*

Il dottor Evaldo, il dottorino dell'Ufficio di Igiene e l'infermiera Juraci osservano in silenzio il cadavere della vecchia.

— È morta di vaiolo, è un'epidemia... — dichiara in un sussurro il dottor Evaldo e a nulla gli servono età e esperienza: rabbrividisce e chiude gli occhi per non vedere.

Neanche morendo subito Aurinha Pinto ha ottenuto riposo per il suo corpo affaticato; la malattia lo mantiene come vivo e lo distrugge pian piano; le pustole crescono e formano bolle, le bolle ascessi, la pelle sale e scende ribollendo, scoppiando, facendo sgorgare un liquido nero e fetido, vaiolo immondo e infame; defunto senza pace.

L'infermiera Juraci, che ha lo stomaco delicato, vomita sul posto.

O

OHIMÈ,*! dove sono, signor Maximiano Silva das Negras, dove le hanno serbate così ben nascoste queste benedette ampolle di vaccino che adesso sono tanto necessarie, se io, che sono il direttore dell'Istituto e il responsabile dell'Igie-*

*ne Pubblica della popolazione di questo comune, non sono
ancora riuscito a metterci gli occhi sopra? Ma perché non le
ho cercate prima? Quando mi sono deciso ad accettare un simile incarico mi hanno garantito che Buquím possedeva un
clima meraviglioso e le condizioni ideali perché mi riposassi,
perfette anche quanto a salute pubblica, e per di più una
quantità di elettori disponibili; mi hanno giurato che Buquím era un paradiso, un eden situato nel bel mezzo del sertão, insomma la pace. Che il vaiolo era un fantasma di un
sordido passato, l'incubo di una volta, un macabro spettro
che il progresso ha spazzato via, ha sradicato per sempre; e
non solo il vaiolo, ma anche le altre epidemie, viva il nostro paterno Governo! Mi hanno ingannato, ahimè, mi hanno ingannato. Dove sono i vaccini, signor Maxí, dobbiamo
iniettarli immediatamente finché c'è tempo e finché c'è la
gente.*

    *Ahimè sì, l'hanno presa in giro, dottorino mio, i capoccio-
ni che se la fanno bene ad Aracajú godendosi la vita e facendosi beffe di quel ragazzo bello e fanfarone, donnaiolo, protetto dal governatore, che passeggiava per le vie della città:
se vuoi essere promosso subito va a farti un po' di galera per
le strade di Buquím, un paradiso, il culo-del-mondo. E se da
quelle parti si farà vedere il vaiolo, sarà il momento di rive-
larti un luminare in medicina e un uomo sul serio; ahimè,
mi lasci ridere, dottore, ti hanno fatto fesso, ti hanno inculato
sul serio. Quanto al vaccino, deve essercene ancora un pochino avanzato dall'ultima rimessa nell'armadio degli stupefacenti, quello che è quasi vuoto di medicine, e la chiave la
tiene dona Jurací, mai vista una donna più pretenziosa di così, accidenti, piena di sé e con la faccia di chi ha mangiato
merda e non gli è piaciuto, sempre a minacciare di fare rimostranze scritte se qualcuno le fa una carezza sul sedere – almeno avesse un bel didietro grandioso e non ballonzolante,
del resto quello straccio di donna, mio caro dottore, non ha
diritto di avere un didietro, ma soltanto delle natiche, perché didietro è una parola bellissima mentre natiche è la più
brutta di tutte le parole, in nome di Dio. Più di un anno fa è
venuto qui un gruppo di volontarie che vaccinavano, era un
gruppo di studentesse, dirette e controllate da una mulatta
rispettabile e degna di stima, un bel pezzo di donna, dottorino mio, io ho avuto occasione di metterle le mani addosso
perché ho accompagnato il gregge durante la vaccinazione.*

Aiutavo le ragazze a convincere certuni della necessità di farsi vaccinare, a forza di improperi e di minaccie; razza di ignoranti, se non gli si dà qualche spiegazione, hanno paura di prendersi il vaiolo al momento del vaccino, e cosí si rifiutano e arrivano a nascondersi nei boschi. Le ragazzine se ne sono andate via scodinzolando e avevano ancora tutta la vastità dell'interno del paese da percorrere per conto dell'Istituto di Igiene, una specie di vacanza scolastica gratuita. Vaccino non ne mandano da mesi, ma prometterlo lo promettono, il ché è già uno sforzo eccessivo per quegli scansafatiche di Aracajú che se ne stanno tutti nel dolce far nulla al Ministero, tranquilli come papi, e noi qui ad ammazzarci di lavoro – il dottorino con quella bellezza di cabocla, dona Juraci a masturbarsi, quell'isterica che rompe le scatole a tutti col suo famoso fidanzato, e io in giro a dar la caccia alle mie negre come Dio vuole Ma chi ha la chiave è quella strega, dottore mio.

Faccia presto, dona Juraci, si muova, faccia qualcosa invece di piagnucolare e di minacciare svenimenti, basta con le smorfie e col vomito: porti qui il vaccino e si preparino, lei signorina e Maxi das Negras – l'Eccellenza Vostra, va bene, e Vostra Signoria Illustrissima – ad andar fuori per la strada a vaccinare, è per questo che siete pagati dallo Stato coi soldi dei contribuenti. Portate con voi la scatola delle ampolle di vaccino, gli strumenti e anche dei soldati se sarà necessario, ma vaccinate tutti quanti a cominciare da me per dar l'esempio alla gente e farmi coraggio. Io non vengo con voi solo perché il mio dovere è di rimanere qui al comando delle operazioni.

La riserva che abbiamo, dico per lei, signor dottorino da quattro soldi, basta appena appena per vaccinare i bambini delle scuole elementari, piú qualche pezzo grosso qua e là se sarà possibile. Si tiri su la manica della camicia che la vaccino subito, forse si fa ancora a tempo, lo vedremo poi; dopo, dato che devo fare il mio dovere, vaccinerò questo essere ignobile e vile, sfacciato e ficcanaso. Io non ne ho bisogno, mi sono vaccinata prima di partire da Aracajú perché il mio fidanzato mi ha detto che tutti quei discorsi sul vaiolo estirpato per sempre erano soltanto vanterie del direttore, quello che mi perseguita perché mio padre fa parte dell'opposizione e io sono promessa sposa. Qui vicino, in casa di famiglie ricche e di commercianti sono disposta a vacci-

nare, ma non conti su di me per andare in giro per vicoli e cortili a vaccinare la sudicia feccia, toccando gli ammalati pieni di pustole e vedendo pus da tutte le parti, non son fatta per queste cose, io, sono una ragazza ammodo, di onorata famiglia, non sono mica una qualunque come quella ordinaria, quella ubriacona della sua amante, che viene dalla bassa prostituzione e lei l'ha messa in vista in una strada come si deve, un affronto indicibile nei confronti delle oneste famiglie di Buquím. Se vuole vaccinare il popolaccio, chiami quella ordinaria e ci vada con lei.

Adesso non si metta a discutere, signorina, non si lamenti e non mi offenda che non lo merito, l'ho trattata sempre con riguardo, ma adesso esigo obbedienza, faccia il suo dovere, io sono il dottore e il direttore dell'Istituto e lei mi deve rispettare e darsi da fare, non vede che ho paura?

Quando si apriranno gli uffici postali, signor Maxí das Negras, corra a spedire un telegramma ufficiale ad Aracajú chiedendo altro vaccino con urgenza e in quantità, ché il vaiolo è arrivato e sta ammazzando la gente.

P

PER PRIMA *si diede alla fuga la signorina Jurací, infermiera di seconda categoria alle dipendenze della direzione dell'Istituto di Igiene Statale. Già addetta all'anticamera dello studio di un medico, senza studi specifici, senza diploma, senza pratica, aveva ricevuto la nomina perché era figlia di un capo elettorale del Governo precedente; quando quel Governo era passato all'opposizione, quello nuovo, per rappresaglia, l'aveva trasferita in quella fine del mondo che era Buquím. Ma non aveva stomaco per sopportare fetore e marciume: nel lasso di pochi giorni la città si era come putrefatta.*

Durante la notte del secondo giorno furono accertati sette casi di vaiolo, che l'indomani mattina erano già dodici e il quinto giorno il numero dei colpiti salì a ventisette. E così di seguito, crescevano di pari passo tanto la statistica che il pus. Le case attaccate dal male erano riconoscibili a causa delle persiane coperte di carta rossa che serviva a velare la luce delle stanze, perché alla luce del giorno il vaiolo prima di uccidere acceca. Dalle fessure viene fuori il fumo delle buine bruciate, un suffumigio molto efficace per pulire le case dalle esalazioni della malattia.

Le beghine pregano giorno e notte nella cattedrale, dove hanno vegliato la moglie legittima del sagrestano, libero finalmente di vivere in pace con l'amante, a meno che il vaiolo non se li porti via tutti e due, pure loro. Le beghine chiedono a Dio la fine di quel flagello, mandato come castigo per i peccati degli uomini che sono tutti licenziosi e depravati, tutti condannati sono, a cominciare dal dottore dell'Ufficio di Igiene, che ha una mantenuta permanente. Dal loro eccellente posto di osservazione hanno visto Jurací quando si dirigeva alla stazione con la sua valigia e il suo ombrello brontolando in continuazione: che mi dimettano pure se gli fa piacere, ma io qui a rischiare la vita non ci resto neanche un minuto di più; il dottore, se vuole, che ci vada lui a vaccinare e, per aiutante, che si porti la sua bagascia.

Il giorno dopo l'angosciosa notte in cui si erano constatati i primi casi, l'infermiera e Maxí si erano recati alle scuole elementari portando con sé la scatola dei vaccini. Le maestre avevano messo in fila i bambini; mancavano tre alunni e c'erano cattive notizie: le madri avevano pensato dapprima alla scarlattina o al morbillo; ma ormai non avevano più dubbi circa le caratteristiche di quelle pustole color del vino. Queste notizie circolavano in città corredate di particolari e di nuovi casi. Col resto dei vaccini i due funzionari dell'ambulatorio si erano recati nella strada principale, alle case dei ricchi.

Poi l'infermiera Jurací non aveva aspettato il turno dei poveri e dei vicoli: terrorizzata si era accorta di aver avuto un contatto con un vaioloso in piena eruzione a casa di un robusto commerciante levantino di nome Squeff. E tre case più in là era successa la stessa cosa. Che mi dimettano, non me ne importa nulla, ma non voglio morire qui mangiata dal vaiolo. Ecco la sua scatola di vaccini, dottorino, la dia a quella ordinaria e che ci vada lei con il pus della sua vita verso il pus della morte, non io, che sono vergine, virtuosa e fidanzata.

Il personale dell'Ufficio di Igiene, dopo la diserzione dell'infermiera si trova ridotto a metà e il dottor Oto alza le braccia al cielo: e adesso? Altro telegramma ad Aracajú chiedendo ausiliari capaci e volenterosi: che partano col primo treno. Ma a casa, mentre si lava le mani coll'alcool e accende

266

e spegne le sue sigarette pieno di paura, si lascia andare allo scoraggiamento, non è fatto per quelle cose, lui. Si confida con Teresa: in attesa che gli uffici di Aracajú si decidano a mandare qualcuno, chi lo può aiutare nella vaccinazione? Non appena saranno arrivati i vaccini richiesti gli occorreranno quattro o cinque équipes. Per ora si era arrangiato con Maximiano e l'infermiera, ma senza Juraci come fare? Lui, Oto, come direttore dell'Ufficio di Igiene non può mica andarsene per la strada a vaccinare come un inserviente qualunque; è già abbastanza che sia obbligato a rimanere in ambulatorio mattina e pomeriggio a dar spiegazioni e consigli, a esaminare i soggetti sospetti constatando nuovi casi, ah! Teresa, che cosa orrenda quelle pustole!

Teresa ascolta in silenzio, con attenzione e gravità. Capisce che lui ha paura, che è morto di paura, che aspetta soltanto un pretesto per seguire l'esempio dell'infermiera. Se gli dicesse andiamocene, perché morire così giovani, amor mio? il dottorino avrebbe una scusa per fuggire: io ti ho trascinata qui e perciò ti porterò via, abbiamo il nostro amore da difendere. Invece niente amore, niente affetto, niente piacere a letto.

Il dottor Oto Espinheira cammina su e giú sempre piú nervoso e angosciato:

— Sai che cosa ha detto quella figlia-di-puttana, quando l'ho biasimata per aver sospeso la vaccinazione? Di farmi aiutare da te, immagina un po'...

La voce calma e quasi allegra di Teresa:

— Ebbene, io vengo...

— Come? Tu, che cosa?

— Andrò in giro a vaccinare. Basta che quel giovanotto mi insegni.

— Sei matta. Non te lo permetterò.

— Non ti ho chiesto se me lo permettevi o no. Non è vero che hai bisogno di gente?

Dalla cattedrale le beghine la videro passare col materiale per la vaccinazione in compagnia di Maxí das Negras. E alzarono la testa per guardare meglio senza però interrompere le litanie. Preghiere che raggiungono a mala pena il tetto della chiesa e non arrivano in Cielo né alle orecchie di Dio, le vecchie beate di Buquím non hanno nel petto forza sufficiente per gridare la loro disperazione. Dove andrà la mantenuta del dottorino con gli strumenti dell'Ufficio di Igiene?

Al momento del funerale della moglie, quella legittima, del sagrestano, si sentono rintocchi di campane. Piú forte, signor vicario; le faccia volare con violenza, batta a martello tutte e due le campane in una volta, per annunciare alle autorità e a Dio che il flagello del vaiolo nero sta devastando la città di Buquim. Suoni le campane a tutta forza, signor vicario.

Q

QUANDO *si vive col terrore di morire, guardandosi le mani ad ogni istante, esaminandosi il viso negli specchi per vedere se è già arrivato il fatale annuncio delle prime eruzioni, chi può onorare i morti con decoro, amico?*

Le veglie devono esser fatte con calma, dedizione, ordine, e un morto presentabile. Organizzare dei turni di gente premurosa e animata, che siano all'altezza dell'indimenticabile persona defunta, non è compito di cui ci si possa occupare con efficienza in mezzo allo spavento creato dal vaiolo e con un morto putrefatto.

All'inizio di un'epidemia è ancora possibile invitare gli amici, far da mangiare, aprir bottiglie di cachaça. *Ma quando aumenta il contagio e le sepolture, nessuno ce la fa piú, perché viene a mancare il tempo, l'animazione e il garbo necessari alla conversazione, e nessuno piú canta gli elogi del morto; in preda allo sconforto, i parenti non hanno piú forza per quelle famose veglie con interminabili conversari, con pianti e risa a volontà, persino in casa dei poveri, perché nelle ore decisive tutti fanno uno sforzo per raggranellare il peculio necessario a rendere gli onori a chi se ne va e dimostrargli affetto e stima. Ma quando c'è un'epidemia, e per di piú di vaiolo, è impossibile.*

Dove trovare gente e denaro, quando le veglie grandinano a due o tre nella stessa notte per ogni via? D'altra parte non si può tenere dentro di casa quei cadaveri purulenti per ore e ore, è necessario liberarsi in tutta fretta del corpo infetto, ché quello è il momento peggiore per il contagio. Alla fine si arriva al punto che non c'è piú né tempo né voglia neppure di condurre i morti al cimitero e i defunti si devono accontentare di fosse a fior di terra nel fango lungo le strade, insomma dove riesce piú agevole.

*Quando si è sprofondati nella pestilenza e nella paura è
già molto se ci si adopera a bruciare buine, a lavare il pus, a
bucare le pustole una ad una, pregando Dio. Come preparare anche le veglie, mi dica, amico mio?*

R

ROGÉRIO *Caldas, il prefetto Pappa-Vaccini – il nomignolo
acquista un significato orripilante con il vaiolo che infierisce
in città e la mancanza di vaccini –, fu sepolto in un luminoso
pomeriggio di domenica. Date le circostanze Buquím perse
l'occasione di un funerale grandioso con la banda e uno
splendido corteo comprendente gli scolari delle elementari, i
soldati della polizia militare, i membri della confraternita e
quelli della Loggia Massonica e tante altre personalità, nonché eloquenti discorsi celebrativi delle virtú del defunto:
non è tutti i giorni che capita la fortuna di condurre al cimitero un prefetto morto nel pieno esercizio delle sue funzioni. L'accompagnamento funebre fu esiguo con brevi parole del presidente della Giunta Comunale – «sacrificatosi al
dovere civile», affermò facendo riferimento alla dolorosa fine dell'astuto amministratore, che durante gli ultimi giorni
era diventato veramente sgradevole alla vista e all'olfatto,
giacché intere file di apostemi purulenti si collegavano l'uno
coll'altro lungo il suo corpo in grandi piaghe infette formando la cosiddetta pustola* de canudo [1], *tipica del vaiolo nero nel
momento in cui uccide. Nell'opinione popolare, però, la pustola* de canudo *era una specie di vaiolo ancora piú virulento, il piú terribile di tutti, chiamato anche padre del vaiolo e
di tutte le altre specie, vaiolo nero, vaiolo bianco, vaioloide,
varicella. Probabilmente, secondo l'opinione del presidente
della Giunta Comunale, il defunto prefetto, per compiere sino in fondo il suo dovere di cittadino, aveva voluto provare
il vaiolo per constatarne la buona qualità, ond'esser sicuro,
prima di consegnare alle sue cure la popolazione del comune, che si trattava di vaiolo di prima qualità,* variola maior,
vaiolo nero, vaiolo de canudo, *il padre di tutte le epidemie.*
  *Il dottor Evaldo Mascarenhas fu l'ultimo a cui toccarono,
giorni dopo, un accompagnamento e lamenti funebri; quel-*

---

[1] Tubolare; in italiano pustole confluenti.

*l'ottuagenario, sordo, quasi cieco, mezzo rimbambito, che or-
mai si trascinava a stento per le strade, tuttavia non volle
chiudersi in casa e neppure andò via. Finché il suo cuore
resistette curò gli ammalati, i suoi ammalati e tutti gli altri
di cui ebbe notizia – c'erano dei vaiolosi che si nascondevano per paura del lazzaretto –, senza risparmiare le proprie
forze, le ultime forze del suo organismo consunto; fece tutto
quello che poteva, anche se molto non si può fare contro
una pestilenza simile. Fu lui a provvedere affinché fosse preparato un lazzaretto, e a mettere in atto i suoi provvedimenti
fu Teresa Batista, braccio destro del dottore in quei faticosi
giorni prima che lo stanco cuore del vecchio si spezzasse.*

*Ebbe appena il tempo di mandare ad avvisare per suo
mezzo il collega Oto Espinheira, direttore dell'Ufficio di
Igiene: o arrivano degli altri vaccini immediatamente o tutti
muoiono di vaiolo. Poi, per la prima volta, mancò ai suoi malati.*

S

SICCOME *era una creatura che imparava alla svelta – lo diceva anche dona Mercedes Lima, la sua maestra elementare
– Teresa Batista, che già esercitava il mestiere di artista di
varietà, di mantenuta, di prostituta, occasionalmente di maestra per bambini e per adulti, e che per la polizia di tre stati
della Federazione era anche una specialista in liti e scenate e
una provocatrice di disordini, nel lasso di pochi giorni fece
un corso completo di infermiera con il dottor Evaldo Mascarenhas e Maxí das Negras.*

*Non soltanto imparò a lavare i vaiolosi applicando per-
manganato ed alcool canforato sulle eruzioni e a somministrare il vaccino; ma imparò pure a convincere i piú recalcitranti
che avevano paura di ammalarsi a causa dell'inoculazione.
In verità la cosa poteva succedere ed era successa piú di una
volta quando la persona vaccinata era predisposta; il vaccino provocava una reazione violenta, con febbre, eruzioni,
bolle, ma era solo una manifestazione benigna della malattia, una specie di timida varicella. Maxí, impaziente, voleva
ricorrere alle maniere forti e vaccinarli per forza, il ché crea-
va conflitti e rendeva piú difficile il lavoro. Teresa invece
spiegava sorridendo con pazienza e mostrando le cicatrici*

270

della sua vaccinazione sul suo braccio bruno, anzi arrivava addirittura a vaccinarsi di nuovo al solo scopo di dimostrare che non c'era alcun pericolo. Così tutto andava per il meglio e i cittadini facevano la coda davanti all'Ufficio di Igiene per farsi vaccinare; quand'ecco che la scorta di vaccino terminò. Nuovo telegramma ad Aracajú con la richiesta di affrettare la spedizione.

Il dottor Evaldo, che era preoccupatissimo per il diffondersi sempre più esteso del contagio, era riuscito a farsi regalare alcuni materassi per il lazzaretto dove si dovevano isolare quei malati che non erano in condizione di farsi curare a casa loro e che perciò rappresentavano la maggior fonte di diffusione del virus. Prima, però, di sistemare i materassi era necessario ripulire a dovere la rudimentale costruzione di fango battuto nascosta nella foresta, lontana dal paese come se gli abitanti ne avessero vergogna. Teresa Batista e Maxí das Negras si addentrarono nel sentiero proibito ciascuno portando acqua e creolina dentro grandi latte di kerosene; il bosco aveva invaso il cammino e ogni tanto Maxí doveva posare per terra le latte per aprire un varco a colpi di coltello e poter continuare la strada. Il lazzaretto era vuoto da più di un anno.

Gli ultimi ad abitarlo erano stati due lebbrosi: una coppia, forse marito e moglie. Si facevano vedere al sabato al mercato chiedendo in elemosina qualche pugno di farina di manioca e di fagioli, tuberi di manioca dolce o di igname, patate dolci, raramente qualche soldo buttato per terra – ogni volta più corrosi dal male, buchi al posto della bocca e del naso, moncherini per braccia, piedi ravvolti in tela-iuta. Dovevano esser morti insieme o a breve distanza di tempo, giacché un sabato non erano più venuti al mercato né l'uno né l'altro. Nessuno si era preoccupato o aveva avuto il coraggio di andare al lazzaretto a raccoglierne i corpi per seppellirli, e così gli avvoltoi avevano banchettato con i loro resti, un ben magro banchetto, lasciando sul pavimento soltanto le ossa pulite dalla lebbra.

Maxí das Negras guardava con stupore (e con rispetto) quella bella cabocla mantenuta del medico che, senza che niente la costringesse e senza obbligo di sorta, si tirava su le gonne e a piedi nudi lavava il pavimento di cemento del lazzaretto, riuniva insieme le ossa dei lebbrosi e scavava una fossa per seppellirle. Mentre quella tu-mi-stufi dell'infermiera aveva tagliato la corda, abbandonando l'ambulatorio senza curarsi dei propri doveri e delle conseguenze del suo atto – che mi dimettano, non me ne importa, ma non voglio morire qui – questa prostituta, senza salario e senza una ragione, andava di casa in casa instancabilmente senza orario e senza paura, a lavare i malati, applicare permanganato sulle bolle bucandole con spine di ramo d'arancio quando crescevano e diventavano pustole color del vino, e a cercare le buíne nelle stalle per portarle nelle case per essere bruciate. Persino lui, Maximiano, che era abituato alla miseria del sertão ed era pratico delle malattie e delle disgrazie del popolo, incallito, indurito, senza nessuno a cui provvedere, padrone della propria vita e della propria morte e che per quell'ufficio era stato assunto e mal pagato, ma pagato, alla fine di ogni mese, malgrado tutto questo piú di una volta in quei giorni aveva pensato di piantar lí ogni cosa e proclamare l'indipendenza proprio come l'infermiera Juraci: a che cosa servono le gambe?

Poiché di Teresa conosceva soltanto la bellezza e la sua condizione di amante del direttore dell'Ufficio di Igiene, il suo rispetto e il suo stupore erano ancora piú grandi. Quando per la prima volta era andato in giro con lei a vaccinare, pur senza capire per che motivo l'amante del dottorino sostituiva l'infermiera fuggitiva in quel clima d'epidemia che sovvertiva l'ordine sociale e mescolava le classi, Maxí das Negras aveva architettato audaci progetti: stando al fianco di Teresa nel lavoro e anche nella ripugnanza, nel pericolo e nella paura, toccava a lui il compito di incoraggiarla, e cosí se si fosse presentata l'occasione e Dio l'avesse voluto aiutare, ah! si sarebbe fatto quella cabocla e insieme avrebbero adornato il direttore dell'Istituto, quell'inutile dottorino, con delle corna sanitarie e benedette – dilettoso pensiero!

Ci rinunciò subito senza neppur tentare, anzi fu lei, quella donnina a infondergli animo e coraggio. Se Maxí non alzò i tacchi, seguendo le orme dell'infermiera, lo si deve a Teresa. Provò vergogna ad abbandonare il suo compito, lui un uomo forte, pagato per eseguirlo, quando, senza retribuzione, una fragile creatura si manteneva a testa alta con fermezza e senza una lamentela, dando ordini tanto nelle case private che a lui, Maxí das Negras, al tremebondo dottorino, al vecchio dottor Evaldo; insomma dirigendo tutti quanti. Dove s'è mai visto una cosa simile?

Quando finalmente giunsero i vaccini portati dal farmaci-
sta Camilo Tesoura, il quale aveva saputo del focolaio di
vaiolo mentre era ad Aracajú e motu proprio si era recato
presso la direzione dell'Ufficio di Igiene, dove gli avevano
consegnato i vaccini ordinati e gli avevano promesso perso-
nale di rinforzo entro pochi giorni – dica al dottor Oto che
cerchi di arrangiarsi con gente del posto e intanto noi ci
occuperemo di trovare personale competente, sebbene non
sia facile decidere qualcuno ad arrischiare la vita per un
salario miserando –, Maxí das Negras disse:

– Peccato che non ce ne sia qualcun'altra come lei, signo-
ra padrona. Se ce ne fossero altre tre o quattro forse ce la
faremmo.

Teresa Batista alzò il viso che mostrava i segni della fatica
sotto gli occhi e agli angoli della bocca, sorrise a quel mulat-
to brutale e grossolano eppure pieno di buona volontà, e un
bagliore ramato, un baleno, cancellò la stanchezza dai suoi
occhi:

– So dove andarle a cercare, lascia fare a me.

T

TROPPO *tardi giunse il farmacista con il messaggio della di-*
rezione dell'Istituto di Igiene del Sergipe: il dottorino non
aveva aspettato neppure la sepoltura del dottor Evaldo, sic-
ché lui e Camilo Tesoura si erano incrociati alla stazione.
Ma se avesse avuto buon senso a quell'ora si sarebbe trova-
to già lontano, come passeggero del treno merci delle cinque
di mattina subito dopo quella notte da Giudizio Finale in
cui Zacarias era venuto in ambulatorio a far vedere la sua
faccia piena di bolle. A pensarci bene considerando come
erano andate le cose, la colpa era tutta di quella maledetta
donna, perché diavolo si era messa ad andare in giro a vacci-
nare la gente, a curare i vaiolosi, che donna strana quella
Teresa. Per bella che sia e con la fessa stretta, quella non è
una donna, è una bestia selvatica, un animale privo di senti-
menti, incapace di riflettere, di intendere, di apprezzare il la-
to buono della vita. E lui, il dottor Oto Espinheira, giovane
e con un avvenire sicuro, adesso corre rischio di vedere tra-
sformata in un mascherone spaventevole quella sua attraen-
te faccia da bebè disputata dalle femmine – sempre che non
ci lasci addirittura la pelle.

Destinato alla carriera politica per vocazione e per gli appoggi familiari, era venuto lí per procacciarsi una nomina che gli permettesse di scambiare alla buon'ora quel paese pieno di vaiolo e di miseria con le terre del Sud, dove c'è ricchezza e igiene, feste, giardini, teatri, luci, modernissimi night, case d'appuntamento di classe internazionale, l'unica cosa è che non ci può essere una donna piú bella e piú «bona» di Teresa. Una donna? No, non è una donna, è un incubo, la regina del vaiolo. Del resto, dalla paura, chiuso in casa, lavandosi le mani nell'alcool ogni due minuti e lo stomaco lavandolo a sorsi di cachaça, fumando senza posa, sempre con voglia di orinare, a guardarsi allo specchio, a toccarsi la faccia cercando se c'era qualche protuberanza, insomma in quell'intervallo di terrore, il dottorino aveva perso la vernice dell'educazione, l'ambizione politica, il rispetto umano e anche la potenza – e ormai non lo tentano piú né gli elettori, né i voti di Buquim, né i suoi piani mirabolanti e neppure il fascino di Teresa, lo splendore del suo corpo, la sua placida presenza, il suo sesso come una tenaglia.

Quando, commentando la diserzione di Juraci, Teresa aveva colto la palla al balzo per filar via sulla strada a vaccinare, il dottorino era rimasto disorientato: aveva riferito l'impertinenza dell'infermiera per ottenere da Teresa un suggerimento di fuga, un invito alla partenza, un consiglio, un'osservazione, una parola. E invece di fornirgli il pretesto desiderato, quella imbecille si era messa a fare la suora di carità. Obbligando lui ad andare in ambulatorio, anziché filarsene alla stazione.

In ambulatorio aveva ricevuto la visita del presidente della Giunta Comunale nelle sue funzioni di sostituto del prefetto, il quale voleva informazioni circa le misure prese dal dottore e direttore e anche conversare. Era commerciante, fazendeiro e capo politico, amico di famiglia del dottorino e Oto era arrivato con una raccomandazione per lui. Parlò francamente: un uomo politico, mio giovane dottore, deve agire politicamente anche in mezzo ai cataclismi, e il vaiolo è il peggiore di tutti. Quell'epidemia era una minaccia mortale per la popolazione del comune e un flagello spaventoso, e tuttavia presentava un lato positivo per il candidato a una rapida carriera politica, specialmente trattandosi di un medico e per di piú direttore dell'Ufficio di Igiene. Era il caso di prendere l'iniziativa della battaglia mettendosi a capo dei dipendenti o di chicchessia – sottile allusione al fatto che aveva visto la mantenuta del dottore che vaccinava per la strada – al fine di debellare quel focolaio di vaiolo nero liberando il comune dal mostro spietato. Non si potrebbe presentare un'occasione migliore, mio caro, per accaparrarsi la gratitudine e i voti del popolo di Buquim. La gente è onesta nella riconoscenza e sa apprezzare un medico capace e abnegato – basta vedere il prestigio che ha il dottor Evaldo Mascarenhas, il quale non è diventato assessore, prefetto, deputato statale solo perché quei posti e quegli incarichi non lo interessavano. Ma il dottor Oto Espinheira, se volesse cogliere l'occasione al balzo, con il prestigio che gli deriva dalla sua famiglia e quello del vaiolo espulso dalla città, potrebbe stabilire a Buquim una base politica indistruttibile, che si ramificherebbe nei comuni vicini dove naturalmente sia il vaiolo che la fama del dottore sarebbero senza dubbio arrivati – anche le epidemie, amico caro, possono servire a qualcosa.

Ringrazi il Cielo, dottore, dell'occasione che le serve su un piatto d'argento e ne approfitti: si butti nella lotta, visiti i vaiolosi e ne abbia cura, tanto ricchi che poveri, faccia del lazzaretto la sua casa. Se prende il vaiolo non si preoccupi, tanto, essendo vaccinato, è difficile che muoia; qualche giorno di febbre e il viso butterato, per l'elettorato non c'è una propaganda migliore, un medico con la faccia butterata vuol dire candidato eletto. Chiaro che qualche pericolo c'è, è già capitato che il vaiolo si portasse via il medico con vaccino e tutto, ma chi non risica non rosica, mio caro dottorino; e in fin dei conti la vita merita di essere vissuta solo giocandosela ad ogni istante e pagando la posta per andare a vedere. Dopo aver dato questi consigli al suo protetto si congedò. In fondo alla strada la mantenuta del dottore vaccinava sulla porta di una casa. Bella da far paura, soprattutto a un uomo virtuoso come lui, timorato di Dio e ben ammogliato: come se il vaiolo non bastasse.

U

UNA sorpresa attendeva Teresa al ritorno dal suo debutto di infermiera alla fine di quel pomeriggio: trovò Oto ubriaco fradicio, con la pancia piena di cachaça, la bocca molle, *che biascicava le parole. Dopo le prospettive elettorali e la visione di un vaioloso che era venuto in ambulatorio a farsi medicare, il dottorino era andato a nascondersi in casa e aveva vuotato una bottiglia di branquinha; ma aveva poca resistenza all'alcool e si ubriacava facilmente, sicché al vedere Teresa che ritornava tutta animata e si preparava a riferirgli le peripezie della vaccinazione, si allontanò barcollando:*

— Non toccarmi, per favore. Prima lavati con l'alcool tutto il corpo.

E mentre essa faceva il bagno aveva continuato a bere; non volle neanche mangiare, se ne stava immusonito e tutto raffastellato sulla poltrona. Si tenne lontano da Teresa; e lei lo mise a letto vestito com'era.

Il giorno dopo essa uscì prima che si svegliasse e da allora non si parlarono quasi più. Non la toccò più nemmeno con un dito e durante i giorni che rimase ancora lì, immerso nella cachaça e combattuto tra il desiderio e la vergogna di fuggire, Oto dormì sul sofà in salotto impaziente che lei se ne andasse e lo lasciasse solo, libero dalla sua presenza accusatrice. Accusatrice, sì, perché usciva presto al mattino per andare a aiutare il dottor Evaldo e Maximiano e tornava già a notte alta morta di stanchezza, mentre lui invece ogni giorno si tratteneva meno a lungo in ambulatorio, dove cresceva continuamente la fila dei malati che chiedevano permanganato, cafiaspirina, alcool canforato. Per il dottore l'unico rimedio era la cachaça.

Quando un giorno Teresa cercò di scuoterlo da quello stato di ubriachezza per comunicargli che la riserva di vaccini era finita e che era necessario che lui andasse in giro a visitare i malati, perché il dottor Evaldo non ce la faceva più, allora il dottorino organizzò un piano: recarsi ad Aracajú col pretesto di andare a prendere i vaccini, e là ammalarsi — influenza, mal di pancia, anemia, febbre matta, qualunque malattia serviva —, e chiedere un sostituto per la direzione dell'Ufficio di Igiene di Buquím. Era crollato del tutto: la barba lunga, gli occhi iniettati di sangue, la voce strascicata, aveva abbandonato fin gli ultimi vestigi di cortesia. Quando Teresa gli disse con una certa asprezza di lasciar perdere la bottiglia e di andare in giro a compiere il suo dovere di medico, visitando i malati in casa e al lazzaretto come faceva il dottor Evaldo, lui le rispose urlando: vattene via di qui, va' all'inferno, brutta cogliona d'una puttana.

– Io non me ne vado. Ho molto da fare, qui.

Gli voltò le spalle e, stanca, andò a dormire. Libera perlomeno dal desiderio del dottorino al quale gli incanti di Teresa non facevano più gola, la paura del vaiolo ha fatto di lui un ubriacone e un castrato.

Quando il dottor Evaldo tirò le cuoia perché gli venne meno il cuore, non il coraggio, ché sul punto di morire stava ancora pensando a reclamare i vaccini, il giovane medico non attese il funerale del collega – vado a chiedere soccorso, porterò i vaccini, vado fin lì e torno subito, vado in fretta, vado di corsa, vado. Senza bagagli, di nascosto, quando sentì fischiare il treno se la svignò alla stazione e partì per Bahia. Il treno per Aracajú sarebbe passato solo quattro ore dopo, e lui non era mica scemo da aspettarlo, da rimanere un minuto di più in quel regno della morte nera con quella disgraziata di una donna mentecatta, magari il vaiolo se la divorasse tutta intera.

V

VIDE cose spaventose, in quei giorni di vaiolo nero, il popolo di Buquím. Vide il direttore dell'Ufficio di Igiene, un giovane dottore laureato, fuggire, una fuga così disordinata da arrivare al punto di prendere il treno sbagliato, facendo un viaggio ad Aracajú via Bahia, perché il vaiolo lo aveva espulso dalla città. La corsa precipitosa del fuggitivo, descritta con tutti i particolari dal farmacista davanti all'informatissima porta della sua bottega, provocò le risa, in mezzo a tanto pianto per i morti. Dove vai tanto di fretta, o dottorino? Vado ad Aracajú a prendere i vaccini. Ma questo treno non ci va, viene da Aracajú e va a Bahia. A me serve qualsiasi treno, qualsiasi meta, il tempo stringe. Ma i vaccini, dottorino, li ho portati io, li ho qui con me, una riserva sufficiente per vaccinare tutto lo Stato di Sergipe da un capo all'altro e ne avanza ancora. Ebbene, buon pro le facciano, e può tenersi anche gli elettori di Buquím, anzi se ha denaro e competenza anche la ragazza che è una cosa da leccarsi i baffi.

Vide cose spaventose in quei giorni di vaiolo a pustole de canudo il popolo di Buquím. Vide per esempio le puttane di Muricapeba, strano e sparuto battaglione al comando di Teresa Batista, sparpagliarsi per la città e per le campagne a somministrare il vaccino. Bel-Deretano col suo sedere colossale; la magra Maricota adatta per i patiti del genere scheletro che è molto alla moda; Mani-di-Fata, che ai tempi in cui era pulzella era stata soprannominata così dai suoi innamorati, fino al giorno che uno di loro non si accontentò più della mano e le fece la carità del servizio; Focaccina-Molle, floscia, grassoccia, per quelli che preferiscono il genere anguria molle o materasso-di-carne, c'è a chi piace; la vecchia Gregoria con cinquant'anni di fatiche sulle spalle, contemporanea del dottor Evaldo, infatti erano arrivati a Buquim lo stesso giorno; la giovane Cabrita, quattordici anni d'età e due di mestiere, col suo sorriso timido. Quando Teresa le aveva invitate, la vecchia aveva detto di no, chi è così folle di andarsi a ficcare in mezzo al vaiolo? Ma Cabrita aveva detto sí, io ci vado. Ci fu una discussione violenta, oltre la vita, cosa avevano da perdere, loro? E la vita di una puttana di campagna, morta di fame, che merda vale? Neanche il vaiolo la vuole una vita così a buon mercato, persino la morte la rifiuta. Gregoria non è ancora stufa di miseria? Ci andarono tutte e sei e impararono a vaccinare da Teresa, da Maxi e dal farmacista, in fretta impararono – per chi fa il mestiere della prostituta niente è difficile, credetemi. Andarono a raccogliere le buine secche nelle stalle, lavarono gli indumenti degli appestati, lavarono i malati con permanganato, perforarono le pustole, scavarono fosse, seppellirono gente. Le puttane, da sole.

Vide cose spaventose, in quei giorni di vaiolo grande, il popolo di Buquim. Vide gli ammalati che andavano per le strade e nelle vie, dopo esser stati cacciati via dalle fazendas, in cerca del lazzaretto e morivano in cammino. Vide la gente che fuggiva, abbandonando la sua casa per paura del contagio, senza meta, senza direzione – quasi deserto rimase il rione di Muricapeba. Due fuggitivi andarono a chiedere ricovero al podere di Clodô e costui li ricevette imbracciando il moschetto, via di qui, andate all'inferno. Quelli insistettero, cominciarono a piovere pallottole: uno dei due morì subito, l'altro prima di morire penò molto, e Clodô non sapeva che era già contagiato: lui, la moglie, due figli più un altro adottivo, non restò nessuno, se li pappò tutti il vaiolo.

E vide, finalmente, quel popolo stupefatto, la sunnominata Teresa Batista raccogliere un vaioloso per la strada e con l'aiuto di Gregoria e di Cabrita infilarlo in un sacco di iuta

caricandoselo sulle spalle. Era Zacarias, ma né la vecchia né
la ragazzina riconobbero in lui il frustrato cliente di poche
sere prima – lui e altri tre vaiolosi erano stati espulsi dalla
proprietà del coronél *Simão Lámego*. Non voleva saperne, il
coronél, di contagio sulle sue terre, che andassero a morire
dove volevano, ma non lí dove rappresentavano una minaccia per gli altri lavoratori e per i membri di quella illustre
famiglia. Quando Zacarias e Tapioca si erano ammalati di
vaiolo il coronél era assente e perciò erano rimasti li e Tapioca era morto subito non senza contagiarne altri tre. Ma con
l'arrivo del padrone quella pacchia era finita, il capomastro
aveva ricevuto ordini categorici e i quattro ammalati si erano dovuti trascinare lontano dai cancelli sotto la minaccia di
una pistola. Tre di loro s'internarono nel mato in cerca di
un posto dove morire in pace, ma Zacarias alla vita ci teneva. Nudo, esposte le piaghe, il viso tutto un apostema, vaiolo de canudo, una apparizione infernale, dove passava metteva in fuga la gente. Andò a cadere privo di forze sulla piazza
principale davanti alla chiesa.

Venne Teresa e con l'aiuto delle due puttane – perché
nessun uomo del luogo, neppure Maxí das Negras ebbe il coraggio di toccare il corpo putrescente del bracciante –, come
un fagotto lo infilò nel sacco e se lo mise sulle spalle per
portarlo al lazzaretto, dove si trovavano già due donne e un
giovane contadino, che vi erano andati con le proprie gambe, piú altri quattro che venivano da Muricapeba. Attraversando la iuta il pus di Zacarias andava a appiccicarsi al vestito di Teresa, e le scivolava giú, vischioso, lungo il corpo.

W

WEEK-END, è andato a passare il week-end alla capitale...
– se la rideva ironicamente il farmacista Camilo Tesoura
commentando la partenza del dottorino e tagliandogli i panni addosso a colpi di cesoia in piena epidemia. – Adesso il
direttore dell'Ufficio di Igiene è Maxí das Negras e come
infermiere ha le bagasce della «zona».

Ma persino quel linguacciuto del farmacista fu costretto a
chiudere il becco quando si vide davanti Maximiano col volto butterato dal vaiolo.

Sebbene fosse stato rivaccinato subito all'inizio dell'epide-

*mia, finì per dover pagare la propria quota. Allora Teresa
Batista assunse la direzione esclusiva della battaglia, sistemò
Maxi nel letto del dottorino, dato che la casa era disabitata
perché Teresa era andata a stare a Muricapeba con le prostitute.*

*Agli ordini di Teresa esse vaccinarono la maggioranza de-
gli abitanti della città e parte della popolazione rurale. Essendo tutte molto conosciute in quel posto, dove vivevano ed
esercitavano il mestiere, riuscivano con relativa facilità a
convincere i renitenti e gli ottusi. In campagna Teresa Batista affrontò il coronél Simão Lámego, nella cui proprietà era
proibita l'entrata ai vaccinatori – dietro il vaccino viene il
vaiolo, pensava e ripeteva il* fazendeiro.

*Teresa non tenne conto di quella proibizione e entrò per
il cancello senza chiedere il permesso, seguita da Maricota e
Bel-Deretano. E dopo molte discussioni e anche brutte parole, finì per vaccinare persino il* coronél. *Non era tipo da far
picchiare una donna, lui, e quella invasata, bella da morire,
non mollava, aveva deciso di non andarsene senza aver vaccinato tutti i dipendenti. Il coronél ne aveva già sentito parlare, aveva saputo dei vaiolosi che si era caricata sulle spalle
per portarli al lazzaretto, e, vedendola pronta a tutto e decisa
ad affrontarlo tranquillamente come se non fosse stata davanti al turbolento coronél Lámego, comprese che tutta la
sua cocciutaggine non rappresentava nient'altro che una triste vanità in confronto al coraggio di quella* cabocla. *Signorina, Vossignoria è un diavolo e mi tocca cedere.*

*Ma vaccinare non era niente: qualche difficoltà qui o là,
minacce di legnate, insolenze reciproche, qualche raro incidente; vere liti a pugni e schiaffi, tre o quattro, non di più.
Il più duro era curare i malati in casa e al lazzaretto, col
farmacista che sostituiva il medico e loro che si occupavano
di tutto il resto: disinfettare col permanganato e l'alcool canforato i malati, bucare le pustole con le spine degli alberi
d'arancio, ripulendo dal pus, cambiando le foglie di banano
che si collocavano sopra e sotto il corpo nel letto, perché le
coperte e i lenzuoli non servivano, si appiccicavano alla pelle facilitando la rottura e il collegamento delle bolle tra loro
a formare i canali del vaiolo de canudo. Portavano montagne di sterco di bue da tutte le* fazendas *e le stalle dei dintorni per metterle a seccare al sole. Poi le distribuivano in giro
per le case dove c'erano persone sofferenti di vaiolo e bru-*

*ciandole nelle stanze e nelle camere il fumo si spandeva, ri-
pulendo dai miasmi del vaiolo l'aria pestilenziale; in quei momenti tremendi lo sterco di bue era un profumo, era una medicina.*

X

XAMATA *sulla testa, di rose rosse e nere è ricamato lo
scialle che le ha offerto il dottor Emiliano Guedes in un remoto tempo di pace, di casa pulita, di vita gaia e serena, ecco Teresa Batista che se ne va per i vicoli di Muricapeba.
Vive in una specie di capanna insieme a Mani-di-Fata nelle
vicinanze delle altre, nella «zona» piú povera e piú infelice
del mondo, nel piú sordido dei puttanai. Però in quel periodo nessuna di loro esercitò la professione – e questo non per
vanità o per abbondanza e neppure perché avessero deciso
di chiuder bottega per assolvere un voto; semplicemente perché gli uomini avevano paura di toccarle. Esse erano diventate dei pozzi di vaiolo tanto colmi, che potevano attraversare
incolumi il contagio dell'epidemia pur affrontandolo in continuazione in casa dei malati, nell'orrido lazzaretto, al contatto delle piaghe pustolose, nel raccogliere i morti e nel seppellirli.*

*Quante sepolture aprirono quelle donne che ben di rado
erano aiutate dalla solidarietà di qualche bracciante contadino? In quella lotta spaventosa il vaiolo uccise con tale velocità ed efficienza che non ci fu né tempo né modo di trasportare tanti defunti al cimitero. Per i meno abbienti le puttane
scavavano fosse poco profonde e seppellivano esse stesse i
corpi. In certi casi gli avvoltoi arrivavano prima e per il
funerale lasciavano soltanto le ossa.*

*Due contrassero la varicella ma nessuna si prese il vaiolo
nero, perché Teresa le aveva vaccinate fin dall'inizio delle
operazioni. Tuttavia Focaccina-Molle se la prese ben forte, e
anche se non correva pericolo, fu necessario portarla in casa
del dottorino: la casa ormai era piena di malati, un lazzaretto di lusso, aveva detto sarcasticamente il farmacista. Al
mattino e alla sera Teresa veniva a occuparsi di quella grassona – ormai ridotta a pelle e ossa, come se tutta la sua carne
si fosse trasformata in pus – come pure di Maxi. Anche
Bel-Deretano ebbe la febbre con bolle per tutto il corpo, ma*

fu un'eruzione debole, una cosa da niente che neppure la costrinse a letto e le permise di continuare in piedi a curare la gente di Muricapeba, dove la messe di defunti battè il record di tutta la città. Bel-Deretano per forza ed energia era una potenza, nessuna le stava a petto a maneggiar la pala per aprire le fosse.

Nessuna di loro morì, rimasero tutte in vita a raccontare come era andata, però dovettero andarsene da Buquím a guadagnarsi la vita da un'altra parte, perché lì la clientela era sparita, perché nessuno voleva saperne di una che conteneva dentro di sé tanto vaiolo così. Oltre a continuare ad essere puttane, erano diventate intoccabili. Vagano ancora in giro per il mondo.

Anche Teresa Batista lasciò Buquím alla fine dell'epidemia, ma non perché le fossero mancate proposte, al contrario. Vedendola attraversare il centro della città col suo scialle in testa, sempre alle prese con medicine e strumenti, permanganato, vanga, sacchi di iuta, malati e defunti, il virtuoso presidente della Camara Municipal *che sosteneva la carica di prefetto fino alle prossime elezioni, signore di una* fazenda, *di un negozio e di un elettorato, con denaro che rendeva in mani sicure e fino a quel giorno capo irreprensibile di un'unica famiglia, composta di moglie e cinque figli, colpito da tanta grazia e da tanta bellezza sprecate in quel turpe lavoro, decise di seguire l'esempio di tanta brava gente e di farsi una mantenuta, insomma una corte militare, giacché oltretutto un prefetto abbisogna di una certa rappresentanza: automobile, carnet di assegni e concubina.*

Si fece avanti anche il coronél *Simão Lámego, che era un habitué del concubinaggio e tentarono anche il turco Squeff, quello che aveva un bazar di chincaglierie, un caprone in calore quello lì, e il farmacista, inquisitore dei fatti altrui e medico a tempo perso e quand'era di malumore.*

Mantenuta? Ah! Mai più, piuttosto puttana in un postribolo aperto sulla sporcizia delle strade di Muricapeba, dove l'epidemia non finisce veramente mai, — il vaiolo nero si trasforma in vaiolo bianco, come da padre in figlio, e continua sotto forma di un vaioloide benigno e subdolo, che è una delle tante malattie balorde del sertão, *qualcuno ne acceca, produce qualche «angioletto» dato che è specialista in uccisione di bambini, e di adulti ne uccide soltanto uno ogni tanto per non perdere l'abitudine e fare il proprio dovere.*

Y

YPSILON *è una lettera ricercata, una lettera da sapienti, da malintenzionati e da traviati; la chiamarono Teresa dell'Ypsilon e Compagnia perché la trovavano piena di spocchia, sputa-sentenze e medicona. Ma alla festa della* macumba *fu acclamata Teresa di Omolú.*

Nel periodo del vaiolo la guaritrice Arduina non aveva avuto un minuto di riposo e aveva guadagnato bene pregando per gli ansiosi ai quali impediva di cader malati, guarendo persone già contagiate, non tutti, si capisce, perché le era concesso di salvare soltanto quelli — e lo spiegava a tutti, perché non era capace di ingannare nessuno, lei — quelli nel cui petto non albergava la paura, ben pochi, quindi. Quanto al pai-de-santo *Agnelo, non cessò di battere gli* atabaques *e di snocciolare cantici per Obaluaiê anche quando le figlie-di-santo presenti al* terreiro *si erano ridotte a tre sole, perché le altre erano scappate o finite al lazzaretto. Come già si è detto e risaputo, il Vecchio non si perse d'animo: in groppa a Teresa Batista, Omolú aveva espulso il vaiolo da Buquim, aveva vinto la peste nera.*

Così quando finalmente giunse da Aracajú un'équipe composta di due medici e sei infermieri diplomati per debellare il focolaio di vaiolo, lo trovarono completamente debellato: sebbene al lazzaretto gemessero ancora due malati, da più di una settimana non si registravano più nuovi casi né c'erano stati defunti da seppellire. Una circostanza del tutto casuale, questa, che non impedì che i componenti dell'équipe venissero elogiati a dovere attraverso un comunicato ufficiale ed entusiastico della Direzione della Salute Pubblica, per il coraggio e l'abnegazione dimostrati nella (ancora una volta) definitiva eliminazione del vaiolo dal territorio dello Stato di Sergipe. Così pure fu reso merito al giovane dottore Oto Espinheira che si era dovuto occupare, alla direzione dell'Ufficio di Igiene di Buquim, di provvedere alle prime e decisive iniziative destinate a sbarrare la strada all'epidemia, talché si doveva alla sua instancabile abnegazione da tutti confermata l'organizzazione della lotta e l'indefessa battaglia contro il male.

— Vorrei solo sapere se il giovane dottor week-end ha ancora il coraggio di tornar qui... — commentò il farmacista

Camilo Tesoura, ma siccome era una nota mala-lingua, non gli diedero ascolto e il direttore dell'Ufficio di Igiene (che si trovava in ferie a Bahia) ottenne la promozione promessa. Promessa e giusta.

Siccome poi il padre della frettolosa Juraci aveva finito per aderire al nuovo governo, sua figlia fu promossa anche lei, passando al grado di infermiera di prima classe per gli importanti servigi prestati alla collettività durante il focolaio di vaiolo a Buquim, e subito dopo si sposò, ma non visse felice e contenta, perché il suo temperamento acido non le consentiva una serena convivenza. Solo Maxí das-Negras non ottenne una promozione e continuò a fare soltanto il custode, felice e contento tuttavia d'essersi salvato la pelle, di avere una storia da raccontare e dei ricordi.

La gente ritornò a casa e di nuovo si videro i bambini e i cani che frugavano in mezzo alle montagne di spazzatura di Muricapeba alla ricerca di cibo. Gli avvoltoi vaganti per la campagna ogni tanto dissotterravano un corpo seppellito quasi a fior di terra saziandosi con esso.

Due furono le commemorazioni religiose di grazia e di giubilo, che si realizzarono.

Al terreiro di Agnelo a Muricapeba, Omolú ebbe la sua festa e danzò in mezzo alla gente al ritmo dell'opanigé. Per primo danzò Ajexé, un Omolú appestato, morendo e resuscitando dal vaiolo, in mano aveva il xaxará e il suo viso pustoloso era coperto dal filá; quindi danzò Jagún, Obaluaiê guerriero con il filá e l'azê di color marron come il vaiolo nero; e finalmente danzarono tutti e due insieme e la gente applaudì il Vecchio che alzava la mano e ripeteva: atotô, padre mio! Poi i due Omolú si avvicinarono a Teresa e l'abbracciarono, essa apparteneva a loro, e poi le ripulirono il corpo e lo resero immune da qualunque pestilenza per tutta la vita.

La processione, invece, partì dalla Cattedrale, in testa il vicario e il prefetto interino, in mano ai notabili gli stendardi con le immagini di san Rocco e di san Lazzaro – l'Obaluaiê, l'Omolú dei bianchi – con grande accompagnamento popolare. Razzi, preghiere, canti, campane che rintoccavano allegramente.

Per potersene andare da Buquim, dove non aveva piú niente da fare, Teresa Batista fu obbligata a vendere qualche piccola gioia al turco Squeff, candidato a diventare il suo protettore se fosse stato il caso, ma non era. Mai piú sareb-

be stata una mantenuta e neppure semplicemente una compagna d'avventura in cerca di piacere o di tranquillità, mai più. Teresa, che la morte non ha voluto, rifiutata dal vaiolo, ma di dentro ah! come consumata dalla febbre, nel petto un pugnale conficcato profondamente, parte verso il mare per affogarsi. Ah, Januario Gereba, volatile gigantesco, dove sei? Neppure la morte mi ha voluto quando nella mia disperazione sono andata a cercarla in mezzo al vaiolo nero — senza di te, Janú dell'anima mia, a che cosa mi serve la vita? Voglio almeno essere dove sei tu, seguire le tue orme di nascosto, guardare da lontano il tuo profilo da barca, soffrire per la tua assenza quando sei in navigazione, ahi, a che ora passa il treno per Bahia? Anche Teresa vuol fuggire; dalla sua atroce saudade, *dalla disperazione.*

Dall'atrio della chiesa le beghine videro Teresa Batista che si dirigeva alla stazione da sola. Una di loro disse — e tutte approvarono:

— Il cattivo vaso non si rompe mai. È morta tanta brava gente e quella disgraziata, che è andata a intromettersi persino nel lazzaretto, non si è presa nulla; il vaiolo avrebbe ben potuto almeno rovinarle la faccia.

Z

ZACARIAS *guarì, ci teneva alla vita lui, e ancor oggi non sa in che modo andò a finire al lazzaretto. A meno che non l'abbia letto in qualche quaderno* de cordel, *perché a proposito del flagello del vaiolo molte furono le storie che si diffusero e corrono sulla bocca della gente, molti famosi cantastorie se ne sono occupati mettendo in musica e in versi quella triste epopea di pianto, pus e morte. Vari opuscoli furono scritti così e si vendono sui mercati del Nordeste — ma nessuno è più veridico di questo abicì che ormai termina qui, perché non c'è più nulla da raccontare.*

Prima di concludere, però, voglio ripetere una cosa e lo creda chi vuole: a por fine al vaiolo nero che imperversava nelle vie di Buquím sono state le puttane di Muricapeba capeggiate da Teresa. Coi suoi denti limati e col suo dente d'oro Teresa Batista ha masticato il vaiolo e lo ha sputato fuori nel mato; *e allora il vaiolo è fuggito a precipizio sul treno ritirandosi disordinatamente verso il rio São Franci-*

sco, che è una delle sue residenze preferite, mentre il popolo se ne ritornava alle sue case abbandonate. Nascosto in una grotta il vaiolo aspetta una nuova occasione. Ah, se nessuno provvede, un giorno ritornerà per farla finita con tutti gli altri e allora poveri noi! Dove trovare un'altra Teresa-del-Vaiolo-Nero per dirigere le operazioni?

La notte in cui Teresa Batista
dormí con la morte

1.

Ah, Teresa, geme il dottor Emiliano Guedes sciogliendosi dal bacio, e la sua testa d'argento ricade sulla spalla dell'amante. Ancora immersa nel piacere Teresa sente sulle labbra il sapore del sangue e al braccio la stretta come di un artiglio, la fronte reclinata che le sfiora una spalla, sulla bocca semiaperta una bava rossa, sente il peso della morte sul suo corpo nudo. Teresa Batista abbracciata alla morte che la preme sul petto e sul ventre, che tra le cosce la penetra, che con lei fa l'amore. Teresa Batista a letto con la morte.

2.

E allora? È come quando lo storpio parla male dello zoppo o il nudo dello straccione. Criticare è facile, niente è piú semplice e piacevole che trovar a ridire sui fatti altrui, giovanotto. Dire che Teresa Batista non ha mantenuto la parola e ha piantato tutti in asso con la festa pronta, le pietanze sulla tavola, quello sproposito di bottiglie di pinga, *non costa niente; ma cercare i perché del suo modo di agire, questo sí è faticoso e non è cosa adatta a uno scalzacane qualunque.*

Giovanotto, in fondo alla zuppa c'è sempre la carne e chi mescola e rimescola, i buoni bocconi li trova. Chi vuol sapere come si svolse in realtà un avvenimento cosí grave con tutti i suoi eccetera deve far la parte del ficcanaso, del pettegolo e andare in giro a interrogare tutti quanti come del resto Vossignoria sta facendo. Non importa se qualche maleducato le volterà le spalle e non vorrà rispondere alle sue domande, lei se ne infischi, continui a rimescolare nella zuppa, metta le mani sul bello e sul brutto, sul pulito e sul sozzo, si in-

trufoli dappertutto. Se le capiterà di toccare la cacca o il pus, non ci faccia caso, succede spesso, ma non creda piamente a tutto quello che le diranno, stia attento a chi le risponde, non vada in giro dando credito a chicchessia, c'è molta gente a cui piace parlare di quello che non sa e inventare ciò che non è mai accaduto. Nessuno vuol confessare l'ignoranza, perché non conoscere ogni particolare della vita di Teresa è considerato una vergogna. Stia attento però, dato che lei è un novellino: sarà facile che si faccia ingannare o che lei stesso s'inganni.

Da parte mia, giovanotto, le dico: rispetto a quanto è accaduto in questo porto di Bahia sui moli del quale sono nato e sono diventato uomo ascoltando e comprendendo, posso fornirle qualche punto fermo a proposito di Teresa e delle sue peripezie: l'ordine di sfratto, lo sciopero, la bestialità della polizia, la galera, il matrimonio e il mare senza limiti e senza frontiere, vicende di lotta e di amore. Io sono vecchio, ma ancora faccio figli, ne ho fatti già più di cinquanta durante la mia vita travagliata; sono stato ricco, ho posseduto decine di chiatte che solcavano il golfo; oggi sono povero in canna, ma quando entro nel terreiro di Xangô, tutti si alzano e mi chiedono la benedizione, io sono Miguel Santana Obá Aré e per Teresa metto la mano sul fuoco senza la minima preoccupazione.

Teresa non ha mai nascosto in petto il tradimento e non si è mai servita della falsità. Se ne sono serviti con lei, questo sì, e hanno abusato di lei. Ma non per questo si è lasciata trascinare sulla cattiva strada, e non ha parlato di scalogna, facendosi passare per la vittima di un ebó o di una fattura, senza speranza, vinta. Mai? Non posso garantirlo, giovanotto, lei sa com'è difficile fornire informazioni sicure. Ma pensandoci bene credo che, dopo quel pasticcio dello sciopero e le funeste notizie venute da quei mari lontani, essa sia arrivata all'esaurimento e all'indifferenza, porti ai quali è pericoloso approdare e dove marciscono le barche abbandonate come le mie chiatte. Era tanto stanca e stufa di vivere, che decise di fermarsi una volta per tutte, e accettò la proposta di matrimonio, e ordinò il festino. Questa storia dello sposalizio di Teresa Batista gliela posso raccontare io, giovanotto, perché ero uno dei padrini, e so bene come è andata — e, guardi un po', pur essendo amico dell'altra parte, do ragione alla ragazza.

Era proprio scoraggiata, sottomessa al destino, priva di speranze, talmente avvilita. Basti dire che un monello le disse una parolaccia in dialetto e lei non ci fece caso e non reagì a quella vigliaccata – tanto stanca era di tutto, persino di litigare. Comunque anche se le capitò di sentirsi così, fu una cosa transitoria – fu sufficiente che si alzasse la brezza del Reconcavo[1] perché Teresa si ritrovasse di nuovo come prima, pronta a sorridere e a veleggiare.

Posso parlarle del matrimonio, caro ragazzo, e posso riferirle tutto sullo sciopero del «canestro chiuso» e sulla sfilata delle signore meretrici riunite davanti alla chiesa, sull'assalto della polizia e sul resto – di tutto le posso riferire e siccome sono povero ma sono stato ricco, le offrirò anche da mangiare una moqueca *di qualità al ristorante della defunta Maria de São Pedro nella parte alta del Mercado[2]. Quello che non posso raccontarle, come lei mi chiede e vuol sapere, è la vita di Teresa nel periodo della sua relazione col dottore e della morte di lui. Di questa storia non le dirò nulla, la conosco solo per sentito dire. Se desidera veramente sapere come è andata, vada a Estância dove i fatti sono accaduti. Il viaggio è breve e là la gente è buona e il posto incantevole, là dove si riuniscono il* rio *Piauí e il* Piauitinga *per formare il* rio Real, *che divide lo Stato del Sergipe da quello di Bahia.*

3.

Concludendo la lunga e imprevista conversazione di quella sera di domenica il dottor Emiliano Guedes mormorò:
– Come sarebbe bello se io fossi scapolo e potessi sposarmi con te. Non che questo modificherebbe in qualche modo quello che tu significhi per me –. Le sue parole erano come una ninnananna, una musica in sordina, e quella voce familiare inaspettatamente colorita di timidezza alle orecchie di Teresa suonava ancora più timida: – Mia moglie...
Una repentina timidezza adolescente da ansioso postulante, da creatura indifesa, che era assolutamente in contraddizione con la forte personalità del dottore, una persona abi-

---

[1] Nome della baia su cui si affaccia la città di São Salvador da Bahia.
[2] Il Mercado Modelo è un pittoresco mercato permanente dove si vende di tutto.

tuata a comandare, sicura di sé, perentorio e deciso, se necessario insolente e arrogante, anche se il piú delle volte era gentile e cordiale, un vero signore dai modi distinti – un signore feudale, signore di terre, di piantagioni di canna e dello zuccherificio, ma anche un capitalista moderno, banchiere, presidente del consiglio d'amministrazione di varie ditte, laureato in Legge. Non era certo la timidezza una peculiarità del carattere del dottor Emiliano Guedes, il piú vecchio dei Guedes della fabbrica Cajazeiras, del Banco Interestadual de Bahia e Sergipe e della Eximportex SA, e il vero padrone di tutto questo – imprenditore audace, imperioso, generoso. Il tono della sua voce commosse Teresa quanto le sue parole.

Lí, nel giardino pieno di alberi di *pitanga*, mentre la luna smisurata di Estância inondava d'oro i manghi, gli *abacate* e i *cajú* e il profumo delle gardenie si diffondeva nella brezza proveniente dal *rio* Piauitinga, dopo averle detto con amarezza, ira e fervore quello che non avrebbe mai creduto di poter confidare a nessun parente, socio o amico, quello che Teresa non avrebbe mai previsto di udire (anche se molto aveva indovinato a poco a poco col passar del tempo), il dottore la prese tra le braccia e, baciandola sulla bocca, con voce commossa e alterata aveva concluso: Teresa, mia vita, amor mio, ho solo te al mondo...

Poi si alzò nella sua alta statura di albero: albero frondoso dall'ombra accogliente. Nel corso di quei sei anni i suoi capelli grigi e i suoi baffi compatti erano diventati d'argento, ma il suo viso ancora liscio, il naso adunco, gli occhi penetranti e il corpo vigoroso non dimostravano i suoi sessantaquattro anni compiuti. Con un sorriso imbarazzato, cosí diverso dalla sua schietta risata, il dottor Emiliano fissa Teresa sotto la luna, quasi a chiederle scusa per la spiacevole asprezza, l'amarezza e persino la collera che avevano contrassegnato quella conversazione, che pure era un dialogo d'amore, di puro amore.

Ancora sdraiata nell'amaca, profondamente commossa, cosí profondamente da sentirsi le lacrime agli occhi, con il cuore colmo di tenerezza, Teresa vorrebbe dirgli molte cose, comunicargli tanto amore, ma, malgrado tutto ciò che ha imparato in sua compagnia durante quella mezza dozzina d'anni, non riesce ancora a trovare le parole giuste. Prende tra le sue la mano che egli le porge, si stacca dalla sua amaca per buttarsi tra le braccia del dottore e di nuovo gli offre le labbra – ma come chiamarlo marito e amante, padre e amico, figlio, figlio mio? Posa la testa nel mio grembo e riposa, amor mio. Una folla di emozioni e di sentimenti diversi, rispetto, gratitudine, tenerezza, amore – ah, compassione mai! compassione egli non ne chiede e non ne accetta, è duro come una roccia. Amore sí, amore e devozione – come dirgli tutte queste cose allo stesso tempo? Posa la testa nel mio grembo e riposa, amor mio.

Al di là del profumo inebriante delle gardenie Teresa sente sul petto del dottore quel profumo discreto come di legno secco che aveva imparato ad apprezzare – aveva imparato tutto, da lui. Al termine del bacio dice soltanto: Emiliano, amor mio, Emiliano! E per lui fu sufficiente, perché sapeva che cosa significava, perché essa gli aveva sempre dato del lei, mai del tu o del voi e soltanto al momento del piacere a letto si permetteva di confessargli il suo amore. Stavano superando gli ultimi ostacoli.

– Mai piú mi chiamerai dottore. In qualunque occasione.

– Mai piú, Emiliano –. Sei anni erano trascorsi dalla sera in cui egli l'aveva tolta dal postribolo.

Con la forza dei suoi sessantaquattro anni intensamente vissuti Emiliano Guedes solleva Teresa senza apparente sforzo tra le braccia e la porta in camera attraversando il chiar di luna e la fragranza delle gardenie.

Un'altra volta ella era stata portata cosí nel cortile del capitano sotto la pioggia, come una sposa in una notte di nozze, ma erano state nozze con la falsità e il tradimento. Oggi invece è il dottore a portarla e questa notte di amore quasi nuziale è stata preceduta da lunghi anni di affettuosa convivenza, da un letto di delizie, da una relazione perfetta. Come sarebbe bello se io fossi scapolo e potessi sposarmi con te. Non piú amante, illecita mantenuta con casa montata. Moglie, quella vera.

In quei sei anni non c'era stato neppure un istante a letto col dottore che non fosse di completo piacere, di assoluto diletto. Fin dalla prima notte, quando Emiliano era andato a prenderla al bordello di Gabí, se l'era messa in groppa al cavallo e se l'era portata via per i campi. Nelle mani di quel maestro raffinato, in quelle mani sapienti e pazienti, Teresa era fiorita, era diventata una donna meravigliosa. Ma in quella notte che le gardenie erano in fiore, in quella notte piena di fiducia e di illimitata intimità, quando il dottore le aveva aperto il cuore e spezzando la dura crosta dell'orgoglio si era confidato apertamente, quando Teresa fu sostegno per la sua solitudine, balsamo per il suo sconforto, gioia capace di cancellare tristezza e isolamento, quando la casa clandestina dell'amante divenne il focolare domestico e lei la sposa che gli mancava, in quella notte unica di pacificazione con la vita, l'affetto pervase di sé il piacere e lo portò al suo culmine.

Attimi oziosi in cui si scambiarono carezze da innamorati, scherzi da sposi in viaggio di nozze, poi ebbe inizio la cavalcata del cavaliere e della sua cavalcatura, del dottor Emiliano Guedes e di Teresa Batista. Quando egli si alzò per possederla, a Teresa apparve identico a come l'aveva conosciuto in campagna a casa del capitano molto prima di venire a vivere con lui: a cavallo di un focoso destriero, nella mano destra lo scudiscio d'argento, e con la sinistra lisciandosi i baffi, mentre con occhi pungenti l'attraversava da parte a parte – e allora si rese conto di averlo amato fin da quel momento, poiché, schiava atterrita dalla paura, aveva osato accorgersi di un uomo. Per la prima volta.

Nuda di vesti e di lenzuola ma coperta di baci, anelante, lo riceve su di sé e con le braccia e le gambe lo accoglie e lo imprigiona contro il suo ventre; prorompe la cavalcata sui prati senza fine del desiderio. Instancabile galoppata per monti e per fiumi, che sale e scende, percorre strade e stretti sentieri, vince distanze, crepuscoli e aurore, all'ombra e al sole, sotto la gialla luna, al caldo e al freddo, in un bacio di amore eterno, ah, Emiliano, amor mio, insieme raggiungono nello stesso istante la loro meta di miele. Si attorcigliano le lingue, piú stretto si fa l'abbraccio quando i corpi si aprono e si annullano nel piacere. Ah, Teresa, esclama l'amante, e cade morto.

4.

Quando scende dal letto Teresa ricorda soltanto il peso della morte sul petto e sul ventre, l'estremo rantolo dell'amante, un gemito cupo; di dolore o di piacere? Ah, Teresa, egli disse, e in quel punto morí in pieno amore. Il suo compagno era già inerte e lei ancora giubilante a sollazzarsi e a godere, a sciogliersi in nettare fino al momento in cui aveva sentito il peso della morte. Non fu capace di gridare né di chiedere soccorso, sentiva il petto e la gola come soffocati, e la bocca sporca del sangue dell'altra bocca – anche al momento della morte si ricordava delle maniere del dottore nella scelta del momento giusto e nella necessaria discrezione.

Furono alcuni minuti soltanto, durante i quali Teresa Batista si sentí una maledetta e una pazza, che aveva la morte per amante e per compagna di letto e di piacere. Muta e smarrita, immobile davanti al letto con le sue candide lenzuola lavate in acqua di lavanda, essa spalanca gli occhi ma non riesce a vedere il dottore al quale era mancato il cuore troppo stanco di delusioni e d'orgoglio; vede l'esposizione della morte nel piacere. E lei, Teresa, l'aveva tenuta sul petto, con braccia gambe e cosce l'aveva stretta contro di sé, da lei era stata penetrata dandosi e ricevendola dentro di sé.

È finita la felicità. A un tratto ecco la morte, soltanto la morte, che è giunta di notte a stendersi nel letto e a attorcigliarsi al corpo e al destino di Teresa Batista.

5.

Con uno sforzo sovrumano Teresa si infila un vestito e va a svegliare la coppia di domestici, Lula e Nina. Deve avere l'aspetto di una pazza, la domestica si spaventa.

– Che cosa è successo, *siá* Teresa?

Lula si fa avanti sulla porta della camera mentre termina di indossare la camicia. Teresa riesce a dire:

– Va' di corsa a chiamare il dottor Amarilio e digli di venire subito ché il dottor Emiliano si è sentito male.

Obbediscono subito, Lula di corsa per la strada, e Nina per casa mezza nuda nella sua tenuta da notte facendosi il segno della croce. In camera essa tocca ed esamina le lenzuola macchiate di seme e di morte, e allora si mette una mano sulla bocca per trattenere una esclamazione – ah, il vecchio è morto facendo l'amore, montato su di lei, quella dannata!

Teresa ritorna indietro a passi lenti, ancora non è in grado di dominare completamente le proprie gambe e le proprie emozioni. Ancora non è in grado di fermarsi a pensare alle conseguenze di quanto è successo. Inginocchiata ai piedi del letto Nina dà inizio a una preghiera e intanto spia di sottecchi il volto di pietra della padrona – padrona per lui, io sono alle dipendenze del dottore. Perché quella rinnegata non cade in ginocchio anche lei a pregare, a chiedere perdono a Dio e al morto? Nina si sforza di piangere; è stata testimone degli slanci giovanili di quell'anziano riccone, e adesso per la serva questa morte avvenuta in una situazione tanto eccezionale non costituisce una sorpresa. Cosí doveva finire quel vecchio caprone, un colpo. Nina l'aveva detto e ripetuto a Lula e alla lavandaia: un giorno quello resta secco a letto sopra di lei.

Negli ultimi tempi il dottore non restava mai piú di dieci giorni senza farsi vedere a Estância e quando, trattenuto dai suoi impegni, doveva ritardare, in compenso si tratteneva il doppio di tempo, tutta la settimana – notte e giorno dietro alle sottane di Teresa, a succhiarle il petto, a godere con quella disgraziata. Quel vecchio matto non misurava le sue forze e le buttava via con una donna giovane e ardente senza veder piú niente davanti a sé, eppure ce n'erano molte che si offrivano, a incominciare dalla Nina, e lui stregato da quell'ipocrita, senza tener conto della sua età avanzata né delle famiglie importanti, perché non gli bastava mica di ricevere in casa dell'amante la visita del prefetto, del commissario, del Signor Giudice e persino di padre Vinicius, ma andava in giro a braccetto con lei per la strada, a pomiciare sul ponte sul *rio* Piauí o a fare il bagno insieme alla Cascata d'Oro nel Piauitinga, e quella svergognata indossava il costume da bagno che lasciava veder tutto mentre lui praticamente era nudo con quei minuscoli calzoncini che gli coprivano soltanto i coglioni, indecenze da stranieri che corrompevano i buoni costumi di Estância. Visto cosí nudo il vecchio sembrava ancora robusto, un bell'uomo, un uomo che poteva ancora servire; ma in realtà, come età c'era una differenza di piú di quarant'anni tra lui e Teresa. Doveva finire cosí, Dio è buono ma è principalmente giusto e nessuno può prevedere l'ora del castigo.

Vecchio galletto. Per forte e sano che sembrasse stava per compiere i sessantacinque, Nina gliel'aveva sentito dire il giorno prima a cena rivolto al dottor Amarilio: sessantacinque vissuti bene, caro Amarilio, nel lavoro e nei piaceri della vita. Di affanni e di dispiaceri non ne aveva parlato, come se non ne avesse. Un uomo che si era consumato a farla da giovanotto, a far finta di essere uno stallone – a letto, sul sofà in salotto, nell'amaca, in qualunque posto e in qualsiasi momento, un'incontinenza, un abuso adatti a uno che avesse diciott'anni; tutto quello che di solito viene a mancare a qualunque uomo in vecchiaia, a quel peccatore incallito sembrava non mancasse.

Nelle notti di luna, quella luna di Estância cosí inverosimilmente argentea e dorata, quando Nina e Lula andavano a letto, quei due viziosi, il rimbambito e la svergognata, mettevano una stuoia sotto gli alberi di mango centenari, e lí si permettevano di tutto, abbandonando il loro letto di palissandro col materasso di crine vegetale e le lenzuola di lino sottile nella stanza esposta verso la brezza del fiume. Allora la Nina apriva una fessura alla porta che dava in giardino e al chiaro di luna intravedeva l'agitarsi dei loro corpi, e nel silenzio notturno ascoltava i gemiti, i sospiri, le rotte parole. Doveva finire con una congestione cerebrale, perché il dottore aveva il sangue forte. Di solito era calmo e si eccitava raramente, ma quando gli capitava di irritarsi o di incollerirsi gli saliva il sangue alla testa: guance arrossate, occhi di fuoco, la voce come un ruggito, era capace di qualsiasi sproposito. Un'unica volta la Nina l'aveva visto cosí quando un venditore di igname e di manioca dolce gli aveva mancato di rispetto: aveva afferrato quel tizio per il collo e non finiva piú di schiaffeggiarlo. Però era bastato un gesto e una parola di Teresa perché smettesse quel castigo e si ricomponesse – e lo sfacciato era scappato a gambe levate piantando lí il cesto di tuberi e portando con sé il segno delle dita del dottore sulla gola. Teresa aveva mandato la Nina a prendere un bicchier d'acqua e quando l'aveva portato li aveva trovati di nuovo a baciarsi e a farsi carezze, anzi il dottore aveva posato la testa in grembo a quella prostituta. Piú tardi era venuta una creatura rachitica a prendere il cesto di manioca e a chiedere scusa per quell'insolente che passava la vita a darle dei dispiaceri; questa volta aveva avuto la lezione che si meritava.

Perché Teresa resta lí ferma invece di venire a pregare per l'anima del defunto? Un uomo buono e giusto era stato, indubbiamente, ma poi aveva imboccato la via del peccato mortale sempre addosso all'amante, mentre era sposato, padre di figli, nonno di nipotini. Ci volevano proprio molte preghiere per salvargli l'anima, molte messe, molti voti, molti atti di contrizione e carità, e chi ha il dovere di invocare Dio per lui piú di quell'eretica? Pregare doveva e pentirsi della sua vita sbagliata in compagnia del marito di un'altra e dell'infamia di aver preteso l'impossibile dalle consunte forze di quel vecchio. È lei la responsabile del colpo, soltanto lei e nessun altro.

Un vecchio gaudente che voleva far la parte del galletto e mostrarsi all'altezza della situazione con una donna sulla ventina focosa e incontentabile, che aveva bisogno di un maschio giovane e forte, anzi addirittura di piú d'uno. Perché quella viziosa non s'era cercata un damerino tra i giovanotti della città, economizzando cosí le forze del suo vecchio ronzino? Quella era viziosa al punto di mantenersi onesta, serbando intatto per quel rimbambito l'ardore, il desiderio, il fuoco che la consumava. Con la sua insaziabilità nel peccato carnale, che è il peggiore di tutti i peccati come tutti sanno fin troppo bene, quella sgualdrina aveva ammazzato il riccone, magari proprio per la fretta di incassare il malloppo.

Perché non si mette in ginocchio a pregare per l'anima del peccatore? Il quale non solo ha necessità come pure merita preghiere, rosari e litanie, messe cantate. La Nina ha l'abitudine di ascoltare le conversazioni mentre spazza, spolvera qua e là, sfaccenda e serve in tavola. Proprio all'inizio della serata, mentre arrivava in giardino col vassoio del caffè aveva sentito che il dottore, parlando con la concubina, accennava a un testamento. Perché dunque quell'empia non si lamenta, non si copre la testa di cenere, non prorompe in grida e in singhiozzi, mentre invece non dà a divedere nulla? Sta lí ferma, muta, distante. Dovrebbe almeno dare una soddisfazione alla gente intanto che aspetta il testamento e la sua parte di beni per potersi godere la vita ad Aracajú o a Bahia, sperperando le sostanze di quel vecchio rimbecillito con un bel giovanotto in grado di soddisfare le esigenze della sua insaziabilità. Doveva trattarsi senza dubbio di un gruzzolo considerevole, ed era denaro che quella sciagurata rubava ai figli e alla sposa legittima, ai quali sarebbe toccata di diritto l'intera eredità. Ricca e libera sarebbe stata quella furbacchiona e questo era un peccato di piú e dei piú gravi.

Astuta come una volpe, priva di morale, senza cuore, dopo avergli succhiato il sangue e averlo svuotato fino alla morte, neanche per ringraziare della generosità, degli sprechi del defunto milionario che aveva le mani bucate, che era pazzo di lei, neanche per render grazie del testamento è capace di pregare un'ave-maria, di spargere una lacrima – nei suoi occhi asciutti c'è una strana luce, proprio in fondo, come carboni ardenti. La Nina, nella contrizione della sua preghiera, rinnega insieme il vecchio e quella donna maledetta.

6.

Quando la Nina se ne va per vestirsi e mettere l'acqua a bollire, Teresa, sola nella stanza in attesa del medico, si siede sul bordo del letto e prendendo nella sua la mano inerte di Emiliano, gli dice, in voce di tenero accento, tutto quello che non aveva saputo dirgli all'inizio della serata. In giardino sotto gli alberi al chiaro di luna mentre dondolavano leggermente dentro l'amaca essi avevano conversato insieme e quei discorsi, che erano stati per Teresa inattesi e sorprendenti, per il dottore erano stati gli ultimi.

Lui che era sempre così riservato riguardo alla sua famiglia, improvvisamente si era aperto con lei raccontando le ansie, i dispiaceri, la mancanza di comprensione e di affetto, la spaventosa solitudine di un focolare senza tenerezza – la sua voce era addolorata, triste, irata. In verità Emiliano non aveva altra famiglia che Teresa, la sua unica gioia alla quale finalmente confessava di sentirsi vecchio e stanco, pur senza supporre di essere sulle soglie della morte. Se l'avesse saputo avrebbe parlato prima e avrebbe preso prima i provvedimenti annunciati. Teresa non aveva mai chiesto niente di niente, la presenza e la tenerezza del dottore le bastavano.

Ah, Emiliano, come farò a vivere senza attendere il tuo arrivo sempre imprevedibile, senza correre fino al cancello del giardino al riconoscere il tuo passo da signore, al sentire la tua voce di padrone, senza potermi rannicchiare nella quiete del tuo petto, a ricevere il tuo bacio sentendo sulle labbra il solletico dei tuoi baffi e la punta ardente della tua lingua? Come potrò vivere senza di te, Emiliano? Poco m'importano la povertà, la miseria, il duro lavoro, nuovamente il postribolo, la vita errabonda, quello che m'importa è la tua assenza, non udire più la tua voce, il tuo riso pieno che risuonava per le stanze, in giardino, in camera nostra, non sentire più il contatto delle tue mani leggere e pesanti, lente e rapide e ormai fredde mani di morto, né il calore del tuo bacio, la certezza della tua fiducia, il privilegio di viverti accanto. Un'altra è la vedova, ma io sono vedova e orfana.

Soltanto oggi ho saputo che quello che ho sentito per te è stato amore fin dal primo attimo; me ne sono resa conto improvvisamente. Quando vidi arrivare in campagna dal capitano il famoso dottor Emiliano Guedes dello zuccherificio Cajazeiras tutto vestito d'argento, mi accorsi che quello era un uomo e che era bello, non ci avevo mai badato prima di allora. E adesso non mi resta che il ricordo. Nient'altro, Emiliano.

A cavallo di un nero destriero coi finimenti d'argento che brillavano al sole, alti stivali e il dono innato del comando, cosí Teresa l'aveva visto avvicinarsi alla casa di campagna e sebbene allora fosse soltanto una ragazzina ignorante in stato di schiavitú, aveva capito la distanza che lo separava da tutti gli altri. In salotto gli aveva servito caffè appena fatto e il dottor Emiliano Guedes, in piedi col suo scudiscio in mano, al vederla si era accarezzato i baffi e l'aveva squadrata da capo a piedi. Accanto a lui il terribile capitano non era niente, un servo ai suoi ordini, un adulatore. Al sentire su di sé il peso dello sguardo dell'industriale, dentro Teresa si era accesa una scintilla e il dottore l'aveva intuito. Poi, mentre andava al fiume col suo fagotto di panni l'aveva intravisto di nuovo al galoppo sulla strada, sole e argento, e in quell'altera visione Teresa si era rifatta gli occhi dalla meschineria che l'attorniava.

Qualche tempo dopo aveva conosciuto Dan, se ne era innamorata come una pazza e aveva perso la testa per quello studente bello e seducente, e tuttavia si era ricordata la figura dell'industriale e senza rendersene conto li aveva paragonati tra loro. Tutte queste cose erano accadute in un tempo di squallore e quando il capitano era comparso inaspettatamente in camera impugnando le corna e la frusta, il dottor Emiliano Guedes stava facendo un giro turistico attraverso l'Europa con la famiglia e soltanto al suo ritorno a Bahia qualche mese dopo era venuto a conoscenza di quanto era successo a Cajazeiras do Norte. Una sua parente, cioè Beatríz, era andata a trovarlo subito dopo lo sbarco, disperata: cugino, tu sei il capo della famiglia. Quella donna insaziabile colla quale era andato a letto ai tempi dei tempi prima che si sposasse con quella bestia di Eustáquio, era terrorizzata e gli chiedeva di intervenire e di aiutarla:

– Daniél si è cacciato in un pasticcio tremendo, cugino! Anzi non è vero che si sia cacciato; è stato trascinato, cugino

Emiliano, vittima di una delle peggiori sgualdrine, un vero serpente.

Voleva riuscire a far escludere suo figlio dal processo in cui il giudice sostituto, che era una canaglia, l'aveva coinvolto in qualità di complice e in una posizione ridicola – si tratta di quel pretore che era candidato al posto di giudice a Cajazeiras e che è stato messo da parte proprio su richiesta del dottor Emiliano, ti ricordi, cugino?, e adesso vuol vendicarsi sul povero ragazzo, quel disgraziato, pretendendo che il pubblico ministero chiami in giudizio Daniél insieme a quella prostituta. Desiderava inoltre che il marito fosse trasferito in un'altra città, perché a Cajazeiras do Norte ormai non gli era piú possibile servire in pace la causa della giustizia né scrivere sonetti; Eustáquio non ha voglia di ritornarci e con ragione, ma non può neanche rimanere eternamente in licenza nella capitale infernizzando la vita della famiglia. Per ultimo dona Beatríz chiede al suo caro cugino un fazzoletto pulito per asciugare le sue lacrime di sposa e di madre – con dispiaceri come questi quelli di carta non bastano proprio, cugino mio.

Il dottore, nel confuso racconto di dona Beatríz identifica Teresa e perciò, prima ancora di occuparsi dei problemi di famiglia, provvede a garantire la sicurezza della ragazza mettendosi in contatto da Bahia con Lulú Santos ad Aracajú. L'avvocato era un amico di fiducia, veramente affezionato a lui ed era anche un meticoloso conoscitore delle maglie della legge e del modo di eluderle. Tiri fuori dalla prigione la ragazzina e la metta in salvo in un posto sicuro, mandi a monte il processo e lo faccia archiviare.

Tirar fuori Teresa dalla prigione non fu difficile. Era minorenne perché aveva poco piú di quindici anni e il fatto d'averla rinchiusa nella prigione comune rappresentava una illegalità mostruosa, per non parlare delle botte. Il giudice lo accontentò immediatamente lavandosi al contempo le mani circa le sevizie: non aveva mai dato ordine di picchiarla, quella era stata un'iniziativa del commissario, che era amico del capitano. Quanto ad archiviare il processo, tuttavia, fu irreduttibile, deciso a portarlo avanti fino in fondo. E siccome Cajazeiras do Norte apparteneva allo stato di Bahia e Lulú Santos era procuratore solo nel Sergipe, non volle insistere. Dopo aver fatto ricoverare Teresa in un convento di suore, comunicò all'industriale il rifiuto del giudice sostituto e ritornò ad Aracajú in attesa di nuove istruzioni.

Intanto Teresa, ignorando l'intervento del dottore si mise d'accordo con Gabí che era andata a trovarla in prigione e dava a vedere di aver compassione di lei, fuggí dal convento e cominciò a far la vita.

7.

Il medico Àmarilio Fontes era un vecchietto grassoccio sorridente e mangione, che ordinava agli altri di stare a dieta mentre lui mangiava di tutto senza ritegno; durante quei sei anni era diventato amico intimo del dottore, cioè un commensale della tavola ricca e saporita di Teresa: in occasione dei soggiorni di Emiliano veniva a godersi pranzi e cene incomparabili – a Estância solo in casa di João Nascimento Filho si mangiava altrettanto bene, ma i vini e i liquori francesi che il dottore portava a casa dai suoi viaggi, ah! quelli non avevano rivali. L'industriale aveva intensificato le sue visite a Estância e ne aveva anche prolungato la durata: un giorno o l'altro, mio caro Amarilio, verrò qui definitivamente, per invecchiare adagio non c'è un posto migliore di Estância.

Al suo arrivo batte le mani davanti alla porta pro-forma. Poi entra senza aspettare di essere invitato, perché il messaggio l'aveva allarmato: questi uomini robusti, resistenti alle malattie, che sembrano fatti di acciaio, quando si ammalano si tratta quasi sempre di qualcosa di grave. Quando udí il battimani del medico, Teresa uscí dalla stanza per andargli incontro e il dottor Amarilio al vedere la ragazza si allarmò ancora di piú:

– Dunque è cosí grave, comare? – la chiamava comare per amicizia: in quanto medico curante di casa si era occupato di Teresa in occasione del suo aborto e da allora si trattavano da compari.

Dalla cucina giungono le voci sommesse di Lula e della Nina. Teresa afferra la mano che il medico le porge:

– *Doutor* Emiliano è morto.

– Come?

Il dottor Amarilio si precipita in camera. Teresa accende la lampada forte dell'abat-jour che si trova accanto alla comoda poltrona a bracciuoli dove Emiliano si sedeva a leggere – spesso leggeva a voce alta per Teresa accoccolata per terra ai suoi piedi. Il dottor Amarilio tocca il corpo, il lenzuolo bagnato, ah, povera Teresa. Muta e assente Teresa ricorda minuto per minuto gli anni trascorsi.

8.

Quando giunse a Cajazeiras do Norte e seppe che Teresa si trovava nel postribolo di Gabí, la reazione del dottore fu d'irritazione e malumore. Decise di abbandonarla alla sua sorte. Quella tizia non meritava niente. Lui, il dottor Emiliano Guedes, si era presa la pena di disturbare un amico, un avvocato capace e astuto, facendolo venire da Aracajú allo scopo di toglierla dalla prigione e dalla circolazione, cioè di metterla al sicuro, e quell'idiota, anziché aspettare tranquillamente, si precipitava al casino, dimostrando un'invincibile vocazione per il meretricio. E allora che facesse pure la puttana.

In fondo il dottore era meno indispettito dal modo di agire di Teresa che dal fatto di essersi ingannato giudicandola degna di interesse e di protezione. Quando l'aveva vista per la prima volta in campagna in casa di Justiniano, gli era sembrato di scorgere nei neri occhi di quella ragazza un fulgore raro e significativo. Anche la storia degli avvenimenti posteriori, seppur narrati in modo confuso e parziale da Beatríz e da Eustáquio, sembravano confermargli quella buona impressione iniziale. Invece si era sbagliato, per quanto incredibile possa sembrare: essa si era rivelata una puttana della peggior specie e perciò aveva ragione la sua depravata e materna cugina Beatríz. Probabilmente il bagliore di quello sguardo era stato soltanto l'effetto di un raggio di sole negli occhi. Pazienza.

Per il dottore la capacità di capire e qualificare le persone era un elemento fondamentale del suo potere; signore di terre, capitano di industria e banchiere, ci teneva ad azzeccare questi giudizi a prima vista ed è per questo che gli era difficile nascondere il suo disappunto quando sbagliava. La delusione lo spinse a rifarsi sul giudice sostituto, perché aveva bisogno di scaricare su qualcuno il dispetto che gli rendeva la bocca amara. Si recò perciò in Prefettura e salí fino al

Tribunale che si trovava al piano di sopra. Qui trovò soltanto il cancelliere, il quale, al vederlo, mancò poco che gli chiedesse la benedizione: quanto onore, dottore! Il giudice non era ancora arrivato, ma sarebbe andato a chiamarlo subito, Sua Eccellenza era ospite della pensione di Agripina, lí vicino. Come si chiamava? Dottor Pio Alves, per molti anni pretore e finalmente giudice a Barracão. Mentre aspetta, il dottore contempla dalla finestra aperta sulla piazza la tristezza della borgata e intanto il suo disappunto aumenta, non gli piace esser disobbedito e meno ancora sbagliarsi. Una disillusione di piú; man mano che la vita procede i disinganni si sommano.

Solenne, un'ombra di preoccupazione negli occhi, un tic nervoso al labbro entra in sala il giudice sostituto, dottor Pio Alves, pieno di acrimonia e di risentimento. Vittima permanente di ingiustizie, sempre messo da parte, obbligato a cedere il posto e il turno a chi è protetto, si considera il punto di mira di un complotto tra clero, Governo e popolazione, tutti uniti per atterrarlo ad ogni passo. In giudizio è scorbutico, nelle sentenze ha la mano pesante, è insensibile a qualsiasi argomento che esuli dalla lettera della legge. Quando venivano a parlargli di flessibilità, comprensione, commiserazione, clemenza, sentimenti umanitari, rispondeva enfaticamente:

– Il mio cuore è il sacrario della legge e in esso ho impresso l'assioma latino *dura lex sed lex*.

A forza di rabbia e di invidia ha finito per scegliere l'onestà, che è un peso incomodo, un capitale a basso rendimento. Nei confronti del dottor Emiliano provava timore e rabbia, perché lo credeva responsabile del lungo periodo durante il quale era stato obbligato a segnare il passo in una misera Pretura: mentre lui aspirava a diventar giudice a Cajazeiras do Norte, dove sua moglie aveva ereditato certe terre buone per il pascolo, e invece era stato scavalcato a favore di un semplice avvocato della capitale il cui unico titolo era quello di essere il marito cornuto di una parente dei Guedes. La nomina del dottor Pio era già stilata, quando era intervenuto Emiliano e aveva ottenuto la designazione del cornuto. Qualche tempo dopo, e con grande difficoltà, era riuscito a farsi promuovere giudice per servire nel distretto di Barracão, un comune vicino, ma la sua meta continuava ad essere Cajazeiras do Norte, dove avrebbe potuto amministrare il suo poderetto facendolo diventare una lucrosa fonte di rendita e fors'anche ampliandolo. Quando venne mandato a sostituire il dottor Eustáquio in quel discusso processo, aveva pensato che fosse giunta la dolce ora della vendetta: se fosse dipeso da lui Daniél sarebbe stato l'accusato principale e non soltanto un complice, ma disgraziatamente, *dura lex sed lex!*, a maneggiare il coltello era stata la ragazzina.

Dietro il giudice viene il cancelliere, che muore dalla curiosità; con un solo gesto il dottor Emiliano lo manda via e resta a quattr'occhi con il magistrato.

— Desidera parlare con me, dottore? Sono ai suoi ordini —. Il giudice cerca di mantenersi grave e dignitoso, ma il labbro gli si contrae in un tic nervoso.

— Si sieda, dobbiamo parlare, — ordina Emiliano come se fosse lui il magistrato, la suprema autorità del Tribunale.

Il giudice esita: dove sedersi? Sull'alta seggiola a spalliera collocata sopra una pedana allo scopo di sottolineare la gerarchia e di imporre rispetto a tutti gli altri, situandosi con ciò al di sopra del dottore, ossia disposto a litigare? Il coraggio gli manca e si siede accanto alla tavola mentre il dottore rimane in piedi guardando distrattamente fuori dalla finestra e cosí si esprime, con voce neutra:

— L'avvocato Lulú Santos dovrebbe averle portato un messaggio da parte mia, non l'ha ricevuto?

— Il procuratore è stato qui, ha parlato con me e io l'ho accontentato facendo mettere in libertà la minorenne che era tenuta in prigione dal commissario. Ha firmato l'atto di libertà provvisoria.

— Ma forse non le ha dato l'ambasciata completa? Le ho fatto dire di archiviare il processo. L'ha già archiviato, signor giudice?

Il tic al labbro del giudice si accentua, le collere del dottore sono famose anche se rare. Cerca di ricuperare forza attraverso la sua amarezza:

— Archiviare? Impossibile. Si tratta di un assassinio commesso sulla persona di un cittadino importante di questo distretto...

— Importante? Un poltrone. E impossibile perché? Nel processo è stato coinvolto un giovane studente mio parente, figlio del giudice Gomes Neto, e dicono che lei esige la sua condanna.

– Nella qualità di complice... – abbassa la voce – ... sebbene a mio vedere egli sarebbe ben piú di questo, cioè si tratterèbbe di collaborazione nel delitto.

– Anche se sono laureato in legge, non sono venuto qui in qualità di avvocato e non ho tempo da perdere. Stia a sentire, dottore, lei deve sapere molto bene chi è che comanda qui e ne ha già avuto la dimostrazione in precedenza. Mi è stato detto che desidera ancora il posto di giudice a Cajazeiras. Adesso dipende da lei, perché io continuo a credere che Lulú non le abbia fatto la commissione per intero. Proceda subito a redigere la sentenza di archiviazione, bastano due righe. Se però la coscienza le fa male, allora io le consiglio di ritornare a Barracão al piú presto, lasciando la conclusione del processo in mano a un giudice scelto da me secondo i miei criteri. Dipende da lei, decida.

– È un delitto gravissimo...

– Non mi faccia perdere altro tempo. Lo so già che il delitto è grave, ed è proprio per questo che le offro la carica di giudice a Cajazeiras. Decida in fretta, non mi faccia perdere né il tempo né la pazienza –. Si dà un colpo sulla gamba con lo scudiscio.

Il dottor Pio Alves si alza lentamente e va a prendere gli atti. Fare opposizione non serve a niente; se lo facesse verrebbe rimandato a Barracão e un altro firmerebbe l'archiviazione guadagnandosi le buone grazie del dottore. In realtà il processo è pieno di atti illegali, a cominciare dall'arresto e successive violenze usate alla minorenne che veniva interrogata senza l'assistenza del Tribunale Minorile competente, senza avvocato assegnato d'ufficio per proteggere i suoi interessi, fino al recente intervento di Lulú Santos; e per di piú mancano prove e testimoni fededegni, è un processo veramente pieno di errori, i termini sono scaduti, insomma ci sono ragioni in abbondanza a favore dell'archiviazione. E poi un giudice onesto non deve lasciarsi trascinare da meschini sentimenti di vendetta, indegni di un magistrato. Inoltre, che importanza può avere l'archiviazione di un processo di piú nei distretti del *sertão*? Nessuna, è chiaro, il dottor Pio ha imparato la storia universale leggendo Zevaco e Dumas: Parigi val bene una messa. E Cajazeiras do Norte non vale forse una sentenza?

Quando ha finito di scrivere, una calligrafia piccola, una

scrittura lenta mista di parole latine, alza gli occhi verso il dottore che sta accanto alla finestra e sorride:

– L'ho fatto per un riguardo verso di lei e la sua famiglia.

– Molte grazie e felicitazioni, signor giudice di Cajazeiras do Norte.

Emiliano si avvicina alla tavola, prende gli atti e li sfoglia. Legge qua e là qualche passaggio della denuncia, dell'interrogatorio, delle deposizioni, quella di Teresa, quella del giovane Daniél, che schifo! Poi posa gli atti sulla tavola e si volta per uscire:

– Può contare sulla nomina, signor giudice, ma non dimentichi che tutto quello che succede da queste parti mi interessa.

Tornò in fabbrica ancora irritato, ma qualche giorno dopo dovette recarsi ad Aracajú per dare un'occhiata a quella succursale della banca e là incontrò Lulú; conversando con lui seppe cosí che Teresa non era al corrente del suo intervento e del suo interesse per lei. Ah! Allora Emiliano non si era sbagliato nel suo giudizio su di lei: e il fulgore dei suoi occhi aveva trovato conferma anche il giorno prima attraverso la lettura degli atti del processo. Oltre che bella era anche coraggiosa.

Anticipò il ritorno e senza aspettare il treno del giorno dopo, partí per la fabbrica in automobile, e andava sollecitando l'autista – in certi punti la strada non era che un sentiero per bestie da soma e carri tirati dai buoi. Arrivò di notte e subito partí a cavallo per Cajazeiras, dopo essersi concesso soltanto il tempo di fare una doccia e cambiarsi. E andò direttamente alla casa di Gabí. Scese da cavallo e oltrepassò la porta del postribolo, fatto inaudito, poiché prima d'allora non vi aveva mai messo piede. Quando Arruda, il cameriere, lo vide, piantò lí servizio e clienti e corse a chiamare Gabí. La ruffiana comparve tanto in fretta da rimaner senza fiato, e non riusciva a parlare: un onore inaudito, un miracolo.

– Buona sera. C'è qui ospitata una ragazza di nome Teresa...

Gabí non lo lasciò concludere; era un miracolo di Teresa, quella era un'acquisizione che non aveva prezzo davvero, se la sua fama era arrivata alle orecchie del dottore e l'aveva condotto fin lí in veste di cliente:

– È vero, sissignore, una bellezza di bambina, ha meno di quindici anni, giovanissima, una raffinatezza, ai suoi ordini, dottore.

– La porto via con me... – estrasse alcune banconote dal portafoglio e le consegnò all'emozionata prosseneta dicendo: – vada a chiamarla...

– Il signor dottore la porta via? Per questa notte o per qualche giorno?

– Definitivamente. Non tornerà. Avanti, si spicci.

Dalle loro tavole i clienti osservavano in silenzio; Arruda era ritornato al bar ma era tutto confuso e non serviva piú. Gabí mandò giú la sua protesta, le sue ragioni e i suoi argomenti, prese il denaro, alcuni biglietti da cinquecento, a discutere non avrebbe guadagnato nulla; non le rimaneva che aspettare il ritorno di Teresa quando il dottore si fosse stancato di lei e l'avesse mandata indietro. Ci sarebbe voluto un po' di tempo, un mese o due o giú di lí, non di piú.

– Si sieda, dottore, prenda qualcosa mentre preparo la valigia e lei si veste...

– La valigia non occorre, che venga con quello che ha addosso, nient'altro. E non occorre neppure che si vesta per uscire.

La fece salire in groppa al cavallo e la portò via.

9.

Terminato l'esame, il dottor Amarilio ricopre il corpo con il lenzuolo:

– Come un colpo di fulmine, vero?

– Ha detto ah, e poi è morto, non me ne sono neanche resa conto... – Teresa rabbrividisce e si copre il volto con le mani.

Il medico esita davanti a una domanda scomoda:

– Com'è stato? Ha mangiato troppo a cena, cibi pesanti e subito dopo... Non è cosí?

– Ha mangiato soltanto una trancia di pesce, un po' di riso e una fetta di ananas. Aveva fatto merenda alle cinque con qualche *pamonha*. Poi siamo usciti, siamo andati fino al ponte e al ritorno si è seduto in amaca in giardino e abbiamo chiacchierato per piú di due ore. Siamo andati a dormire che erano piú delle dieci.

– Non sa mica se ultimamente ha avuto qualche grosso dispiacere? Teresa non rispose, non aveva il diritto di sbandierare i dispiaceri del dottore e di riferire i termini della loro conversazione, le sue lamentele e i suoi risentimenti neppure al medico. Era morto improvvisamente, a cosa serviva sapere se era stato per malattia o per i dispiaceri? Forse che in qualche modo questo poteva restituirgli la vita? Ma il medico prosegue:

– Dicono che suo figlio Jairo ha provocato un ammanco nella Banca, una cifra considerevole e che il dottore quando l'ha saputo...

S'interrompe perché Teresa fa finta di non capire e fissa, rigida e assente, il volto del morto; ma poi continua cercando di spiegare:

– Io desidero sapere soltanto la ragione per cui il suo cuore ha fatto cilecca. Era un uomo pieno di salute, ma tutti hanno i propri guai ed è questo che uccide. L'altro ieri mi ha detto che qui a Estância si rimetteva in forze, si rifaceva dagli effetti delle seccature. Non l'ha trovato un po' diverso?

– Con me il dottore è stato sempre lo stesso fin dal primo giorno.

L'ha detto per tagliar corto, ma poi non riesce a dominarsi:

– No, non è vero. È stato ogni giorno piú buono. In tutto. Le posso dire soltanto che come lui non c'è nessuno. Non mi chieda di piú.

Per un istante regnò il silenzio. Il dottor Amarilio sospira, ha ragione Teresa, non serve a niente rimestare nella vita del dottore, questa volta neppure la pace di Estância e la presenza dell'amica sono riusciti ad alleggerire il suo cuore.

– Figlia mia, io capisco molto bene quello che provi, quello che senti. Se dipendesse da me resterebbe qui fino al momento del funerale e noi, tu, io e João, che veramente gli abbiamo voluto bene, lo porteremmo al cimitero, solo che non dipende da me.

– Lo so, non ho mai avuto molto tempo a disposizione io, ma non mi lamento, non c'è stato mai un minuto che non fosse bello.

– Cercherò di mettermi in comunicazione con la famiglia; la figlia e il genero stanno ad Aracajú. Se per telefono non ci riesco, bisogna mandare una persona con un messaggio –. Prima di andarsene si informa ancora: – Devo mandare qualcuno a lavare e vestire il corpo oppure bastano Lula e la Nina?

– Me ne occuperò io, per ora è ancora mio.

– Al ritorno porterò l'attestato di morte e il prete.

A che scopo il prete se il dottore non credeva in Dio? È pur vero che non per questo egli rifiutava il suo obolo per le feste della parrocchia né di far venire un prete in fabbrica a dir messa il giorno della festa di Sant'Anna. Padre Vinicius, che aveva studiato teologia a Roma, aveva imparato anche ad apprezzare il vino ed era un ottimo commensale a cena.

10.

Sotto la vivace presidenza di Teresa Batista elegantemente vestita con stoffe comprate a Bahia, il dottore provava un vero piacere a riunire intorno alla tavola per la cena, oltre al medico, il suo amico Nascimento Filho, che era stato suo compagno all'università, padre Vinicius e Lulú Santos che veniva apposta da Aracajú.

Discorrevano di un po' di tutto, politica e culinaria, letteratura, religione e arte, avvenimenti mondiali e brasiliani, le ultime idee in discussione e la moda di giorno in giorno piú scandalosa, la preoccupante trasformazione dei costumi e i progressi della scienza. A proposito di certi argomenti – letteratura, arte, culinaria, – aprivano bocca soltanto il dottore e João Nascimento, perché il clinico aborriva l'arte moderna, scarabocchi goffi e senza senso, e il prete dal canto suo era allergico alla maggior parte degli scrittori contemporanei, maestri di pornografia e di empietà, e quanto a Lulú Santos, sosteneva che non esiste al mondo un piatto comparabile alla carne secca con polenta di farina di tapioca al latte, affermazione questa non del tutto indifendibile. In cambio João Nascimento Filho, lettore indefesso, letterato mancato, vecchio bonario, che aveva interrotto a metà i suoi studi di Diritto per riparare a Estância a curarsi una malattia di petto e poi vi si era stabilito per sempre vivendo di rendite ben amministrate e insegnando portoghese e francese al ginnasio tanto per occupare il tempo, era al corrente dell'ultimo libro e dell'ultimo quadro e sognava di mangiare un'anitra alla lacca a Pechino. L'amico gli portava libri e riviste e passavano ore e ore in giardino dimentichi di tutto in amene chiacchierate. In città i curiosi si chiedevano perché diavolo il dottore, un personaggio cosí sovraccarico di responsabilità e di incombenze, perdeva il suo tempo a Estância a dire stupidaggini col professor Nascimento Filho e a viziare la sua amante contadina.

Quando però la conversazione si spostava sulla politica brasiliana e mancava poco perché l'avvocato e il medico si prendessero a pugni a causa di diversi punti di vista a proposito dei partiti o di pettegolezzi elettorali, il dottore rimaneva ad ascoltare, indifferente. Per lui la politica era un turpe mestiere, adatto a gente di qualità inferiore dai miserabili appetiti e priva di spina dorsale, sempre agli ordini e al servizio degli uomini veramente potenti, cioè degli autentici padroni del paese. Questi sí facevano il bello e il cattivo tempo, ciascuno nel suo ambito, nella sua capitania ereditaria; come lui a Cajazeiras do Norte, per esempio, dove non si moveva foglia senza il suo permesso. Aveva schifo della politica e non aveva fiducia negli uomini politici: guardarsene bisognava, sono professionisti della menzogna.

Le discussioni sulla religione erano infuocate, un argomento appassionante, una materia inesauribile. Quando aveva bevuto un poco, Lulú Santos si dichiarava anarchico, un discepolo sergipano di Kropotkin, mentre invece non era che un anticlericale vecchio-stile, e allora dava la colpa alla sottana di padre Vinicius dell'arretratezza del mondo come se si sentisse un nemico quasi personale del Padre Eterno. La polemica tra lui e il prete, che era ancora giovane ed esaltato ed era anche in possesso di una certa erudizione, oltre ad essere un eloquente dialettico, finiva per coinvolgere João Nascimento Filho, spingendolo a recitare versi di Guerra Junqueiro tra gli applausi del leguleio. Il dottore beveva con calma il suo buon vino e intanto si divertiva a sentire quello scambio di ragionamenti, obiezioni e insolenze. Attenta, Teresa seguiva la discussione cercando di capire, ma era trascinata ora dall'uno ora dall'altro a seconda delle parole che usavano, serie e altisonanti quelle del reverendo, ciniche e colorite quelle dell'avvocato che aveva la bocca piena di parolacce e di bestemmie. Alla fine il prete concludeva alzando le braccia al cielo e chiedendo perdono a Dio per quei peccatori impenitenti che, invece di rendergli grazia per una cena cosí divina e per quei vini degni delle vigne del Signore, pronunciavano improperi e bestemmie arrivando a mettere in dubbio l'esistenza stessa di Dio! In questo pozzo del peccato, diceva, si salvano soltanto i cibi, le bevande e la padrona di casa che è una santa – tutti gli altri non sono che degli empi. Empi al plurale, sia per i versi ricordati dal professor Nascimento Filho che per certe frasi del dottore, che aveva sostenuto che tutto ha inizio e tutto finisce nella materia e che gli dèi e le religioni sono frutto della paura degli uomini e basta.

La sera in cui aveva pronunciato questa frase dopo la cena e una discussione feroce, il dottore si era rivolto al prete sotto gli occhi di Teresa:

– Reverendo, lei dovrebbe risolvere un problema per me. Padre Cirilo di Cajazeiras ha male alle articolazioni a causa dei reumatismi, e quasi non ce la fa ad occuparsi della città in occasione della festa di sant'Anna; perciò non avrà la forza di venire a celebrare la messa in fabbrica, come fa abitualmente tutti gli anni. Vuol venire lei?

– Con molto piacere, dottore.

– La mando a prendere il sabato, reverendo, lei celebra la messa domenica mattina alla *casa-grande*, poi battezza i bambini, sposa i fidanzati e i conviventi, pranza con noi, e se vuole si trattiene per il ballo a casa di Raimundo Alicate, un fandango divertentissimo, e se non vuole la faccio condurre qui.

Se non è credente, perché allora dà denari alla Chiesa, ammazza vitelli di latte e porci e paga un prete per dir messa in fabbrica? Teresa aveva capito benissimo che le chiacchiere e l'ateismo di Lulú non erano frutto che di semplice esibizionismo, discorsi tanto per chiacchierare, ché in realtà non c'era nessuno piú superstizioso di lui, sempre a farsi il segno della croce prima di entrare in aula davanti ai giurati o per un'udienza. Ma nel caso del dottore la stupiva quella contraddizione in un uomo tanto coerente nella sua maniera di agire.

Non gli disse nulla, ma egli senza dubbio capí oppure indovinò – in principio Teresa aveva pensato che il dottore doveva possedere il dono di leggere il pensiero. Quando il sacerdote se ne fu andato in compagnia dell'ottimo Nascimento Filho che stava declamando di nuovo Guerra Junqueiro, e Lulú Santos, accendendo l'ultimo sigaro, ebbe dato la buona notte e si fu ritirato in camera lasciandoli soli in giardino il dottore la prese tra le braccia e disse:

310

– Tutte le volte che non capisci una cosa devi domandarmela, non aver paura di offendermi, Teresa. Mi offenderesti, soltanto se non fossi franca con me. Tu ti sei stupita e non riesci a capire come mai io, pur non essendo un credente, chiamo un prete a dir messa in fabbrica e per di piú preparo persino dei festeggiamenti, non è vero?

Lei si strinse sorridendo al petto del dottore e alzò gli occhi verso di lui.

– Non lo faccio per me, lo faccio per gli altri e per quello che io rappresento per loro. Capisci? Lo faccio per gli altri che credono e pensano che creda anch'io. Il popolo ha bisogno di religione e di feste, perché conduce una vita triste, e dove mai s'è visto una fabbrica senza messa e senza un prete, senza una festa per i battesimi e i matrimoni almeno una volta all'anno? Io ubbidisco a un dovere.

La baciò sulla bocca e soggiunse:

– Qui a Estância in questa casa insieme a te io sono soltanto me stesso. Ma fuori sono il padrone della fabbrica, sono banchiere, direttore di una azienda, capo di famiglia, sono quattro o cinque, sono cattolico, sono protestante, sono ebreo.

Soltanto l'ultima notte dopo quella conversazione in giardino, Teresa si era veramente resa conto di quello che egli aveva voluto dire allora.

11.

Nina portò il secchio e la catinella e Lula una latta di acqua calda. Erano pronti ad aiutarla, ma Teresa li mandò via: se sarà necessario chiamo io.

Rimasta sola lavò il corpo del dottore con cotone idrofilo e acqua tepida e, dopo averlo asciugato, dalla testa ai piedi lo profumò con acqua di colonia, quella inglese, la sua. Mentre prendeva il flacone nell'armadietto della stanza da bagno le venne in mente l'episodio dell'acqua di colonia, proprio all'inizio della loro relazione; adesso le conviene accontentarsi dei ricordi. In quegli anni ogni volta che si ricordava quello che era successo si era sentita eccitata, accesa: ahimè, il momento è inopportuno. Memorie, aromi e piaceri sono finiti per sempre, sono morti con il dottore. Spenta è la scintilla, estinta la fiamma e Teresa non immagina neppure possibile che un giorno in lei abbia a rinnovarsi un'ombra di desiderio.

Un capo alla volta essa lo vestí e lo calzò, scegliendo la camicia, le calze, la cravatta, l'abito blu-marin, facendo combinare sobriamente i colori come piaceva a lui, come lui le aveva insegnato. Solo per mettere in ordine la camera chiamò Lula e la Nina. Voleva che tutto fosse pulito e ordinato. Incominciarono dal letto e mentre cambiavano lenzuola e federe, lo misero a sedere nella poltrona a bracciuoli accanto al tavolino colmo di libri alla rinfusa.

Lí in poltrona con le mani appoggiate ai bracciuoli, il dottore sembrava indeciso sulla scelta del libro da leggere quella sera, da leggere perché Teresa ascoltasse.

Ah, mai piú, seduta ai suoi piedi, colla testa appoggiata alle sue ginocchia, mai piú Teresa ascolterà la sua voce calda che la guidava attraverso oscuri cammini, insegnandole come si può vedere nell'oscurità, che le proponeva incantesimi e indovinelli e poi le offriva la soluzione e la comprensione. Leggendo e rileggendo, se occorreva affinché lei s'impossessasse della chiave del mistero e si compenetrasse del tutto e dei particolari; innalzandola poco a poco al suo livello.

12.

Erano appena arrivati a Estância, che urgentissimi impegni avevano obbligato il dottore a partire per Bahia, lasciando Teresa sotto la custodia di Alfredão e in compagnia di una domestica, che era una ragazza del posto. Chiusa nella sua diffidenza, ancora con il corpo segnato dai maltrattamenti e con in cuore il ricordo di ogni minuto di un periodo recente e avvilente fatto di botte e di ignominia, di Justiniano Duarte da Rosa e di Dan, della prigione e del postribolo, lasciandosi vivere senza nessuna prospettiva, Teresa non aveva ancora riordinato le idee. Era venuta con il dottore un po' alla mercè degli avvenimenti e a causa del rispetto che egli le incuteva. Ma il rispetto sarebbe bastato? C'era anche una attrazione, e tanto poderosa che quando egli l'aveva baciata sulla porta del postribolo prima di metterla in groppa al cavallo, essa aveva provato piacere. Cosí era venuta, senza sapere come tutto ciò sarebbe andato a finire. Gabí l'aveva messa in guardia, quando le aveva comunicato la presenza del dottore, circa la probabile brevità del capriccio dell'industriale, un ghiribizzo da uomo ricco, prevedendo per lei un pronto ritorno al casino, le porte della sua pensione erano sempre aperte – qui è casa tua, figlia mia.

Era venuta a trovarsi nella posizione di femmina del dottore, non di amante. A letto si infiammava solo a vedere la maschia figura di Emiliano Guedes e al minimo contatto delle sue dita sapienti; nel costante e crescente amore ch'essa gli aveva dedicato, la voluttà aveva preceduto la tenerezza e solo col tempo queste sensazioni si erano mescolate e poi fuse insieme. Quanto al resto, però, continuava a comportarsi come se fosse ancora in compagnia del capitano, come se stesse vivendo in una situazione identica a quella di prima. Lavorava fin dal mattino presto per pulire e mettere in ordine quella immensa casa, incaricandosi personalmente dei lavori piú sgradevoli e piú pesanti, mentre la domestica ne approfittava per prendersela calma, limitandosi a guardare i tegami appesi in cucina o a vagare per la casa con uno sgargiante e inutile piumino in mano. Alfredão, silenzioso ed attivo, coi crespi capelli che cominciavano a imbiancare, era stato dislocato dalla fabbrica a titolo provvisorio e si occupava del frutteto e del giardino in abbandono, oltre a far la spesa e a far la guardia alla casa e alla virtú di Teresa. Malgrado tutta la sua intuizione il dottore la conosceva troppo poco e perciò quella precauzione era necessaria. Ma Teresa mise le mani persino nel lavoro di Alfredão; e quando quello andava a ritirare la spazzatura lei l'aveva già fatto. Mangiava in cucina insieme all'operaio e alla domestica e mangiava con le mani – mentre i cassetti erano colmi di posate d'argento.

Cosí la casa sembrava uno specchio: era un confortevole villino situato in mezzo a un ampio terreno tenuto a frutteto, con due grandi saloni, il salotto sul davanti e la stanza da pranzo, quattro camere da letto aperte verso la brezza che veniva dal *rio* Piauitinga, una cucina e un'anticucina enormi, oltre l'ala in cui si trovavano i bagni e poi le camere della servitú, la dispensa e un deposito che serviva da ripostiglio. Perché una casa cosí grande, si domandava Teresa mentre la ripuliva a fondo, perché tanti mobili e cosí enormi? Costava tempo e sudore, era un lavoraccio mantenere in condizioni presentabili quella mobilia antica di palissandro, pesante, sciupata dal tempo e dall'incuria. Villino e alberi,

313

mobili, un servizio di piatteria inglese e le posate d'argento erano gli ultimi vestigi della passata grandezza dei Montenegros che ormai erano ridotti a una coppia di vecchi. Teresa venne a sapere piú tardi che il dottore aveva comprato in blocco casa e mobilia, piatti e forchette, senza discutere il prezzo, che del resto era molto basso. Disgraziatamente però alcuni oggetti, come una pendola, un oratorio, qualche statuetta di santo, erano già stati portati nel Sud dai soliti cercatori di antichità per pochi soldi.

Il dottore si era innamorato degli alberi e dei mobili come pure della posizione della casa che si trovava alla periferia della città, lontano dal centro, in una zona tranquilla abitualmente priva di movimento. Abitualmente, perché l'arrivo dei nuovi abitanti aveva portato dietro di sé frotte di curiosi di ambo i sessi, che, essendo venuti a conoscenza della vendita del villino e di chi l'aveva comprato, andavano in cerca di notizie per le loro ore d'ozio, che erano tante. Alcuni faccia-tosta erano arrivati al punto di batter le mani davanti alla porta nella speranza di attaccar bottone e di racimolare qualche notizia, ma la parsimonia di parole e la faccia scontrosa di Alfredão avevano portato lo scoraggiamento fra le osti nemiche fatte di beghine e di disoccupati. Riuscirono soltanto a constatare che c'erano due domestiche occupate in una monumentale pulizia di Pasqua, una del posto, nota per la sua pigrizia sperimentata da varie famiglie, e l'altra venuta di fuori, talmente sporca che non si vedeva neppure la faccia e che pareva una ragazzina giovane molto accurata nel lavoro: l'amante a cui era destinato tutto quel ben-di-Dio sarebbe arrivata certamente quando tutto fosse stato pronto.

Nessuno di quei curiosi, dama o cavaliere che fosse, nutriva il minor dubbio circa la destinazione di quel villino, caldo e ricco nido, proprio adatto a nascondere amori clandestini, secondo la definizione di Amintas Rufo, un giovane poeta ridotto a misurare la stoffa nel negozio di quel borghese senza cuore di suo padre. Il dottore, cioè, pur non avendo alcun interesse economico a Estância, dove si faceva vedere solo ogni tanto quando andava a pranzare presso João Nascimento Filho, suo compare e amico, aveva acquistato la proprietà dei Montenegros per istallarci una mantenuta, cosí sostenevano oziosi e beghine basandosi su tre motivi uno piú consistente dell'altro. La fama di donnaiolo del possidente, che era oggetto di commenti da Bahia ad Aracajú su entrambi i margini del *rio* Real; la localizzazione della casa, strategicamente situata tra la fabbrica Cajazeiras e la città di Aracajú, che erano i luoghi dove il dottore si tratteneva piú a lungo per affari, e finalmente le caratteristiche stesse di Estância, terra dolcissima e bella, rifugio ideale per gli amanti, città unica per viverci un grande amore, sempre secondo l'opinione dell'incompreso Amintas.

Un bel giorno davanti alla casa si arrestò un autocarro e l'autista con due aiutanti incominciarono a scaricare casse e cassoni e una quantità di altri colli; su alcuni dei quali si poteva leggere la parola «fragile», sia stampata che scritta a mano. Subito la via si riempí di gente, accorsero le beghine e i disoccupati in processione. Appostati sul marciapiedi difronte identificavano via via i colli: ghiacciaia, radio, aspirapolvere, macchina da cucire, un fiume interminabile di cose, il dottore non era un tipo che badasse alle spese. Indubbiamente tra poco sarebbe arrivato insieme a quella tizia. Perciò si misero di sentinella e le beghine organizzarono persino dei turni, ma il dottore, magari di proposito, arrivò in automobile all'alba; l'ultimo turno delle pettegole terminava alle nove di sera al suono della campana della cattedrale. Alle otto del mattino quando si alzò – in generale era in piedi alle sette, ma quella notte era rimasto sveglio fino allo spuntar dell'aurora per una piacevole occupazione, per un gioco delizioso, – non vide piú Teresa sotto le lenzuola. La trovò poi con la scopa in mano, mentre invece la domestica in salotto si era mossa soltanto per sorridergli e dirgli buon giorno. Emiliano non fece commenti, accontentandosi di invitare Teresa per il caffè:

– L'ho già preso da molto tempo. Glielo servirà la ragazza. Mi scusi, ma sono in ritardo... E continuò le faccende domestiche.

Il dottore bevve pensierosamente il suo caffelatte con cuscus di farina gialla, banane fritte, *beijús*, accompagnando con lo sguardo i movimenti di Teresa per la casa. Essa scopò la camera da letto, raccolse la spazzatura e poi uscí con il vaso da notte in mano per andare a rovesciarlo nel cesso. Sulla porta di cucina la domestica immobile osserva il padrone d'un occhio malizioso e sornione aspettando che abbia terminato la colazione per sparecchiare. Dopo il caffè il dottore, carico di libri, andò a sdraiarsi nell'amaca in giardino e vi rimase fin quasi a mezzogiorno, quando si alzò per andare a fare la doccia. Quando Teresa lo vide cambiato gli domandò:

– Posso apparecchiare?

Emiliano sorrise:

– Prima fa la doccia, preparati e vestiti per il pranzo.

Teresa non aveva intenzione di far la doccia a quell'ora con tutto il lavoro che l'aspettava dopo pranzo:

– Preferisco fare il bagno dopo che ho messo tutto a posto, ho ancora una quantità di cose da fare.

– No, Teresa. Devi fare il bagno subito.

Obbedí, perché era abituata a obbedire. Mentre attraversava il cortile di ritorno dal bagno diretta all'interno della casa, vide Alfredão che stava portando delle bottiglie in giardino, dove era stato collocato davanti a una panca di cemento un tavolino smontabile, uno dei molteplici oggetti che aveva portato l'autocarro. Lí l'aspettava il dottore. Col suo vestito pulito essa si avvicinò e domandò di nuovo:

– Posso apparecchiare?

– Tra poco. Adesso siediti qui con me –. Prese una bottiglia e un bicchiere: – Brindiamo alla nostra casa.

A Teresa non piaceva bere. Una volta il capitano le aveva offerto un sorso di *cachaça*, e lei lo aveva appena assaggiato con una smorfia di disgusto. E Justiniano, per cattiveria, l'aveva obbligata a vuotare il bicchiere e a ripetere la dose. Da allora non le aveva mai piú offerto da bere – quella benedetta ragazzina era troppo debole, nelle lotte di galli poco mancava che si mettesse a piangere e a momenti le andava di traverso anche una *cachaça* di prima qualità. Alla pensione di Gabí, quando un cliente si sedeva al bar e invitava una donna a bere in sua compagnia, la ragazza doveva chiedere vermuth o cognac. Il beveraggio, che Arruda serviva alle donne in bicchieri spessi e scuri non era altro che un infuso di foglie che del cognac e del vermuth aveva soltanto il colore e il prezzo, un buon sistema, salutare e lucroso. A volte il cliente preferiva una bottiglia di birra e Teresa senza entusiasmo doveva berne qualche sorso. Del resto la birra non le piacque mai, neppure quando imparò ad apprezzare gli amari, cioè i bitter, che erano particolarmente cari al dottore.

Afferrò il bicchiere e lo ascoltò brindare:

– Che la nostra casa sia serena.

Memore della *cachaça* sfiorò appena con le labbra quella

limpida bevanda dorata. Poi constatandone con sorpresa il sapore piacevole, l'assaggiò di nuovo.

– È vino di Porto, – disse il dottore, – una delle piú grandi invenzioni dell'uomo e la piú grande dei portoghesi. Bevila senza timore, il vino buono non fa male. Questa non è l'ora piú adatta per un abboccato, ma nel caso nostro l'ora conta meno del sapore che ha.

Teresa non comprese bene tutto quel discorso, ma ad un tratto si sentí tranquilla come non si era mai sentita prima, in pace. Il dottore le parlò del vino di Porto e di come si sarebbe dovuto bere alla fine dei pasti, oppure dopo il caffè o al pomeriggio, mai prima di mangiare, però. E allora perché gliel'aveva dato all'ora sbagliata? Perché è il re dei vini. Se avesse cominciato col darle sin dall'inizio un bitter o un gin, forse lei avrebbe trovato strano quel sapore; invece incominciando col vino di Porto, non c'era pericolo che lo rifiutasse. Emiliano continuò a parlarle di vini, i vari abboccati, che col tempo essa avrebbe imparato a distinguere tra loro, il moscatello, lo xeres, il madeira, il malaga, il tokai, lei incominciava a vivere solo allora. Dimentica tutto quello che è accaduto, cancellalo dalla memoria, qui inizia per te una vita nuova.

Prese una sedia al tavolo per farvi sedere Teresa e siccome essa non sapeva servire, lo fece lui e preparò un piatto per l'incredula fanciulla: dove s'è mai visto una simile assurdità? Bevevano spremuta di *mangaba* e il dottore ripeté lo stesso cerimoniale, riempiendo prima il bicchiere di lei. Confusa Teresa quasi non osava mangiare e intanto lo ascoltava parlare di stranissime abitudini culinarie, una piú complicata dell'altra, Madre Santa!

A poco a poco il dottore riuscí a mettere Teresa a suo agio suscitando in lei esclamazioni stupefatte col descrivere certi manicaretti stranieri come pinne di pesce, uova di cent'anni, cavallette. Teresa aveva sentito dire che le rane si mangiano e il dottore glielo confermò: una carne eccellente. Una volta essa aveva mangiato carne di un *teiú*[1], che era stato ammazzato e affumicato da Chico Mezza-Suola e le era piaciuto. Tutta la cacciagione è saporita, disse Emiliano, ha un sapore selvatico e raffinato. Vuoi sapere, Teresa, tra le bestie della terra qual è la piú gustosa?

[1] Specie di grosso ramarro.

– Quale?

– L'*escargot*, ossia la lumaca.

– La lumaca? Ah, che schifo...

Rise il dottore, una limpida risata che gaia risuonò all'orecchio di Teresa.

– Ebbene un giorno, Teresa, voglio preparare un piatto di escargots e tu ti leccherai i baffi. Lo sai che io sono un ottimo cuoco? Cosí essa aveva cominciato a rilassarsi e alla fine del pranzo stava già ridendo apertamente mentre ascoltava la descrizione di come i francesi tengono gli escargots chiusi per una settimana in una cassetta tappezzata di farina bianca come unico alimento e cambiando ogni giorno la farina finché gli animali sono completamente puliti.

– E le cavallette? Davvero le mangiano? Dove?

– In Asia, condite col miele. A Canton vanno pazzi per i cani e per i serpenti. Del resto nel *sertão* non mangiano forse il serpente boa e le formiche? È la stessa cosa –. Quando si alzarono da tavola e il dottore prese per mano Teresa, essa gli sorrise già in modo diverso, con un inizio di tenerezza.

Quando furono di nuovo in giardino sulla stessa panca antica, che una volta doveva essere stata rivestita di *azulejos*[1] egli la baciò leggermente sulle labbra umide di vino di Porto, che le aveva offerto di nuovo, soltanto un goccio per aiutare la digestione, e le disse:

– C'è una cosa che devi imparare prima di tutto il resto, Teresa. Devi ficcartela nella tua testolina una volta per tutte – e intanto le toccava i neri capelli – e non dimenticartela piú in nessun momento: qui tu sei la padrona e non una domestica, questa casa è tua, la padrona sei tu. Se una sola domestica non è sufficiente a far tutto il lavoro, prendine un'altra, tante quante sarà necessario, ma non voglio vederti mai piú tutta sporca a lucidare i mobili e a versare il pitale.

Quella osservazione sconcertò Teresa. Era abituata a udire sempre grida e rabbuffi, a prendere schiaffi, colpi di regolo, battute di frusta, se solo il lavoro non era finito e qualcosa non era pronto all'ora giusta – dormiva nel letto del capitano, ma non per questo essa contava di piú dell'ultima delle schiave. Anche in prigione le avevano ordinato di tener in ordine le tre celle e la latrina. E neppure nel casino di

[1] Mattonelle bianche e azzurre di produzione portoghese, che rivestono molte delle facciate delle costruzioni dell'epoca coloniale.

Gabí restava a letto a dormire fino all'ora di pranzo come la maggior parte delle altre, ma lavorava come una serva supplementare a ripulire quel gran casone e ad aiutare la vecchissima Pirró – un giorno quel rudero era stata la famosa Pirró *dos Coronéis*, la marchetta piú ricercata dai *fazendeiros*.

– Tu sei la padrona di casa, non te lo dimenticare. Non puoi essere sporca, trascurata, mal vestita. Voglio vederti tutta bella... Per la verità sei bella anche sporca e coperta di stracci, ma io voglio che la tua bellezza sia messa in evidenza, voglio vederti pulita, elegante, una vera signora –. E di nuovo: – una vera signora.

«Una signora? Ah, non lo sarò mai...», pensa Teresa ascoltandolo e il dottore sembra che le legga nel pensiero come se avesse il dono di indovinarlo.

– Non lo sarai solo se non vorrai, se non ne avrai voglia. O se non sei quella che io penso che tu sia.

– Cercherò di riuscire...

– No, Teresa, cercare non basta.

Teresa lo guardò in viso e Emiliano vide nei suoi occhi neri quel bagliore adamantino:

– Com'è una signora non lo so mica molto bene, ma sporca e trasandata non mi vedrà piú, questo glielo garantisco.

– Quanto a questa domestica che ti ha lasciato lavorare restandosene con le mani in mano, la manderò via...

– Ma non è colpa sua, sono io che ho voluto fare le cose, ero abituata cosí e ho continuato...

– Anche se non ne ha colpa, ormai non serve piú, per lei tu non sarai mai la padrona, ti ha visto far la parte della domestica e non ti rispetterà mai. E io voglio che tutti ti rispettino, tu qui sei la padrona di casa e al di sopra di te ci sono solo io e nessun altro.

13.

Teresa rimase sola in camera col morto per parecchio tempo. Lo avevano coricato con le mani in croce e la testa su un guanciale. Teresa aveva colto in giardino una rosa appena sbocciata, rossa come il sangue e l'aveva messa tra le dita del dottore.

Quando scendeva dall'automobile venendo dalla fabbrica

o da Aracajú, il dottore, dopo il lungo bacio del benvenuto
– la carezza dei suoi baffi, la punta della lingua –, le consegnava il cappello di paglia e lo scudiscio d'argento per ripor-
li, mentre l'autista e Alfredão portavano in salotto e nel
tinello la borsa coi documenti, i libri e i pacchetti.

Il dottore fuori di casa portava sempre lo scudiscio d'argento; non soltanto in campagna quando andava a cavallo a
controllare i campi di canna o a esaminare il bestiame nei
pascoli, ma anche in città, a Bahia, ad Aracajú, dove si occupava della direzione della banca, della presidenza dell'Eximportex SA, come ornamento, simbolo e arma.

Un'arma pericolosa in mano al dottore: a Bahia, vibran-
do il suo frustino, aveva messo in fuga due giovani teppisti i
quali, alla vista di quel brizzolato nottambulo, avevano scambiato per paura la fretta del dottore; e anche di giorno, in
pieno centro della città aveva fatto inghiottire un articolo di
giornale a quell'insolente scriba di Haroldo Pera. L'impertinente scribacchino, una penna da quattro soldi che con placida impunità attaccava la reputazione altrui, era stato pagato
da nemici dei Guedes e aveva scritto in un settimanale ca-
morrista una estesa e violenta catilinaria contro quel potente clan. Emiliano era il capo di famiglia e il grosso di quella
pasquinata colpiva lui: «Impenitente seduttore di ingenue
pulzelle contadine», «latifondista senza cuore, sfruttatore
del lavoro di coloni e di mezzadri, ladro di terra», «contrabbandiere contumace di zucchero e acquavite, abituale e recidi-
vo nel frodare l'erario pubblico con la connivenza criminale
delle guardie di finanza». I fratelli, Milton e Cristóvão, venivano tirati in ballo come «incompetenti parassiti», «ignoranti e incapaci», con la differenza che Milton era specialista «in bacchettoneria: un santo senza midollo», e Cristóvão «in *cachaça*, una spugna irricuperabile», entrambi comunque dei poco di buono – senza dimenticare il grazioso
Xandô dalle «omofile preferenze sessuali», che era il giovane Alexandre Guedes figlio di Milton, esiliato a Rio con la
proibizione di farsi vedere in fabbrica perché «andava matto per gli atletici lavoratori negri». Un articolaccio letto e
commentato da tutti che, secondo l'opinione espressa da un
uomo politico del *sertão* in un crocchio animatissimo sulla
porta del Palazzo del Governo, conteneva «molta verità seppure scritta con il pus». Aveva appena terminata la frase
che il deputato si guardò intorno e si mise una mano sulla

bocca imprudente: risaliva la piazza il dottore col suo frustino d'argento cesellato, e gli veniva incontro col passo sicuro del successo, dell'evidenza, il giornalista Pera. Non ebbe neanche il tempo di fuggire: il glorioso autore inghiottí il suo articolo e in viso gli rimase il segno dello scudiscio.

Lí a Estância, però, quando il dottore usciva per la sua quotidiana passeggiata dopo cena, invece del frustino teneva in mano un fiore. Era un'abitudine presa all'inizio della convivenza quando la nascente tenerezza ampliava a poco a poco l'intimità imprestandole una nuova dimensione mentre in principio era limitata alle notturne carezze. A quell'epoca l'industriale non si mostrava ancora per la strada in compagnia di Teresa, e nelle sue passeggiate notturne al vecchio ponte, alla ripresa, o al porticciolo sulle sponde del *rio* Piauí era sempre solo e l'amante era clandestina, nascosta nelle pieghe dell'apparenza, per cui i due non erano mai stati visti insieme in pubblico – «il dottore perlomeno rispetta le famiglie, non è come tanti altri che ti mettono sotto il naso le loro avventure», cosí lo elogiava dona Geninha Abíb dell'ufficio postale, una grassona con una tenace malalingua. Soltanto gli intimi assistevano all'evolversi dell'affetto, della fiducia, della familiarità, della tenerezza che univano gli amanti, quali pegni d'amore pazientemente conquistati.

Successe una sera quando, dopo averla baciata, egli le disse: arrivederci, Teresa, torno subito, vado a sgranchirmi le gambe e a fare la digestione. Essa corse in giardino e, colto un bottone di rosa simile a una immensa goccia di sangue di un rosso-scuro intenso, al dottore l'offerse mormorando:

– Perché si ricordi di me per la strada...

Il giorno dopo al momento della passeggiata toccò a lui di chiedere:

– E il mio fiore, non c'è? Non ho bisogno di questo per ricordarmi di te, ma cosí è come se io ti conducessi con me.

In seguito quando si lasciavano con rinnovata tristezza ed egli si accingeva a partire in automobile, Teresa baciava una rosa e gliela fissava con uno spillo all'occhiello della giacca – in mano di Emiliano nuovamente lo scudiscio d'argento.

Lo scudiscio in mano, la rosa all'occhiello, il bacio d'addio – la carezza dei suoi baffi, la punta della lingua che le sfiorava le labbra –, cosí partiva il dottore verso la sua multiforme vita, lontano da Teresa. Quando potrà ritornare alla pace di Estância, ospite per poco tempo, lui diviso tra tante residenze, tra tanti impegni, interessi e affetti, che a Teresa toccava soltanto il tempo che impiega una rosa a sbocciare e ad appassire, il tempo segreto e breve delle amanti?

In camera, dopo aver collocato il fiore tra le dita dell'amato, Teresa tenta di chiudergli quegli occhi pungenti, azzurri, limpidi, cosí freddi e diffidenti in certi momenti. Occhi penetranti di indovino, ora morti, eppure ancora aperti per vedere intorno a sé, fissi su Teresa, quegli occhi che sanno su di lei piú di quanto non sappia essa stessa.

14.

Dopo il corso sui vini abboccati e sui liquori, Teresa era passata al capitolo assai piú difficile dei vini da tavola, dei distillati ad alta gradazione, degli amari digestivi. In una delle stanze che si trovavano fuori della casa il dottore aveva sistemato una specie di cantina che esibiva vanitosamente a João Nascimento Filho e a padre Vinicius: rispettoso esame delle etichette, date pronunciate con devozione. Lulú Santos, che era fedele alla birra e alla *cachaça*, serviva di bersaglio a varie frecciate: barbaro privo di palato, che non andava al di là del whisky.

Teresa però non fece molta carriera nel labirinto delle bevande e rimase fedele alle scoperte iniziali: il porto, il cointreau, il moscatello, sebbene prima di mangiare accettasse volentieri un amaro. Come vini da tavola preferiva quelli dolci che profumavano la bocca con un forte bouquet.

Il dottore tirava fuori i nobili vini secchi, i rossi illustri, annate scelte, e il prete e João Nascimento Filho sgranavano gli occhi profondendosi in esclamazioni entusiastiche; ma Teresa col susseguirsi delle cene si era resa conto che il professor Nascimento, con tutta la sua fama di conoscitore e di raffinato, preferiva anche lui i vini bianchi non troppo secchi, piú leggeri e piú abboccati, anche se si profondeva in elogi per quelli secchi e quelli rossi e quando li servivano faceva schioccare la lingua. Anzi come aperitivo preferiva addirittura un vino dolce a qualsiasi altra cosa. Teresa non tradí mai il suo segreto, né gli lasciò capire di aver scoperto il suo piccolo trucco snob:

— Vuol tenermi compagnia per un bicchierino di porto anche se non è proprio il momento adatto, signor João? – E lui si precipitava a rifiutare il gin, il whisky, il bitter.

– Con piacere, Teresa. Questa faccenda dell'orario è una raffinatezza da gran signori.

Quanto a lei, siccome non si sentiva obbligata a far mostra di gusto raffinato come il professor Nascimento Filho e oltretutto non le piaceva mentire senza necessità, rivelava apertamente al dottore le sue preferenze e Emiliano sorridendo le diceva: sei un favo-di-miele, Teresa.

Nelle calde notti di Estância con la loro dolce brezza proveniente dai fiumi, nel cielo pieno di stelle innumerevoli la luna smisurata al di sopra degli alberi, lei e il dottore si trattenevano in giardino bevicchiando. Per lui robuste acquaviti, gin, vodka, cognac, per lei vino di Porto o cointreau. Favo-di-miele, Teresa, le tue dolci labbra. Ah, mio signore, il tuo bacio brucia, è fiamma di cognac, è brace di ginepro. In quei momenti la distanza che li separava diventava insignificante, fino a sparire del tutto a letto. A letto o anche lí nell'ondeggiare al vento dell'amaca, sotto le stelle. Pieni di fuoco partivano alla conquista della luna.

Avevano fatto dei cambiamenti in casa allo scopo di renderla ancora piú confortevole, perché il dottore era abituato al meglio e voleva che ci si abituasse anche Teresa. Una delle camere era stata divisa in due parti e trasformata in due stanze da bagno, una delle quali era collegata alla camera matrimoniale e l'altra alla camera dei forestieri che veniva occupata da Lulú Santos quando veniva da Aracajú in compagnia del dottore o da lui invitato. Il salotto perse quell'aria solenne e ammuffita da locale di cerimonia aperto solo nei giorni di festa o per ricevere i visitatori; il dottore vi sistemò, invece, degli scaffali per i libri, un tavolino per la lettura e il lavoro, un grammofono con dischi e un piccolo bar. Per contro la camera da letto che si trovava accanto al salone diventò la stanza da cucire.

Il dottore si preoccupava del tempo libero di Teresa e del vuoto provocato dalle prolungate e successive assenze dell'amante. E perciò le aveva comprato una macchina da cucire e dei ferri da calza:

– Sei brava in cucito, Teresa?

– Veramente no, ma nella casa di campagna ho avuto occasione di raccomodare molta roba con la macchina della moglie morta.

– Vuoi imparare? Cosí in mia assenza avrai qualcosa da fare.

La Scuola di Taglio e Confezione *Nossa Senhora das Graças* era situata in una stradicciola al di là del Parco Triste e per arrivarvi Teresa doveva attraversare il centro della città. L'insegnante si chiamava signorina Salvalena (Salva dal nome del padre Salvador e lena da quello della madre Heléna) ed era una ragazzona dagli ampi fianchi e dai seni di bronzo, una puledra dall'ampio trotto, con molta cipria, rossetto e belletto: era riuscita a riservare un'ora esclusiva per Teresa a metà pomeriggio e aveva ricevuto il pagamento anticipato per l'intero corso, che era di quindici lezioni. Ma Teresa lo interruppe alla terza, abbandonando forbici, metro, ago e ditale, poiché quell'emerita maestra fin dalla prima lezione aveva incominciato a suggerire la possibilità per Teresa di guadagnare degli extra facendo qualche strappo per certi ricchi signori dello stesso ambiente del dottore, cioè soci delle fabbriche di tessuti, tutti signori importanti e discreti, e i suggerimenti si erano andati trasformando in proposte dirette. Il luogo degli incontri non rappresentava un problema perché potevano servirsi di una stanza sul retro della scuola stessa, un nido sicuro e confortevole con un ottimo letto, materasso a molle, mia cara. Il dottor Bráulio, socio di una di quelle fabbriche, aveva visto Teresa quando passava per la strada e avrebbe avuto piacere...

Teresa prese la sua borsa e senza neppur salutare le voltò le spalle e se ne andò. Salvalena, sorpresa e insultata, si diede a brontolare tra sé e sé:

– Orgogliosa di merda... Voglio un po' vedere il giorno che il dottore le darà un calcio nel sedere... Allora sí che verrà a cercarmi perché le trovi dei clienti... – Ma un pensiero scomodo venne a interrompere il suo sfogo: e se avesse dovuto restituire il denaro delle dodici lezioni ancora da fare? – Io non rendo niente, non è colpa mia se quella mantenuta che vuol darsi delle arie di onesta ha abbandonato il corso...

Il dottore al suo ritorno s'informò sui progressi di Teresa alla Scuola di Taglio e Confezione. Ah! Aveva piantato tutto: lei non aveva disposizione né passione, aveva imparato quanto bastava per il fabbisogno quotidiano e basta. Ma il dottore possedeva il dono di indovinare, e chi poteva sostenere lo sguardo dei suoi occhi limpidi e penetranti?

– Teresa, le bugie non mi piacciono, perché menti? Ti ho forse mai mentito io? Dimmi la verità, raccontami che cosa è successo.

– È arrivata a propormi un uomo...

– Il dottor Bráulio, lo so. Ha scommesso ad Aracajú che avrebbe dormito con te e che mi avrebbe messo le corna. Senti, Teresa: le proposte non ti mancheranno, e se un giorno per qualsiasi motivo ti sentirai disposta ad accettare, devi dirmelo prima. Sarà meglio per me e soprattutto per te.

– Lei mi conosce male, come può pensare di me una cosa simile? – Teresa alzò la voce rabbiosamente sporgendo il mento e con gli occhi che lanciavano fiamme, ma subito abbassò la testa e anche la voce e continuò: – Lo so perché pensa cosí: perché lei mi ha trovato nella «zona» e sa che, quando appartenevo al capitano, sono andata con un altro –. La sua voce divenne un sussurro: – È vero. Sono andata con un altro, ma io non volevo bene al capitano, mi aveva preso con la forza, con lui non sono mai andata volentieri, volentieri sono andata solo con l'altro –. Si voltò e la sua voce aumentò di nuovo: – Se ha di me questo concetto, è meglio che io me ne vada via subito, preferisco la «zona» piuttosto che vivere nel sospetto sempre con la paura che possa succedere qualcosa.

Il dottore la prese tra le braccia:

– Non dir sciocchezze. Io non ho detto che dubito di te, che ti credo capace di falsità, o per lo meno non è questo che volevo dire. Ho detto che se un giorno ti stancassi di me e ti interessassi a qualcun altro, devi venirmelo a dire, perché le persone corrette si comportano cosí. Non volevo offenderti né ho alcuna ragione per farlo. Se ho motivo di qualcosa è di considerarti leale e sono contento di te.

Quindi, senza sciogliere l'abbraccio soggiunse sorridendo:

– Voglio essere sincero anch'io e ti dirò tutta la verità. Quando ti ho chiesto che cosa era successo, sapevo già tutto, non domandarmi come. Qui si sa tutto, Teresa, si commenta tutto.

Quella sera, dopo cena, il dottore la invitò a uscire con lui per accompagnarlo nella sua passeggiata fino al ponte sul *rio* Piauí, cosa che non aveva mai fatto prima. Uscirono assieme nella notte, il vecchio e la ragazzina, ma né il dottore pareva aver piú di sessant'anni né Teresa si sarebbe detto che non ne avesse ancora sedici; erano un uomo e una donna

innamorati, due amanti senza vergogna, che passeggiavano
serenamente tenendosi per mano. Scarsi i passanti per la
strada, gente del popolo che non riconosceva neppure il dottore e la sua amante e vedeva in loro semplicemente una coppia di innamorati. Lontano dal centro e dal movimento essi
non suscitavano la minima curiosità. Tuttavia al vederli passare una vecchia si fermò:
– Buona sera, tesori miei, andate con Dio!
Di ritorno al villino, dopo la passeggiata che li aveva
portati al fiume, alla diga, al porticciolo delle barche, il dottore la lasciò sola in camera a spogliarsi e andò a prendere
nel frigo la bottiglia di champagne che aveva messo in gelo.
Quando Teresa sentí lo scoppio del tappo e lo vide balzare
in aria rise e applaudí divertendosi come una bambina. Emiliano Guedes versò il vino nello stesso calice per tutti e due,
insieme bevvero e Teresa scoperse il sapore dello champagne
che per lei era una novità. Come pensare a un altro uomo,
ricco o povero che fosse, giovane o maturo, bello o brutto,
quando possedeva l'amante piú perfetto e anche il piú ardente e il piú saggio? L'amante che ogni giorno andava insegnandole qualcosa, il valore della lealtà, il fascino dello
champagne, una misura piú lunga e piú profonda del piacere.
– Finché lei mi vorrà, io non sarò mai di un altro.
Neppure tra i fumi dello champagne essa si rivolge a lui
col tu, solo al momento finale, mentre si disfa tutta in miele
osa pronunciare timidamente: ah, amor mio.

15.

Tutta vestita di nero, simile alla caricatura di una strega o
alla prostituta di un bordello a buon mercato in una sera di
festa, Nina si fa avanti sulla porta della camera in punta di
piedi: per non disturbare o fors'anche per giungere all'improvviso e sorprendere un gesto, un'espressione, un qualsiasi se pur leggero indizio di gioia sul viso di Teresa, perché
quella sgualdrina non potrà mica nascondere indefinitamen-
te la sua soddisfazione, tra poco arrafferà il malloppo e potrà godersi la vita, quindi per falsa e ipocrita che essa sia,
dovrà pur tradirsi. Falsa com'è, non è riuscita però a farsi
spuntare una lacrima negli occhi asciutti, eppure è una cosa

facile, alla portata di tutti. Sulla porta la Nina si scioglie in pianto.

La coppia era in casa da quasi due anni. Se fosse dipeso dal dottore sarebbero stati licenziati da molto tempo, non tanto a causa di Lula, che era un povero diavolo, ma per la Nina che a Emiliano non piaceva:

– Quella ragazza non vale un soldo, Teresa.

– È ignorante, poveraccia, ma non è cattiva.

Il dottore alzava le spalle senza insistere perché sapeva qual era il vero motivo della sopportazione di Teresa nei confronti della pigrizia e delle continue bugie di quella creatura: i bambini, Lazinho di nove anni e Pequinha di sette, che Teresa curava con premura materna. Teresa serviva anche da maestra gratuita e entusiasta ai monelli della loro strada e aveva creato una piccola scuola piena di giochi e di risate per riempire con lo studio, le lezioni e la compagnia infantile il tempo interminabile in cui il dottore era assente. Lazinho e Pequinha poi, oltre l'ora della lezione pomeridiana con relativi giochi e abbondante merenda, passavano buona parte del giorno attaccati alle sottane della loro improvvisata maestra a un punto tale da provocare l'irritazione della Nina che nel castigare aveva la mano pesante e facile. Quando c'era il dottore i piccoli venivano soltanto a chiederle la benedizione e, se non erano a scuola, rimanevano confinati nel frutteto o andavano a giocare per la strada con i compagni. Perché il tempo era sempre corto per la gioia e l'animazione che derivavano dalla presenza del dottore; in quei giorni di festa non c'era posto per i bambini e quando era in compagnia di Emiliano, Teresa non aveva bisogno di nient'altro. Invece durante la sua assenza i monelli della strada e soprattutto i due di casa erano per lei dei compagni indispensabili per alleggerire il pesante fardello del tempo libero della mantenuta e impedirle di pensare a un futuro piú distante, se mai un giorno quell'assenza diventasse definitiva, se mai l'industriale si fosse stancato di lei. Alla morte non pensava perché il dottore non le sembrava soggetto alla morte, una evenienza possibile per gli altri, non per lui.

Era a causa dei bambini che Teresa sopportava la trascuratezza e l'incresciosa sensazione di ostilità a volte addirittura evidente della domestica; e il dottore, non senza un certo senso di colpa – figli no, Teresa, figli da abbandonare, mai! – chiudeva un occhio sui modi della Nina: invidiosa, gattamorta, sfacciata al punto da farsi avanti a sfiorare il padrone coi suoi seni flaccidi per poco che si presentasse l'occasione. Al mattino all'uscir di camera Emiliano Guedes scorgeva Teresa in giardino accoccolata tra le aiuole a giocare con i due bambini, un vero quadro, una fotografia da premiare in un concorso per dilettanti. Ah, perché tutto nella vita dev'essere incompleto? Un'ombra passa sul volto del dottore. Nel vederlo i bambini andavano a chiedergli la benedizione e poi si mettevano a correre verso l'orto, ché avevano ordini perentori.

Sulla porta della camera la Nina sta facendo dei calcoli complicati: quanto sarà toccato all'amante nel testamento del vecchio milionario? Completamente scettica per quel che riguarda affetto e devozione, la Nina non crede all'amore di Teresa per il dottore e pensa che la sua fedeltà, la tenerezza, le premure altro non siano state che ipocrisia, una commedia che aveva come obiettivo mettere le mani sull'eredità. Adesso che è ricca e indipendente, quella furbacchiona potrà fare quello che le pare. Chissà, forse è capace persino di mantenere l'interesse sinora dimostrato per i due bambini, cosí avanzerebbe qualcosa per loro dal malloppo sbafato ai Guedes, tutto è possibile.

Per non sapere né legge né fede la Nina atteggia la voce a simpatia e compassione:

— Povera *siá* Teresa, le voleva tanto bene...

— Nina, per favore, lasciami sola.

Visto? Quella sgualdrina comincia già a mostrare le unghie e a arrotare i denti.

16.

Un giorno Alfredão era venuto a salutarla:

— Vado via, *siá* Teresa, al mio posto verrà Misaél, è un buon ragazzo.

Teresa era stata informata dal dottore della richiesta fatta da Alfredão: era stato chiamato lí per un mese in un momento difficile e adesso già da sei mesi si trovava lontano dalla famiglia e dalla fabbrica dove aveva sempre lavorato con funzioni imprecisate a disposizione di Emiliano per fare un po' di tutto ed era anche un buon tiratore. Non fosse stato per i nipotini, si sarebbe fermato a Estância, un paese pieno di brava gente che gli era piaciuto, e ancora di piú gli era piaciuta Teresa:

– È una ragazza onesta, signor dottore, come ce ne sono poche. Giovane com'è, ha giudizio come una persona adulta, esce di casa soltanto se necessario e per la strada non dà corda a nessuno. Passa il tempo aspettando, nell'ansia di vederla arrivare, domandandomi ogni momento: credi che arrivi oggi, Alfredão? Per quella ragazza lí io metto la mano sul fuoco, perché la protezione sua, signor dottore, quella lí se la merita. Quella ragazza, oltre che a lei, non pensa ad altro che a istruirsi.

Alfredão aveva pure fornito al dottore, cosa essenziale per un giudizio definitivo su Teresa, tutti i dati, pesi e misure e i fatti accaduti durante le sue continue assenze: dalle proposte della maestra di taglio ai tentativi di quell'intrigante di comare Calú, senza dimenticare la fuga ancor oggi commentata del commesso viaggiatore Avio Auler, una specie di Dan da Sindacato dei Rappresentanti, un seduttore di second'ordine tutto lustro di brillantina e di lozioni a buon mercato. Costui, trasferito dalla parte meridionale dello Stato di Bahia agli Stati di Sergipe e di Alagoas, era entusiasta dell'abbondanza di belle ragazze che c'era a Estância, tutte verginelle, però, per sua sfortuna. Cosí si era messo alla ricerca di un piatto piú completo e succulento, cioè di una donna desiderabile a letto, senza rischi di fidanzamento o matrimonio, che avesse tempo a disposizione e il cuore impaziente, insomma l'inattiva mantenuta di un riccone. Aveva sentito parlare di Teresa e l'aveva anche vista mentre usciva da un negozio, una vera bellezza. E allora le si era messo alle calcagna raccontandole insulsaggini, dato che poteva contare su un assortimento inesauribile di galanterie una meglio dell'altra. Teresa aveva affrettato il passo e il damerino aveva fatto lo stesso; poi, superandola, era andato a fermarsi davanti alla ragazza cercando di tagliarle la strada. Teresa sapeva come sarebbe stato sgradevole per il dottore qualsiasi scandalo che avesse richiamato l'attenzione su di lei e perciò aveva tentato di allontanarsi, ma il «cometa» aperse le braccia e non voleva lasciarla passare:

– Non la lascio passare se non mi dice come si chiama e quando potremo parlarci...

Teresa fece uno sforzo per conservare la calma e tentò di

raggiungere il centro della strada. Il giovanotto pero allungò una mano per trattenerla, ma non arrivò neppure a sfiorarle un braccio perché, sbucando da chissà dove, a questo punto comparve Alfredão, che diede un tale spintone a quel ficca-naso che un secondo non fu necessario: il ganimede cadde a terra a faccia in giú e si alzò subito per correre direttamente al suo albergo, dove si nascose fino all'ora della corriera per Aracajú. Evidentemente ad Avio Auler mancava quell'espe-rienza che per la conquista delle mantenute è imprescindibi-le. Chi ha intenzione di corteggiare una donna mantenuta, prima di tutto deve informarsi sul suo carattere e sui punti di vista del protettore. Sebbene la maggioranza delle concu-bine si dedichi volentieri ai piaceri e ai rischi della cornifica-zione, e sebbene molti dei loro signori amanti siano placidi e compiacenti, esiste anche una piccola minoranza di etere se-rie, fedeli agli impegni assunti, nonché alcuni amanti che hanno la fronte sensibile, ossia allergica alle corna. In questo caso tutti e due facevano parte di questa aggressiva minoran-za, per disgrazia di Avio Auler, commesso viaggiatore alle dipendenze della fabbrica Stella, di scarpe.

Attraverso Alfredão il dottore venne a conoscenza dei pomeriggi che Teresa passava sui libri di lettura e i quaderni di calligrafia. Prima di essere venduta al capitano, aveva frequentato la scuola e per due anni e mezzo la maestra Mer-cedes Lima le aveva insegnato quello che sapeva, che non era molto. Teresa voleva leggere i libri che vedeva sparpaglia-ti per casa e si era messa a studiare.

Allora Emiliano Guedes assunse con entusiasmo il compi-to di seguire e orientare i progressi della ragazza aiutandola a dominare regole e analisi. Molte e svariate cose insegnò il dottore alla sua giovane protetta, in giardino, nel frutteto, in casa e fuori, a tavola, a letto, giorno per giorno, ma nessu-na fu utile a Teresa a quel tempo quanto quel corso di lezio-ni sistematiche. Prima di partire il dottore le lasciava i com-piti e gli esercizi che doveva fare e le materie che doveva studiare. E cosí libri e quaderni riempirono gli ozi di Teresa, impedendole di annoiarsi e di sentirsi insicura.

Fu allora che il dottore prese l'abitudine di leggere per lei ad alta voce e incominciò dai racconti per bambini: Te-resa viaggiò con Gulliver, si commosse sulla sorte del solda-tino di piombo, rise a non finire su Pedro Malazarte. Rideva anche il dottore del suo riso aperto e sereno: ridere gli piaceva. Invece non amava commuoversi, ma con lei si commosse interrompendo il duro controllo impostosi per anni.

Gli ozi di Teresa non erano poi tanto oziosi. Sebbene il dottore le avesse proibito i servizi domestici, essa aveva continuato ad occuparsi della pulizia, dell'ordine e di molti altri particolari – Emiliano adorava i fiori e Teresa ogni mattina raccoglieva garofani, rose, dalie, crisantemi e teneva i vasi sempre ricolmi, ché non si poteva prevedere né il giorno né l'ora dell'arrivo del dottore. Si era interessata soprattutto alla cucina perché, dal momento che il dottore era tanto amico del mangiar bene e tanto esigente circa la qualità dei cibi, Teresa aveva voluto diventare competente in materia. Un uomo civilizzato ha bisogno di dormire e mangiare il meglio possibile, diceva il dottore, e Teresa, che a letto era già una meraviglia, si bruciò le dita sui fornelli, ma imparò a cucinare.

João Nascimento Filho aveva fatto venire per loro una celebre cuoca, la vecchia Eulina, una brontolona che si lamentava sempre di tutto, facile alle bizze, ma che artista!

– Un'artista, Emiliano, ecco cos'è quella vecchia. Uno spezzatino di capretto fatto da lei uno se lo ricorda per una settimana... – sosteneva il professor Nascimento: – Per la tavola di tutti i giorni poi nessuno le tiene testa. Una mano divina.

Divina nei piatti comuni e in quelli ricercati, piatti del Sergipe e di Bahia come pure nella zuppa di pesce al *sururú*[1] dell'Alagoas, ed era anche una perfetta pasticciera. Da lei Teresa imparò a controllare il sale, a misurare i condimenti, a riconoscere il punto esatto di cottura, le regole dello zucchero e dell'olio, il valore del cocco, del pepe, dello zenzero. Quando la vecchia Eulina aveva la testa troppo pesante e sentiva un'oppressione sul petto – porcheria di una vita! – piantava tutto e se ne andava senza dar soddisfazione a nessuno; allora Teresa prendeva il suo posto davanti al grande fornello a legna – chi vuol mangiare veramente bene sa che nessun piatto è comparabile a quelli cucinati su un fornello a legna.

– Questa vecchia Eulina cucina sempre meglio... – disse una volta il dottore servendosi di nuovo di *escaldado*[2] di

---

[1] Mollusco.
[2] Farina di manioca cotta in brodo di carne o di pesce.

gallina: – Il brodo di gallina, proprio perché è un piatto semplice, è uno dei piú difficili... Perché ridi, Teresa? Dimmelo, avanti.

Nella preparazione della gallina e dell'*escaldado* la vecchia non aveva messo le mani, anzi era sparita, facendo un capriccio che non finiva piú. Le composte, quelle sí, di *cajú*, di *jaca*, di *araçá* erano di Eulina, una delizia. Ma, Teresa, come hai fatto a diventare una cuoca, e quando e perché? Qui in casa vostra, mio signore, per compiacervi di piú. Teresa in cucina, a letto e sui libri.

Il ritorno di Alfredão in fabbrica aveva segnato un po' la fine di una tappa nella vita di Teresa con Emiliano, la tappa piú difficile da superare. Alfredão era calmo e silenzioso e mentre lui fungeva da giardiniere, da *jagunço*, da spia e da amico fedele, sotto le sue mani il frutteto e il giardino avevano prosperato ed erano fioriti, e sotto la sua protezione si erano sviluppate la fiducia, la tenerezza e l'affetto dei due amanti. Teresa si era abituata ai silenzi di Alfredão, al suo brutto muso, alla sua lealtà.

All'infingarda domestica dei primi giorni era succeduta Alzira, gentile e rumorosa, che poi era stata portata via da un antico pretendente emigrato a Ilhéus in cerca di lavoro ed era ritornato per sposarla. La grassa e mangiona Tuca aveva occupato il suo posto. Poi Misaél aveva sostituito Alfredão nel frutteto e nel giardino, nonché per fare le commissioni e vegliare sulla casa, non piú però per vegliare su Teresa – perché non era piú necessario, il dottore sapeva ormai con chi aveva a che fare. Cosí trascorsero i giorni, le settimane e i mesi e Teresa a poco a poco cancellò dalla memoria il ricordo del passato.

Quando il dottore era presente non c'era tempo di far tutto: aperitivi, pranzi e cene, gli amici, i libri, le passeggiate, i bagni di fiume, la tavola, il letto – il letto, l'amaca, la stuoia distesa in giardino, il divano del salotto dove lui esaminava documenti e redigeva ordini, il canapè nella stanza dove lei cuce e studia, la vasca da bagno dove si immergono insieme, una trovata veramente pazzesca da parte del dottore. In qualunque sito è sempre piacevole.

17

Verso le due del mattino ritorna il dottor Amarilio a portare l'attestato di morte e le notizie dei parenti del dottore. Per localizzarli al ballo del Club Nautico aveva svegliato mezza Aracajú con una serie di telefonate, finché finalmente era riuscito a parlare con Cristóvão, il piú giovane dei fratelli, che aveva la voce impastata dell'ubriaco: una faticata che era durata piú di due ore. Fortunatamente questa volta la telefonista Bia Turca non era andata in escandescenze a causa dell'ora tarda, curiosa com'era di conoscere tutti i particolari della morte del riccone. La verità era che il medico, per guadagnarsi le sue buone grazie le aveva lasciato capire che il dottore si era disincarnato (Bia Turca praticava lo spiritismo) in circostanze molto speciali. Non era stato necessario fornire particolari, Bia Turca, forse a causa della sua professione o anche dei fluidi, possedeva antenne poderose.

– Bia si è appesa al telefono ed è riuscita a pescare Aracajú, è stata di grande aiuto. Quando abbiamo scoperto dove si trovava la famiglia è arrivata al punto di gridare: viva! In principio non si sentiva niente a causa della musica da ballo, ma per fortuna il telefono del Club si trova nel bar e là c'era Cristóvão che beveva whisky. Quando gli ho comunicato la notizia credo che abbia perduto la voce perché ha piantato lí il microfono e mi ha lasciato a gridare finché non è venuto un altro tipo che è andato a chiamare il genero. E questo mi ha detto che sarebbero venuti qui immediatamente...

Insieme al medico è giunto João Nascimento Filho, triste, commosso, spaventato:
– Ah! Teresa, che disgrazia! Emiliano era piú giovane di me, piú giovane di tre anni, non aveva ancora compiuto i sessantacinque. Mai mi sarei immaginato che se ne andasse prima di me. Era cosí robusto, non ricordo di averlo mai sentito lamentarsi di qualche malattia.

Teresa li lascia in camera e va a ordinare un caffè. Ieratica, lacrimosa, Nina sembra un'inconsolabile nipote o cugina, insomma una parente in lutto. Lula dorme seduto davanti alla tavola del tinello con la testa sulle braccia. Teresa va a farsi il caffè da sola.

Sul suo letto coperto da lenzuola pulite, vestito come se

stesse per presiedere una riunione dei direttori del Banco Interestadual da Bahia e Sergipe giace il dottore Emiliano Guedes, i chiari occhi ben aperti, ancora curioso della vita e delle persone, deciso a tutto vedere e osservare all'inizio della lunga veglia del suo corpo in casa dell'amante dove era morto dibattendosi nel piacere. João Nascimento Filho si rivolge al medico con gli occhi umidi:

– Non sembra neppur morto, il mio povero Emiliano, ha gli occhi aperti per meglio comandar su tutti, come ha sempre comandato fin da quando eravamo studenti. In mano ha una rosa, manca solo il suo frustino. Duro e generoso, Emiliano Guedes, il migliore amico, il peggior nemico, il signore di Cajazeiras...

– L'hanno ucciso i dispiaceri... – il medico ripete la sua diagnosi, – con me non si è mai aperto, ma le notizie circolano e si finisce per sapere anche senza chiedere. A lei che era un grande amico non ha mai detto nulla, João? Neppure l'altro ieri? A proposito del figlio, a proposito del genero?

– Emiliano non era uomo da raccontare i fatti suoi neppure agli amici piú intimi. Dalla sua bocca non ho mai sentito altro che elogi sulla sua famiglia, tutti buoni, tutti perfetti, la famiglia imperiale. Era troppo orgoglioso per raccontare agli altri, chiunque fosse, qualcosa che potesse screditare la sua gente. So che aveva un debole per la figlia; quando era ragazzina, ogni volta che veniva qui non faceva che parlarne tutto il tempo, di come era bella, intelligente e le cose che faceva. Ma dopo che si è sposata, non ne ha parlato piú...

– E di cosa parlare? Forse delle corna che mette al marito? Aparecida assomiglia a suo padre, ha il sangue caldo, è sensuale, ardente, dicono che sta devastando le famiglie di Aracajú. Lei da una parte e il marito dall'altra, perché lui non è da meno, e ciascuno se la spassa a modo suo...

– Sono i tempi moderni e questi matrimoni pazzeschi... – conclude João Nascimento Filho: – povero Emiliano, e lui che andava matto per la famiglia, per i figli, per i fratelli, per i nipoti, e aiutava fin l'ultimo dei parenti. Eccolo lí, sembra vivo, gli manca solo il frustino in mano...

Teresa ritorna con il vassoio e le tazze da caffè:

– Il frustino, e perché, signor João?

– Perché Emiliano si serviva allo stesso tempo della rosa e del frustino, un frustino d'argento.

– Non con me, signor João, non qui –. Era quasi la verità.

– In certe cose, Teresa, tu sei identica a lui e guardandoti mi par di vedere Emiliano. È stata la convivenza forse a farvi rassomigliare: oppure la lealtà, l'orgoglio, non saprei dire...

Rimase in silenzio un istante e subito continuò:

– Ho voluto vederlo adesso e accomiatarmi da lui mentre è ancora in tua compagnia, non voglio esser presente quando arriverà la sua famiglia. È per te, Teresa, che è venuto a stare a Estância insieme a noi, ci ha dato un poco del suo tempo cosí pieno di occupazioni, ci ha trasmesso il suo amore per la vita. Quando siete arrivati io mi ero già abbandonato alla vecchiaia, aspettavo la morte e lui mi ha fatto rivivere di nuovo. Voglio accomiatarmi da lui accanto a te, gli altri non li conosco e non li voglio conoscere.

Tace di nuovo, e il morto a occhi aperti. Poi il professor João continua:

– Io non ho mai avuto fratelli, Teresa, ma Emiliano è stato piú che un fratello per me. Se non ho perso tutto quello che mi aveva lasciato mio padre è stato perché se ne è occupato lui. Eppure non ha mai aperto bocca con me per farmi una confidenza. Ancora poco fa stavo dicendo a Amarilio: l'orgoglio e la generosità, il frustino e la rosa. Sono venuto per vedere Emiliano e per vedere te, Teresa. Posso esserti utile in qualche modo?

– La ringrazio tanto, signor João. Non mi dimenticherò mai di lei né del dottor Amarilio, in questo periodo in cui ho vissuto qui ho avuto persino degli amici, persino questo lui mi ha dato,

– Rimarrai a Estância, Teresa?

– Senza il dottore, signor João? Non potrei.

In silenzio finiscono il loro caffè. João Nascimento Filho sta pensando al futuro che attende Teresa, povera Teresa, dicono che prima di venire a stare con Emiliano ne ha viste di tutti i colori, una vita da cani. Il medico, inquieto, è in attesa del prete per ricevere i parenti che a quest'ora devono trovarsi sulla strada di Estância correndo all'impazzata: la figlia, il genero, il fratello, la cognata e tutti gli altri.

Il dottor Amarilio è preoccupato per l'incontro tra la famiglia e l'amante, sono problemi delicati, che il bravo medico è incapace di risolvere. Conosce quasi solo di vista alcuni dei parenti del dottor Emiliano, ma c'è padre Vinicius che li conosce bene, essendo stato varie volte in fabbrica a celebrar la messa... Dov'è il prete e perché tarda tanto?

João Nascimento Filho indugia fissando l'amico, è commosso e non nasconde le lacrime e la paura della morte:

— Non avrei mai creduto che se ne andasse prima di me, tra non molto sarà il mio turno... Teresa, figlia mia, me ne vado prima che arrivi quella gente. Se un giorno avrai bisogno di me... Abbraccia Teresa e con le labbra le sfiora leggermente la fronte, è molto piú vecchio adesso di quando è venuto a vedere l'amico morto e ad accomiatarsi da lui. A presto, Emiliano.

18.

Non l'hai sentito mai, Teresa, il colpo del suo frustino, l'estrema durezza, l'inflessibilità? Non hai mai toccato l'altro lato, la lama d'acciaio?

Prima di questa notte in cui stiamo vegliando il corpo dell'eminente cittadino dottor Emiliano Guedes in una casa in cui non dovrebbe essere, non ti sei mai sentita, Teresa, penetrare dalla morte, non l'hai mai provata dentro di te come una presenza fisica, reale, come un lacerante artiglio di fuoco e di ghiaccio nel tuo ventre lacerato, questo non è forse avvenuto, Teresa?

Sí che è avvenuto, professor João; ed è stata la mano della morte quella che mi ha fatto superare il traguardo della comprensione e dell'affetto. Non soltanto sul calendario della rosa è vissuta Teresa Batista con il dottore, ma un'occasione almeno c'è stata di tristezza e di lutto, di funerale, in cui la morte fu commessa dentro di lei, accadde nelle sue viscere, un'amara giornata. Si era sentita morire anche lei, ma era risorta all'amore attraverso le cure del suo amante: affetto, premure, attenzioni erano stati la miracolosa medicina. La morte e la vita, lo scudiscio e la rosa.

Il professor João non aveva saputo questa storia dalla bocca leale e riconoscente di Teresa: tra le dita del morto essa ha deposto soltanto la rosa come ultimo saluto. Ma volere o no, la memoria ricorda e chiama accanto al cadavere del dottore quello di colui che non ha avuto sepoltura, perché non è arrivato neppure ad esistere, e la cui vita si è estinta prima della nascita, suo figlio, un sogno annullato nel sangue. Adesso sono due i cadaveri sul letto, due assenze, due morti e entrambe sono avvenute dentro di lei. Contando Teresa i morti sono tre, oggi essa è morta per la seconda volta.

19.

Quando per due mesi consecutivi non vennero le sue regole, siccome Teresa aveva mestruazioni molto puntuali, ventotto giorni esatti tra un periodo e l'altro, e siccome si erano verificati anche altri sintomi, essa sentí un colpo al cuore: era incinta! La sua prima reazione fu la felicità: ah, non era sterile dunque e avrebbe avuto un figlio, un figlio suo e del dottore, che immensa gioia!

In campagna dal capitano dona Brigida non le permetteva di occuparsi della sua nipotina, né di averne cura e tanto meno di giocare con la bambina, perché in Teresa vedeva una nemica, un'intrigante che cercava di impossessarsi con l'astuzia dei diritti ereditari della figlia di Doris, alla quale toccavano tutti quanti i beni di Justiniano Duarte da Rosa il giorno in cui sarebbe disceso dal Cielo l'angelo della vendetta con la sua spada di fuoco. Un pomeriggio di domenica Teresa era uscita dal bordello di Gabí a Cuia Dagua, Marcos Lemos l'aveva invitata a andare al cinema con lui nel centro di Cajazeiras do Norte. Nell'attraversare la Piazza della Cattedrale aveva visto dona Brigida con la bambina sulla porta della sua casa, quella casa che era stata comprata dal dottor Ubaldo, quindi ipotecata, quasi perduta, e finalmente ricuperata; nonna e nipotina tutte allegre e ben vestite non assomigliavano piú in nulla alla vecchia matta che dava i numeri e alla bambina stracciona di un tempo – è proprio vero che per certi mali non c'è medicina migliore del denaro. Ma là in campagna dona Brigida aveva proibito a Teresa di toccare la bambina e anche la sua bambola, che era un regalo della madrina dona Beatríz, la madre di Daniél.

Curioso: durante la breve relazione con Dan, quando si era risvegliata al piacere, innamorandosi fino alla cecità, non le era venuto in mente di poter concepire un figlio da quel ragazzo e quando era successo il peggio, al suo tormento si era aggiunto anche il timore di essere incinta a causa di Dan, un vero incubo. Ma aveva preso tante di quelle botte che le regole le erano venute in anticipo, anche le battute a volte servono a qualche cosa. Nel mondo crudele in cui viveva, simile a uno stretto vicolo senza via d'uscita, Teresa aveva riflettuto a lungo sull'argomento e aveva concluso che per lei era impossibile aver figli; si era creduta sterile, incapace di procreare e attribuiva questo fatto al modo violento con cui era stata deflorata.

Non era rimasta incinta con Dan tra i piaceri amorosi. Era stata col capitano per due anni senza che venisse nessun figlio, e per di piú senza il minimo riguardo, perché il capitano di riguardi non ne aveva tanto non riconosceva le paternità. Quando una delle ragazzine ingravidava, lui la mandava via immediatamente. Che abortisse, che partorisse, che facesse quello che le pareva, al capitano non importava niente. E se una temeraria veniva poi da lui col figlio in braccio a chiedere un aiuto, dava ordine a Terto-Cane di scacciare quella contafrottole, e chi le aveva detto di farlo? Figli ne aveva voluto solo con Doris, cioè un figlio legittimo.

Sono sterile, secca, aveva detto Teresa al dottore quando, appena arrivati a Estância egli le aveva raccomandato certe precauzioni e i metodi anticoncezionali.

– Non ci son mai rimasta.

– Meno male. Non voglio figli in giro –. Parla con voce educata ma cruda, inflessibile: sono sempre stato contrario, è una questione di principio. Nessuno ha il diritto di mettere al mondo una creatura che nasce già bollata, in condizioni di inferiorità. E poi chi si assume la responsabilità di una famiglia non deve aver figli fuori di casa. I figli si fanno con la moglie, per questo uno si sposa. E la moglie è fatta per ingravidare, partorire e allevare i figli; mentre l'amante è destinata ai piaceri della vita; se deve occuparsi di un bambino diventa uguale all'altra, che differenza c'è? Figli in giro non ne voglio, è cosí che la penso. Io voglio la mia Teresa per il mio riposo, per rendermi la vita piacevole durante i pochi giorni di cui dispongo per me e non per far figli e altre seccature. Siamo d'accordo, Favo-di-Miele?

Teresa fissò gli occhi chiari del dottore, simili a una azzurra lama d'acciaio:

– Tanto non posso averne...

– Meglio cosí –. Un'ombra apparve sul volto del dottore: – I miei due fratelli, tanto Milton che Cristóvão, hanno fatto figli in giro e quelli di Milton circolano attorno come Dio vuole e mi dànno sempre dei fastidi; Cristóvão, poi, ha due famiglie e una frotta di figli naturali, il che è peggio ancora. La moglie è una cosa, e l'amante è un'altra ben diversa. Io ti voglio soltanto per me, non voglio dividerti con nessuno e tanto meno con un bambino –. Improvvisamente cessò di parlare e a un tratto la sua voce divenne di nuovo dolce mentre i suoi occhi chiari anziché simili a una lama d'acciaio erano di nuovo un'acqua limpida e lo sguardo nuovamente affettuoso e un po' triste: – Ma oltre a tutto questo c'è anche la mia età, Teresa. Non ho piú l'età per avere un figlio piccolo, non avrei tempo di farne un uomo o una donna onesta, come ho fatto, come ancora sto facendo con gli altri. Voglio serbare per te tutto il tempo che mi resta... – E cosí dicendo la prese tra le braccia per fare all'amore, a questo serve un'amante, Favo-di-Miele.

Visto che Teresa era sterile non c'era motivo di preoccuparsi. Se fosse stata prolifica avrebbe desiderato un figlio dal dottore per sentirsi la donna piú felice del mondo e siccome lui non glielo permetteva avrebbe sofferto troppo. L'industriale era stato franco e deciso, forse persino un po' duro, lui che era sempre tanto delicato e premuroso. Ma dal momento che era sterile non c'erano problemi.

Invece sterile non era, ah, ecco che un figlio del dottore sta crescendo nelle sue viscere, alleluia! Ma, passata la prima incontrollabile esplosione di gioia, Teresa aveva incominciato a riflettere, cosa che aveva imparato a fare in prigione: il dottore aveva ragione. Mettere al mondo un figlio naturale significa condannare un innocente a soffrire. Ne aveva visto molti esempi quand'era a pensione da Gabí: il figlio di Catarina che era morto a sei mesi in conseguenza dei maltrattamenti della donna che essa pagava per averne cura; la figlia di Viví che era diventata debole di petto e sputava sangue; la donna che doveva occuparsene, quella vecchia strega, spendeva in *cachaça* tutto il denaro che le dava Viví per il mantenimento. Le madri nella «zona», e i loro figli in abbandono nelle mani di estranei. In quella vita orribile che conduce una prostituta la cosa peggiore era il tormento per i figli.

Dato che il dottore era assente da tre settimane, trattenuto a Bahia da affari importanti che riguardavano la Casa Madre della Banca, Teresa si recò da sola nello studio del dottor Amarilio: esame ginecologico, domande, la diagnosi era

facile: gravidanza; e adesso, Teresa? Rimase a lungo in attesa di una risposta, gli occhi neri di Teresa erano indecisi,
assorti: ah, un figlio suo e del dottore, che crescesse bello e
arrogante con occhi celesti e maniere raffinate, e al quale
non mancasse mai niente al mondo, un vero signore come
suo padre! O forse invece una prostituta come sua madre
che vive giorno per giorno passando di mano in mano?

– Voglio toglierlo, dottore.

Il medico aveva le proprie convinzioni e poderose riserve
morali:

– Io non approvo l'aborto, Teresa, ne ho già fatti alcuni,
ma in casi molto speciali, casi di assoluta necessità, quando
si trattava di salvare la vita di donne che non erano in condizioni di concepire. L'aborto fa sempre male alla donna, sia
dal punto di vista fisico che da quello spirituale, e poi nessuno ha il diritto di disporre di una vita...

Teresa fissò il medico, queste cose sono facili da dire, ma
dure da ascoltare:

– Ma quando non c'è rimedio... Non posso avere un bambino, il dottore non vuole, – e abbassando la voce per mentire, – e neppur'io...

Menzogna per modo di dire, perché lo voleva e allo stesso
tempo non lo voleva. Lo voleva fino alle piú intime fibre,
non era sterile, che emozione! Ah, un figlio suo e del dottore! Ma quando pensava al domani non lo voleva piú. Quanto tempo durerà la passioncella del dottor Emiliano, il capriccio di un ricco? Può finire da un momento all'altro, è già
durato fin troppo, un'amante serve per godersi la vita, per
far l'amore. Quando il dottore deciderà di cambiare donna,
quando cioè si sarà stancato di Teresa, a lei resterà soltanto
il casino di Gabí, l'unica porta aperta sarà quella del postribolo e suo figlio dovrà venir su nella «zona» e crescerà
abbandonato e povero. Dovrà consegnarlo a una donna qualunque, ancora piú povera delle puttane e sarà condannato a
vivere privo d'affetto, senza padre e incontrando sua madre
solo di tanto in tanto. No, non val la pena, nessuno ha il
diritto, dottor Amarilio, di condannare un innocente, un figlio, è meglio disporre della sua vita e della sua morte finché
c'è tempo.

– Un figlio senza padre non lo voglio. Se lei non me lo
vuol togliere, troverò qualcuno che lo faccia, a Estância non
è difficile. Tuca, la mia cameriera, se ne è già fatti togliere

non so quanti, quasi uno al mese, basta che parli con lei, conosce tutte quelle che fabbricano gli angeli.

Un figlio senza padre, povera Teresa. Il medico si preoccupa della propria responsabilità:

– Non precipitiamo le cose, Teresa, non c'è ragione di aver tanta fretta. Il dottore è partito da parecchio tempo, non è vero? Quindi sarà di ritorno abbastanza presto. Aspettiamo a decidere che arrivi lui. E se lui non volesse farti abortire?

Lei era d'accordo, in fondo non desiderava altro che conservare qualche speranza: ah, un figlio, un bambino suo e per di piú figlio del dottore! Emiliano arrivò pochi giorni dopo all'ora di pranzo, ma aveva tanta nostalgia di Teresa che prima di andare a tavola volle portarsi l'amante in camera dove incominciarono a divertirsi ridendo e scherzando – se ho fame è di te, fame e sete, Teresa mia. Non l'aveva mai vista cosí nervosa, una gaiezza intensa con una sfumatura di preoccupazione. Passato l'impeto iniziale, abbandonati sul letto, una mano di lui posata sul ventre di Teresa, il dottore volle informarsi:

– La mia Teresa ha qualcosa da dirmi, vero?

– Sí, non so come sia successo, ma sono gravida... Sono felice, avevo creduto che non sarei mai rimasta incinta. È bello.

Un'ombra offuscò il viso del dottore, la sua mano si fece pesante sul ventre di Teresa e i suoi occhi chiari furono di nuovo una fredda lama azzurra, d'acciaio. Un silenzio di pochi secondi che durò un mondo di tempo, il cuore di Teresa si era arrestato.

– Lo devi togliere, cara –. L'aveva trattata col tu [1] cosa eccezionale e aveva cercato di essere ancora piú tenero, la sua voce era un sussurro nel timore di addolorarla, eppure era inflessibile: – Non voglio figli in giro, ti ho già spiegato perché, ricordi? Non è per questo che ti ho voluto accanto a me.

Teresa sapeva fin troppo bene che la decisione non poteva essere che quella ma non per questo fu meno crudele sentirglielo dire. Una luce si spense dentro di lei, ma dominò il suo affanno:

---

[1] In Brasile soltanto eccezionalmente ci si serve del pronome *tu*. L'uso corrente della terza persona anche nei rapporti familiari distingue, però, due gradi di intimità: accompagnandola col pronome (voi, lei, suo, ecc...) o invece con la forma indiretta (signore, del signore, ecc.).

– Me ne ricordo e trovo che lei ha ragione. Ho già detto al dottor Amarilio che lo voglio togliere in ogni caso, ma mi ha chiesto di aspettare il suo arrivo per decidere. Quanto a me ho già deciso che lo toglierò.

Era tanto ferma e intransigente la sua voce, anzi quasi ostile, che il dottore non fu capace di non manifestare un certo disappunto:

– Hai deciso cosí perché non vuoi un figlio da me?

Sorpresa Teresa lo guardò, perché le faceva una domanda simile, se egli stesso, quando si erano stabiliti a Estância le aveva detto che non voleva figli in giro, che di figli solo la moglie ne può avere, mentre il letto dell'amante è fatto per il piacere, insomma che l'amante è un passatempo. Non vede forse lo sforzo che essa sta facendo per riuscire a comunicargli la sua decisione con voce ferma senza che le tremino le labbra? E lui che ha sempre letto dentro Teresa non vede dunque quanto essa desidera quel figlio, quanto le costa il coraggio?

– Non mi faccia questa domanda, sa bene che non è vero, lo toglierò perché non voglio avere un figlio che debba sopportare tutto quel che ho sopportato io. Se non fosse cosí non lo toglierei, preferirei averlo anche contro la sua volontà.

Teresa sposta dal suo ventre la mano pesante del dottore, si alza dal letto e va nella stanza da bagno. Allora Emiliano si drizza in piedi, rapido la raggiunge e la riporta indietro; e stanno cosí nudi entrambi e seri, faccia a faccia. Il dottore si siede sulla poltrona che gli serve per la lettura, con Teresa sulle ginocchia:

– Perdonami, Teresa, ma non si può fare altrimenti. So quanto è doloroso per te, ma non posso farci niente, ho i miei principî e ti ho avvisata prima. Non ti ho voluto ingannare. Dispiace anche a me, ma è impossibile.

– Lo sapevo. È stato il dottor Amarilio a dire che forse lei l'avrebbe voluto, e io, da sciocca...

Come un cane battuto dal padrone, con quel filo di voce che si spegne nell'amarezza, Teresa Batista sulle ginocchia del dottore, l'amante non ha diritto ai figli. Il dottore si rende conto della misura della sua immensa tristezza, della sua desolazione:

– So bene quello che provi, Teresa, ma purtroppo non si può fare in altro modo, di figli in giro non ne voglio e non ne avrò. Non gli darei il mio nome, tu ti domandi senza dubbio se io desideri o no un figlio mio e tuo. Ebbene no, Teresa, non lo desidero. Voglio soltanto te, te sola e nessun altro. Non mi piace mentire neanche per consolare chi soffre.

Fece una pausa come se quello che stava per dire gli costasse un grande sforzo:

– Sta' a sentire, Teresa, e decidi tu stessa. Io ti voglio tanto bene che sono disposto a lasciarti il bambino se proprio lo vuoi e anche a mantenerlo finché sarò vivo – però non lo riconosco, non gli do il mio nome e con questo la nostra vita in comune è finita. Perché io voglio te, Teresa, sola, senza figli, senza nessuno. Ma non ti voglio contrariata, triste, ferita, quello che fin'ora è stato cosí bello diventerebbe brutto. Devi scegliere, Teresa, tra me e il bambino. Non ti mancherà niente, questo te lo garantisco, ma non avrai piú me.

Teresa non vacillò. Mise le braccia al collo del dottore e gli offrí le labbra per un bacio: a lui doveva qualcosa di piú che la vita, gli doveva il piacere di vivere.

– Per me lei viene prima di tutto.

Il dottor Amarilio quella sera venne in casa e parlò a quattr'occhi con Emiliano in salotto. Quindi andarono a raggiungere Teresa in giardino e il medico fissò l'intervento per l'indomani mattina lí in casa: e le sue riserve morali, cosí poderose, e il suo punto di vista categorico, dottor Amarilio, dove sono andati a finire? Spariti, Teresa, un medico di campagna non può avere un punto di vista, un'opinione sua. Un medico di campagna non è niente di piú che un guaritore agli ordini dei padroni della vita e della morte.

– Dormi tranquilla, Teresa, si tratta semplicemente di un raschiamento, una cosa da niente.

Una cosa da niente, ma molto triste, dottore, oggi un ventre fecondo sarà domani pascolo della morte. Il dottor Amarilio le capisce sempre meno, le donne. Non era forse venuta Teresa Batista nel suo studio a chiedergli l'aborto, dicendo persino che se non avesse voluto farlo lui sarebbe andata alla ricerca di una levatrice qualunque cioè di una di quelle numerose addette al rifornimento di angeli alla corte celeste, e allora perché quello sguardo afflitto, quel viso addolorato? Perché? Perché lui era stato l'ultima speranza di Teresa nella sua lotta per il figlio; chissà se le riserve del medico, il suo punto di vista categorico, nessuno può disporre di una vita, decidere sull'altrui morte, sarebbero riuscite a indebolire i principî del dottor Emiliano. Teresa era tanto disorientata che sembrava aver dimenticato l'intransigenza dell'industriale, le sue immutabili norme di comportamento. Figli in giro, no, scegli tra il bambino e me. Addio, figlio che non conoscerò, bambino tanto desiderato, addio.

La cosa da niente si svolse senza incidenti e Teresa rimase a letto soltanto per seguire i consigli del medico e gli ordini di Emiliano. Che non la lasciò sola neanche per un istante, e le portava tè, caffè, bibite, frutta, cioccolato, dolciumi, e leggeva per lei, e le insegnava dei trucchi con le carte da gioco riuscendo persino a farla sorridere, nel corso di quella melanconica giornata.

Malgrado ripetuti e urgenti appelli da Aracajú e da Bahia che lo chiamavano per affari importanti, il dottore si trattenne presso la sua amante per una settimana intera. Giorni di tenerezza, di carezze e di moine, giorni di una tale devozione, che Teresa arrivò al punto di sentirsi liberata da ogni tormento, ricompensata del suo sacrifizio, felice di vivere e in lei non rimase né il segno né la cicatrice.

Cosí era il dottore, lo scudiscio e la rosa.

20.

Sulla porta del giardino padre Vinicius incontra João Nascimento Filho; si scambiano una stretta di mano e frasi fatte: «Che roba, il nostro amico stava cosí bene ancora l'altro ieri», «cosí è la vita, nessuno può sapere ciò che l'aspetta domani», «solo Dio che sa tutto!» Il professor João scompare nella via ancora scura. Il prete entra in giardino accompagnato dal sagrestano, un vecchietto magro e torvo che porta gli oggetti del culto. Il medico si fa incontro al reverendo:

– Eccola finalmente, reverendo, mi stavo già preoccupando. – Svegliare Clerencio non è cosa da poco e poi ho dovuto anche passare in chiesa.

Clerencio sparisce nell'interno della casa, è in rapporto d'amicizia con la Nina da molti anni. Dal frutteto giungono rumori notturni, grilli, rospi che gracidano, lo squittire di una civetta. Impallidiscono le stelle, è notte avanzata e i primi segni dell'alba non tarderanno molto. Padre Vinicius si trattiene in giardino a parlare col medico chiedendo chiarimenti su quella notizia che gli era giunta nel sonno quando il dottor Amarilio l'aveva avvisato di quanto era accaduto e che adesso voleva gli fosse precisato:

– Sopra di lei?

– Proprio cosí...

– In peccato mortale, Signore Iddio!

– Se c'è un peccato in questa faccenda, padre, tutti ne siamo complici, dal momento che abbiamo partecipato alla vita di questa coppia, li abbiamo frequentati...

– Non dico di no, caro dottore, ma che cosa si può fare? Soltanto Dio Onnipossente ha il diritto di giudicare e di perdonare.

– Reverendo, io penso che se il dottore andrà all'Inferno, sarà per altri peccati, non per questo...

Insieme entrano nella stanza da pranzo, dove il sagrestano si sta godendo i pettegolezzi della Nina. In camera Teresa siede assorta su di una seggiola accanto al letto. Al sentire dei passi gira la testa. Padre Vinicius dice:

– Condoglianze, Teresa, chi lo poteva immaginare? La nostra vita è nelle mani di Dio. Che Egli abbia pietà del dottore e di tutti noi.

– Ah! tutto meno la pietà, reverendo; se sentisse il dottore, si offenderebbe, aveva orrore della pietà.

Padre Vinicius si sente triste davvero. Aveva molta simpatia per il dottore, uomo potente ma colto e amabile; e poi con la sua morte avevano termine le uniche serate civilizzate della borgata, le allegre chiacchierate, le animate discussioni, i vini di qualità, importati, la buona compagnia. Forse avrebbe continuato a recarsi allo zuccherificio a dir messa il giorno della festa di Sant'Anna battezzando bambini e sposando le coppie, ma senza il dottore non ci sarebbe stata la stessa animazione. E anche Teresa gli è simpatica, una ragazza discreta e intelligente che avrebbe meritato una sorte migliore, in che mani andrà a finire adesso? Non mancheranno crocidanti avvoltoi a presentare la propria candidatura al posto vuoto nel suo letto. Alcuni magari pieni di soldi e di boria, ma nessuno in grado di sostenere il confronto con il dottore. Se resterà da queste parti finirà per passare da uno all'altro degradandosi nelle mani di mezza dozzina di pezzi grossi ricchi di denaro e basta. Ma forse se si recasse nel Sud dove nessuno la conosce, bella e simpatica com'è, potrebbe persino sposarsi. E perché no? Il destino di ciascuno di noi è nelle mani dell'Onnipossente. Quello del dottore era stato di morire lí sulla sua amante in peccato mortale; pietà, Signore, per lui e per lei.

Gli occhi penetranti del dottore, aperti, sembrano osservare padre Vinicius con il suo timor di Dio e i suoi dubbi tormentosi – non sembrano gli occhi di un morto. Il peccato piú grande del dottore non era stato quello, aveva ragione il medico: era un miscredente, empio e, se necessario, spietato, chiuso nel suo orgoglio. Il prete l'aveva visto in seno alla famiglia e allora ne aveva indovinato la solitudine e lo sconforto e si era reso conto del preciso significato che aveva per lui Teresa – che non era soltanto quello di amante bella e giovane di un signore anziano e ricco; ma era l'amica, il balsamo, la gioia. Questo mondo di Dio, questo mondo sbagliato del Demonio, chi lo può capire?

– Vedrai che in questi frangenti Dio ti aiuterà, Teresa.

Gli occhi afflitti del prete si staccano da quelli arguti del dottore e percorrono la camera. Sparsi sui tavoli libri e molteplici oggetti, un pugnale d'argento; alla parete un quadro con donne nude tra le onde del mare. Uno specchio enorme, impudico, riflette il letto. Tra le mani del morto soltanto una rosa. Una camera sprovvista degli attributi della fede, desolata come il cuore di Emiliano Guedes, proprio come piaceva a lui, privo persino di ornamenti funebri; cosí Teresa l'aveva voluto conservare. Ma la famiglia arriverà da un momento all'altro, Teresa, è gente religiosa, che dà molta importanza alle formalità del culto e alle apparenze. Dobbiamo permettere che i parenti trovino il cadavere del capo-famiglia senza un unico segno della sua condizione di cristiano? Anche se era miscredente, era un cristiano, Teresa, e faceva dir messa in fabbrica, assistendovi a fianco della moglie, dei fratelli, delle cognate, dei figli e dei nipoti, dei dipendenti dello zuccherificio e dei campi e di quelli che venivano da fuori. Stava in piedi davanti a tutti dando il buon esempio.

– Teresa, non ti pare che sarebbe meglio accendere almeno due ceri ai piedi del nostro caro?

– Come vuole lei, reverendo. Li faccia mettere lei stesso.

Ah, Teresa, dalla tua bocca i ceri non verranno richiesti, dalle tue mani non saranno collocati né accesi! Tu e il tuo dottore, due pozzi di orgoglio. Pietà, Signore!, implora il prete, poi alza la voce:

– Clerencio! Clerencio, vieni qui! Porta dei candelieri e dei ceri.

– Quanti?

Il prete guarda Teresa che di nuovo è assorta, distante, indifferente al numero di ceri e vede, ascolta e sente soltanto il dottore e la morte.

– Portane quattro...

Nell'ombra notturna il sagrestano si muove e gracidano i rospi.

21.

Non rimase né il segno né la cicatrice e, salvo il dottore, nessuno notò mai nell'atteggiamento di Teresa la pur minima ombra di amarezza, come se avesse cancellato dalla memoria il ricordo di quanto era successo. E con Emiliano non ritornarono mai sull'argomento. Però di tanto in tanto gli occhi di Teresa si perdevano nel vuoto ed essa pareva soprapensiero; al dottore allora non sfuggiva quell'ombra fuggevole dissimulata con un sorriso. Ah! Come pesava l'assenza di chi non era neppur giunto a farsi presenza visibile, presenza indovinata appena nel violato ventre di dove i ferri del medico l'avevano strappata per volere dell'industriale.

Mai prima d'allora Emiliano Guedes aveva avuto coscienza di aver commesso una brutta azione. In moltissime occasioni nei rapporti quotidiani che aveva come padrone di terre, direttore di fabbrica, banchiere e impresario, tra ordini e contese, aveva commesso ingiustizie, prepotenze, abusi, azioni discutibili e anche condannabili. Ma per nessuna di esse aveva provato rimorso, di nessuna si era mai ricordato per rimpiangere di averla fatta o ordinata. Tutte necessarie e giustificate. Anche per l'aborto aveva agito in difesa degli interessi della famiglia Guedes e della propria comodità personale; sacrosante ragioni davanti alle quali non c'è posto per gli scrupoli. Perché diavolo allora il feto informe gli tormenta la memoria con quella sensazione spiacevole e persistente?

Teresa a letto, come prosciugata, e il dottore che moltiplica le sue attenzioni fino a farla sorridere malgrado lo sconforto. Durante quella giornata vuota e torbida insieme, avvenne un mutamento sottile nei rapporti tra i due amanti, impercettibile tanto per gli estranei che per gli intimi. Teresa per il dottor Emiliano cessò di essere un giocattolo, un caro trattenimento, una fonte di piacere, il passatempo di un ricco vecchietto con la mania dei libri e dei vini o del raffinato gran signore disposto a trasformare un'ignorante ragazzina di campagna in una perfetta signora con una vernice di buone maniere, di delicatezza, di buon gusto, di eleganza: guidandola, anche a letto, dall'esplosione violenta dell'istinto alla sapienza delle carezze prolungate, al piacere raffinato che sa sfruttare l'istante sino in fondo, fino alla scoperta e alla conquista delle illimitate gradazioni della voluttà; facendo di Teresa al contempo una femmina eccezionale e una signora di qualità. Un passatempo appassionante, ma pur sempre un passatempo, un capriccio.

Fino a quel giorno di cenere Teresa si era considerata essenzialmente in debito verso il dottore e la gratitudine occupava un posto preponderante tra i sentimenti che la legavano all'industriale. Egli l'aveva fatta liberare dal carcere, era andato poi personalmente a prenderla in una miserabile stanza di un postribolo per farne la sua amante; l'aveva trattata come se lei fosse qualcuno, una persona, con bontà e interesse. Le aveva dato calore umano, tenerezza, tempo e attenzione, sollevandola dall'ignominia e dalla indifferenza verso il proprio destino, insegnandole ad amare la vita. Teresa aveva visto nel dottore un santo, un dio, qualcosa di molto al di sopra di tutti gli altri e questo la rendeva umile davanti a lui. Non era la sua pari, né lei né nessun altro lo era; soltanto a letto, nell'ora dell'abbandono essa lo considerava un uomo di carne ed ossa, ma pur sempre superiore agli altri nel dare e nel ricevere. Né alla stregua dei sensi, né a quella dei sentimenti esisteva per lei chi gli si potesse comparare.

Ma quando aveva scelto tra il dottore e la vita che le inturgidiva il ventre, Teresa, senz'accorgersene, aveva riscattato il suo debito. Nel crudo e freddo istante in cui aveva dovuto rinunciare al figlio e aveva disposto della vita e della morte di un altro essere essa non poteva esitare e non aveva esitato. In un attimo aveva dovuto mettere sulla bilancia i massimi valori umani e aveva collocato il suo amore di donna al di sopra dell'amore di madre; non c'è dubbio che la gratitudine aveva svolto un ruolo molto importante in quella scelta. Senza rendersene conto esattamente aveva cosí pagato il suo debito e acquistato presso l'amante un credito illimitato. Essi vennero cosí a trovarsi molto piú vicini e d'allora in poi tutto divenne piú facile tra loro.

Il dottore sapeva che l'interesse materiale non aveva avuto peso in quella decisione, perché egli aveva garantito a Teresa che avrebbe mantenuto e protetto sia lei che il bambino svincolandola allo stesso tempo da qualsiasi dovere e da qualsiasi obbligo. Finché vivrò io, tu e il bambino avrete a disposizione tutto quello che vorrete, solo che lui non avrà il mio nome, solo che tu non avrai me. Il denaro non significa molto per lei, tanto che Emiliano doveva badare personalmente che nulla mancasse alla sua amante, perché essa non chiede, non esige, non approfitta. Durante quei sei anni che durò la loro relazione Teresa non fu mai mossa da un meschino interesse, e se quando se ne andò le rimase in tasca un po' di denaro, fu proprio per caso. Poco prima di morire il dottore le aveva consegnato, come sempre in abbondanza, il necessario per le spese sue e della casa. Veramente di spese personali non ne aveva, perché in pratica il dottore le portava di tutto, vestiti alla moda, scarpe, pomate, profumi, gioielli, scatole di cioccolatini da dividere con i monelli di strada. Non che Teresa fosse stolta, indifferente a ciò che è buono e gradevole. Al contrario, siccome era intelligente, un vero argento vivo, apprezzava entusiasticamente le cose belle e aveva imparato a distinguerle e a valutarle; solo che non diventò schiava di queste comodità e neppure divenne indolente o interessata. Certi regali, come ad esempio il carillon (con una piccola ballerina che danzava al suono di un valzer) la incantavano. Dava valore a ogni oggetto, a ogni regalo, a ogni premura, ma avrebbe potuto anche farne senza. Se al momento della decisione aveva scelto l'amante, era stato perché lo collocava al di sopra di tutti i beni della vita, persino di un figlio: per me lei viene prima di tutto.

Il giorno dopo quello dell'aborto il medico disse che Teresa era guarita e le permise di lasciare il letto e di camminare per il giardino, pur consigliandole ancora il riposo sia per il corpo che per lo spirito.

– Non si metta subito a lavorare, comare, non abusi delle sue forze e stia di buon umore –. La chiamava comare per sottolineare la stima che le voleva dimostrare: – Voglio vederla sana e di buon umore.

– Stia tranquillo, dottore, non sento piú niente, mi ha preso forse per una piagnona? È passato tutto, può crederlo.

Commosso dal coraggio di Teresa e desiderando procurarle una rapida e completa convalescenza, il dottor Amarilio, quando salutava al cancello del giardino, diede un consiglio a Emiliano:

– Quando va a Bahia, dottore, compri una di quelle bambole grandi che parlano e camminano e la porti in dono a Teresa, sarà un compenso per lei.

– Pensa davvero, Amarilio, che una bambola possa compensare la perdita di un figlio? Io non credo. Voglio portarle una quantità di cose, tutte le cose belle che troverò, ma una bambola no. Teresa, caro mio, non è soltanto giovane e bella, è sensibile e intelligente. E per quanto per l'età sia ancora una bambina, i suoi sentimenti sono quelli di una donna matura, provvista di esperienza e di carattere, e proprio in questa occasione ne ha dato la prova. No, amico mio, se io portassi una bambola a Teresa non le farebbe davvero piacere. Se una bambola potesse sostituire un figlio, a questo mondo sarebbe tutto facile.

– Forse ha ragione lei. Domani torno a vederla. Arrivederla, dottore.

Dal cancello del giardino Emiliano vede il medico svoltare la cantonata con la sua borsa in mano. Quello che essa ha perso, Amarilio, quello che io le ho tolto con la forza, servendomi di un trucco, cioè collocandola tra l'incudine e il martello non può essere compensato che con carezze, affetto, tenerezza e solidarietà. Soltanto l'amore può pagarlo.

Affetto, carezze, tenerezza, amicizia, regali e denaro sono certamente moneta corrente nei rapporti con le amanti. Ma da quando l'amore, Emiliano?

22.

Il sagrestano accende i ceri, due alti candelieri ai piedi del letto e due al capezzale. Entra masticando una preghiera e si fa il segno della croce, mentre con occhi cupidi osserva Teresa immaginandosela nel momento della morte del dottore, mentre veniva inondata di sperma e di sangue. Avrà goduto anche lei? È difficile, queste tipe che si mettono con uomini vecchi, a letto fanno soltanto la commedia per ingannare i gonzi e il loro ardore lo conservano per gli altri, i bei ragazzoni di cui sono invaghite.

La Nina non è certo un tipo da assolvere nessuno, anzi, eppure sostiene che quella tipa si è mantenuta onesta, che non si sapeva di nessuna avventura, né riceveva estranei di nascosto. Probabilmente è stato per paura della vendetta, quei Guedes appartengono a una razza di tiranni. Oppure per non arrischiare le sue comodità e il suo lusso e intanto farsi un bel gruzzolo. Onesta, può essere, ma non è certo. Quelle furbacchione sono capaci di ingannare Dio e il Diavolo, figurarsi un vecchio rimbambito, innamorato e una serva analfabeta.

Gli occhi del sagrestano passano da Teresa a padre Vinicius. Chissà, forse col prete? È vero che lui, Clerencio, che è un sagrestano solerte e sospettoso, non ha mai pescato il sacerdote in situazione ambigua o in procinto di commettere uno sbaglio e di mancare di rispetto alla sua veste. Ben altro era stato il discorso per il defunto padre Freitas: aveva in casa la figlioccia che era un pezzo di donna; e fuori, chi piú ne ha piú ne metta. Erano stati bei tempi per il sagrestano che, al corrente delle faccende di quelle sfacciate, poteva spettegolare a suo piacere. Padre Vinicius invece è giovane, sportivo, niente peli sulla lingua e poca pazienza con le beghine, non ha mai dato luogo a chiacchiere malgrado la vigilanza delle comari sempre in piede di guerra e a caccia di indizi. Tanta virtú e tanta superbia non avevano però impedito al prete di frequentare la casa di questa tipa, cioè il covile della mantenuta, la casa del peccato, e andava lí a rimpinzarsi di cibo e di vino, insomma a riempirsi la pancia. Soltanto la pancia? Forse. In questo vigliacco d'un mondo si può trovar di tutto, persino un prete pulzello. Comunque Clerencio non si stupirà di certo se finirà per scoprire che il prete e quella tipa davano da mangiare al cardellino e alla rondinella. Preti e prostitute son buoni per l'inferno e lo sa bene Clerencio, sagrestano e puttaniere.

Teresa se ne sta assorta seduta su una seggiola e Clerencio le lancia un'ultima occhiata: che pezzo di donna, ah! che delizia sarebbe se potesse farsela fuori lui. Non questa sera, però, questa sera essa è pregna della morte. Il sagrestano rabbrividisce: una sozza tipa. Si segna e il prete pure, poi escono tutti e due; Clerencio va a continuare il suo discorso con la Nina e con Lula, il prete va ad aspettare la famiglia Guedes in giardino.

Viene l'aurora insieme a un piovasco. In camera è ancora notte: i quattro ceri, debole e vacillante fiamma, Teresa, e il dottore.

23.

Avevano incominciato a lasciarsi vedere insieme per la strada durante il giorno. Le prime uscite erano state al mattino per andare a fare il bagno nel fiume, una delle passioni del dottore. Fin da quando aveva installato la mantenuta a Estância l'industriale aveva preso l'abitudine di fare il bagno alla Cascata d'Oro nel Piauitinga. Partiva solo o in compagnia di João Nascimento Filho al mattino presto, e se ne andava al fiume:

– Questo bagno è tutta salute, professor João.

Quando aveva fatto ritorno dal primo viaggio dopo l'aborto, il dottore aveva portato una quantità di regalucci per Teresa e tra questi un costume da bagno:

– Cosí andiamo a fare il bagno nel fiume.

– Andiamo? Tutti e due insieme? – volle sapere Teresa preoccupata.

– Sí, Favo-di-Miele, tutti e due insieme.

Teresa si metteva il costume sotto il vestito e il dottore un paio di calzoncini da bagno sotto i pantaloni e attraversavano Estância diretti al fiume. Sebbene fosse molto presto c'erano già le lavandaie a battere la loro roba sulle pietre masticando tabacco di quello in cordone. Teresa e il dottore si mettevano sotto la robusta doccia della Cascata d'Oro, che era un piccolo salto d'acqua. Il posto era meraviglioso: il fiume scorreva tra le pietre all'ombra di alberi immensi e piú avanti si apriva in una grande insenatura di acqua limpida; e lí essi si dirigevano dopo la doccia passando in mezzo ai panni che le lavandaie lasciavano nel fiume perché si risciacquassero.

Nel punto piú profondo l'acqua arrivava all'altezza delle spalle del dottore. E lui stendendo le braccia manteneva Teresa a galla e le insegnava a nuotare. I mulinelli, gli scherzi, le risate, i baci scambiati nell'acqua; il dottore si tuffava e la prendeva per la cintura, le metteva una mano in seno o dentro il costume mentre un insolente, strano pesce gli sfuggiva dai calzoncini da bagno. Preludi d'amore che durante il bagno nel fiume Piauitinga riaccendevano il desiderio. Di ritorno a casa, completavano quel gaio inizio della giornata in camera da bagno o nel letto. Mattinate di Estância, mai piú, ahimè!

In principio suscitavano la curiosità generale, le finestre erano affollate e le zitellone criticavano il nuovo atteggiamento del dottore che, da prudente e rispettoso che era, col tempo stava perdendo il rispetto e si trasformava in un vecchio gaudente disposto a soddisfare tutti i capricci della sua giovane prostituta. Quella sfacciata non desiderava altro che farsi vedere col suo ricco amante, e sfregarlo sotto il naso della popolazione senza nessun riguardo per le famiglie. Al fiume poi si comportavano ancora peggio, lui era praticamente nudo, mancava soltanto che facessero l'amore lí, sotto gli occhi delle lavandaie. Veramente sotto gli occhi delle lavandaie no, non si poteva vedere. Era successo piú di una volta, Teresa a cavalcioni del dottore, in tutta fretta e con la paura che venisse qualcuno, una confusione, una delizia. Stando cosí le cose, mai le beghine avrebbero potuto indovinare che a quell'iniziativa del dottore Teresa avesse opposto una certa resistenza.

– Insieme? Ma la gente farà delle chiacchiere e la criticherà.

– Lasciali parlare, Favo-di-Miele –. E prendendole le mani soggiunse: – È passato quel tempo...

Quale tempo? Quello iniziale della sfiducia e della vergogna? Quando ancora estranei si indovinavano ma non si conoscevano e si sentivano a proprio agio soltanto a letto, e anche lí solo fino a un certo punto: lei si abbandonava con fuoco, con fame di tenerezza, lui la educava a poco a poco con pazienza. Erano come in prova a quel tempo, Alfredão la seguiva per la strada, ascoltava e riferiva tutti i suoi discorsi, faceva la guardia alla sua porta per mettere in fuga i vagheggini e i pettegoli. E Teresa se ne stava nascosta nel giardino o nel frutteto, oppure in casa, impacciata dalle esigenze dovute alle responsabilità del dottore. Malgrado la delicatezza di lui e il conforto di cui godeva, malgrado le sue costanti attenzioni e l'affetto crescente, quell'inizio aveva muri e inferriate come una prigione. E questo non tanto a causa delle limitazioni imposte dalla prudenza di Teresa e dalla discrezione del dottore: quei muri erano dentro di loro. Teresa era confusa, imbarazzata e timorosa e il suo modo di comportarsi denunciava il peso dei ricordi di un passato recente. Il dottore vedeva che la ragazzina possedeva la materia prima necessaria, ossia bellezza, intelligenza, fermezza, quel fuoco nei suoi neri occhi, per farne un'amante ideale: era simile a un diamante grezzo ancora da lapidare, era una bambina che doveva essere trasformata in donna. Era disposto a spendere con lei tempo, denaro e pazienza, un compito appassionante, ma ancora non provava per Teresa niente di più di un gradevole interesse e il desiderio – un desiderio intenso, incontrollabile, smisurato, il desiderio di un vecchio per una ragazzina. Erano come in prova a quel tempo, il tempo della semina, con muri e inferriate, un periodo difficile.

Quale tempo? Quello in cui i semi germogliarono e sbocciò il riso? Quando alla voluttà si era aggiunta la tenerezza, quando le prove furono terminate e il dottore riconobbe in lei una donna onesta, degna non solo di interesse ma di fiducia e di stima, quando i dubbi di Teresa cessarono ed essa si abbandonò senza riserve, anima e corpo, e, vedendo nel dottore un dio, proprio per questo si collocò ai suoi piedi come sua amante ma non come sua pari. Il tempo della prudenza e della discrezione. Se uscivano assieme era soltanto di sera dopo cena, e percorrevano strade di scarso movimento; in casa ricevevano soltanto il dottor Amarilio e João Nascimento Filho oltre naturalmente a Lulú Santos che era stato il loro primo amico.

Sono passati quei tempi, sí, un altro tempo è cominciato il giorno delle ceneri, il giorno della morte; non però di solitudine. Quel giorno avrebbe potuto essere la fine di tutto; oppure l'amore latente doveva prorompere trionfante. Costruito con tutti i sentimenti anteriori amalgamati tra loro, trasformato in qualcosa di valido e unico, definitivo.

Il dottore cominciò a venire a Estância con frequenza duplicata e a prolungare la sua permanenza nel villino, tanto che alla fine era diventato la residenza dove si tratteneva più a lungo. Qui riceveva non solo gli amici, per cene, pranzi, serate, ma anche i notabili della cittadina: il giudice, il prefetto, il parroco, il commissario. Faceva venire a Estância anche degli agenti del Banco Interestadual o dell'Eximportex SA per discutere di affari e risolvere certe questioni.

Teresa non era piú un'ingenua ragazzina del *sertão* venuta dalla galera e dal postribolo con il corpo e il cuore bollati a ferro e fuoco. Quei segni erano spariti a poco a poco e tra le mani del dottore essa era cresciuta bella, elegante, graziosa, una donna al colmo della giovinezza. Da solitaria che era, si era fatta allegra e comunicativa; da chiusa che era, gaia e espansiva.

Tempo d'amore, in cui diventarono indispensabili l'uno all'altro. Amore di un dio, di un cavaliere errante, di un essere sovrumano, di un signore e di una contadinella, di una monella di campagna elevata da lui alla condizione di amante e divenuta perciò una ragazza fornita di una vernice di finezza e di educazione; un amore profondo, però, e tenero, dominato dal desiderio.

Per Emiliano il distacco era ogni volta piú difficile; per Teresa sempre piú lunghi a passare i giorni dell'attesa. Qualche mese prima della morte del dottore uno dei capintesta della Banca aveva riassunto cosí la situazione agli altri colleghi della direzione, che erano tutti amici di fiducia:

– Da come stanno andando le cose si può credere che fra poco la sede principale della Banca verrà trasferita da Bahia a Estância.

24.

Finché il dottore era in vita col suo scudiscio in mano, chi mai si sarebbe azzardato, tenente? Non vedo nessuno capace di tanto tra le mie relazioni e anche al di fuori, nel mondo dei poeti e dei cantori, dove la concorrenza cresce a vista d'occhio, tanto che attualmente qui la tribú dei chitarristi è la piú numerosa del Nordeste. Con tutti i cantastorie che ci sono, guadagnarsi la vita sta diventando difficile, capitano. Vostra Eccellenza non è capitano? Mi perdoni l'equivoco, signor maggiore. Né capitano né maggiore, non è un militare ma un semplice borghese? Piacere di saperlo, ma non lo dica in giro: se le attribuiscono divisa e dragone, lei si metta sull'attenti e approfitti dei vantaggi.

Finché il dottore era in vita dove trovare l'ispirazione e la rima? Per quanta audacia un cantastorie possa avere nel-

l'aggiungere fronzoli agli avvenimenti, nessuno è disposto a farsi schiaffeggiare o a inghiottire carta stampata, anche se i versi sono conditi con sale e pepe. La chitarra è un'arma festiva e non è stata fatta per affrontare frusta, pugnale e pistoleiros. Finché l'argento di quello scudiscio lanciava scintille per le strade del sertão *e qui per le avenidas di Bahia, che è la capitale precipua di tutti i Brasili, nessuno era cosí pazzo da andare in giro a chiacchierare sul dottore e la sua amante, non vedo proprio chi avrebbe avuto tanto coraggio. Finché lui era in vita, avrei voluto vedere io uno che fosse tanto smargiasso da far rimare morte con fottere.*

Ma quando avvenne il fatto, la notizia corse di bocca in bocca e tutti i cantastorie si buttarono sulla chitarra, perché era molto tempo che non veniva fuori un argomento cosí adatto per una glosa[1] maligna. Da Bahia al Ceará, che è in capo al mondo, tutti ripetevano lo stesso ritornello:

> Il vecchio caprone è morto
> addosso alla prostituta
> in piena puttaneria.

Pensi un po', signor deputato, se il dottore sentisse tutte queste offese, vecchio caprone, prostituta e puttaneria! Come fu che quella storia si venne a sapere, come si ebbe notizia di tutto, punto per punto, in tutti i particolari? Da chi lo si seppe? Forse dai domestici, dal medico, dal prete, dal sagrestano? Da tutti e da nessuno, queste cose si indovinano, non serve a niente portare via il corpo per fare la veglia funebre in un altro posto a casa della famiglia, insomma fabbricare una morte decente e cercare di pigliare in giro tutti; il cantastorie non ha bisogno di molti particolari. Una volta saputo l'essenziale, la base, il resto si inventa come comanda la rima.

Molte storie furono scritte, non soltanto le tre che conosce lei, senatore. Nel Paraíba ne uscí una intitolata IL RICCONE CHE MORÍ SCOPANDO UNA DONZELLA, *e dal titolo Vostra Signoria vede subito che l'autore ha sentito cantare il gallo ma dove non lo sa. In questo* folheto[2] *non si fa riferimento direttamente al nome del dottore, che viene chiamato sempre riccone, milionario, Tizio, Caio, Sempronio; ma come avrà fatto allora il cantastorie di Campina Grande a sapere il nome completo di Teresa? Mai visto un* folheto *piú sozzo di*

---

[1] È una specie di ballata.
[2] Opuscolo.

quello – e guardi che anche io ne ho scritti di piuttosto spinti –, era tutto composto di rime in ica, oni, azzo, otte e lei capisce subito, illustre assessore, quali possono essere state le parole di cui si è servito. Ah, lei non si occupa di politica? Non è né assessore né deputato? Non è né senatore né candidato? Peccato: gli uomini politici mollano sempre qualche soldo: del resto vorrei ben vedere, mica spendono di tasca loro, ma soltanto il denaro del popolo brasiliano.

Se non c'è riuscito Toninho, quello della libreria, nessun altro ce la farà a farle avere, e il prezzo non conta, un esemplare della STORIA DEL VECCHIO CHE MORÍ FACENDO ALL'AMORE CON LA MULATTA, composto ad Aracajú dal cieco Heliodoro, il quale contiene poche parolacce ma fa una descrizione così particolareggiata della notte d'amore prima della morte, che se uno ha una donna vicino la chiama subito e si rifà con lei dei soldi spesi per il folheto. La descrizione della morte, poi, è tanto bella e commovente che finisce per far venir voglia di morire a quel modo. Il ché vuol dire che Heliodoro pur essendo cieco non ci vede poi tanto male. Sembra di aver visto l'accaduto mentre accadeva.

Ma può darsi che Toninho riesca a trovargliene qualcuno di quelli pubblicati qui a Bahia: IL VECCHIO CHE TIRÒ LE CUOIA NELL'ATTO DI FARE ALL'AMORE, scritto da un novellino in un modo un po' diverso dal solito, versi tronchi, rime avare, una cosa insulsa, e LA MORTE DEL PADRONE ADDOSSO ALLA SERVA di mastro Possidonio di Alagoinhas, un cantastorie di valore che però in questo libretto fu infelice. Tutto sbagliato, del dottore fa un padrone cattivo, di lei una serva immonda e poi ci mette dentro anche la moglie che arriva al momento buono per uccidere dalla paura il povero vecchio, non sembra proprio un lavoro uscito dalla zucca di mastro Possidonio. Per colmo di assurdità nell'illustrazione ha fatto il dottore col pizzo e ha trasformato i neri capelli di Teresa in una massa di capelli crespi. La famiglia di lui spese un sacco di soldi per comprare tutta l'edizione di quei folhetos, ma i due furbacchioni ne nascosero un certo numero di copie per vendersele poi pian piano. Non vale la pena di leggerli: non fanno alzare il bischero, e non fanno neanche ridere.

Con me è andata peggio, perché ho tirato fuori nome e cognome e non mi sono limitato soltanto all'episodio della morte del dottore, ma ho raccontato tutte le magagne della famiglia, corna, ammanchi, assegni a vuoto, contrabbando, i fratelli, i figli, il genero e così di seguito, una vera antologia, mi creda. Sono andato a finire in gattabuia e per venir fuori sono stato obbligato a cedere l'intera edizione per quattro soldi. L'avvocato dei parenti volle addirittura venire a casa mia accompagnato dal commissario di polizia, e lì raccolse e distrusse i pochi esemplari che avevo nascosto sotto il materasso e che volevo conservare per servire amici come Vossignoria. Mi minacciarono persino di farmi metter dentro un'altra volta e addirittura di darmi una battuta se ne avessero visto in vendita qualcuno; guardi un po' che rischi corre un povero cantastorie.

Stando così le cose se Vostra Eccellenza desidera davvero leggere L'ULTIMA CHIAVATA DEL DOTTORE CHE MORÍ SUL PIÚ BELLO, deve pagare il prezzo dei versi e il prezzo del pericolo. Dica addio a un biglietto da cinquecento e io gliene trovo un esemplare, l'ultimo rimasto e lo faccio per simpatia per lei, non per il denaro. Nel mio folheto ho raccontato tutto per filo e per segno senza perder tempo in stupidaggini. Non ho voluto consegnare l'anima del dottore a Satana e non ho detto che Teresa è impazzita e si è buttata nel fiume come tanti hanno inventato e scritto. Ho raccontato la verità e niente più: per il dottore morire in quel momento e a quel modo è stata una benedizione del Cielo; il peso della morte è ricaduto tutto sulle spalle di Teresa, ed era un peso ben sgradevole!

Così ho scritto perché così penso e intendo, io, il famoso Cuíca di Santo Amaro, che fa mercato della sua ispirazione e delle sue rime, in frac e cappello duro, di fronte all'Ascensore Lacerda[1].

25.

– Acciderba! come rassomiglia al dottor Emiliano Guedes quel tipo là, neanche fosse il suo gemello... – si stupiva Valerio Gama commerciante di Itabuna, che era emigrato fin da ragazzo da Estância e che ritornava agiato e benestante, ormai sulla quarantina, a visitare dei parenti.

– Macché gemello, è proprio lui che se ne va a spasso con la sua eccellentissima amante, – spiegò sua cugina Dadá, che

[1] Ascensori pubblici tra il porto e la parte alta della città di Bahia.

era al corrente dei fatti del posto e la lingua l'aveva tagliente: – Sono parecchi anni che il dottore ha sistemato qui una mantenuta, un vero onore per la nostra città...

– Vuoi scherzare...

– Caro cugino, non hai mai sentito dire che le acque del Piauitinga sono miracolose per restaurare le forze? Un vecchio qui ridiventa uomo un'altra volta –. Parlava in tono canzonatorio ma senza cattiveria: nell'ospitale e complice città di Estância persino le vecchie beghine contemplano amori e amanti con animo condiscendente.

Il *grapiuna*[1] si allontanò a gran passi con l'intenzione di verificare l'informazione di quella pettegola. Era incredibile! Il dottore e Teresa risalivano la strada a passo lento godendosi la brezza vespertina. Quando se li trovò davanti, il commerciante rimase a bocca aperta: per Giove, sua cugina non si era inventata niente, non si trattava di un sosia ma proprio del dottor Emiliano Guedes in compagnia di una donna giovane e appetitosa *a la vontê* per le vie di Estância. Imbambolato, confuso, portò la mano al cappello per salutare il banchiere. E il dottore rispose al saluto:

– Buona sera, Valerio Gama, dunque siamo tornati a rivedere la terra natia? – Emiliano non dimenticava mai la fisionomia e il nome delle persone con le quali aveva avuto in qualche modo a che fare; Valerio era un cliente della Banca.

– Sí, signor dottore, servitor suo qui come là.

Era istupidito al punto da provocare un sorriso e un commento da parte di Teresa:

– Si direbbe che abbia visto un fantasma...

– Il fantasma sono io. Finora Valerio mi ha veduto solo in Banca, tutto incravattato a discutere di affari e ora ad un tratto a Estância si trova faccia a faccia con me, che me ne vado in giro per la strada in camicia sportiva, in compagnia di uno splendore di donna; è una sorpresa veramente troppo grande per un commerciante di Itabuna. Quando sarà di ritorno avrà qualcosa da raccontare.

– Forse sarebbe meglio che lei non si facesse vedere tanto con me...

– Non dire sciocchezze, Favo-di-Miele. Non ho nessuna voglia di rinunciare al piacere di andare a spasso con te a causa dei commenti di questo o di quello. Non mi interessano e

[1] Abitante di Bahia.

non mi toccano. Non è altro che invidia, Teresa, perché tu sei mia. Se io volessi far crepare d'invidia mezzo mondo, ti porterei con me a Bahia o a Rio, là sí che ce ne sarebbero di chiacchiere –. Rideva scuotendo la testa: – Ma io sono troppo egoista per andare in giro a esibire quello che mi sta a cuore veramente, sia che si tratti di persone che di oggetti. Li voglio tutti per me.

Diede la mano a Teresa per aiutarla a scendere dal marciapiede:

– In fondo commetto un'ingiustizia verso di te, tenendoti qui a Estância isolata tra le quattro mura del villino come una prigioniera, non è vero, Teresa?

– Io qui ho tutto quello che desidero e sono felice.

Portarla in giro per il mondo per metterla in mostra? Per carità, no, dottore! Al capitano piaceva fare invidia agli altri ostentando galli da combattimento, cavalli da sella, la sua pistola tedesca, la collana delle vergini. Aveva portato Teresa alla lotta dei galli solo per vedere negli occhi dei compagni il torvo scintillare della cupidigia. Ma il dottore rassomiglia per caso al capitano?

– Ti voglio soltanto per me.

Gli amici per la cena, il bagno nel Piauitinga, la passeggiata vespertina, la camminata serale, il ponte sul fiume Piauí, il porticciolo delle barche. A lei bastava, e del resto le sarebbe stato indifferente anche dover rimanere chiusa in casa. Sentirgli dire che la vuole tutta per sé la ripaga di qualsiasi privazione.

Piú di una volta avevano progettato delle gite in qualche posto vicino. Una corsa in motoscafo fino alla foce del fiume Real al confine tra lo Stato di Bahia e quello di Sergipe per vedere le onde del mare infrangersi sulla spiaggia del Mangue Seco e le immense dune di sabbia e per visitare l'abitato di Saco, un villaggio di pescatori. Ma dalla città non uscirono mai e Teresa a quell'epoca non conobbe il mare; però, sebbene avesse desiderato di fare quell'escursione, non reclamò la promessa e non si curò di dovervi rinunziare. Le bastava la presenza del dottore, stare a casa con lui, con lui chiacchierare, ridere e imparare, con lui uscire per la strada, con lui andare a letto, ah! con lui andare a letto!

Siccome il tempo che aveva a disposizione il dottore era poco, e poco il tempo dedicato a Teresa e rubato alla fabbrica, alla Banca, agli affari, alla famiglia, cercavano di spenderlo quasi tutto a quattr'occhi nel loro villino nascosto. Per il dottore era un riposo, una pausa; per Teresa era la vita.

La città si era abituata alla presenza costante ma transitoria del dottore – il costume da bagno per il tuffo nel fiume, il fiore in mano in compagnia dell'amante, fermi entrambi dinanzi a certe antiche costruzioni, oppure intenti a chiacchierare nel Parco Triste o affacciati al ponte, indifferenti alla maldicenza. Il dottore aveva perso del tutto la primitiva discrezione; un uomo ricco – tutti lo sanno – ha il diritto di mantenere un'amante con casa montata e conto aperto, anzi è una cosa quasi obbligatoria nelle sue condizioni; però, se è sposato, non sta bene che si lasci vedere in pubblico con l'amica offendendo i buoni costumi, la potenza bisogna possederla senza esporla.

Con il passar degli anni la maldicenza andò perdendo forza e volume e anche il sapore della novità, ed era stato necessario l'arrivo di un figliol prodigo perché venisse riesumato dal dimenticatoio un argomento di conversazione e di pettegolezzi ai suoi tempi appassionante ma ormai consunto: il dottor Emiliano Guedes e la sua bella e pubblica amante. L'abile Dadá loda patriotticamente le benemerenze di Estância, terra fiorita, cielo stellato, luna spampanata e folle, popolazione generosa e tollerante, insomma un rifugio ideale per gli amori clandestini:

– E non sono io a dirlo, cugino, è il maggiore Atilio: è arrivato qui stremato, sembrava un vecchio decrepito, le donne non le guardava piú da anni e si era dimenticato persino come son fatte. Ebbene, per merito dell'aria di Estância e dell'acqua del Piauitinga, in meno di un mese ha messo su casa a una ragazza e le ha fatto un figlio. Lo racconta lui a chi lo vuol sapere. Anche quella tizia del dottore si è già trovata una volta con la pancia piena, e il bambino lo ha tolto: è l'acqua di qui, cugino, che fa i miracoli!

– Ah, cugina mia, la ragazza del dottore non ha bisogno di miracoli. Basta uno sguardo per far risuscitare un morto.

26.

Gli occhi aperti del dottore sembrano animarsi alla luce avara del cero, colmi di malizia, come se egli stesse seguendo tutti i pensieri di Teresa. Non c'era bisogno dell'acqua miracolosa del Piauitinga e neanche di *pau-de-resposta, capim barba-de-bode* o *catuaba*, bastava uno sguardo, un sorriso, un gesto, un contatto, un ginocchio in mostra ed eccoli partiti in cerca di quel piacere al quale era dedicata la maggior parte del tempo del banchiere a Estância – breve tempo di svago.

Non guardarmi cosí, Emiliano, non voglio ricordare queste gioie nella notte della tua morte. E perché no, Teresa? dove sono morto io, se non tra le tue braccia, dentro di te annullandomi nell'amore? Non si vivono due amori distinti, uno riservato ai sensi e l'altro ai sentimenti e il nostro fu amore unico fatto di tenerezza e di voluttà. Se tu non vuoi ricordare, ricordo io, Emiliano Guedes, il raffinato maestro di piacere che per il piacere ha utilizzato persino la propria morte.

Gli stessi occhi maliziosi, lo stesso sguardo furbesco con il quale la fissava durante la cena davanti alla loro tavola piena di amici mostrandole la punta della lingua. Fin dalla prima notte sulla porta del bordello di Gabí, prima di farla salire in groppa al cavallo, aveva stabilito intensamente il suo potere su di lei cercando di aprirle le labbra con la punta della lingua: bastava che gliela facesse vedere da lontano perché Teresa se la sentisse penetrare sin nei punti piú reconditi e piú intimi del suo essere. Emiliano era preciso in tutte le sue cose e ogni passo avanti sulla strada del dirozzamento di Teresa si trasformava in una pietra miliare da superarsi in altra occasione.

Anche davanti a visitatori importanti – il prefetto, il giudice, il pubblico ministero – il dottore, con un gesto apparentemente innocente, solleticava con l'unghia la nuca di Teresa, ed essa doveva controllarsi per evitare un gemito; mani libertine, lascive unghie di gatto. Con un'occhiata obliqua le fissava la scollatura del vestito per vederle il seno. Una sera stavano chiacchierando in giardino, dove l'illuminazione era scarsa di proposito perché il dottore voleva che il cielo fosse tutto a disposizione della luna e delle stelle. Avevano già cenato e tra Lulú Santos e il medico era continuata una polemica basata su banali divergenze politiche. João Nascimento Filho aveva fatto l'elogio dello splendore di quella notte e padre Vinicius aveva lodato la generosità del Signore nel creare tanta bellezza per la felicità dell'uomo sulla terra. Teresa era seduta sotto l'anacardio ad ascoltare. Il dottore si avvicinò a lei e curvandosi la nascose alla vista degli altri. Poi, fingendo di darle da bere un sorso dal suo bicchierino di cognac, le aprí la scollatura del vestito per guardare il suo turgido seno color del bronzo, che era forse il piú bell'ornamento di Teresa. Il piú bello? Cosa dire allora del sedere? Il sedere, ah!

No, Emiliano, basta coi ricordi, volgi da me il tuo sguardo malizioso, ricordiamo altri momenti. Tutto tra noi fu idillio, ci sono molte altre cose a cui pensare. Favo-di-Miele, non dire sciocchezze, il nostro idillio è nato e si è concluso a letto. Ancora poco fa, mentre mi preparavi per l'inevitabile incontro con la solennità della morte di un maggiorente, di che cosa ti sei ricordata sentendo il profumo della mia acqua di colonia maschile? Ah, Emiliano, queste memorie, questi profumi e queste delizie sono terminati per me. No, Teresa, la gioia e il piacere sono l'eredità che io ti lascio, l'unica, non ho avuto tempo per altro.

Erano appena arrivati a Estância ed erano appena terminati i lavori di ripristino del villino coll'inaugurazione dei nuovi bagni quando il dottore iniziò Teresa al piacere del bagno di immersione con sali e unguenti. Al mattino un'energica doccia con l'acqua del fiume. Alla fine del pomeriggio o alla sera il languore dell'acqua tepida, dei profumi. Lei che aveva cominciato a usare essenze odorose soltanto nel bordello, lorigan-di-cotí forte e a buon mercato, aveva adesso la scelta tra una quantità di boccettine di profumo ma aveva notato che il dottore preferiva un'acqua di colonia probabilmente straniera. Se ne serviva quando si faceva la barba e quando usciva dal bagno invariabilmente, era un'asciutta fragranza silvestre.

Un giorno per fargli piacere, dopo il bagno serale Teresa prese quel flacone e si inzuppò con l'acqua di colonia dell'amante; cosí gli andò incontro ai piedi del letto. Emiliano si era alzato in piedi per accoglierla e al sentire il profumo che emanava da lei scoppiò in una delle sue risate larghe e contagiose:

– Che cosa hai fatto, Teresa? Questo profumo è da uomo.

– Ho visto che lei lo usava con tanto piacere e l'ho usato anch'io pensando...

Snella ragazzina dal corpo ancora informe ma dalle anche insolenti, il dottore la fece voltare indietro tenendola di spalle contro di sé. E dalla punta dei capelli fino alle dita dei piedi, dalla rosa della sua gemma alla violacciocca del suo scrigno il corpo intero di Teresa fu dominio del dottore, terreno per la sua semina.

Con il tempo Teresa imparò a conoscere i profumi e il modo di usarli. Al momento della barba lei stessa profumava con acqua di colonia il viso, i baffi, i peli bianchi dell'irsuto petto del dottore. Le piaceva aspirare quel profumo asciutto e silvestre da uomo. A volte era lui che, prendendo il flacone dalle mani dell'amica, gliene metteva una goccia sul collo e la faceva girare per sentire il palpitare dei suoi fianchi. Ogni gesto, ogni parola, ogni sguardo, ogni profumo, aveva un suo valore specifico.

Ah, Emiliano, basta coi ricordi adesso, lascia che la morte si assesti completamente nel mio ventre e poi io raccoglierò la tua eredità immensa fatta di gioia e di piacere.

27.

Capitava a volte che il dottore riferisse a Teresa un pettegolezzo che riguardava le loro persone; era un'occasione per divertirsi e riderci su.

La cerchia delle comari aveva trasformato uno specchio che si trovava nella stanza da letto, in un ambiente interamente ricoperto di specchi con funzioni erotiche. Lo specchio, è vero, rifletteva il letto, i loro corpi nudi e le carezze; e il dottore l'aveva scelto enorme di proposito e l'aveva situato al posto giusto. Ma si trattava di uno specchio solo, mentre quelle linguacciute l'avevano moltiplicato per dieci. Quanto alle lezioni che Teresa impartiva ai bambini della sua strada, queste dettero margine a una notizia sensazionale: sul punto di essere abbandonata dall'industriale, Teresa si stava preparando a guadagnarsi la vita facendo la maestra elementare. Poi contraddittoriamente, le beghine discutevano sui nomi dei ricconi candidati a sostituire il dottore tra le braccia dell'amante quando fosse arrivato finalmente il momento, cioè l'inevitabile sazietà.

Teresa scherzando gli lancia l'accusa di spionaggio e domanda a Emiliano come fa a ottenere tali informazioni, dal momento che è quasi sempre assente da Estância. Anche dopo il ritorno di Alfredão in fabbrica, il dottore continuava ad essere al corrente di tutte quelle ciarle.

– So tutto, Teresa, su tutti quelli che mi interessano. Non soltanto su di te, Favo-di-Miele. So tutto quanto si riferisce a ciascuno dei miei, quello che fanno e quello che pensano, anche quando non dico nulla e fingo di non sapere.

C'è dell'asprezza nella voce di Emiliano? Fingendo inquietudine e preoccupazione Teresa tenta di distrarlo dai suoi pensieri, dagli affari e dalle amarezze e cerca di farlo ridere:

– Il signor dottore mi procura tanti candidati che sembra persino che si voglia liberare di me...

– Favo-di-Miele, non dirlo neanche per scherzo, te lo proibisco, – la bacia sugli occhi: – Tu non ti rendi neppur conto di come mi mancheresti se un giorno dovessi andartene. A volte temo che tu ti stanchi di star qui sempre sola, una vita chiusa, limitata, triste.

Teresa abbandona il tono scherzoso e si fa seria:

– Non trovo che la mia vita sia triste.

– È vero, Teresa?

– Quando lei non c'è non mi manca il da fare: la casa, i ragazzini, le lezioni, provo nuove ricette in cucina per quando lei ritorna, ascolto la radio e imparo le canzoni, non mi resta neanche un minuto...

– Neanche per pensare a me?

– Al signor dottore io penso tutto il giorno. E se tarda ad arrivare allora sí che divento di cattivo umore. È l'unica cosa brutta della mia vita, ma so che non si può fare altrimenti.

– Ti piacerebbe che io rimanessi qui per sempre, Teresa?

– So che non è possibile, a cosa serve desiderarlo? Non ci penso, mi accontento di quello che ho.

– Non è poco quello che ti do, Teresa? Ti manca qualcosa? Perché non mi chiedi mai nulla?

– Perché chiedere non mi piace e perché non mi manca nulla. Quello che lei mi dà è troppo, non so neanche raccapezzarmi tra tanta roba. Non parlavo di questo, lo sa bene.

– Sí, lo so, Teresa. E tu? Lo sai che anche per me questo andare e venire è doloroso? Senti una cosa, Favo-di-Miele: credo che non mi abituerei piú a vivere senza di te. Quando sono lontano ho un desiderio solo: esser qui.

Sei anni, una vita, quante cose da ricordare. Tante cose? Quasi niente in fondo, poiché di drammatico e di grave non era mai successo nulla, nessun avvenimento sensazionale degno della pagina di un romanzo, ma soltanto la vita che trascorreva in pace.

– Della mia vita si potrebbe farne un romanzo, basta scriverlo... – soleva affermare pateticamente Fausta la sarta, emissaria delle dame della città.

Non cosí la vita di Teresa a Estância; una vita calma e serena che non era certamente materia adatta per servire da argomento a un romanzo. Tutt'al piú se ne sarebbe potuto fare una canzone d'amore, una romanza. Durante l'assenza del dottore un'infinità di piccole faccende per riempire il tempo dell'attesa, quando lui è presente, la gioia. Un idillio di amanti durante il quale non è successo nulla che meriti d'esser raccontato. Per lo meno in apparenza. Un giorno essa aveva mostrato al dottore, ridendone allegramente, certi versi scritti e mandati a lei dal poeta Amintas Rufo, un'ispirazione nata tra le stoffe del negozio di quel borghese senza ideali di suo padre.

– Se il dottore mi promette di non arrabbiarsi le faccio vedere una cosa. L'ho serbata solo per mostrargliela.

Il plico era arrivato per posta diretto a Dona Teresa Batista, via José de Dome, n. 7, e conteneva dei versucoli sdolcinati. In calce alle due pagine la firma e i titoli dell'autore: Amintas Flavio Rufo, poeta innamorato e senza speranza. Il dottore lesse le strofe del commesso tenendo la testa in grembo a Teresa:

– Meriteresti qualcosa di meglio, Favo-di-Miele.

– Ma qualche bel verso c'è...

– Belli? Trovi? Una cosa, quando qualcuno la trova bella, vuol dire che è bella. Il ché non le impedisce d'esser brutta. Questi versi sono troppo brutti. Sono una scemenza –. Le prese le pagine scritte con una calligrafia ricercata: – Piú tardi, Teresa, andremo a fare un giro per la strada, entreremo nel negozio dove lavora il tuo poeta...

– Aveva detto che non avrebbe fatto niente...

– Non farò niente, io. Ma tu sí! Gli renderai i versi affinché non ripeta la dose.

Teresa, pensosa, con quei fogli in mano:

– No, dottore, non lo faccio, no. Quel ragazzo non mi ha mica fatto uno sgarbo, non mi ha mandato lettere o biglietti, non mi ha fatto profferte d'amore, né chiesto di dormire con lui, non mi ha offesa in nessun modo, e allora mi dica perché

debbo andare in persona a rendergli i suoi versi? E per di
piú insieme a lei, io per offenderlo e lei per minacciarlo, e in
negozio davanti a tutti. Mi pare sconveniente tanto per me
che per lei, dottore.

– E io ti dirò il perché. Se non tagliamo immediatamente
le ali a quell'idiota, diventerà sfacciato, si farà in quattro e
io non ammetto che tu venga importunata. Oppure questi
versi ti piacciono tanto che desideri tenerli?

– Ho detto che li trovo belli e lo ripeto, non voglio mentire; per il mio scarso sapere anche l'ottone è oro. Ma ho detto pure che li ho tenuti soltanto per farli vedere a lei e che
ho intenzione di respingerli per posta, cosí non offendo chi
non mi ha offeso.

Libero dell'ultima ombra di irritazione, Emiliano Guedes
sorride:

– Perfetto, Teresa, tu hai piú testa di me. Io non impare-
rò mai a controllarmi. Hai ragione, lascia perdere il poeta,
povero diavolo. Io volevo andare in negozio a umiliare quel
poveraccio, e sarei stato io a umiliarmi.

Alza la voce per chiamare Lula e farsi portare ghiaccio e
bibite:

– Tutto perché mi sembra che nessuno abbia diritto di
posare lo sguardo su di te, il ché è assurdo, Teresa, ti sei
comportata come una signora. E adesso prendiamo un aperitivo per brindare alla musa dei poeti di Estância, alla mia
Favo-di-Miele.

Una signora? Fin dall'inizio della loro relazione egli le
aveva detto: voglio far di te una signora e lo sarai, a meno
che tu stessa non voglia. Era una sfida ed essa l'aveva preso
in parola.

Ma non sapeva bene come era una signora. Senza dubbio
dona Brigida, vedova di un medico e uomo politico, ai tempi
di suo marito doveva esser stata una signora molto influente. Ma quando Teresa l'aveva conosciuta e aveva avuto a
che fare con lei, sembrava piuttosto una pazza tranquilla priva del ben dell'intelletto. Anche Gabí, quando beveva alla
sera, si gloriava di esser stata la signora Gabina Castro, moglie di un calzolaio, prima di diventare Gabí-del-Prete e finire come tenutaria di bordello. Ma non era mai stata una signora distinta, evidentemente.

Le signore di Estância le conosce solo da lontano per averle viste affacciate alle finestre a spiare i suoi passi e i suoi

vestiti. I mariti di qualcuna di loro sono magistrati e autorità di vario genere e perciò frequentano la sua casa per rendere visita al dottore, visite di cortesia per compiacerlo. Tra la gente che Teresa frequenta, poi, povera gente del vicinato, non ci sono signore ma soltanto donne che sgobbano per tirar su i figli con gli scarsi guadagni dei loro uomini. Eppure, malgrado tutto, qualche rapporto si era stabilito tra Teresa e le signore di Estância.

Durante l'assenza del dottore una bella mattina Teresa aveva ricevuto la visita di Fausta Larreta, che era una sarta molto conosciuta e molto cara:

– Scusi se la disturbo, ma vengo da parte di dona Leda, la signora del dottor Gervasio, l'ispettore delle imposte.

Il dottor Gervasio, un tipo magro e compassato, aveva fatto visita a Emiliano piú d'una volta; la moglie, Teresa l'aveva vista una volta in un negozio di tessuti. Era una bella ragazza, ben fatta di corpo e petulante, una gran signora che guardava con aria di sprezzo le stoffe a disposizione:

– Non ho trovato niente di mio gusto, signor Gastão. Bisogna che lei migliori il suo assortimento.

. Intanto che parlava con il commerciante guardava di sottecchi Teresa e l'osservava. E nell'uscire, sarà per un'altra volta, signor Gastão, non si dimentichi di mandare a prendere a Bahia il *crêpe de chine* stampato, dona Leda sulla soglia aveva sorriso a Teresa. Un sorriso cosí inaspettato che aveva colto Teresa di sorpresa.

La sarta si era seduta a chiacchierare in sala da pranzo:

– Dona Leda mi ha mandata qui a chiederle un favore: vorrebbe che lei le imprestasse quel suo vestito color crema e verde con quelle grandi tasche impunturate, sa quale voglio dire?

– Sí, sí.

– Vorrebbe che io copiassi il modello perché trova che quel vestito è straordinario e io pure. Del resto tutti i suoi vestiti sono una cannonata. Mi hanno detto che tutta la sua roba viene da Parigi, persino la biancheria, è vero?

Teresa si mise a ridere. Il dottore comprava le sue cose nei negozi di Bahia, aveva molto gusto e gli piaceva di vederla vestita con eleganza non solo quando andavano a passeggio, ma anche dentro casa. Gliene portava per tutte le ore e tutte le circostanze, sempre all'ultima moda, gliene portava ogni volta che veniva, aveva gli armadi pieni, colmi;

senza dubbio voleva ricompensarla della sua vita priva di distrazioni. Da Parigi? Cosí dicono. Si fanno tanti discorsi in una città piccola come Estância, lei non lo immagina neppure!

Teresa si alzò per andare in camera a prendere il vestito ma la sarta, temendo un rifiuto, non le chiese il permesso di accompagnarla e la seguí subito spinta dalla curiosità che esplose poi in una serie di esclamazioni quando Teresa aperse le ante dei suoi grandi guardaroba antichi. Mamma mia, quanta roba! Un simile corredo a Estância non si è mai visto. Volle esaminare tutto da vicino, palpare le stoffe, controllare le fodere e le cuciture, leggere le etichette dei negozi di Bahia. In uno degli armadi c'erano alcuni completi da uomo e Fausta Larreta sviò gli occhi pudichi rivolgendoli di nuovo agli abiti di Teresa:

– Ah! Questo tailleur è un amore. Quando ne parlerò alle mie clienti si sentiranno male dall'invidia...

Mentre Teresa prepara l'involto, la sarta eccitatissima vuota il sacco. Alcune signore si rodevano dall'invidia quando vedevano passare Teresa a fianco del dottore vestita con quell'eleganza ricercata; e allora davano la stura alla maldicenza, quelle pettegole. Altre invece, come per esempio dona Leda, facevano gli elogi dei suoi vestiti e delle sue maniere con simpatia, perché la trovavano non soltanto bella e elegante, ma anche educata e discreta; persino dona Clemência Nogueira, novanta chili di bigotteria e di mania di grandezza, aveva fatto i suoi elogi, sembra incredibile. In una cerchia di signore pretenziose e che ci tenevano a mostrarsi molto schizzinose per quello che si riferisce alla morale pubblica, si era pronunciata apertamente a favore della discussa personalità di Teresa; lei sa rimanere al suo posto, non cerca di farsi avanti, vi par poco? Non contenta, quell'illustre dama, che era moglie del direttore di una grande fabbrica di tessuti, aveva concluso saggiamente dimostrando un grande senso pratico: invece di criticare quella ragazza, avrebbero dovuto ringraziarla di accontentarsi di cosí poco, il bagno nel fiume, le passeggiate, la compagnia del dottore. Sí, perché se essa avesse chiesto a Guedes di portarla ai balli e alle cerimonie ufficiali e di farla entrare nelle commissioni organizzatrici delle feste di parrocchia, che si occupano di commemorare la solennità del Natale, del Capodanno, del mese mariano con le sue novene e tredicine, nella confraternita del Sacro Cuore, nella Società delle amiche della Biblioteca, se gli avesse chiesto di introdurla nelle case perbene, e lui, forte del suo denaro e della sua potenza e spinto dalla sua passione senile, l'avesse voluta imporre, chi sarebbe stata la prima dama di Estância? Qualcuna avrebbe avuto il coraggio di opporsi alle esigenze di Emiliano Guedes, che era il padrone del Banco Interestadual di Bahia e di Sergipe? Non era forse vero che, pur di rendersi graditi al dottore, i notabili si pigiavano sulla veranda e nel giardino del villino, compreso padre Vinicius? Se non ci andavano ogni giorno e a tutte le ore era per merito della discrezione di Guedes e della prudenza della ragazza, non già per il senso morale dei mariti di quelle nobilissime dame.

Le meno ipocrite arrivavano al punto di deplorare i costumi di Estância i quali erano ancora tanto arretrati da non permettere alle signore della società di aver rapporti con donne non sposate mantenute da un uomo sposato, e certamente Teresa capirà benissimo i motivi per cui le signore non vanno direttamente da lei. Dona Leda, quando aveva mandato Fausta a farle da intermediaria, si era espressa in modo categorico su questo punto:

– Se fosse a Bahia, ci andrei io stessa, non mi importerebbe niente di frequentarla. Ma qui non può essere, sono troppo arretrati.

Si moltiplicarono i prestiti di vestiti, camicette, giacche, camicie da notte e non solo a dona Leda. Anche a dona Inês, a dona Evelina, quella che aveva due nei neri, uno sul viso e l'altro sulla coscia sinistra, a dona Roberta, alla già citata dona Clementina, tutte gran dame appartenenti alla crema. Nessuna di loro la salutò mai per la strada, ma dona Leda le mandò in regalo un rotolo di pizzo a tombolo del Ceará, e dona Clemência le fece consegnare una piccola immagine a colori di santa Teresina del Bambin Gesú, un'attenzione veramente delicata. Sul verso era stampata un'orazione e le indulgenze plenarie.

– Vuol dire che sei tu, Favo-di-Miele, che detti legge nella moda a Estância... – Emiliano rideva, un'aperta e divertita risata, mentre ascoltava i particolari delle ripetute visite dell'alta sartoria locale rappresentata da Fausta Larreta, dal ditale d'oro e dalla scalogna nera: successivi fallimenti e malattie croniche nella sua famiglia che viveva alle sue spalle, fidanzamenti andati a monte, una disgrazia dopo l'altra:

la mia vita è un romanzo, anzi non un semplice romanzo, un romanzo di appendice fatto di amore e di inganni.

– Al ballo di Capodanno c'erano cinque vestiti copiati dai miei... per non parlare della biancheria, persino delle mutandine vogliono il modello. Ma non sono io a dettar legge per la moda, è lei, che è il mio sarto.

Gli fece vedere il santino che aveva ricevuto da dona Clemência con le indulgenze plenarie concesse dal papa a quelli che recitavano la preghiera della santa vergine adolescente che aveva portato il suo nome:

– Adesso sono libera da qualsiasi peccato, non le permetterò piú di toccarmi. Tiri via quella mano, peccatore –. Ma mentre lo minacciava di perenne castità gli offriva le labbra al bacio.

Tutto per farlo ridere del suo riso aperto, caldo e generoso come un calice di vino di Porto. Ultimamente rideva meno e si abbandonava a lunghi e pesanti silenzi. Tuttavia non era mai stato tanto affettuoso e tenero con Teresa e i suoi soggiorni a Estância erano sempre piú frequenti e piú lungo il periodo in cui vi si tratteneva. A letto, nell'amaca, la possedeva, nel grembo dell'amica riposava.

Alcune vecchie comari tentarono un avvicinamento cercando di introdursi all'interno del villino alla ricerca di intrighi e per riferire le voci che correvano in città, ma Teresa, che, se possibile, era gentile, ma sempre sicura di sé, chiuse loro la porta in faccia, perché le pettegole non piacevano né a lei né al dottore.

Ne aveva mandata via una, che l'aveva fatta arrabbiare, proprio pochi giorni prima che tutta quella faccenda avesse fine. Col pretesto di parlarle circa la kermesse della prossima domenica e dopo aver chiesto e ottenuto un dono per l'asta che avrebbe avuto luogo in beneficio dell'Ospizio dei vecchi, invece di andarsene quella pettegola aveva dato la stura a una serie piccante di scandali. Teresa all'inizio era disattenta e intanto cercava di trovare il modo di congedare quella maldicente senza offenderla e perciò non si rese immediatamente conto dell'argomento in causa:

– L'ha già saputo, no? È una cosa orribile, ad Aracajú non si parla d'altro, si direbbe che abbia il fuoco nelle vene, non può vedere un uomo... E il marito...

– Chi, lei? – Teresa si era alzata in piedi.

– Come, chi... La figlia del dottore, la famosa Apa...

– Chiuda la bocca e se ne vada!

– Io? Mi manda via? Ma guarda che sfacciataggine... Una donna dalla vita irregolare come lei, che convive con un uomo sposato, una donnina...

– Fuori di qui! Se ne vada subito.

Alla vista dei suoi occhi la pettegola tagliò la corda. Cosí Teresa era al corrente di quello che non voleva sapere. Perché non lo sapeva dal dottore, dalla sua bocca non usciva una parola, solo quegli inconsueti silenzi e il riso che si faceva sempre piú raro e breve in un uomo dal riso aperto e facile. So tutto, anche quando taccio e fingo di non sapere. Anche Teresa finse di non saper nulla, sebbene nel corso degli ultimi mesi comari, servi e amici si lasciassero scappare allusioni a fatti sgradevoli, anzi scandalosi. Padre Vinicius, di ritorno dalla fabbrica dove era andato a dir messa, aveva parlato di solitudine. Decine di invitati venuti da Bahia e da Aracajú, festeggiamenti come oggi non se ne fanno piú in nessun posto, salvo alla Fabbrica Cajazeiras. Il dottore era presente ma non lasciava trapelare nulla, gentile con tutti, un padrone di casa ineguagliabile. Ma in quegli anni la festa si era trasformata, non era piú quella di una volta, una festa campestre con messa, battesimi, matrimoni, pappatoria, i ragazzini che salivano sull'albero della cuccagna, facevano le corse nei sacchi, e la musica era quella della fisarmonica e della chitarra, e il *fandango* era quello in casa di Raimundo Alicate. Adesso il *fandango* era alla *casa-grande*, e che *fandango*! Era diretto dai figli e dai nipoti del dottore, una cosa da matti. Mentre il ballo si scatenava, il prete aveva visto Emiliano Guedes allontanarsi da solo per i campi diretto alle scuderie e aveva udito il suo cavallo nero che nitriva allegramente al riconoscere il padrone.

Teresa cercava di mostrarsi allegra e scherzosa, e se possibile ancora piú tenera, piú devota, piú ardente, cercando cosí di restituirgli un poco di pace e di allegria, la pace e l'allegria che il dottore aveva dato a lei senza lesinare durante quei sei anni.

Per le comari era una donnina, la mantenuta di un uomo vecchio, ricco e sposato. Per il dottore invece era una signora, modellata da lui stesso nei suoi momenti di riposo. Teresa non si sente né una cosa né l'altra, si sente soltanto una donna adulta e innamorata.

Il dottore si addormentava tardi e si svegliava presto.

Quando i loro corpi sudati si abbandonavano finalmente esausti dopo la lunga e dolce battaglia d'amore, soltanto allora egli si arrendeva al sonno con una mano posata sul corpo di lei. Ultimamente, però, Emiliano chiudeva gli occhi ma rimaneva insonne nella notte per molto tempo.

Teresa se ne rese conto subito. E allora appoggiava la testa dell'amante contro il suo seno e gli cantava in sordina vecchie ninnananne, che erano l'unico ricordo della madre che aveva perso nell'incidente della corriera. Per chiamare il sonno e placare il cuore dell'amante. Dormi, un sonno tranquillo, amor mio.

28.

Attraverso le persiane penetra nella camera un filo di luce che va a posarsi sul viso del morto. Sulla porta compare il dottor Amarilio e percorre nervosamente con gli occhi la stanza, Teresa è sempre nella medesima posizione.

– Non possono tardare... – mormora il medico.

Teresa non sembra neppure che abbia sentito; rigida sulla sua sedia, gli occhi asciutti, opachi. Il medico se ne va lentamente senza far rumore. Desidera che tutto sia finito al piú presto.

Si avvicina il momento, Emiliano, in cui dovremo andarcene da Estância tutti e due, per sempre. Non c'è al mondo un'altra città paragonabile a questa, altrettanto accogliente e bella. Mattinate nelle acque del fiume, acque correnti o stagnanti, crepuscoli sulle grandi antiche ville, mano nella mano sui sentieri, notti di luna profumate di gelsomino, ah, Emiliano, mai piú.

Non piú gli uomini invidieranno il dottore, vecchio fortunato! E le donne smetteranno di criticare la sua amante, fortunata ragazza! Non piú li si vedrà per la strada a oltraggiare la morale, passo tranquillo, disinvolte risate, quei fortunati! Finite, per maggior tristezza delle pettegole, le discussioni destinate a stabilire quale dei pezzi grossi delle fabbriche, degli zuccherifici o delle *fazendas* prenderà il posto libero nel letto di Teresa quando il dottore si sarà stancato.

Non temere, Emiliano. Non sono diventata una signora come desideravi tu, forse non ci sono riuscita, forse non ho voluto. A che cosa serve essere una signora? Preferisco essere una donna onesta, di parola. Sebbene fino ad oggi io sia stata soltanto schiava, prostituta, amante, non aver paura: questi ricconi di qui, mai, Emiliano! Nessuno di loro toccherà mai neppur l'orlo del mio vestito, anche il tuo orgoglio ho ereditato da te. Piuttosto il postribolo.

Tra poco arriveranno i tuoi, che hanno interrotto il ballo per correre sulla strada e venire a prendere questo alto personaggio. E anche la nostra festa è finita, il breve tempo del nascere e morire di una rosa. Estância è finita, Emiliano, andiamo via.

Vengono a prenderti e porteranno via il tuo cadavere. Ma io porterò con me nelle viscere la tua vita e la tua morte.

29.

Il giovedí il dottore era arrivato a metà pomeriggio. Al sentire la tromba dell'automobile Teresa era accorsa dal fondo del frutteto a braccia aperte col viso tutto illuminato dalla gioia. Cosí, quasi una figura leggendaria al limitare di un bosco mitologico, donna e uccello, Emiliano la vide attraversare il giardino, negli occhi quella luce di carbone acceso, nella bocca il suo riso d'acqua corrente, traboccante di amore; al solo vederla si placò la tempesta del suo cuore.

Teresa scorge sulla faccia dell'amante i segni della fatica, visibili malgrado gli sforzi che fa per nasconderli. Lo bacia in viso, sui baffi, in fronte, sugli occhi, su tutto il volto per eliminare la stanchezza, l'irritazione, la tristezza. Qui non c'è posto per gli incubi, per i termini ingloriosi della battaglia, per la solitudine, mio benamato. Quando varca il cancello del giardino è come se egli approdasse al magico porto di un mondo inventato, dove non c'è che pace, bellezza e piacere. Lí lo attende la vita nel riso, negli occhi, nelle braccia di Teresa Batista.

Entrano in casa come innamorati, mentre l'autista, aiutato da Lula, scarica valigia, borsa, pacchi, vettovaglie, la piccola bicicletta che Teresa ha ordinato per Lazinho che presto compirà gli anni. Si siedono sul bordo del letto per il bacio del benvenuto, che è lungo e ripetuto.

– Sono venuto direttamente da Bahia senza passare allo zuccherificio, con queste piogge le strade sono un disastro, –

dice lui per spiegare la sua visibile stanchezza, ma non riesce a ingannare Teresa.

Prima il dottore non veniva mai direttamente da Bahia, si fermava sempre allo zuccherificio o ad Aracajú per dare un'occhiata al lavoro e trattenersi un poco con i parenti. Ma da quando suo genero ha assunto la gerenza della succursale della Banca, ad Aracajú ci va solo di tanto in tanto, e questo proprio quando avrebbe dovuto andarvi di piú per vedere la sua figlia prediletta. È stanco per il viaggio, ma ancora piú stanco per i troppi dissapori. Teresa gli toglie le scarpe e gli leva le calze. Una volta, in un'epoca ormai dimenticata, tutte le sere essa doveva lavare i piedi al capitano, penoso compito da schiava. Il capitano, la casa di campagna, lo spaccio, lo stanzino con l'immagine dell'Annunciazione e la frusta di cuoio, il ferro da stiro, tutto questo si era come dissolto in lontananza per far posto al mondo del dottore, all'armonia di adesso: al piacere di scalzare e spogliare il suo amante bello, pulito e saggio. L'atto è lo stesso o, per dir meglio, sembra lo stesso atto di vassallaggio, di sottomissione. Ma mentre del capitano era la serva, schiava della paura, del dottore è l'amante, schiavitú d'amore. Teresa è completamente felice. Completamente? No, perché si accorge che lui è addolorato e ferito e le amarezze di lui si riflettono anche su di lei, l'addolorano e la feriscono malgrado gli sforzi del dottore per nasconderle. Le preparo un bagno ben caldo cosí si riposa dal viaggio.

Dopo il bagno si misero a letto, esteso e profondo piacere. Egli arrivava impaziente, e impaziente la trovava, e perciò il primo scontro denunciava la violenza della fame, l'urgenza della sete. Ah, amor mio, cosí morivano e rinascevano.

– Quel vecchio caprone sta ricuperando il tempo perduto, aggiornando il bilancio, una volta o l'altra le crepa sopra a quella smaniosa... – mormora la Nina a Lula mentre esaminano la bicicletta, che era un regalo destinato al loro bambino, ed era della marca migliore, identica a quella della pubblicità a colori stampata sulla rivista.

All'ora del tramonto e della brezza Teresa e il dottore ritornano in giardino; placida, la notte di Estância incomincia a diffondersi sugli alberi, l'abitato e le persone. Dalla cucina la vecchia Eulina brontola incongruenze e manda loro dei bocconcini che aprono l'appetito; per la cena sta preparando *escaldado* con *guaiamúns*¹. Lula porta la tavola, le bottiglie e il ghiaccio. Emiliano riempie i bicchieri e poi si sdraia nell'amaca, finalmente a casa.

Senza menzionare l'incidente con la beghina, Teresa gli parla della kermesse:

– È sabato, dopodomani. Sono venuti a chiedermi un premio e io ho approfittato per offrire quell'abat-jour tutto pieno di conchiglie dipinte che lei non poteva soffrire, quello che le hanno dato ad Aracajú, si ricorda?

– Mi ricordo. Orrendo... È stato un cliente della Banca a darmelo, un commerciante. Deve averla pagata un sacco di soldi, quella mostruosità. Un oggetto bruttissimo.

– È solo lei che lo trova brutto, tutti lo trovano bellissimo –. Lo stuzzica per farlo ridere. – Il signor dottore è un presuntuoso e trova da ridire su tutto. Non so proprio che cosa ha trovato in me, come ha fatto a piacerle una ragazza di colore che non val niente.

– Favo-di-Miele, in questo momento mi hai fatto venir in mente Isadora, la mia prima moglie. Non ti ho mai raccontato che per sposarla a momenti litigavo con mio padre, il vecchio era contrario perché si trattava di una ragazza povera, gente del popolo, una sartina. Sua madre fabbricava dolci per le feste, e il padre non l'aveva mai visto. Io ero appena laureato, è stato un amore improvviso, ho messo gli occhi su di lei e mi è piaciuta. Per questa val la pena, mi son detto. In meno di due mesi le ho fatto il servizio, mi piaceva, l'ho sposata. Mi toccò di andare a vivere allo zuccherificio a lavorare insieme al vecchio rinunciando ai miei piani che erano ben diversi. Non sono pentito, lei lo meritava. Mio padre finí per voler molto bene a Isadora, tanto che fu lei a chiudergli gli occhi il giorno della morte. Era buona, servizievole, premurosa, simpatica. Il nostro matrimonio durò dieci anni, poi essa morí di tifo in pochi giorni. Non rimase mai incinta e per questo mi diceva: sono un impiastro che non serve a niente, Emiliano, perché hai voluto sposarti con me? Fece di tutto per avere un figlio, io la portai a Rio e a São Paulo, ma i medici non ottennero nulla, né i medici né le guaritrici. Aveva tanto desiderio di avere un bambino che fece dei voti assurdi, ordinò dei talismani a Bahia, portava addosso dei santini, faceva tutto quello che le indicavano, poverina. Mo-

¹ Varietà di granchio.

rí raccomandandomi che mi sposassi di nuovo, perché sapeva quanto io desiderassi un figlio. Lei sí che meritava. Lei e tu, Favo-di-Miele.

Sembra dubbioso se proseguire o no. Ma scuote la testa per allontanare i suoi fantasmi e cambia argomento:

– Allora sabato c'è una kermesse in Piazza della Cattedrale? Ti piacerebbe andarci, Favo-di-Miele?

– A far cosa, là sola?

– Chi ti ha detto di andarci da sola? – Adesso è lui a stuzzicarla, quasi che il ricordo di Isadora l'avesse rasserenato: – Da sola non permetto, non voglio correr rischi con tutti quei cascamorti che ti stanno dietro... Ti invito ad andarvi con la mia umile compagnia...

Teresa fu talmente sorpresa che si mise a battere le mani con un entusiasmo da bambina:

– Noi due? Se accetto? Non lo domandi neanche –. Ma subito la donna riflessiva soppianta in lei la giovane entusiasta: – Si faranno molte chiacchiere, non vale la pena.

– Te ne importa a te che chiacchierino?

– Per me no, ma è per lei. Per me possono chiacchierare finché vogliono.

– E anche per me, Teresa. Per conseguenza offriremo all'ottima popolazione di Estância, che ci ospita con tanta gentilezza e che non ha troppe novità da commentare, un piatto piccante per le loro conversazioni. Senti, Teresa, e tientelo per detto una volta per tutte: non ho piú nessuna ragione di nasconderti a chicchessia. La discussione è finita e andiamo a bere per commemorarla.

– Nossignore, non è ancora finita. Sabato, non è il giorno che vengono a cena qui il signor João, il dottor Amarilio e padre Vinicius?

– Anticiperemo la cena a domani, anche loro vorranno andare alla kermesse, anzi padre Vinicius non può farne a meno. Mandiamo Lula ad avvisarli.

– Sono cosí contenta...

Dopo averle dato un bacio e aver nuovamente riempito i bicchieri Emiliano ritorna tra le braccia di Teresa nell'ampia amaca e racconta:

– Sai, Teresa, questa volta ho portato un vino che farà spuntare lacrime di commozione negli occhi del professor Nascimento, è un vino dei tempi della nostra gioventú. A quell'epoca a Bahia se ne trovava ancora in vendita, poi è

sparito completamente, si chiama Constantia, è un abboccato che si produce nell'Africa del Sud. Ed ecco che un mio
giovane fornitore di vini è riuscito a scovarne due bottiglie a
bordo di un mercantile americano attraccato nel porto di
Bahia a caricare cacao. Vedrai che il vecchio João si metterà
a tremare dall'emozione...

Il giorno dopo durante la cena Teresa coadiuva il dottore
negli sforzi che fa per mostrarsi un perfetto padrone di casa
come sempre e mantenere a tavola cordialità e animazione. I
cibi sono squisiti, i vini scelti, la padrona di casa bella, elegante e premurosa, tutto per il meglio, eppure manca la
contagiosa giovialità di Emiliano, la sua forza, la sua gioia di
vivere. Quella volta Teresa non era riuscita a toglier di testa
al dottore i problemi, le seccature, le noie e a fargli dimenticare tutto quello che c'era oltre i confini di Estância.

Tuttavia finisce per animarsi e ridere con la sua franca risata da uomo contento di vivere alla fine della cena, dopo il
caffè, quando, accesi i sigari, mancano soltanto i liquori e
il cognac, i digestivi. Era sparito un momento dalla sala da
pranzo per ritornare portando una bottiglia, e nei suoi occhi
chiari c'era malizia, sulla sua bocca il riso:

– Professor João, tieniti per non svenire, ho una sorpresa... Sai che cos'è questo che ho in mano? Guarda: una bottiglia di Constantia, il Constantia dei bei tempi.

La voce di João Nascimento Filho si alza e improvvisamente sembra quella di un giovane:

– Constantia? Non è vero! – Si alza in piedi e allunga un
braccio:

– Lasciami vedere –. Con mani tremanti si mette gli oc-
chiali per leggere l'etichetta, si gode contro luce il color oro
vecchio del vino quindi sentenzia:

– Sei un demonio, Emiliano, dove l'hai trovata?

L'emozione dell'amico sembra finalmente aver fatto dimenticare al dottore le preoccupazioni che l'assillano. Intanto che riempie i bicchieri, lui e João parlano del vino immer-
gendosi in un mare di ricordi. Il giorno del battesimo di
Emiliano il vino che avevano servito dopo la cerimonia era
stato proprio Constantia. I personaggi di Balzac bevono Constantia nei romanzi della *Comédie Humaine*, ricorda Nascimento Filho che si è consumato gli occhi nella lettura. Fede-
rico il Grande non ne poteva fare a meno, soggiunge il dottore, e neppure Napoleone, Luigi Filippo, Bismarck. Sono due

vecchi che sentono il sapore della giovinezza in quel vino denso e scuro. Il prete e il medico ascoltano in silenzio con i bicchieri pieni.

– Alla salute! – brinda Emiliano, – alla nostra, professor João!

João Nascimento Filho chiude gli occhi per degustarlo meglio: si rivede giovane per le vie di Bahia, alla Facoltà di Legge, pieno di ambizioni letterarie, prima di ammalarsi e di dover abbandonare gli studi e l'ambiente studentesco. Il dottore beve lentamente, assaporando: un giovanotto ricco dedito alle amanti e alle feste, tentato dalle professioni di avvocato e di giornalista, giovane dottore in Legge destinato a una brillante carriera. Aveva sacrificato piani e speranze alla passione per Isadora e non se ne era pentito. Cerca con gli occhi Teresa, essa lo sta fissando, commossa al vederlo finalmente sereno, a ridere con l'amico. Si avvicina a lei. Che diritto ha di farle condividere dispiaceri e tristezze che sono soltanto suoi? Essa gli ha dato soltanto gioia, e merita soltanto amore.

– Ti piace il Constantia, Favo-di-Miele?

– Mi piace, sí, ma preferisco ancora il porto.

– Il vino di Porto è il re, Teresa. Non è vero, professor João?

Posa il bicchiere sulla tavola e cinge con un braccio la cintura dell'amante; non può sentirsi vuoto e triste colui che possiede Teresa. Le solletica la nuca con un'unghia in un impeto di desiderio. Piú tardi essi ne berranno un ultimo bicchiere a letto.

Sabato sera in Piazza della Cattedrale ferve l'animazione. È una kermesse organizzata dalle signore importanti in beneficio dell'ospizio dei vecchi e dell'ospedale Santa Casa de Misericórdia, ai banchi ragazze e giovanotti della buona società, due bar improvvisati con bibite, rinfreschi, birra, sandwich, hot dog, *batidas* al limone, nocciioline, *maracujà*, mandarini e una quantità di dolciumi, e poi il luna-park di João Pereira completo di giostra, automobilini, barche volanti, ruota gigante. Ed ecco apparire il dottore e la sua amante a braccetto. Per un istante tutti si fermano a guardarli. Teresa è tanto bella e ben vestita che le signore stesse sono obbligate a riconoscere che a Estância non ce n'è un'altra paragonabile a lei. Il vecchio d'argento e la giovane di rame passano in mezzo alla gente fermandosi di banco in banco.

Il dottore sembra un ragazzino, compra un pallone blu per Teresa, vince premi al tiro a segno, ossia una busta di spilli e un ditale, prende una bibita alla *mangaba*, scommette e perde alla roulette, l'asta con i premi è piú in là. Senza neanche badare all'oggetto che stanno annunciando e per il quale sono stati già offerti venti cruzeiros, il dottore ne offre cento e immediatamente ricupera il suo abat-jour con le conchiglie dipinte, quell'orrore. Teresa non riesce a controllarsi e prorompe in una risata: il banditore incassa quell'alto prezzo e con una riconoscente riverenza gli consegna l'oggetto. Fino a quel momento Teresa si era sentita imbarazzata a causa delle occhiate di sghembo delle signore e delle beghine e della piccola folla di perdigiorno che la seguiva con lo sguardo e l'accompagnava a distanza. Adesso però, mentre ride a perdifiato, affronta tranquillamente occhiate e mormorii, indifferente ai curiosi, il braccio sotto il braccio del dottore, felice e contenta.

Anche il dottore si era liberato dalla sua angustia e dalle sue preoccupazioni nell'allegria della sorpresa che aveva fatto la sera prima a mastro João, nella gioia dell'amico, nei ricordi di gioventú e poi a letto, nelle delizie notturne tra le braccia di Teresa, improvvisata coppa di Constantia, nel bagno al fiume, una vera festa mattutina, nell'indolente pomeriggio, nella dolce compagnia dell'amante. Di tanto in tanto risponde a un rispettoso buonasera di un conoscente. Da lontano le nobildonne osservano quegli svergognati calcolando il prezzo del vestito di lei, interrogandosi circa il valore degli orecchini e dell'anello – saranno pietre vere o gioielli fantasia? Ma il riso di Teresa non ha prezzo.

Senza volere, per la prima volta le sfugge di bocca l'espressione di un desiderio, che non arriva tuttavia a trasformarsi in richiesta:

– Ho sempre desiderato di salire un giorno sulla ruota gigante.

– Non ci sei mai andata, Favo-di-Miele?

– Non mi è mai capitata l'occasione.

– Ci andrai oggi. Vieni.

Prima di salire su un vagoncino aspettano il loro turno in fila. Poi incominciano ad alzarsi a poco a poco mentre la ruota si ferma a intervalli per far scendere quelli che hanno finito e per far salire i nuovi passeggeri. Teresa, col cuore palpitante, stringe tra le sue la mano sinistra del dottore e lui la sostiene col braccio libero. A un dato momento restano fermi nel punto piú alto, in basso si vede la città: la folla che si diverte, un confuso rumore di parole e di risate, le luci multicolori dei banchi e della giostra, e tutt'intorno la piazza. Poco piú in là le vie vuote e male illuminate, il folto degli alberi del Parco Triste, la sagoma delle vecchie ville nell'ombra. In distanza il mormorio dei fiumi che scorrono sulle pietre per riunirsi poi nel vecchio porto sulla via del mare. Sopra di loro il cielo immenso pieno di stelle e la luna di Estância smisurata e folle. Teresa lascia andare il suo pallone azzurro e il vento lo trasporta in direzione del porto – forse, chissà, arriverà lontano fino al mare?

– Ah, che meraviglia! – mormora Teresa commossa.

Dalla kermesse alcuni ostinati imbecilli stanno a occhi in su a osservarli. E anche alquante signore e comari rischiano di scavezzarsi il collo per vederli. Il dottore stringe a sé il corpo di Teresa ed essa appoggia la testa sulla sua spalla. Emiliano le accarezza i neri capelli, le sfiora il volto e la bacia sulla bocca, un bacio lungo, profondo e pubblico – uno scandalo, una sfacciataggine, una delizia, uno splendore. Ah! Fortunati loro.

30.

Nell'ombra e nel silenzio della stanza Teresa sente un rumore di automobili per la strada. Quanti? Certamente piú d'uno. Stanno arrivando i tuoi, Emiliano. La tua famiglia, la tua gente. Sono venuti a impadronirsi del tuo corpo, a portarselo via. Ma finché sarai in questa casa ci rimarrò anch'io. Non ho nessun motivo di nascondermi davanti a chicchessia, l'hai detto tu. So che non t'importa che mi vedano e so pure che, se tu fossi vivo ed essi arrivassero improvvisamente, diresti loro: ecco Teresa, la mia donna.

31.

Quella domenica di maggio era trascorsa in mezzo alle dolci abitudini di sempre. Il bagno di fiume al mattino presto, dal quale erano ritornati di corsa perché era incominciato a piovere, scrosci d'acqua che lavavano la faccia del cielo.

Per tutto il resto della giornata erano rimasti poi a casa fin dopo cena, e il dottore si era abbandonato a una pigrizia da convalescente, dal letto al divano e dal divano all'amaca.

Durante il pomeriggio era venuto il prefetto a sollecitare l'appoggio di Emiliano per una richiesta di fondi che il comune voleva far pervenire al potere esecutivo dello Stato: una parola del piú eminente cittadino di Estância – noi la consideriamo uno dei nostri! – al governatore sarà senz'ombra di dubbio decisiva. Il dottore lo ricevette in giardino dove stava riposando accanto a Teresa. Essa voleva ritirarsi perché parlassero tra di loro tranquillamente, ma Emiliano la tenne stretta per una mano e non le permise di andarsene. Lui stesso chiamò Lula e lo mandò a prendere le bibite e un caffè appena fatto.

Anche se non si era ripreso completamente poteva considerarsi perlomeno in convalescenza. Aveva riacquistato l'animazione di una volta, rideva, chiacchierava, discuteva i progetti del prefetto, comandava, insomma aveva vinto stanchezza e amarezza. Sembra che i pochi giorni che ha trascorso a Estância in compagnia dell'amante abbiano cicatrizzato le sue ferite, abbiano placato la sua angoscia. I piovaschi del mattino avevano ripulito il cielo e la brezza aveva continuato a spirare, una domenica luminosa e dolcissima. A cena, seduta a tavola, Teresa sorride: era stato un sereno giorno di riposo e succedeva all'indimenticabile serata del giorno prima passata alla kermesse e sulla ruota gigante, una serata fantastica, assurda, la serata piú felice della sua vita.

Indimenticabile non soltanto per lei ma anche per il dottore. Dopo cena escono a fare una camminata fino al ponte e al vecchio porto. Emiliano commenta:

– Sono molti anni che non mi divertivo tanto come mi sono divertito ieri. Tu hai il dono dell'allegria, Favo-di-Miele.

Questo fu, per cosí dire, l'inizio dell'ultima conversazione. Sul ponte Teresa gli ricorda come aveva finto di inciampare sulla strada di ritorno dalla kermesse per lasciar cadere e andare in pezzi l'abat-jour con le conchiglie dipinte, e il comico epitaffio che aveva pronunciato: riposa in pace, re del cattivo gusto, per sempre addio! Ma Emiliano non ride già piú, è di nuovo di cattivo umore con la faccia tirata e la mente rivolta ai dispiaceri che lo tormentano.

Il dottore sprofonda in un silenzio pesante e per quanto faccia Teresa per richiamarlo al riso e alla spensieratezza, non ottiene nulla. Si era spezzato il filo di gioiosa irresponsabilità della sera prima che aveva resistito fino al principio della notte di quella domenica di maggio.

Resta un'ultima trincea, il letto, l'amore senza intralci, lo scontro dei corpi, il desiderio e il godimento, il piacere infinito. Per strapparlo alla sua opaca tristezza, per alleggerire il suo fardello. Ah! Se Teresa potesse prendere su di sé tutto ciò che lo amareggia e lo deprime. Essa è abituata alle cose brutte della vita e di disgrazie ne ha avute finché ne ha volute. Invece il dottore ha sempre avuto quanto ha desiderato come e quando ha voluto, gli altri obbedivano, lo rispettavano, dipendevano dai suoi ordini, cosí è invecchiato godendosi la vita. È piú difficile per lui. Chissà, forse a letto, dentro Teresa, si calmerà.

Ma una volta varcato il cancello, Emiliano annuncia:

– Voglio parlare con te, Teresa, restiamo un po' qui nell'amaca.

Giovedí era stato sul punto di aprirle il cuore: quando le aveva parlato del suo primo matrimonio e aveva accennato a Isadora. Ora il peso si è fatto insopportabile anche per un orgoglio come quello del dottore; è giunto il momento di condividere il fardello, di alleggerire il carico. Teresa si dirige all'amaca: sono pronta, amor mio. Emiliano dice:

– Sdraiati qui vicino a me e ascolta.

Solo in certi momenti egli la tratta col tu, quando vuole rendere piú profonda e piú evidente l'intimità che si è stabilita tra loro. Tu, mia Teresa, mio Favo-di-Miele.

E lí nel giardino degli alberi di *pitanga*, mentre la luna smisurata di Estância faceva piovere oro sui frutti e l'aroma della gardenia si disperdeva alla brezza, con voce piena d'ira egli le raccontò tutto. Le parlò della disillusione, del fallimento, della solitudine della sua vita familiare. I suoi fratelli, degli incapaci, la moglie, una disgraziata, i figli, un disastro.

Aveva consumato la sua vita lavorando disperatamente per la famiglia Guedes, i due fratelli e gli affini, e piú ancora per la sua gente, moglie e figli. Era il dottor Emiliano Guedes, il piú vecchio dei Guedes dello zuccherificio Cajazeiras, il capo della famiglia. Aveva concepito speranze, aveva architettato piani, aveva sognato successi e soddisfazioni, e a queste calde speranze, a questi entusiastici piani e magnifici successi, a queste previste gioie, aveva sacrificato qualcosa di piú della vita, aveva sacrificato il resto del mondo, tutte le altre persone, anche Teresa.

Aveva disprezzato i diritti degli altri, aveva calpestato la giustizia, aveva rifiutato qualsiasi ragione che non fosse quella del clan dei Guedes, clan o ghenga? Sempre scontenti, sempre a chiedere di piú, per essi Emiliano si era battuto implacabilmente col suo scudiscio d'argento in mano. I *cabras* erano ai suoi ordini e gli uomini politici, gli esattori delle imposte, i giudici, i prefetti, tutte le autorità erano a sua disposizione: mancia e fucile, arroganza e sprezzo. Tutto per i Guedes e innanzitutto per Jairo e Aparecida, i suoi figli.

Ah! Teresa, per nessuno di loro ne valeva la pena e quale dura pena. Né per i fratelli, né per la loro famiglia – non se ne salva uno! – e nemmeno per sua moglie e per i figli. Tempo buttato via, energie sprecate, vana fatica. A niente gli erano serviti i suoi sforzi, il suo interesse, l'affetto, la bontà, l'amore. Inutili le ingiustizie, le prepotenze, le violenze, le lacrime di molti, la disperazione di tanti, il sangue sparso – persino il tuo sangue ho sparso per essi, Teresa, ho ferito le tue viscere per uccidere il nostro bambino e tutto questo perché, Teresa?

32.

La voce del dottor Amarilio tutt'amabilità che fa strada:
– Per di qui, per favore.

Nel riquadro della porta si affaccia un ragazzone bruno, quasi alto come il dottore, bello e arrogante come lui, ma allo stesso tempo il suo opposto. Nei suoi occhi rapaci c'è un lampo di astuzia, sulla bocca una smorfia di scherno. È forte eppure sembra fragile, è volgare e si presenta con nobiltà, è finto e dimostra franchezza, veste uno smoking evidentemente tagliato da un sarto caro e tutto in lui ha odore di festa, di lusso, di dolce vita.

Seminascosto dal corpo del nuovo arrivato il medico fa le presentazioni:
– Teresa, questo signore è il dottor Tullio Bocatelli, il genero del dottore.

Sí, avevi ragione, Emiliano, basta uno sguardo per riconoscere in lui il cacciatore di dote, il ruffiano. Uno cosí, che appartenesse all'alta società, Teresa non l'aveva mai visto, però, qualunque sia il livello sociale in cui si muovono, hanno tutti qualcosa in comune, un marchio indefinibile ma facile da distinguere per chi ha esercitato il mestiere di prostituta.

– Buona sera... – accento italiano, tono lamentoso.

I suoi occhi rapaci si soffermano su Teresa calcolandone il valore e il prezzo. Piú bella, molto piú bella di quello che gli avevano detto, una madonna meticcia, una femmina fuori del comune, quel vecchio demonio sapeva come sceglierle e curarle: e aveva ragione di tenerla lí nascosta a Estância. Guarda il suocero, quel morto con gli occhi aperti sembra vivo. Gli occhi del dottore erano come una lama d'acciaio, leggevano dentro alle persone, lui Tullio non era mai riuscito a ingannarlo. Emiliano l'aveva sempre trattato con la massima cortesia, però non gli aveva mai dato la minima confidenza, neppure quando lui aveva dimostrato di essere un amministratore capace di condurre gli affari e di guadagnar denaro. Fin dal giorno in cui gli era stato presentato, il genero aveva visto negli occhi di suo suocero solo disprezzo e diffidenza. Occhi limpidi, azzurri, impietosi. Minacciosi. Allo zuccherificio Tullio non si era mai sentito completamente sicuro: e se il vecchio capo lo avesse fatto liquidare da uno di quei suoi *cabras* dal parlare zuccheroso ma con tanti assassinii dietro le spalle? Ancora adesso suo suocero lo fissa con uno sguardo pieno di ribrezzo. Ribrezzo, era la parola giusta.

– Sembra vivo il padrone[1].

Sembra vivo ma è morto, è finito il padrone, finalmente Tullio Bocatelli è un uomo ricco, ricco sfondato; il ché gli era costato faccia tosta, cinismo e pazienza.

Dal salotto giungono voci di donne e di uomini e tra queste la voce di padre Vinicius. Tullio entra in camera lasciando libera la porta al passaggio di Aparecida Guedes Bocatelli. La scollatura del suo vestito da ballo mette in mostra i seni candidi ed eretti ed è aperta sulla schiena fino all'inizio del sedere. Apa è il ritratto di suo padre, stesso viso sensuale, una bellezza forte, quasi aggressiva, la sua bocca avida è uguale a quella di Emiliano, ma in quella di lui l'avidità era coperta dall'argento dei folti baffi. Aparecida è molto emo-

---

[1] In italiano nel testo.

zionata e cammina con passo vacillante. Alla festa aveva bevuto poco essendo occupata piuttosto a ballare sempre con Olavo Bittencourt, un giovane medico psicanalista che era il suo ultimo accompagnatore, ad Apa piace variare. Ma durante il viaggio a Estância ha tracannato quasi un'intera bottiglia di whisky.

Si appoggia al braccio di Olavo. Tuttavia alla vista del corpo di suo padre mal illuminato dagli avanzi dei quattro ceri e dall'incerta luce dell'alba, cade in ginocchio accanto al letto di fianco alla seggiola dove siede Teresa.

– Ah, Papi!

Neanche con lei, che era tua figlia, sei stato indulgente, Emiliano, e per designarla ti servisti della precisa e cruda parola puttana, anche se invece di condannarla preferivi dar la colpa al tuo sangue e alla tua razza, ah! se almeno fosse nata uomo!

Aparecida scoppia in singhiozzi, ah, Papi! Stende le mani e tocca il corpo di suo padre: avevi l'aria triste e hai smesso di prendermi in braccio, di accarezzarmi i capelli, di chiamarmi regina e di vegliare sul mio sonno, sul mio sonno e sul mio destino. Ah, Papi!

Curvo su di lei, solidale, il giovane professore dell'inconscio e dei complessi è pronto a venirle in aiuto con una compressa, un barbiturico, una iniezione, una stretta di mano, uno sguardo appassionato, un bacio furtivo. Dall'altro lato della stanza Tullio segue con interesse l'emozione di Aparecida, ma si astiene dall'intervenire. E questo non per indifferenza verso le sofferenze di sua moglie, ma perché, essendo un uomo ricco di esperienza e di classe, sa che in tali momenti un medico o un amante, e non il marito, sono di maggior utilità, di maggior conforto. Meglio ancora se medico e amante si fondono nella persona di un galante ballerino, che è poi un povero diavolo che vuol far l'irresistibile. Quando si tratta di cose cosí delicate, Tullio Bocatelli è di una raffinatezza e di un tatto perfetti.

Eppure gli occhi lacrimosi di Aparecida, al guardarsi in giro in cerca di aiuto e di sicurezza, non cercano l'amante, ma bensí il marito. Se in famiglia c'è qualcuno in grado di governare la barca, di assumere il comando e di garantire la continuazione del festino, questo qualcuno è il figlio del portinaio del palazzo del conte Fassini a Roma, Tullio Bocatelli, è l'unico. Egli sorride a Aparecida: un legame fortissimo li unisce, l'interesse, cioè un legame quasi altrettanto forte quanto l'amore.

In sala da pranzo un gruppo rumoroso di persone sta discutendo con il prete. Si sente una stridula voce femminile:

– Non entro finché quella donna non va via. La sua presenza vicino a lui è un affronto per la povera Iris e per tutti noi.

– Calma, Marina, non eccitarti... – È una voce d'uomo esitante, quasi impercettibile.

– Entra tu, se vuoi, tu che sei abituato a trattare con prostitute, io no. Reverendo, mandi via di là quella donna.

È la moglie di Cristóvão, probabilmente. Suo marito è un alcolizzato e lei, la Marina delle cartomanti, si dedica a perseguitare la mantenuta e i figli naturali del marito, ordinando fatture mortali, scrivendo lettere anonime, sbraitando insulti per telefono, insomma vivendo per questo, come una donna da strada, Teresa...

Teresa si alza, con viso di pietra si china sul letto: arrivederci, Emiliano. Gli sfiora le palpebre con le dita e gli chiude gli occhi. Quindi esce dalla camera passando in mezzo ai parenti. Apa alza la testa per vederla, la famosa amante di suo padre. Tullio si morde golosamente il labbro inferiore: carina!

Adesso sí, sul letto è rimasto soltanto il corpo di un morto, il cadavere del dottor Emiliano Guedes, antico signore di Cajazeiras, con gli occhi chiusi per sempre. Ah, Papi! – geme Aparecida. Il padrone è fregato, evviva il padrone! Tullio Bocatelli, il nuovo padrone di Cajazeiras tira un sospirone.

33.

– E tutto questo perché, Teresa?

La voce del dottore, tremula per la vergogna, vibrante d'ira e di indomita passione, piena di amarezza si rompe in parole di sconforto e di disgusto. Disgusto? No, Teresa, ribrezzo.

I raggi dorati della luna si diffondono sul vecchio e sulla giovane e la brezza che viene dal fiume è una carezza. Sono notti, queste, fatte per le parole tenere, per i giuramenti di amore, per gli idilli. Ed essi giunsero a tanto, ma solo dopo aver percorso l'arida rotta deserta che attraversa le sabbie dell'odio e dell'amarezza. Una faticosa tappa e per Teresa una dura prova. Nella dolcezza di quel Maggio, tra gardenie e alberi di *pitanga*, nella notte di Estância, vita e morte guerreggiarono senza tregua e senza quartiere per il possesso del cuore del vecchio cavaliere. E come uno scudo d'amore Teresa lo difendeva sanguinando insieme a lui. A tanto essi giunsero, giunsero ai giardini dell'idillio, ma dopo.

All'inizio c'era soltanto ira e tristezza, e il cuore piagato esposto a nudo:

– Vuoi sapere come mi sento? Sporco, coperto di fango.

Sporco, lui che era di una pulizia scrupolosa. Persino quando esercitava la violenza, la sopraffazione. Fu terribile sentirlo parlare della sua famiglia, cosí preciso nel suo giudizio, crudo nell'esprimerlo, desolato, impietoso. Inesorabile:

– Me li sono strappati dal cuore, Teresa.

Sarà vero? È possibile far questo e continuare a vivere? Non è altrettanto micidiale quanto strapparsi il cuore stesso dal petto?

– Ma anche cosí non ho smesso di lavorare, di battermi per loro, e sembravo il padrone mentre non ero che lo schiavo. Anche vuoto il mio cuore batte per loro. Anche malgrado la mia volontà.

Il dottor Emiliano Guedes, dei Guedes di Cajazeiras do Norte, il capo della famiglia, ha compiuto il suo dovere. Soltanto questo? Anche malgrado la mia volontà il mio cuore batte per loro. O si tratta soltanto del dovere di un capo o dell'amore di un padre e di un fratello, che ha resistito al disinganno, al ribrezzo, che è sopravvissuto? E fino a che punto, Emiliano, interferisce l'orgoglio in questa tua arida enumerazione di sofferenze e di solitudine? Un freddo febbrile scuote il corpo di Teresa nell'attraversare i putridi pantani della meschinità, della disperazione.

L'unica cosa a cui servivano i fratelli, oltre a sperperare denaro, era integrare i quadri direttivi delle ditte e del Banco Interestadual come eterni e inutili vicepresidenti; non erano neppure cattivi, ma semplicemente degli incapaci.

Milton stava allo zuccherificio immaginando di essere un perfetto signore di campagna, a scopare le ragazzine senza darsi neanche la pena di sceglierle belline, gli fa lo stesso comunque e le mette tutte incinte. Da quel mastodonte nutrito a cioccolato e preghiere che è sua moglie Irene gli è nato soltanto un figlio che la madre ha destinato al sacerdozio; la famiglia Guedes aveva sempre avuto un maschio consacrato al servizio di Dio, l'ultimo era stato zio José Carlos, latinista illustre, morto a novant'anni in odor di santità. Quella balena aveva tirato su il futuro prete attaccato alle sue sottane lontano dalla feccia, dai monelli, dal peccato.

— Ma invece di uscirne un prete, è venuto fuori un finocchio. Ho dovuto mandarlo a Rio prima che il povero Milton pescasse suo figlio in flagrante tra gli anormali. Cosí a pescarlo sono stato io, Teresa —. La sua voce vibra indignata, furibonda, — ho visto con i miei occhi un Guedes che si lasciava montare, facendo la parte della donna. Allora ho perso la testa e se non ho ammazzato quel disgraziato a scudisciate è stato perché alle mie grida sono accorse Iris e Irene e l'hanno portato via. Ancora oggi mi prude la mano e provo schifo al ricordarmelo.

Un'altra volta Emiliano aveva messo gli occhi su una ragazzina nata allo zuccherificio, allegra, appetitosa, proprio al punto giusto, e l'aveva portata nell'accogliente rifugio di Raimundo Alicate. Essa l'aveva seguito obbediente e in silenzio e l'aveva lasciato fare, quasi che fosse riconoscente per l'interesse del dottore; era vergine, uno zuccherino. Dopo, mentre riposava, Emiliano volle sapere qualche cosa di piú a proposito della ragazzina.

— Sono la sua nipotina, sono figlia del dottor Milton e di mia madre Alvinha.

Di figlie naturali di Milton sverginate tra i boschi, quante ce n'erano a fare il mestiere a Cuia Dagua, a Cajazeiras do Norte, nella «zona»? E di figli al lavoro, a piantare e tagliare canna da zucchero e a bere *cachaça* senza un padre legittimo? Quelli di Cristóvão conoscono il padre e vanno a chiedergli la benedizione. Lavorano per il salario minimo alla casa madre o nelle succursali della banca come uscieri, fattorini, ascensoristi. In cambio i due legittimi si sbarbano alti salari e tutti e due hanno la laurea in Legge; uno è il consulente giuridico della Eximportex e l'altro del Banco Interestadual, cariche che servono a giustificare lo stipendio di questi due Guedes, uno sposato e l'altro scapolo, ma tutti e due incapaci d'altro che di far la bella vita.

— Una volta, Teresa, ho obbligato una canaglia a mangiarsi in mezzo alla strada un articolo che aveva scritto contro di me e la mia gente. A secco lo inghiottí, piangendo e buscandole, tutto, era un articolo lungo. Lungo e veridico, Teresa.

Una desolazione. Teresa si rannicchia contro il tormentato petto dell'amante, venti palustri invadono Estância, una nuvola di fango cancella la luna.

34.

L'ombra di Teresa sparisce nel salottino e Marina si precipita in camera accompagnata dal marito.

– Emiliano, cognato mio, che disgrazia! – si inginocchia accanto al letto con lamenti da prefica piangendo a calde lacrime e battendosi il petto. – Ah, Emiliano, cognato mio.

Cristóvão fissa il fratello, ancora non si è adattato al fatto nuovo, quasi non riesce a credere alla morte che gli sta davanti. Della sbornia gli è rimasta soltanto la voce impastata. È lucido e ha paura. Senza Emiliano si sente come un orfano. Era sempre dipeso da suo fratello fin dalla morte del padre quando era bambino. Che cosa succederà adesso? Chi prenderà il suo posto vuoto, chi assumerà il comando? Milton? Non ha né energia né competenza sufficienti. Ancora ancora, se si trattasse soltanto dello zuccherificio, magari. Ma di affari di banca, di imprese commerciali, di importazione e esportazione, di noli e di navi, Milton non ne capisce nulla. Né lui né Cristóvão e neanche Jairo. Quello s'intende solo di cavalli e nelle sue mani la fortuna dei Guedes, per grande che fosse, durerebbe poco. Jairo, mai. E ne sapeva bene la ragione Emiliano.

– Ah, cognato mio, poverino! – Marina recita la sua parte di parente prossima con grida lancinanti.

Tullio passa davanti a Cristóvão e esce dalla camera. Apa rimane accanto al padre con la testa appoggiata al letto, sonnolenta, ha bevuto troppo.

35.

Emiliano Guedes, *cangaceiro* nel *sertão*, ha voluto diventare gangster in città, e ciò che in campagna era una virtú, sull'asfalto è degenerato in vizio, di modo che la grandezza dei Guedes di Cajazeiras è approdata alla corruzione, aveva scritto il libellista Haroldo Pera nella sua indigesta pasquinata. Il dottore aveva meditato assai spesso su quella frase maligna.

– Forse non avrei dovuto trasferirmi a Bahia. Ma quando nacquero i bambini, sentii in me l'ambizione di guadagnare piú denaro per loro e di aumentare la ricchezza della famiglia. Per loro tutto mi sembrava poco.

Emiliano si era risposato già in età matura e questa volta era andato a scegliersi la moglie in una famiglia importante, grandi possidenti terrieri. Iris era una ricca ereditiera e aggiunse nuovi beni alla fortuna del marito oltre a dargli due figli, Jairo e Aparecida.

Il dottore aveva cercato di stabilire con la moglie dei rapporti affettuosi e intimi, pur senza amore; ma non ci riuscí. Allora si accontentò di offrirle una vita comoda e lussuosa ed essa, che non desiderava di piú, concesse ben poco al marito oltre ai figli. Mantenersi onesta non le costò nessuno sforzo e nessun sacrifizio, i piaceri del letto non le dicevano nulla. Emiliano non ricorda neppure quando era stata l'ultima volta che l'aveva tenuta inerte tra le braccia. Ma rimase incinta e partorí, niente di piú. In realtà Iris era indolente e apatica e non si interessò mai di nulla di nulla. Neppure dei figli che dipendevano esclusivamente da Emiliano: voglio farne un comandante e una regina.

Ah, i figli! Erano stati una fonte permanente di gioia, la meta di tutti i suoi sogni, per essi il dottore era vissuto e aveva lavorato.

– Per essi ho fatto ammazzare e mi sono ammazzato, Teresa.

Un fallimento completo. Come i cugini Jairo aveva preso la laurea in legge, solo che lui non si era accontentato di passeggiare per Bahia. Col pretesto di un corso alla Sorbonne era partito per Parigi, dove non aveva mai messo piede all'Università, ma aveva conosciuto a fondo tutti gli ippodromi e tutte le case da gioco d'Europa. Da chi aveva ereditato la passione per il gioco? Alla fine Emiliano si era stufato di quello sperpero di denaro e l'aveva obbligato a ritornare. Tra varie possibilità il ragazzo scelse poi la direzione della succursale della Banca a São Paulo. Un anno dopo si scopriva l'ammanco, un disavanzo di milioni, tutti spesi in cavalli da corsa, al baccarà e alla roulette. Ci furono anche assegni a vuoto che vennero protestati in altre banche, una vera umiliazione. Lo scandalo venne soffocato, ma nessuno riuscí a impedire che la notizia circolasse. Se la Banca non fosse stata solida com'era, quell'ondata di mormorazioni ne avrebbe scosso il prestigio. Ma aveva scosso il dottore, lui, la rocca-forte della vitalità e dell'entusiasmo.

– Non riesco a dirti quello che ho provato, Teresa, è impossibile...

Confinato allo zuccherificio, Jairo passa tutta la giornata ascoltando dischi a meno che non se ne vada a Cajazeiras per le lotte dei galli.

– Che cosa fare di lui, Teresa, dimmi? Ma il peggio era successo con la prediletta Aparecida. Si era sposata a Rio all'insaputa della famiglia, comunicando la cerimonia ai genitori per mezzo di un telegramma con il quale chiedeva denaro per andare a passare la luna-di-miele alle cascate del Niagara. Le nozze di una milionaria baiana con un conte italiano, annunciarono le cronache sociali. E persino quell'apatica di Iris si era animata all'idea della parentela col sangue blu peninsulare.

Emiliano cercò di sapere chi era e da dove veniva l'ina-spettato genero nonché la stirpe e gli antecedenti del suppo-sto nobile romano. Tullio Bocatelli era nato davvero nel pa-lazzo di un conte, dove suo padre cumulava le funzioni di portinaio e di autista. Ancora ragazzo aveva abbandonato le umide cantine del palazzo ed era andato via in cerca di una facile fortuna. Se le era viste brutte, era finito perfino in galera; tre prostitute battevano il marciapiede per vestirlo e alimentarlo: aveva diciotto anni. Fece poi l'usciere in un cabarè, la guida turistica per spettacoli di cinema-cochon con lesbiche e invertiti, poi salì al grado di gigolò per vec-chie nordamericane, era quotato. Conduceva una vita facile, ma non si sentiva soddisfatto. Voleva la ricchezza vera e la sicurezza, non soltanto un po' di denaro, sempre insufficien-te e incerto. A ventotto anni venne, passo passo, in Brasile sulle orme di un cugino, un certo Storoni, che aveva fatto il colpo grosso sposando una paulista ricca. Questo cugino, per fare invidia ai parenti poveri, mandava da São Paulo le fotografie della fazenda di caffè, di buoi zebú campioni, di grattacieli cittadini e ritagli di giornale dove si citavano fe-ste e cene. Quella sí era la dolce vita sognata da Tullio, la ricchezza sicura e autentica, con fazenda, bestiame, case, con-to in banca. Sbarcò al porto di Santos da una terza classe con due abiti e le arie e il titolo di conte. Dopo sei mesi di permanenza in Brasile fu presentato a Aparecida Guedes dalla moglie di suo cugino durante una festa a Rio de Janeiro. Si innamorarono, si fidanzarono, si sposarono in un batter d'occhio. Ed era ora, poiché Storoni non era piú disposto a mantenere un fannullone anche se era un suo connazionale e suo cugino.

Al ritorno dagli Stati Uniti, quando giunse a Bahia per conoscere la famiglia di sua moglie, Tullio rinunciò al sangue blu e al titolo di conte, sebbene ogni romano possa dirsi nobile, come tutti sanno. Gli mancò il coraggio, gli occhi di Emiliano gli davano i brividi. A lui si presentò come un giovane modesto, povero ma lavoratore in attesa di un'occasione.

– Io avevo deciso di farlo uccidere allo zuccherificio. Ma vedendo che mia figlia era tanto felice e ricordandomi di Isadora, che era tanto povera eppure cosí onesta, decisi di concedere una possibilità al *carcamano*[1]. Dissi ad Alfredão di rinfoderare le armi perché il «servizio» era stato rimandato. Rimandato al giorno in cui si fosse comportato male verso Apa e avesse fatto soffrire mia figlia.

Ma quella che cominciò a comportarsi male fu lei; gli faceva le corna per dritto e per traverso. E lui, come se niente fosse, la ripagava della stessa moneta; insomma ciascuno faceva quello che voleva, ma erano rimasti stranamente amici, allegri e uniti e vivevano in buona armonia, una cosa dell'altro mondo. Per quanti sforzi faccia, Emiliano non capisce:

– Becco per vocazione... Cornuto contento.

Suo genero era un cornuto. E sua figlia? Apa, l'unica figlia, la prediletta. Di Jairo voglio fare un comandante e di Aparecida una regina. Invece di un comandante era venuto fuori un ladro, e invece di una regina, una puttana. Che si degradava in mano di quell'individuo dissoluto, amorale, privo di qualsiasi parvenza di dignità. Farlo uccidere? A che scopo, dal momento che sua figlia non merita un marito migliore e tutti e due vivono contenti uno dell'altro?

Hanno in comune due figli, due maschietti, gli interessi economici e l'impudenza.

E poi, se lo avesse ucciso, chi sarebbe rimasto a mandare

[1] Nomignolo con il quale in Brasile si designavano gli immigrati e in special modo quelli italiani.

avanti la barca alla morte del dottore? Quel *carcamano* non è stupido, è abile negli affari, sa comandare, peccato che sia povero e abbia contaminato Aparecida. Contaminato Aparecida? Ma essa non portava forse già il marcio dentro di sé?

– Ah, Teresa, a che punto sono arrivati i Guedes di Cajazeiras!

La sua voce rotta dopo il ribrezzo denuncia l'ira, ma la fredda lama dei suoi occhi riflette soltanto stanchezza. Dei Guedes domani non rimarrà neppure il nome. Domani saranno i Bocatelli.

– Sangue cattivo, Teresa, il mio. Sangue marcio.

36.

In sala da pranzo Nina ha servito un caffè bollente e intanto le sue orecchie ascoltano. Nelle maniere e nella voce di Tullio essa riconosce un padrone. È un bel ragazzo, il marito della figlia del dottore. Al passaggio lo sfiora a occhi bassi.

Intanto Tullio, guidato dal medico, ha già visitato quasi tutta la casa e fatto il bilancio del valore dell'arredamento. Gli mancano soltanto il salotto e il salottino e poi l'inventario è fatto.

– È di proprietà o in affitto?

– La casa? Di proprietà. Il dottore l'ha comperata con i mobili e tutto quello che c'era dentro. Poi ha fatto dei lavori e ha portato qui un mondo di cose –. Il dottor Amarilio si abbandona ai ricordi: – Arrivava sempre con l'automobile piena. Di tutto. Questa casa era la pupilla dei suoi occhi. Vede quell'inginocchiatoio? L'ho scoperto io in un angolo nel podere di un malato a tre leghe da qui, ne ho parlato al dottor Emiliano e lui voleva andarlo a vedere seduta stante; ci andammo il mattino dopo a cavallo. Il proprietario era un povero diavolo e non voleva neppure fare il prezzo di quel vecchiume abbandonato in un angolo. Fu il dottore a fare il prezzo e pagò un prezzo esorbitante.

Ma per eccessivo che fosse il prezzo pagato, certamente anche cosí era a buon mercato, perché quell'inginocchiatoio qualunque antiquario del Sud lo pagherebbe un patrimonio. Anche tutti gli altri mobili, del resto. Tullio riconosce la mano del suocero in ogni particolare. Neppure il vecchio palazzo di via Corredor da Vitoria a Bahia e neanche la *casa-*

grande dello zuccherificio conservano cosí nitidamente il marchio della presenza di Emiliano Guedes. Nella residenza in città predomina il lusso e il sobrio buon gusto del dottore è contaminato dal fasto di Iris e dalle stravaganze di Aparecida e di Jairo. Quanto alla *casa-grande* dello zuccherificio, soltanto nella parte riservata a lui è presente quella difficile mescolanza di raffinatezza e di semplicità; altrimenti, nei saloni e nelle altre innumerevoli stanze, regnano il disordine di Milton e la trascuratezza di Irene. Nel villino di Estância, invece, non c'è una stonatura e alla distinzione di Emiliano fa riscontro l'accuratezza della padrona di casa. Quella non è soltanto una bella casa confortevole e accogliente, Tullio se ne rende conto. È piú di questo, è il focolare – è quella specie di mistico rifugio di cui Tullio ha sentito sempre parlare fin da bambino. Cosí era la casa di suo zio, miniaturista a Palazzo Pitti, a Firenze: intima e personale.

– Quanto tempo è durata la relazione, lei lo sa?

Il dottor Amarilio riflette e fa qualche calcolo:

– Saranno piú di sette anni...

Soltanto alla fine della vita il vecchio capo era riuscito ad avere un focolare, una casa veramente sua, forse la sua vera donna. Tullio spera di non sentir mai la necessità del focolare, della quiete, della calma, della pace che vede lí, neppure per morire. Quanto alla donna è completamente soddisfatto di Apa, ricchezza e sicurezza, e una gaia compagna. Il motto di Tullio Bocatelli è: vivi e lascia vivere. Soltanto che d'ora innanzi bisognerà che controlli gli sprechi. Il capo poteva permettersi di sperperare, era nato ricco, lui, già i suoi bisnonni avevano posseduto terre e schiavi e non aveva mai conosciuto il sapore della miseria. Tullio invece aveva sofferto la fame, conosce il vero valore del denaro e terrà le redini con mano ferma.

Il certificato di proprietà della casa è in nome di·chi? Di lui? di lei?

– Del dottore. Ho firmato io come testimonio. Io e il professor João...

– Una bella casa. Deve valere parecchio denaro.

– Qui a Estância gli immobili sono a buon mercato.

Se fosse stata situata nei dintorni di Aracajú sarebbe stata l'ideale per degli appuntamenti amorosi. Ma a Estância non serviva a nulla. Il meglio è venderla o affittarla. E portare i

mobili a Bahia, Tullio pensa di utilizzarli nella casa che avrà
là; ad Aracajú per lui è finita.

Il dottor Amarilio gli consegna il certificato di morte.
Tullio se lo mette in tasca:

– È morto nel sonno?

– Nel sonno? Ma... A letto, ma non esattamente mentre
dormiva...

– E allora che cosa faceva?

– Quello che un uomo e una donna fanno a letto...

– Chiavando? È morto addosso a lei? Accidenti!

La morte dei giusti, dei prediletti del buon Dio. Ma in
compenso per la donna una vera calamità. Ai tempi che faceva il ruffiano Tullio aveva saputo di un caso cosí, e la donna
era impazzita, non era mai piú stata la stessa.

– Poveraccia... Come si chiama esattamente? Teresa e
poi?

– Teresa Batista.

– Crede che abbia intenzione di rimaner qui?

– Non credo. Ha detto che andrà via da Estância.

– Pensa che quindici o venti giorni le saranno sufficienti
per lasciare libera la casa? Naturalmente la famiglia vorrà
venderla o affittarla subito affinché la gente dimentichi questa storia.

– Credo che le basterà. Posso parlare con lei.

– Le parlo io stesso...

Si alzano e si dirigono verso il salotto trasformato dal dottore in uno studio sul quale si apre la porta del salottino, dove si trovano i libri e gli oggetti di Teresa e dove si trova
essa pure occupata a far la valigia. Tullio posa lo sguardo sulla ragazza e di nuovo la esamina e l'ammira, una splendida
femmina, chissà chi la erediterà dal vecchio capo. Si avvicina:

– Senta, bellezza, siamo ai primi di maggio, può continuare a occupare la casa fino alla fine del mese.

– Non mi è necessario.

Un lampo nei suoi occhi neri altrettanto ostili quanto i
freddi occhi azzurri del dottore. Tullio perde un poco della
sua sicurezza abituale, ma subito si riprende, lei non può farlo ammazzare nelle terre dello zuccherificio. Adesso chi può
fare e disfare è lui, Tullio Bocatelli.

– Posso esserle utile in qualcosa?

– Per niente.

Di nuovo egli la misura dall'alto in basso e le sorride, un'occhiata e un sorriso carichi di sottintesi:

– In ogni modo passi un momento in Banca ad Aracajú, parleremo un poco di lei. Vedrà che non sarà tempo perso...

Prima che finisca la sua frase la porta del salottino gli viene sbattuta in faccia. Tullio ride:

– È cattiva, la bambina, eh!

Il medico muove le mani con un gesto incerto, niente di quanto sta succedendo gli piace, che brutta notte, un incubo. Purché l'ambulanza arrivi presto a portarsi via il corpo. A casa sua moglie, dona Veva, lo aspetta senza dormire per sapere il resto della storia. Stanco, il dottor Amarilio accompagna Tullio in giardino, dove lo psicanalista Olavo Bittencourt dorme nell'amaca.

In sala da pranzo Marina ascolta i pettegolezzi della domestica e li sottolinea con esclamazioni al colmo dell'eccitazione. La Nina scende in particolari:

– Il lenzuolo tutto sporco... Se lo vuol vedere glielo posso mostrare, l'ho messo da parte per lavarlo piú tardi.

Mentre l'altra va a prendere il lenzuolo, Marina si avvicina di corsa alla porta della camera chiamando il marito:

– Cristóvão, vieni qui, presto.

Steso il lenzuolo sulla tavola la domestica indica le macchie, il seme ormai secco, e Marina lo tocca con l'unghia:

– Che schifo!

Entrano nella stanza Cristóvão e padre Vinicius.

– Che cos'è questo lenzuolo? – Il prete non ha bisogno di risposta per saperlo, non può essere che quello, certamente... Indignato ordina: – Nina, porta via questo lenzuolo, subito! – Poi rivolto a Marina, – per favore, dona Marina.

Richiamati dalle voci, Tullio e il dottor Amarilio si uniscono al gruppo.

– Che cosa succede? – vuol sapere l'italiano.

Marina è in agitazione, quello è il suo clima abituale:

– Lo sapeva lei che le è morto addosso? Una depravazione spaventosa... E lo specchio in camera l'ha visto? Come faremo a chiudere la bocca alla gente perché nessuno lo venga a sapere? Se la voce si sparge, stiamo freschi! Emiliano Guedes che muore al momento...

– Se lei continuerà a gridare cosí come un'isterica, tutta la città lo saprà sull'istante, e dalla sua bocca –. Tullio si rivolge a Cristóvão: – Caro, porti via sua moglie, la conduca accanto a Apa, che è sola in camera.

Sono ordini, i primi dettati da Tullio Bocatelli.

– Vieni, Marina, – dice Cristóvão.

Tullio vuole spiegare al prete e al medico: – Lo metteremo nell'ambulanza come se fosse soltanto malato, un infarto o un aneurisma, a sua scelta, dottor Amarilio. Non è morto addosso a nessuno, un uomo con la sua posizione deve morire decentemente. Mentre lo portano all'ospedale dallo zuccherificio.

In lontananza si sente la sirena dell'ambulanza che sveglia la gente e la curiosità di Estância. E poco dopo si ferma al cancello del villino. Gli infermieri scendono e tirano fuori la barella.

– Dottor Amarilio, è meglio che lei venga con lui in ambulanza fino ad Aracajú. Per salvare le apparenze.

Non finirà mai quell'incubo! Ma il dottore si ricorda del conto da esigere e acconsente. Passando scenderà un momento in casa per calmare l'impazienza di Veva, e al ritorno avrà molto da raccontare.

Tullio, padre Vinicius e la Nina si dirigono in camera mentre il medico e Lula vanno incontro agli infermieri. La sirena dell'ambulanza ha svegliato i bambini, i vicini e il dottor Olavo Bittencourt, che accorre frettolosamente per sostenere l'abbandonata Apa. Come diavolo ha fatto ad addormentarsi? Era venuto a fumare una sigaretta e si era addormentato nell'amaca, meriterà il perdono? Nella corsa incontra Teresa in sala da pranzo.

Teresa entra in camera e non sembra neanche vedere i parenti e gli amici. Va accanto al letto e resta un istante in silenzio a fissare il volto dell'amato.

– Mandate via quella maledetta da qui... – grida Marina.

– Finiscila, porca Madonna! Sta' zitta! – Esplode Tullio.

Come se non avesse sentito niente, come se fosse sola, Teresa si china sul corpo del dottore, gli tocca il viso, i baffi, le labbra, i capelli. È ora di partire, Emiliano. Loro porteranno via soltanto il tuo cadavere, ma tu verrai con me. Gli bacia gli occhi e gli sorride. Poi si carica sulle spalle l'amante, l'amato, l'amico, il suo amore, e esce dalla camera. Gli infermieri caricano in barella il corpo di un industriale, del direttore di banca, impresario, signore di leghe e leghe di terra, del cittadino eminente, affinché vada a morire decentemente in ambulanza sulla strada dell'ospedale, di infarto o di aneurisma, come preferisce lei, dottor Amarilio.

37.

– Sangue cattivo, Teresa. Sangue marcio, il mio, e anche quello dei miei.

Erano passate due ore o poco piú, ma sembrava una desolata eternità. Emiliano aveva raccontato e descritto con asprezza e crudamente, senza scegliere le parole. Mai Teresa aveva supposto di dover ascoltare dalla bocca del dottore il resoconto di fatti simili e di udire espressioni come quelle, riguardo ai fratelli, al figlio, alla figlia. In casa dell'amante non aveva l'abitudine di parlare della sua famiglia e se durante quei lunghi sei anni gli era sfuggito qualche accenno era sempre stato un elogio. Una volta le aveva mostrato un ritratto di Apa bambina, gli occhi azzurri del padre, la bocca sensuale, bellissima. È perfetta, Teresa, aveva detto commosso, è il mio tesoro. La sera di quella domenica di maggio Teresa si rese conto dell'estensione del disastro, che andava molto al di là di quanto essa aveva potuto immaginare attraverso insinuazioni, parole staccate, qualche frase di amici e di estranei e attraverso i silenzi di Emiliano. Deve essergli costato enormemente mantenersi cordiale, amabile, sorridente, e sembrare allegro in compagnia di lei e degli amici, serbando solo per sé la sua amara esperienza, il fiele che lo consumava. Ma improvvisamente era stato troppo, era traboccato.

– Sangue cattivo, stirpe cattiva, degenerata.

Solo due persone non l'avevano disilluso, non avevano tradito la sua fiducia, Isadora e Teresa; con loro non si era sbagliato. Era stato pensando a Isadora, quella povera sartina che era diventata una sposa modello e una compagna indimenticabile, che l'industriale aveva deciso di sospendere gli ordini dati a Alfredão riguardo a Tullio Bocatelli, e cioè di non uccidere il genero, di dargli una possibilità.

– È sangue buono, Teresa, quello della gente del popolo. Magari io fossi ancora giovane per avere da te i figli che ho sognato.

Per scoscesi sentieri giunsero ai giuramenti d'amore, al tenero idillio. Dopo averle detto, pieno d'amarezza, ira e passione, ciò che mai avrebbe pensato di poter confidare a un parente, a un socio o a un amico, il dottore la prese tra le braccia e baciandole le labbra le disse con rimpianto:

– Troppo tardi, Teresa, ho impiegato troppo tempo a capire. Tardi per i figli, ma non per vivere. Ho solo te al mondo, Favo-di-Miele, come ho potuto essere tanto ingiusto e meschino?

– Ingiusto con me? Meschino? Non dica cosí, non è vero. Lei mi ha dato di tutto, e chi ero io per meritarmi di piú?

– Poco fa mentre passeggiavamo insieme sulla strada del porto, improvvisamente mi sono reso conto che, se io morissi oggi, tu resteresti senza un centesimo per vivere, ancora piú povera di quando sei venuta, perché adesso le tue necessità sono aumentate. Tutto questo tempo, piú di sei anni, e non ci avevo mai pensato. Non ho pensato a te, solo a me ho pensato e al piacere che mi dai.

– Non dica cosí, non voglio sentire.

– Domattina telefonerò a Lulú che venga qui immediatamente per mettere questa casa in tuo nome e perché aggiunga una clausola al mio testamento con un legato che assicuri la tua vita dopo la mia morte. Sono un vecchio, Teresa.

– Non dica cosí, per favore... – ripete: – per favore, glielo chiedo per favore.

– Va bene, non parlo piú, ma prenderò i provvedimenti necessari. Per correggere almeno in parte la mia ingiustizia: tu mi hai dato pace, gioia, amore, e io in cambio ti ho tenuta prigioniera qui a dipendere dai miei comodi, come una cosa, un oggetto, una schiava. Io ero il padrone e tu la serva, ancora oggi mi dai del lei. Sono stato con te altrettanto cattivo quanto il capitano. Sono stato un altro capitano, Teresa, verniciato, ripulito, ma in fondo la stessa cosa. Emiliano Guedes e Justiniano Duarte da Rosa sono uguali, Teresa.

– Ah, non faccia confronti con lui! Non sono mai esistiti due uomini piú differenti. Non mi offenda offendendo se stesso a questo modo. Se fossero uguali perché io sarei qui, e perché piangerei sulla sua famiglia, se non piango neanche per me? Non faccia confronti, che mi offende. Lei è sempre stato buono con me e mi ha insegnato ad essere una donna onesta e ad amare la vita.

Emiliano risorge dalle sue ceneri attraverso la voce innamorata di Teresa.

– Durante questi anni, Teresa, tu hai imparato a capire come sono io; conosci il mio lato buono e il mio lato cattivo, e sai di che cosa sono capace. E io mi son messo una mano in cuore e li ho strappati di lí dentro, ma il mio cuore non è rimasto vuoto, e non sono morto. Perché ho te. Te e nessun altro.

È dominato da un'improvvisa timidezza da adolescente, da postulante ansioso, indifesa creatura in contraddizione col gran signore avvezzo a comandare, fermo e deciso, se necessario insolente e arrogante. La sua voce è quasi imbarazzata, commossa:

– La nostra vita è incominciata davvero ieri alla kermesse, Teresa. Adesso abbiamo tutto il tempo davanti a noi e il mondo intero ci appartiene. Non ti lascerò piú sola, adesso staremo sempre insieme, qui o dovunque sia; verrai via con me. È finito il concubinaggio, Teresa.

Prima di alzarsi in piedi nella sua alta arborea statura e di prenderla tra le braccia concludendo le sue terribili confidenze e il dolce conversare d'amore, Emiliano Guedes disse ancora:

– Come vorrei essere scapolo per sposarti. Non è che questo modificherebbe per niente quello che tu significhi per me. Tu sei la mia donna.

Alla fine del bacio essa mormora:

– Ah, Emiliano, amor mio.

– Non mi chiamerai mai piú dottore. Dovunque ci troviamo.

– Mai piú, Emiliano.

Erano passati sei anni da quella notte in cui egli l'aveva portata via dal bordello. Il dottore prese Teresa tra le braccia e la portò nella camera nuziale. Emiliano Guedes e Teresa Batista avevano superato gli ultimi ostacoli. Un vecchio d'argento, una ragazza di rame.

38.

Partí l'ambulanza, ma i curiosi rimasero sul marciapiede di fronte al villino commentando e aspettando. La Nina si era mescolata con loro, dopo aver chiuso in casa i figli, per spifferare tutto.

In camera il sagrestano finiva di raccogliere i candelabri e gli avanzi dei ceri. Un'ultima occhiata d'invidia al grande specchio, ah! che depravati!, e se ne va. Il prete aveva già salutato in precedenza:

– Che Dio ti aiuti, Teresa.

Teresa ha finito di far la valigiǎ. Sul tavolo da lavoro di Emiliano lo scudiscio d'argento posato sopra alcune carte. Vorrebbe portarlo con sé. Ma perché lo scudiscio? Meglio una rosa. Si copre la testa con uno scialle nero a fiori rossi, l'ultimo regalo del dottore, gliel'aveva portato giovedí scorso.

In giardino raccoglie la rosa piú rigogliosa e piú rossa, carne e sangue. Desidererebbe dire addio ai bambini e alla vecchia Eulina, ma Nina ha chiuso in camera i figli e la cuoca arriva soltanto alle sei.

La valigia nella mano destra, la rosa nella sinistra, lo scialle in testa. Teresa apre il cancello. Passa attraverso i curiosi come se non li vedesse. Con passo fermo e occhi asciutti si dirige verso la fermata della corriera giusto in tempo per salire su quella delle cinque del mattino diretta a Salgado dove si ferma il treno della Leste.

La festa di nozze di Teresa Batista
o
Lo sciopero del canestro a Bahia
o
Teresa Batista scarica la morte in mare

1.

Sia il benvenuto, si metta a sedere, in questo terreiro *di
Xangô faccia come a casa sua, intanto che io preparo la tavola e i buccini da guardare. Lei vuole forse togliersi soltanto
un dubbio? Oppure cerca semplicemente un'informazione?
È venuto da me con la raccomandazione di un amico che stimo tanto, che mi metto senz'altro a sua disposizione, domandi pure, in questo* axé, *dopo gli* orixás, *il brutto e il cattivo
tempo lo fa l'amicizia, io non conosco altro padrone.*

Desidera sapere la verità a proposito del santo *di Teresa,
quello che regge la sua vita e la protegge contro il male, cioè
il suo angelo guardiano, il signore della sua testa? In giro
nei crocicchi di Bahia ha forse sentito dire molte cose strane
e contraddittorie e si sente confuso? È naturale che ci siano notizie contraddittorie, succede sovente, perché al giorno
d'oggi tutti vogliono saper tutto e nessuno confessa la propria ignoranza, tanto inventare non costa nulla.*

Invece il servizio degli orixás *richiede la vita intera e
infelice colei che, scelta come* mãe-de-santo, *non riuscendo
ad assolvere il suo compito, tentasse di ingannare il fulmine
e il tuono, le foglie del bosco e le onde del mare, l'arcobaleno e la freccia scoccata. Nessuno riesce a darla a bere agli*
encantados *e chi non è in grado di afferrare il coltello al
momento giusto dell'*efún, *chi non ha ricevuto il* deká *con
la chiave del segreto e la risposta dell'indovinello, è meglio
che non faccia il gradasso, con queste cose non si scherza,
pericolo di morte. In altra occasione, quando avrà un po'
di tempo d'avanzo e la pazienza di ascoltarmi, le posso raccontare diversi casi.*

*Per gettare i buccini sulla tavola basta averci la mano e
non mancare di ardimento. Ma per leggere la risposta scritta
dagli* encantados *con i buccini, bisogna intendersi della luce
e del buio, del giorno e della notte, dell'oriente e del ponen-*

te, dell'odio e dell'amore. Io ho ricevuto il nome prima di nascere e fin da bambina ho incominciato a imparare. Quando venni portata alla conferma piansi dalla paura, ma gli orixás mi diedero forza e illuminarono il mio pensiero. Ho imparato da mia nonna, dalle mie vecchie zie, dai babalaôs[1] e da madre Aninha. Oggi sono maggiorenne e in questo axé nessuno alza la voce salvo io. A Bahia mi inchino soltanto alla iyalorixá del candomblé di Gantois, Menininha, che è mia sorella de-santo e mia pari per sapere e per potere. E siccome ho cura degli encantados rispettando rigorosamente i precetti e le inimicizie, passo attraverso il fuoco e non mi brucio.

Però trattandosi di Teresa permetta che io le dica che ci sono parecchi motivi di confusione; in questo caso persino chi la sa lunga può rimanere imbarazzato nella interpretazione dei buccini sulla tavola. Molta gente ha già tentato di leggerli, ma non si sono trovati d'accordo. I primi parlavano di Iansã, i piú recenti di Iemanjá. A lei hanno indicato Oxalá, Xangô, Oxossí, non è vero? E ancora di piú Euá e Oxumaré? E non dimentichiamo Ogúm e Nanã, e neppure Omulú.

Anch'io ho fatto l'esperimento e ho guardato a fondo. Le dirò: non ho mai visto una cosa simile, eppure sono piú di cinquant'anni che mi esercito in questo pejí[2] e piú di venti che ho cura di Xangô.

La prima a presentarsi davanti a tutti gli altri con la sua scimitarra rutilante è stata Iansã, che diceva: essa è coraggiosa e buona lottatrice e appartiene a me, io sono la signora della sua testa e guai a chi le farà del male! Poi subito dietro di lei sono apparsi Oxossí e Iemanjá. Con Oxossí Teresa è venuta dalla foresta profonda, dalla selvaggia radura, dall'asciutta savana, dal sertão bruciante e desolato. Sotto il manto di Iemanjá ha attraversato il golfo per accendere l'aurora nel Recôncavo dopo aver guerreggiato per campi e città, una vita di lotta dal principio alla fine, tanto che per aiutarla in quei terribili e crudeli combattimenti, oltre Iansã, che fu la prima e la piú importante, vennero Xangô e Oxumaré, Euá e Nanã e anche Ossain con le sue foglie. Oxalá il vecchio mio padre, insieme al gran pasciá della sapienza Oxolufã, le apersero la strada giusta per dove doveva passare.

[1] Indovini.
[2] Specie di sacrario.

Non c'era forse Omolú a «cavallo» di Teresa nella città di Buquím durante l'epidemia di vaiolo nero? E non è forse stato lui a masticare la pestilenza con il dente d'oro e a metterla in fuga? Non la indicò forse come Teresa di Omolú alla festa dei macumbeiros di Muricapeba? E allora? Vuol dire che Omolú tutto coperto di piaghe era venuto deciso a reclamare il suo «cavallo».

Guardi un po' che confusione ne è venuta fuori. Io non ho trovato altra via d'uscita se non quella di chiamare mia madre Oxúm affinché calmasse i signori encantados. Ed essa è venuta tutta ancheggiante e vestita di giallo, luccicante d'oro, braccialetti e collane, l'eleganza in persona. Subito si arresero gli orixás, tutti innamorati ai suoi piedi, maschi e femmine, a cominciare da Oxossi e da Xangô, che sono i suoi due mariti. Ed erano anche ai piedi di Teresa, tutti intorno alla bellissima, perché Teresa ha ricevuto da Oxúm il languore e il miele, e anche la gioia di vivere e il color del rame. Invece il fulgore dei suoi occhi neri è di Iansã, questo nessuno glielo toglie.

Al vedere Teresa Batista attorniata e difesa da tutte le parti e con tutti gli orixás intorno, così io le dissi allora riassumendo la giocata: anche se ti troverai proprio alle strette e stanca morta, non rinunciare, non cedere, abbi fiducia nella vita e va' avanti.

Ciononostante è sempre possibile un momento di sconforto totale, quando persino i più coraggiosi si dànno per vinti e decidono di gettare le armi e abbandonare la lotta. È successo anche a lei, domandi in giro e lo saprà. Io non posso dirle di più perché è una cosa che non ho ancora chiarito.

Secondo me, comunque, a guidare i passi dell'affogato attraverso i vicoli della città fino al nascondiglio di Teresa, è stato Exú. Per montare un pasticcio basta Exú. Chi meglio di lui conosce strade traverse e scorciatoie, chi più di lui ama metter fine a una festa? Ma la festa non finì, anzi, oltre a quella programmata per festeggiare le nozze, ce ne fu un'altra improvvisata, e quest'ultima ebbe luogo in mare quando Janaína disciolse la sua chioma verde per gli innamorati.

Per soddisfare la richiesta di Verger – lei lo sa che Pierre è un mago? – le ho detto su questo argomento tutto quello che so, qui seduta sul mio trono di Iyalorixá e assistita dalla corte degli obá, io, la madre Signora Iyá Nassô, mãe-de-santo dell'Axé dell'Opô Afonjá o candomblé Cruz Santa di São

Gonçalo do Retiro, dove ho cura degli orixás *e raccolgo sul mio petto il pianto degli afflitti.*

2.

Era un argomento particolarmente delicato. Teresa Batista aveva ricevuto per la seconda volta una domanda di matrimonio, anche se la prima non contava perché il candidato in quell'occasione solenne era troppo ubriaco. Un'ingiustizia, questa, del resto, perché Marcelo Rosado era irremediabilmente astemio e timido come pochi e si era ubriacato esclusivamente per farsi coraggio per la sua dichiarazione di amore. Da sobrio non gli mancavano né la passione né la voglia di legarsi; quello che gli mancava invece era il coraggio di affrontare Teresa per chiederle la sua mano. Cosí si riempí di *cachaça* e siccome non era abituato successe il disastro che sappiamo: al momento culminante della confessione vomitò anche l'anima nel casino di Altamira a Maceió dove Teresa andava ogni tanto a incontrarsi con lui (e con pochi altri) quando si trovava a corto di denaro.

Teresa non si offese, però non credette alla serietà dei propositi del contabile della potente ditta Ramos & Meneses. Né si preoccupò di esporgli qualche serio motivo per il suo rifiuto; prese la cosa in scherzo e basta. Marcelo, per la vergogna di quello che era successo e per l'indifferenza della pretesa fidanzata, sparí dalla circolazione portando con sé il ricordo e la passione per Teresa, che non riuscí mai a dimenticare. Tanto che la donna che finalmente sposò anni dopo nel Goiáz, dove aveva finito per capitare coperto di vergogna e di dolor di gomito, ricordava, per il modo di fare, di ridere e di guardare, la sposa mancata, ossia l'impareggiabile prostituta di passaggio a Maceió, la sambista da cabarè.

Sambista da cabarè era anche adesso a Bahia, e anche adesso era un'impareggiabile prostituta che per necessità frequentava il casino rinomato e discreto di Taviana. E che otteneva, è triste constatarlo, piú successo nel letto della casa di appuntamenti che sulla pista del Flor-de-Lotus, il «fantasmagorico tempio di notturni svaghi» di una frase pubblicitaria discutibile di Alinor Pinheiro, il padrone della baracca.

Non avendo molte spese, dato che non giocava e non manteneva amanti, Teresa si recava al postribolo il meno possibile, sebbene continuamente sollecitata a farlo. Conosceva il mestiere, era d'una bellezza eccezionale, lodata per l'educazione e le maniere raffinate, e con tutto ciò si manteneva lontana da qualsiasi interesse sia sessuale che sentimentale, cioè indifferente verso gli uomini. La sua clientela si riduceva a pochi signori ricchi, scelti uno a uno da Taviana, clienti di lunga data e con le tasche piene. Mai nessuno di loro si meritò neppure un pensiero da parte di Teresa. Alcuni la vollero in esclusiva mostrandole portafogli ben forniti e facendole tentanti proposte di sistemazione. La mantenuta, mai. Non ripeterà l'errore commesso quando aveva provato a vivere col direttore dell'Ufficio di Igiene di Buquím.

Fin dai lontani tempi di Aracajú non aveva piú sentito il sangue pulsarle con forza nelle vene né aveva piú scambiato occhiate cariche di luce e ombra per un'emozione passeggera. Teresa era morta all'amore. No, non è vero. L'amore le brucia il cuore, è un pugnale piantato in petto, una nostalgia crudele, un'ultima tenue speranza. Januario Gereba, marinaio di lungo e lontano corso, dove sarai?

Insinuanti sparvieri in cerca d'avventure l'hanno assediata al cabarè: i bellimbusti della «zona», gente insopportabile.

Con i clienti del casino Teresa mette avanti la sua competenza a letto e la sua distinzione, Teresa-dal-Dolce-Parlare; con quei vagabondi si è servita del disprezzo e, se necessario, dell'indignazione, Teresa-Brava-a-Litigare: mi lasci in pace, non mi secchi, vada a suonare il suo organetto da un'altra parte. Ha messo in fuga al Flor-de-Lotus, giú per le scale e fuori dalla porta, Lito Sobrinho, irresistibile zerbinotto, e ha tenuto testa a muso duro a Nicolau Pesce-Cane, un poliziotto dei piú ripugnanti. Entrambi avevano tentato di farsi valere con lei.

La vecchia Taviana, che aveva alle spalle quasi cinquanta anni di meretricio, venticinque dei quali come prosseneta e sapeva tutto sulla professione e sulla natura umana, quando aveva conosciuto Teresa, aveva subito veduto in lei una fabbrica di denaro, un pezzo di donna in grado di arricchire il casino e la sua padrona mettendosi anche da parte un gruzzolo sostanzioso. Allora si era preparata a presentarla ai suoi vecchietti come una donna sposata, onesta ma povera, ridotta a far quella vita da una situazione dolorosa, da necessità imperiose e senza via d'uscita, una triste storia. Di storie ne poteva raccontare parecchie, Taviana ne aveva uno stock inesauribile negli archivi orali del suo stabilimento, tutte storie vere e una piú commovente dell'altra. Attraverso quel piccolo imbroglio, l'interesse e la generosità dei benemeriti clienti sarebbero aumentati, giacché non è possibile trovare nulla di piú piacevole e riconfortante che proteggere una donna sposata e onesta in difficoltà, facendo la carità e per di piú mettendo le corna al marito, ossia soddisfacendo spirito e materia.

Quella stupidina di Teresa si era rifiutata perché non voleva rendersi ancora piú pesante il suo già faticoso mestiere. Col tempo erano diventate molto amiche, ma Taviana, scuotendo la sua testa canuta, aveva sempre continuato a ripetere la diagnosi che aveva fatto all'inizio:

— No, Teresa, tu non ci sai proprio fare, non sei nata per questa vita, sei nata invece per fare la padrona di casa, la madre di molti figli. Quello che ti serve è il matrimonio.

3.

Forse di proposito, chi lo sa, fu Taviana a favorire la conoscenza tra Teresa Batista e Almerio das Neves, un signore amabile, che sapeva parlare, padrone di una prospera panetteria a Brotas. Non era ricco ma aveva una posizione solida. Con la ruffiana manteneva vecchi legami di amicizia. Quindici anni prima aveva conosciuto nel suo bordello la ragazza Natália soprannominata Nata-di-Latte a causa del candore della sua pelle, che aveva un fare timido e da poco faceva la vita, una di quelle, insomma, che secondo Taviana erano nate per fare le madri di famiglia.

A quell'epoca Almerio era agli inizi della sua carriera di commerciante e perciò sgobbava giorno e notte per far prosperare la modesta panetteria che si trovava in prossimità di quella attuale. Dopo alcuni incontri con Natália fu posto ben presto a conoscenza della patetica storia di come era stata buttata fuori di casa da un padre aguzzino quando aveva saputo che era stata sverginata da un corteggiatore con troppo scilinguagnolo. Il quale se l'era fatta venire nella sua camera da studente bohémien e poi aveva cambiato indiriz-

zo senza dir nulla e senza dirle addio. Almerio si sentí ardere d'amore per quella giovane e attraente vittima della sfortuna e di due canaglie. Tolse Panna-di-Latte dal bordello, la
sposò e certamente non avrebbe potuto trovare una moglie
piú onesta neanche tra le suore di un convento. Una spada
sul lavoro e molto seria. Non gli aveva dato figli, è vero, e
questo era l'unico neo di un matrimonio, che per il resto era
andato a meraviglia. Quando col passar degli anni le cose
andarono meglio per loro e Natália riuscí a liberarsi dalla
cassa della panetteria, dove prima stava piantata il giorno
intero, decisero di adottare un bambino orfano di padre e
madre. La madre era morta nel darlo alla luce e sei mesi dopo una polmonite si era portata via anche il padre, che era
un apprendista della panetteria: Almerio e Natália presero
con sé il bambino, andarono in comune e gli diedero nuovi
genitori e un nuovo cognome. Se gli anni precedenti erano
stati anni di calma felicità, gli ultimi due, con un figlio che
cresceva loro sotto gli occhi, furono entusiasmanti. Una felicità domestica che venne però brutalmente interrotta dal-
l'automobile di un giovane figlio-di-puttana di ricca famiglia,
il quale stava correndo all'impazzata impaziente di arrivare
in nessun posto; urgenza di non far nulla. Investí Natália di
fronte alla panetteria, lasciando Almerio nella disperazione
e il bambino orfano di madre per la seconda volta. Il vedovo
si era recato dalla sua vecchia amica Taviana alla ricerca di
un po' di consolazione ed è cosí che aveva conosciuto Teresa.

Teresa andava al casino soltanto per appuntamenti fissati
in antecedenza e si dedicava esclusivamente a una clientela
ristretta scelta dall'efficiente prosseneta. Dopo la «seduta»,
congedato il banchiere o il magistrato, a volte si tratteneva
in salotto a chiacchierare con Taviana. Fu cosí che una volta
le venne presentato l'«amico Almerio das Neves», una persona di cui ho molta stima fin dai tempi in cui lui era un
giovanotto e io ero già vecchia». Che età poteva avere Taviana, o forse era senza età?

Almerio era un mulatto chiaro e grassoccio, ben messo,
calmo e pacato, buon parlatore ma un po' ricercato nel modo di esprimersi, e tutto in lui faceva pensare alla tranquillità e alla sicurezza. Teresa, per compiacere Taviana, accettò
di fissare un incontro con lui tre giorni dopo, riservandogli
un pomeriggio intero.

– Consola un poco il mio amico, Teresa, ha perduto la moglie da poco tempo e non ha ancora smesso il lutto.

– Porterò il lutto in cuore eternamente.

Gentile e compassato, dopo la seconda tappa della «seduta» (i clienti abituali di Teresa arrivavano con gran fatica alla prima e unica), Almerio si mise a chiacchierare parlando della sua vita e raccontando particolari che si riferivano soprattutto a Natália, al figlio e alla panetteria, quella nuova che era molto piú grande della precedente ed era in grado di far concorrenza ai monopolizzatori spagnoli padroni del mercato. Un giorno, disse poi con orgoglio, diventerà un vero emporio.

– Come si chiama?

– Panificio Nosso Senhor do Bonfím.

Perché porta fortuna e in onore di Oxalá, a maggior gloria del quale Almerio, qualunque tempo faccia, si veste sempre di bianco. Di queste cose Teresa fu messa al corrente poco alla volta, giacché il commerciante divenne assiduo. E continuarono a parlarsi sia al casino che seduti ai tavolini del Flor-de-Lotus. Almerio si mise a frequentare il cabarè che si trovava al primo piano in una casa di rua do Tijolo, dove Teresa era la «sensuale incarnazione del samba brasiliano», perché al casino essa non poteva riservargli piú di un pomeriggio alla settimana. Secondo il contratto (orale) stabilito con Alinór Pinheiro, proprietario dell'esercizio, Teresa doveva presentarsi alle dieci di sera e trattenersi almeno fino alle due del mattino. Eseguiva il suo numero verso la mezzanotte in un abito succinto che aveva la pretesa di essere la stilizzazione di un costume da baiana, ma, prima e dopo doveva accettare gli inviti a ballare e a sedersi in determinati tavolini dove si beveva molto. Lei ordinava sempre un vermuth, ossia tè di sambuco. La sua attività al Flor-de-Lotus non andava al di là di questo: essa non faceva la vita e non accettava di uscire con i clienti per andare in qualche alberghetto vicino. Uscendo dal cabarè si ritirava immediatamente nella camera che aveva affittato al Desterro presso dona Fina, nota e stimata cartomante. Una camera pulita e decente: lei può ricevere uomini in qualsiasi posto salvo qui, sono una vedova seria, l'aveva avvisata dona Fina, che era una vecchietta incantevole, occhi stanchi a forza di guardare la sfera di cristallo, accanita ascoltatrice di radio-novelle, matta per i gatti, ne aveva quattro. Mentre i panettieri impastavano il pane e scaldavano il forno, Almerio faceva una capatina al Flor-de-Lotus per ballare un samba, un blue, una rumba, per bere un bicchiere di birra e far due chiacchiere. Varie volte aveva accompagnato Teresa fino alla porta di casa prima di ritornare al lavoro. La ragazza si trovava bene in sua compagnia e apprezzava la sua conversazione calma e piacevole, i suoi modi educati. Mai le aveva proposto di passare la notte a letto con lei, trasformando cosí i loro simpatici rapporti di cortesia in un'avventura amorosa. Letto, solo quello professionale una volta alla settimana al casino – il resto del tempo, un buon amico di piacevole compagnia.

La sera precedente al pomeriggio della domanda di matrimonio, Almerio si era trattenuto al Flor-de-Lotus fino all'ora dell'uscita di Teresa, ballando, bevendosi qualche *batida*, chiacchierando. Sulla porta del cabarè aveva invitato Teresa ad accompagnarlo sino a Brotas per vedere la sua panetteria, in tassí era solo un salto, entro mezz'ora l'avrebbe deposta sulla porta di casa. Sebbene quell'invito le sembrasse un po' strano, Teresa non aveva nessun motivo per rifiutarlo, e poi lui le aveva già parlato tanto del suo gran forno e del banco di formica che mancava proprio soltanto di vedere il negozio con i suoi occhi.

Con l'orgoglio del proprietario, di chi si è fatto da sé – vengo dal niente, ho incominciato col cesto di pane sulla testa a vendere di casa in casa – le mostrò le installazioni, il pulitissimo ambiente per la fabbricazione, i panettieri e i garzoni che preparavano la pasta, il forno acceso, le enormi pale di legno, e sul davanti il negozio con quattro porte aperte sulla strada, dove riceveva la clientela; era aperto e illuminato a quell'ora per la visita di Teresa.

– Voglio che diventi un vero emporio. Ah! Se la mia indimenticabile Nata non fosse mancata! Un uomo lavora volentieri soltanto quando ha una moglie a cui vuol bene.

Teresa fece i dovuti elogi del forno e del negozio e ricevette con un sorriso l'offerta dei primi panini della giornata. Stava per incamminarsi verso il tassí, ma Almerio le chiese ancora di entrare un minuto nella casa vicina, dove abitava. Questa era dipinta di celeste e di bianco con le finestre verdi, con molti rampicanti sulla cancellata e due palmi di giardino che denunciavano le cure del padrone:

– Quand'era viva lei il giardino e la casa erano un piacere a vedersi. Adesso ho dovuto abbandonare tutto.

Ma non l'aveva invitata per ammirare i rampicanti. Entrarono e percorsero un corridoio fino alla camera del bambino. Nel suo lettino il piccolo dormiva con un orso peloso in mano e il succhiotto sul petto.

– È Zeques... Il suo nome è José. Zeques è il soprannome.

– Che amore! – Teresa accarezzò il viso del bambino giocando con i suoi capelli inanellati.

Commossa, rimase un poco a contemplare il fanciullo, quindi uscí in punta di piedi per non svegliarlo. Poi in tassí s'informò:

– Che età ha?

– Ha già compiuto due anni, due e mezzo.

– Quel lettino è troppo piccolo per lui.

– È vero. Bisogna che compri un letto, lo comprerò oggi stesso. Ma è un bambino senza l'affetto di una madre e ci sono cose che nessun padre sa fare.

Teresa comprese la ragione di tutto ciò soltanto il giorno dopo. Al casino, mentre accendeva un sigaro dopo aver ripetuto la «funzione», Almerio la invitò a fare una passeggiata. A quest'ora? Sí, voleva dirle qualcosa, ma non lí tra le pareti del postribolo.

Lo stesso invito che aveva fatto quindici anni prima a Natália, la sua Nata-di-Latte dalla candida pelle e dal fare impacciato. Quella di adesso invece era color del rame e impetuosa. Una bruciante passione, comunque, sia in un caso che nell'altro, e identiche le parole:

– Ho bisogno dell'ispirazione della natura.

4.

Quando si trovò seduta verso sera sul largo muretto situato di fronte alla cappella di Monte Serrat di dove si domina il panorama della città di Bahia piantata contro la montagna, e le acque serene del golfo, e le vele dei *saveiros*, Teresa si sentí invadere dalla malinconia. Al suo fianco Almerio, fiducioso. Era un posto veramente adatto a una dichiarazione d'amore, lí aveva chiesto e ottenuto la mano di Natália, una scena commovente che adesso doveva ripetersi.

– Teresa, permetta che io le dica quello che ho nel cuore. Mi trovo in preda a un turbine di sentimenti. L'uomo non è padrone della propria volontà e l'amore non chiede permesso, prima di penetrare in un petto afflitto.

Belle parole, pensa Teresa, e anche giuste. Nessuno lo sa meglio di lei: l'amore non batte alla porta, ma appare, violenta e domina e dopo non c'è più rimedio. Sospira. Per il postulante Almerio das Neves quel sospiro non può avere che un significato. Ringalluzzito prosegue:

– Mi sono innamorato, Teresa, il fuoco dell'amore mi sta divorando.

Il tono della sua voce e il tentativo di prenderle una mano misero in guardia Teresa. Staccando gli occhi dal paesaggio, sempre col pensiero fisso in Janú, guardò Almerio e lo vide tutto agitato con gli occhi adoranti fissi su di lei:

– Sono perdutamente innamorato di lei, Teresa, sia sincera e mi risponda onestamente: vuol farmi l'onore di diventare mia moglie?

Teresa rimane a bocca aperta e intanto lui continua a raccontare come l'aveva notata fin dal primo giorno della loro conoscenza, perché era stato conquistato non soltanto dalla sua bellezza – lei è il fiore più bello del giardino dell'esistenza –, ma anche dai suoi modi e dal suo contegno. Ormai è pazzo d'amore e non riesce più a controllare i propri sentimenti. Vuol farmi felice consentendomi di condurla davanti al prete e davanti al giudice?

– Ma, Almerio, io non sono altro che una donna perduta...

Il fatto che essa abbia frequentato il casino di Taviana per lui non significa nulla, è là che aveva conosciuto la sua indimenticabile Natália e nessuna moglie aveva dato tanta felicità a un marito. Il passato, qualunque esso sia, non conta e non ha importanza. Una nuova vita sta per incominciare lí in quel momento. Per lei, per lui e per Zeques, soprattutto per Zeques. Se l'unica difficoltà è questa il problema non esiste, tutto è risolto. Tende una mano a Teresa ed essa non la rifiuta; la tiene tra le sue e intanto gli spiega:

– No, non è l'unica, ce n'è un'altra, ma prima voglio dirle che sono veramente commossa dalla sua richiesta, è come se mi avesse fatto un regalo che mi è caro e che apprezzo; non so come ringraziarla. Lei è un uomo buono e io la stimo molto. Ma sposarla non posso. Mi scusi, ma non posso, no.

– E perché, se non è un segreto?

– Perché voglio bene a un altro e se un giorno tornerà e

mi vorrà ancora, in qualunque posto io mi trovi e qualunque cosa io stia facendo, abbandonerò tutto per andare con lui. Stando cosí le cose, mi dica, come potrei sposarmi? Solo se io non avessi rispetto per lei, se fossi una bugiarda. Ma io, anche se faccio la vita, ho il mio orgoglio.

Il fornaio rimase triste e muto, con lo sguardo perso in lontananza, mentre Teresa, anch'essa taciturna e melanconica, guardava i *saveiros* che attraversavano il golfo diretti al Recôncavo. Che nome avrà dato il nuovo proprietario al Flor das Aguas? Il crepuscolo scendeva sulla città e sul mare bruciando di sangue l'orizzonte. Alla fine l'imbarazzato Almerio trovò le parole adatte per rompere quel silenzio angoscioso:

– Non mi sono mai accorto che ci fosse qualcuno nella sua vita. È una persona che io conosco?

– Credo di no. È un capitano di *saveiro*, o per lo meno lo era. Adesso si è imbarcato su una nave grande e non so né dove sia né se ritornerà.

Tiene ancora tra le sue la mano di Almerio e con un gesto affettuoso la stringe leggermente.

– Le racconterò tutto.

Raccontò tutto dal principio alla fine. Il primo incontro al cabarè Paris Alegre, durante quella bellicosa serata ad Aracajú, le sue ricerche disperate a Bahia, le sue disillusioni, e finalmente il racconto del capitano Caetano Gunzá al ritorno da un lungo viaggio a Canavieiras sul suo barcone *Ventanía*. Quando ebbe finito il sole era sparito nell'acqua, la luce dei lampioni s'era accesa, sul mare i *saveiros* non erano piú che ombre:

– Era rimasto vedovo ed era andato a cercarmi, ma non mi aveva trovato. E quando io sono arrivata lui era già andato via. Cosí sono rimasta ad aspettare il suo ritorno. Per questo sono qui a Bahia.

Delicatamente si stacca dalla mano di Almerio:

– Lei troverà una donna che sarà sua moglie e farà da madre al bambino, una donna onesta come merita. Io non posso accettare, mi scusi per favore, non se l'abbia a male.

Il buon Almerio, commosso fino alle lacrime, si stava portando il fazzoletto agli occhi; ma quelli di Teresa erano asciutti, asciutti come due carboni spenti. Ciononostante egli non volle considerarsi completamente fuori gioco, né dare per completamente persa la partita:

– Non ho niente da perdonarle, il destino è cosí, pieno di divergenze. Ma anch'io posso aspettare. Chissà, forse un giorno...

Teresa non disse né sí né no, a che scopo ferirlo, addolorarlo? Ma se Janú non dovesse ritornare un giorno al timone di un *saveiro* o nella pancia di un trabaccolo battente bandiera straniera, Teresa si sarebbe portata in petto per tutta la vita il suo lutto di vedova. Forse nel letto di un casino o di un bordello esercitando il suo brutto mestiere, può darsi. Ma non nel talamo dell'amante o della sposa. Questo giammai. Ma perché dirlo, offendendo una persona che la rispettava e l'aveva scelta?

5.

Quel pomeriggio in cui aveva rifiutato la proposta di matrimonio, Teresa Batista aveva ripetuto ad Almerio das Neves quasi parola per parola il racconto del capitano Caetano Gunzá. Il quale racconto, sebbene abbondasse di episodi sgradevoli, conteneva però prove d'amore e una speranza:

– Uno di questi giorni il mio compare sbarca sulla banchina senza previo avviso.

Cosí aveva detto il capitano Gunzá, mentre a poppa del barcone andava fumando la sua pipa di coccio. E di questa speranza vive Teresa Batista. Almerio das Neves, romantico ed eroico, aveva ascoltato con gli occhi umidi e un nodo in gola: un racconto commovente davvero, sembrava una di quelle novelle della radio! Il fornaio voleva sposare Teresa Batista, era veramente innamorato, non si considerava definitivamente sconfitto, un giorno chissà?, ma se fosse dipeso da lui, in fondo al golfo tra le nebbie del tramonto, sull'istante Januario Gereba di ritorno sarebbe venuto a prendere la mano dell'amata disperata e inconsolabile e nella cappella di Monte Serrat si sarebbe unito a lei in mistiche nozze (mistiche nozze! aveva imparato quell'espressione alla radio e gli era piaciuta moltissimo) e Almerio sarebbe stato il primo a felicitarsi con loro. Proprio come un certo personaggio di un romanzo di appendice che aveva letto durante la sua adolescenza, un personaggio generoso e disinteressato, un cuor d'oro, cosí Almerio si prepara a sacrificarsi per la felicità dell'amato bene. Gesti simili servono di consolazione in ore amare come quella, confortano.

Brandelli di frasi trascinati via dal vento del sud, notte di temporale, tristezza sulle rotte dell'oceano in tempesta. Dove sarà Januario Gereba, imbarcato su una nave da carico panamegna? Nella voce del capitano Caetano Gunzá si sentiva l'eco soffocata di un'emozione trattenuta. Perché egli vuol bene al suo compare, che è un amico di infanzia, compagno di navigazione a lavorar di bolina, e nel *candomblé*, e ha simpatia per quella ragazza cosí bella e risoluta.

Quando gli alberi del *Ventania* erano stati finalmente avvistati all'imboccatura del porto, senza perder tempo Camafeu de Oxossí aveva mandato suo nipote a portare un messaggio a Teresa. Ma essa l'aveva ricevuto soltanto verso sera. Allora si era precipitata di corsa alla Città Bassa, il barcone aveva affondato l'ancora al largo. Sul molo di Agua dos Meninos si imbarcò su una canoa, capitan Gunzá l'aspettava a bordo perché aveva saputo da terzi che la ragazza era impaziente di ricevere notizie di Januario. Era molto contento di saperla viva: il compare aveva dunque ricevuto informazioni false e non era vero che fosse morta durante l'epidemia di vaiolo. Meno male.

Teresa era venuta tutti i giorni per piú di un mese al Mercado Modelo e alla Rampa per sapere se il *Ventania* era ritornato. Aveva anche cercato di riconoscere nel porto la sagoma del barcone, l'aveva ancora negli occhi, ancorata al Ponte di Aracajú mentre la caricavano di zucchero. Il *Ventania* aveva alzato le vele circa un mese e mezzo prima facendo rotta verso il sud dello Stato, Canavieiras o Caravelas, con la stiva piena di rotoli di carne salata e di barili di baccalà. La data del ritorno non era prevista, i velieri dipendono dal carico, dal vento, dalle correnti e dal mare, dipendono da Iemanjá che conceda loro tempo buono.

Quell'attesa aveva segnato l'inizio della vita di Teresa Batista nella città di Bahia e le prime conoscenze le aveva fatte mentre era alla ricerca di notizie del capitano Januario Gereba e del *saveiro Flor-das-Aguas*. Erano tutti gentilissimi. Impossibile trovare gente piú educata; le notizie però erano contraddittorie. Essa era venuta a Bahia per sapere qualcosa di Januario, e andò in giro a domandare. Era riuscita ad ottenere qualche particolare qua e là, ma solo il capitano Caetano le aveva raccontato tutta la storia.

Dopo l'epidemia di vaiolo a Buquím, Teresa aveva cominciato a risalire il *sertão*, di città in città, di paese in paese, lentamente. Era passata per Esplanada, Cipó, Alagoinhas, Feira de Sant'Ana. Un viaggio lungo e travagliato, Teresa era priva di risorse ed era stata obbligata ad esercitare il suo mestiere nelle peggiori condizioni. Durante quei mesi – non saprebbe dir quanti – aveva completato le sue conoscenze sulla vita delle prostitute, aveva toccato il fondo, ma aveva deciso di arrivare sino al mare di Gereba e perciò aveva proseguito ostinatamente fino alla fine.

Soltanto a Feira de Sant'Ana aveva trovato un cabarè dove si era offerta come ballerina quasi per niente e anche cosí per incassare quel misero salario era stata costretta a fare una scenata coi fiocchi. Se in mezzo alla confusione non fosse spuntato a un certo punto un vecchio imponente con la barba e col bastone, che doveva essere senz'altro una persona molto importante e probabilmente aveva avuto simpatia per lei, sarebbe finita in prigione invece di ricevere i quattrini – magro gruzzolo, appena quello che ci voleva per il biglietto sulla corriera e le prime spese in città. Per fortuna quel vecchio signore gliene aveva dato ancora un po'. Egli aveva provato simpatia per quella puttanella coraggiosa e siccome stava guadagnando al gioco della *ronda* col padrone di El Tango che teneva banco, mentre nessuno fino allora aveva ancora guadagnato, non solo aveva obbligato quel bel tipo a pagare quanto era stato pattuito e che le era dovuto, ma aveva aggiunto anche a quella piccola somma una buona parte di quanto aveva vinto con le carte da gioco. Pura generosità la sua, perché non la trattenne neppure per dormire con lui e le permise di partire mentre lui continuava a aver fortuna al gioco con grande stupore e scandalo di Paco Porteño. I mazzi marcati avevano perso il loro potere e a nulla serviva ormai la sveltezza di mano che era l'orgoglio e il capitale di quel gringo. Era la prima volta che Teresa si imbatteva in quel vecchio, ma egli la trattò come se l'avesse conosciuta da molto tempo.

Giunta a Bahia aveva dato inizio alle ricerche. In principio timidamente perché supponeva che Gereba fosse ancora sposato. Non era venuta a sconvolgere la sua vita e a creargli dei fastidi. Voleva soltanto sapere dov'era per seguirlo da lontano senza farsi notare. Soltanto? Le sarebbe piaciuto anche di vedere il *Flor-das-Aguas*, sia pure da lontano. Da lontano? Chi può sapere con precisione quello che Teresa sperava e desiderava, se neppure lei lo sapeva? Lo cercava e basta, egli era tutto ciò che aveva al mondo.

Alla Rampa e al Mercato tutti praticamente lo conoscevano e lo stimavano, ma nessuno le dava informazioni su di lui. Per meglio dire: tutti le davano informazioni, nessuno aveva rifiutato di parlare del *saveirista*, ma erano informazioni discordanti o addirittura contraddittorie. Una cosa era certa, però: la moglie di Januario era morta qualche tempo prima.

Al *candomblé* del Bogún dove egli occupava il posto di *ogán* da molti anni, la *mãe-de-santo* Ronhóz l'aveva confermato: Gereba aveva perduto la moglie, l'aveva portata via la tisi, poverina. Fissando negli occhi Teresa la *iyalorixá* la riconobbe immediatamente:

– Sei la ragazza che ha conosciuto ad Aracajú.

Dopo il funerale Januario si era recato al terreiro per purificarsi prima di compiere un viaggio che, a quanto aveva detto, era molto importante. Dalle parti di Aracajú dove sono aspettato, aveva aggiunto. Eri tu che lo aspettavi, non è vero? Non si è mai più visto. Mi risulta che sia ritornato da quel viaggio e ne abbia cominciato un altro.

Un viaggio? Due? Vivo o morto? Sparito. Dove? Teresa era riuscita a sapere la verità soltanto quando finalmente il *Ventania* era ritornato dal sud dello Stato carico di cacao.

La conversazione ebbe luogo a poppa del barcone ancorato di fronte alle luci della città e battuto dal vento del sud che increspava le acque tranquille del golfo. Notte di pericolo sul mare, una brutta notte per i *saveiros*. Janaína si è scatenata tempestosamente alla ricerca di un fidanzato per le sue nozze in fondo all'oceano, aveva spiegato capitan Gunzá sfiorando l'acqua con la punta delle dita e portandosele alla fronte mentre ripeteva il saluto alla sirena: *Odoia!* Il padrone del veliero aveva ricevuto Teresa amichevolmente, eppure senza allegria:

– Ho saputo che lei era a Bahia e che mi aveva cercato. Sono rimasto al largo perché domani devo attraccare vicino alla nave per scaricare direttamente.

Si sedettero, il vento tra i neri capelli di Teresa, il profumo del cacao secco che saliva dalla stiva. Teresa domandò, tremando per la risposta:

– Che cosa è successo a Janú? Dov'è? Mi trovo a Bahia

quasi da due mesi e non sono ancora riuscita a sapere nulla di preciso su di lui. Ogni persona dice una cosa diversa. Di sicuro si sa soltanto che sua moglie è morta.

– Povera comare mia, faceva pena a vedersi, non era piú che un filo, pelle e ossa. Il mio compare non si è mosso dal suo capezzale finché non le ebbe chiuso gli occhi. Negli ultimi giorni suo padre si era fatto vivo per far la pace e per mettere sua figlia in ospedale; troppo tardi. La poveretta ormai non era neanche piú una donna, ma il mio compare ha sofferto molto per la sua morte.

Teresa ascoltava in silenzio e al di là della voce del capitano Gunzá interrotta dal vento e dalla tristezza, ascoltava ancora quella di Januario come le aveva parlato in riva al mare di Atalaia: colei che ho amato e voluto, colei che ho strappato alla famiglia era una ragazza sana, allegra e bella e oggi è malata, brutta e triste, ma non ha altro che me al mondo, non posso abbandonarla su una strada senza soccorso. Era un uomo onesto, Janú.

– Dopo ha fatto due o tre carichi per guadagnare un po' di denaro e poi, lasciato il *saveiro* in consegna a me, è partito per cercare lei. Si ricorda, compare, di Teresa Batista, quella ragazza bruna di Aracajú? Ebbene, voglio andarla a prendere perché viva con me, voglio sposarmi di nuovo. Cosí mi ha detto.

Capitan Gunzá riaccese la pipa che il vento aveva spento. Il barcone sale e scende, crescono le onde, il vento del sud si è scatenato e il suo sibilo acuto sembra rintoccare a morto. Teresa in silenzio pensa a Janú che la cerca, libero dalle sue pastoie, volatile pronto al volo, deciso a portarsela a casa, sul suo *saveiro*. Ah, che disdetta!

– Stette fuori piú di tre mesi a cercarla. Ritornò senza un soldo viaggiando come aiutante autista su un autocarro. Era molto avvilito, sconsolato. Mi raccontò tutto il suo viaggio, era andato ben oltre il Sergipe, aveva attraversato l'Alagoas, il Pernambuco, il Paraíba spingendosi fino a Natál e fermandosi soltanto nel Ceará, dopo aver conosciuto molti luoghi e molta gente, ma senza aver trovato colei che cercava. Aveva perso la pista a Recife, ma aveva perduto la speranza soltanto a Fortaleza. Di ritorno ad Aracajú, era partito di nuovo per l'interno del Sergipe e fu allora che gli dissero che lei era morta nell'epidemia di vaiolo dandogli anche dei particolari, giorno e ora, e facendo il suo ritratto con precisione. Però non seppero dirgli dove era stata sepolta. Era stata tanta l'abbondanza dei morti che non c'era piú tempo per i funerali e li seppellivano a cinque o sei alla volta nella stessa fossa. Per lo meno questo è quello che hanno raccontato al mio compare.

Sí, è vero, Teresa era andata incontro alla morte e l'aveva affrontata, perché era disperata di non essere con lui e anche per il fatto di aver tentato di dimenticarlo nel letto del dottorino Oto Espinheira, direttore dell'Ufficio di Igiene, che era il re dei codardi. Ma la morte l'aveva respinta, neppure il vaiolo l'aveva voluta. Nella notte di bufera la faccia di pietra di Teresa, e la brace della pipa del capitano Gunzá e la tempesta che fa naufragare i *saveiros*. Janaína va in cerca di uno sposo. E il sibilo del vento è il suo canto di sirena.

– Il mio compare era molto cambiato, non era piú lo stesso uomo, non aveva piú voglia neanche di aver cura del suo *saveiro*. Restava seduto qui a poppa del *Ventanía* in silenzio e apriva la bocca soltanto per dirmi: ma come ha potuto morire, compare? A tutto c'è rimedio, salvo alla morte e io che mi illudevo che un giorno sarei vissuto con lei! Questo diceva quando apriva bocca, ma per la maggior parte del tempo taceva.

Il vento tacque improvvisamente e nella bonaccia che seguí i *saveiros* andavano alla deriva, privi di direzione. In alto mare Janaína insieme allo sposo, nozze fatali. Di nuovo la voce del capitano Gunzá in mezzo all'alberatura del barcone:

– Fu allora che capitò qui quella nave del Panama, una grande nave da carico. Entrò in porto per lasciare all'ospedale sei marinai, tutti colpiti da idrofobia: si era ammalato un cane a bordo e prima che fossero riusciti a farlo fuori aveva morso quei sei. Il comandante fu obbligato a reclutare gente di qui per poter continuare il viaggio. Januario fu il primo a presentarsi per l'ingaggio. Prima d'imbarcarsi mi disse di vendere il *Flor-das-Aguas* e di tenere il denaro per me, tanto lui non aveva nessuno al mondo e non voleva che il suo *saveiro* marcisse in abbandono. Io l'ho venduto, ma il denaro l'ho messo in banca a rendere; cosí se un giorno ritornerà si potrà comprare un'altra imbarcazione. Ecco quello che è successo.

Teresa disse soltanto:

– Io resto qui fino al suo ritorno. Se mi vorrà ancora, mi

troverà qui ad aspettarlo. Il nome della nave, capitano, se lo
ricorda?

– *Balboa*, come potrei averlo dimenticato? È partito una
sera e del mio compare non si è saputo mai piú nulla –. Uno
sbuffo di fumo, la brace della pipa che scintilla, la sua voce
calda, la sua fiducia: – Un giorno, quando meno ce lo aspettiamo, il mio compare sbarcherà sulla banchina.

6.

Dopo il rifiuto della proposta di matrimonio i rapporti
tra Teresa Batista e Almerio das Neves subirono un mutamento quasi impercettibile, ma sensibile. Fino allora il padrone della panetteria era stato per Teresa soprattutto un
cliente. Un po' diverso dai soliti vecchietti, non soltanto
per l'età, dato che aveva appena superato la quarantina, mentre gli altri (cinque in tutto) erano sui sessanta, piuttosto di
piú che di meno, ma anche perché lo vedeva e lo frequentava
fuori dalle discrete pareti del casino, al cabarè, dove evidentemente nessuno di quei pezzi grossi si sarebbe mai fatto vedere. Almerio le parlava dei suoi affari, del prezzo del frumento, della sua indimenticabile moglie, delle biricchinate
del bambino, e Teresa lo ascoltava con attenzione; insomma
un cliente simpatico e gentile con giorno e ora fissi una
volta alla settimana.

Ma la sera di quel tramonto che accendeva diffuse tristezze sul mare influí sui loro rapporti rendendoli allo stesso
tempo piú intimi e meno intimi. Un controsenso, apparentemente: nella vita delle prostitute, però, succedono spesso
delle cose cosí, strane e inattese e che sembrano senza senso.
Meno intime, perché Almerio non la tenne piú nuda a letto
a esercitare egregiamente il suo mestiere mostrandogli tutta
la sua bellezza, i seni, le natiche, il fiore segreto. Egli perdette la qualità di cliente e nessuno dei due ritornò al casino il
giovedí alle quattro del pomeriggio, sebbene di questo non
avessero neppur parlato, ma essendo risultata chiara per entrambi l'impossibilità che d'allora in poi continuasse a esistere tra loro un rapporto come quello fra prostituta e cliente, un rapporto impersonale e a pagamento. Piú intimi, perché diventarono amici, giacché quella sera in cui avevano

aperto i loro cuori senza maschera, tra loro si era stabilito un legame poderoso fatto di fiducia e di stima.

Almerio però continuò a frequentare il Flor-de-Lotus con una certa assiduità: veniva a bere una birra, a ballare un fox, o a prendere Teresa per accompagnarla fino a casa. Era ancora innamorato e si considerava candidato alla mano della sambista, ma adesso non le toccava piú neppure una mano, non si abbandonava a melanconiche e languide occhiate, non la disturbava con suppliche o con proposte. Si accontentava della presenza, della compagnia. E la sua passione se la portava dentro, cosí come Teresa si portava in petto l'amore per Janú, sparito nell'ampio mare su una nave da carico. A volte egli le domandava: ancora senza notizie, non ha saputo nulla di quella nave? Teresa sospirava. Altre volte era lei che voleva sapere se l'amico non aveva ancora trovato una fidanzata di suo gusto, insomma una donna capace di prendere il posto lasciato vuoto da Natália accanto al bambino e a fianco di lui, Almerio, tanto in casa che nella panetteria, a letto e nel cuore? E a sospirare era il vedovo.

Egli non approfittava dell'evidente solitudine di Teresa durante quella lunga attesa per proporle di sostituire Januario, anzi cercava di distrarla invitandola a feste e passeggiate. Andavano insieme ai *candomblé*, alle scuole di *capoeira*, alle prove di *afoxé* e in campagna. Pur senza rinnovare la sua proposta e senza parlarle d'amore, Almerio continuò a stare attorno a Teresa, impedendole di sentirsi sola e abbandonata; e cosí essa finí per ricambiarlo con sincera amicizia ed essergli grata. In quel tempo di disperazione e di tristezza Teresa si rifugiò nel calore dell'amicizia di alcune persone, il capitano Caetano Gunzá, il pittore Jenner Augusto, Almerio das Neves. Inoltre c'erano Viviana, Maria Petisco, la negra Domingas, Dulcineia, Anália, tutte della «zona». E poteva contare anche sulla simpatia degli abitanti della Rampa do Mercado di Agua dos Meninos, del Porto da Lenha.

Almerio das Neves aveva un carattere calmo e gioviale, e neppure la vedovanza e l'amore contrastato riuscivano a farglielo cambiare e a trattenerlo chiuso in casa. Amante delle feste malgrado le sue maniere tranquille, quando veniva al Flor-de-Lotus con la sua faccia pacata e sorridente aveva sempre un invito da fare. Era straordinariamente cordiale, partecipava alla vita del popolo, era amico di mezza Bahia. Una sera Teresa aveva voluto presentarlo al pittore Jenner

Augusto, che era venuto al cabarè a parlare con lei per chiederle di posare per un quadro, ed era rimasta stupita accorgendosi che i suoi due amici si conoscevano già, che erano amici tra loro e vecchi compagni di allegria nelle feste di Conceição da Praia e del Bonfim, nel *candomblé* di Mãe-Senhora e nei *carurú*[1] in onore dei santi Cosma e Damiano.

Quando era viva Natália, nel mese di settembre il *carurú* di Almerio riuniva decine di invitati, e durante la festa del Bonfim il fornaio si istallava per tutta la settimana in una delle case dei pellegrini sulla Colina Sagrada, e avanti, festa tutti i giorni. Nel salone dei miracoli della Chiesa di Bonfim c'è la fotografia dell'inaugurazione del suo nuovo forno, con gli operai, gli amici, padre Nelio, Mãe-Senhora, Natália e Almerio, tutti allegri e soddisfatti. E tra gli invitati, il pittore Jenner Augusto.

– Si è dimenticato di me, Almerio? E il *carurú*?

– Ho perso la mia adorata sposa, amico Jenner, è un dolore inconsolabile. Finché non avrò smesso il lutto non posso dar feste in càsa mia.

Solo allora Jenner si accorse del nastro nero all'occhiello della giacca di lino bianco di quel figlio di Oxalá.

– Non l'ho saputo, mi scusi. Le faccio le mie condoglianze.

Guardò Teresa e tra sé pensò: gatta ci cova. Quel modesto commerciante sempre calmo e sorridente e intento a fumare il suo sigaro, era ben capace, cosí come affrontava il monopolio degli spagnoli senza perdere la calma, tranquillamente, di portar via Teresa dal Flor-de-Lotus, di portarsela a casa. E la ragazza avrebbe accettato? Malgrado l'apparente giovialità, si vede che è profondamente triste, nella sua vita c'è un marinaio sul mare. Ma Almerio è come il rospo delle favole: sa aspettare in silenzio mentre il tempo lavora per lui. E intanto con lui Teresa si sente sicura.

7.

Il pittore l'aveva incontrata qualche tempo prima per caso nei pressi del Mercado dove stava chiacchierando con Ca-

---

[1] Riunione durante la quale viene offerta una pietanza a base di foglie di *carurú* (simile allo spinacio).

mafeu di Oxossí e altri due individui entrambi strani, anzi addirittura stravaganti: uno dei due aveva una criniera e dei baffi enormi e l'altro gli occhi rotondi e la giacca aperta dietro. Camafeu, alla vista di Teresa, le si era fatto incontro, si conoscevano da parecchio tempo. E anche il pittore si era avvicinato:

– Ma è Teresa Batista! Da queste parti?

Fu quindi informato del Flor-de-Lotus, dove essa teneva compagnia ai clienti e presentava un numero di ballo, lo stesso di Aracajú con qualche figurazione in piú. E allora andò al cabarè, la prima volta solo e poi insieme a una combriccola di artisti della bohème, tutti squattrinati e pieni di vita. E tutti quanti, è chiaro, divennero candidati a dormire con lei per capriccio o per simpatia, cioè gratuitamente. Ed essa non diede retta alle chiacchiere di nessuno e non andò a letto con nessuno e non per questo quelli si offesero.

Per alcuni fece la modella, aggiungendo un'altra professione mal pagata alle tante che aveva già esercitato. Chi avrà occasione di avere sott'occhio la Iemanjá rossa e blu di Mario Cravo (il baffuto), tagliata nel vivo del legno, piena d'umanità, amante sposa e madre, che oggi appartiene a un amico dello scultore, potrà facilmente riconoscervi il volto di Teresa e la sua lunga chioma nera. Anche la Opsúm di Carybé (l'altro individuo, quello con gli occhi rotondi, possessore dell'invidiata giacca aperta dietro), che si trova nell'agenzia di una banca, è nata da Teresa, basta osservare il didietro, l'eleganza e il languore. E le mulatte di Genaro de Carvalho, chi le ha ispirate? Moltiplicate Terese insieme a gatti e a fiori, e quell'aria di assenza, tutte assorte nella distanza del mare. E il buon Calá, quel piccolino fin troppo sfrontato, non ha fatto un album di incisioni che ha per tema episodi della vita di Teresa? E fu proprio in quell'occasione che un certo menestrello che la teneva d'occhio e sperava qualcosa compose e le dedicò una canzone: un certo Dorivál Caymmi. Quando si trovava in loro compagnia piú d'una volta accadde a Teresa di ricordarsi dei giorni che aveva passato a Estância con il dottore e quell'intenso piacere di vivere.

Cosí Teresa conobbe un mondo di gente, partecipò a feste importanti, andò a spasso al Rio Vermelho dove abitava il pittore e serví di modello a molti quadri. Alla Escola de Capoeira, il professor Pastinha le insegnò a danzare il samba d'Angola; sul barcone il capitano Gunzá le insegnò a conoscere i venti e le maree e le parlò dei porti del Recôncavo; Camafeu la invitò a far parte come figurante della Scuola di Samba dei Diplomatas de Amaralina, ma essa rifiutò perché non si sentiva di far carnevale. Frequentò molti *candomblé*, quello di Gantois, l'Alaketú, la Casa Branca, l'Oxumarê e l'Opô Afonjá dove Almerio, che era amico della Mãe-Senhora, aveva un posto in casa di Oxalá.

Però la sua passeggiata prediletta, quotidiana e obbligatoria era alla Rampa do Mercado, al molo dei *saveiros*, al porto di Bahia. Quando il barcone *Ventania* era attraccato, Teresa scendeva a chiacchierare col capitano Gunzá e a rigirare il pugnale nella ferita parlando di Januario Gereba.

Al porto la gente la riconosceva già per le sue ripetute e ansiose domande. Chi ha notizie di una nave panamegna di nome Balboa, di una nera nave da carico? Su di essa si sono imbarcati sei marinai baiani, dove saranno?

Con l'aiuto del capitano Gunzá aveva ritrovato il *Flor-das-Aguas*, che adesso era di proprietà del capitano Manuel, un vecchio padrone di saveiros, che l'aveva ribattezzato Freccia di San Giorgio in onore di sua moglie Maria Clara, che era figlia di Oxossí[1]. Teresa sedette accanto al timone e toccò con una mano l'alberatura. E Maria Clara, vedendo quella ragazza di colore cosí tesa e assente, con gli occhi nel vuoto intenta a cercare sul tavolato bruciato dal sale e dall'acqua il ricordo, il gesto, il calore della mano di Januario, disse:

– Abbia fiducia, ritornerà. Farò fare un *ebó* per Yemanjá.

Oltre a un flacone di profumo e un pettine a denti larghi per pettinare i suoi capelli, Yemanjá chiese due galline faraone da mangiare e un colombo bianco da liberare sul mare.

8

Sia al Flor-de-Lotus che nel casino di Taviana Teresa aveva fatto la conoscenza di parecchie prostitute e con alcune di esse aveva anche fatto amicizia. Intanto il suo nome cominciava ad essere pronunziato con rispetto, specie da quando era venuta a diverbio con Nicolau Pesce Cane, che era un poliziotto della Buoncostume dedito ad arricchirsi alle spalle delle donne-di-vita, e questo in tutto il vasto e inquietante

---

[1] Nel sincretismo afro-cristiano Oxossí equivale a San Giorgio.

territorio in cui si estende, putrida e ardente, la «zona» del meretricio, da rua Barroquinha al largo do Pelourinho, da rua do Maciél alla Ladeira da Montanha, da rua do Taboão a rua Carne Seca. Spesso andava a pranzo a largo do Pelourinho a casa di Anália, una prostituta di Estância, oppure a casa della negra Domingas e di Maria Petisco a rua Barroquinha.

Maria Petisco era una mulattina giovane e ben fornita, un argento vivo che non stava ferma un minuto, dal riso facile e dal pianto ancora piú facile e quanto a passione amorosa meglio non parlarne, una cotta per settimana, un cuore incostante: Teresa Batista l'aveva tratta in salvo dalle unghie o per meglio dire dal pugnale dello spagnolo Rafael Vedra.

Un martedí sera, che al cabarè c'era poco movimento, quella sconsiderata stava chiacchierando a un tavolino in fondo alla sala dove le donne solevano sedersi in attesa di un invito a ballare o a bere, quand'ecco il locale venne preso d'assalto da un passionale «gallego» importato da poco da Vigo e ancora tutto vestito di nero e di dramma, il vero simbolo della gelosia, il quale era l'ultimo amore di quella mora infedele. Tutto si svolse secondo il miglior stile di un tango argentino, come si conviene ad amori tanto rapidi e voraci.

– *Perra maldita!*

Rafael brandí il pugnale, la ragazza si alzò con un grido di terrore e Teresa si fece avanti a tempo come un bolide. Il pugnale, deviato da Teresa, scivolò lungo la spalla di Maria Petisco facendo sgorgare anche una certa quantità di sangue sufficiente a lavare l'iberico onore e a fermare il tragico braccio dell'offeso.

Accorsero uomini e donne, una confusione del diavolo. In questi casi si fa sempre avanti un ruffiano che chiama la polizia, e in genere è un tipo che non c'entra per niente e che viene a ficcare il naso solo per il gusto di immischiarsi o perché ha veramente la vocazione del delatore. Portarono Maria in una delle stanze al piano di sopra dove ci sono le donne che fanno il mestiere al prezzo di tabella e la moltitudine le andò dietro lasciando il salone praticamente vuoto. Del ché approfittò Teresa per far scappare il vendicatore pentitissimo e piangente, che se la faceva addosso dalla paura all'idea della polizia, della prigione, di un processo.

– Taglia la corda, pazzoide, finché sei in tempo. Hai un posto dove nasconderti per qualche giorno?

Ce l'aveva, dei parenti che vivevano a Bahia. Abbandonati pugnale e passione, si precipitò giú per le scale e sparí nei vicoli circostanti. La polizia arrivò mezz'ora dopo impersonata da una guardia. Non trovò neppure un segno di quanto era successo, nessuno lo seppe informare circa il pugnale, il delitto e la vittima, che la denuncia doveva essere uno scherzo di cattivo gusto di uno spiritoso qualsiasi che aveva voluto prendere in giro le autorità. Il padrone del cabarè e del piano di sopra aperse dietro il banco una bottiglia di birra ben gelata e l'offerse alla guardia.

La quasi vittima venne poi trasportata a rua Barroquinha da Teresa e Almerio e medicata in seguito da uno studente di farmacia ragionevolmente ubriaco a quell'ora tarda, del quale si innamorò immediatamente:

– È un *rolete de cana* [1]... – sussurrava la pugnalata stralunando gli occhi. Era nata a Santo Amaro da Purificação, nella zona dello zucchero, e per lei un bell'uomo era un *rolete de cana*.

Qualche giorno dopo quella svitata ritornava a farsi vedere al Flor-de-Lotus in compagnia dell'apprendista speziale ballando stretta stretta a lui. E questo durante l'orario di lavoro, il che significa che non aveva proprio giudizio.

Rafaél aveva alzato il suo pugnale assassino a causa della comprovata presenza di un maschio nel letto ardente di Maria Petisco in un'ora destinata all'amore e non già al mestiere, cioè sul far dell'alba. Se si deve credere a certe voci che correvano insistentemente, in compagnia di quella scalmanata a mettere le corna al «gallego» (e agli altri amorazzi di quella puttanella) non c'era un essere vivente, ma bensí un *encantado*. A quanto consta, i due compari Oxossí e Ogúm solevano venire a rua Barroquinha almeno una volta alla settimana a render visita a Maria Petisco e alla negra Domingas che erano rispettivamente «cavalcature» dell'uno e dell'altro. Né Teresa né nessun altro riuscí a metter in chiaro questa faccenda, poiché le due preferite mantenevano un naturale riserbo.

Secondo l'illustre opinione di Almerio, che di questi amori se ne intendeva, è probabile che fosse proprio cosí, perché quella non era la prima volta che si veniva a sapere di un *orixá* che andava a letto con una affatturata o con una *iaô*,

---

[1] Internodio di canna da zucchero scortecciato perché si possa succhiare.

addobbando il marito o l'amante con corna esoteriche ma non per questo meno scomode. C'erano stati casi dimostrabili. Per esempio quello di Eugenia de Xangô, una venditrice di polentine dolci di rua Sete Portas, che era sposata. Xangô, non contento di tartassarla tutti i mercoledí, finí col proibire qualunque rapporto di letto tra lei e il marito e non ci fu niente da fare, il cornuto dovette adattarsi. Con Ditinha poi fu una storia triste e divertente insieme: Oxalá si era innamorato di lei e non usciva piú dal letto della poveretta che non poteva piú neppure svolgere le sue occupazioni piú indispensabili. La vita di Ditinha era diventata un inferno; Oxalá se ne andava e subito scendeva su di lei Nanã Burokó, folle di gelosia e infliggeva all'infelice colossali battiture. Ah! quei colpi invisibili, solo chi li ha subiti può sapere come fanno male – concludeva Almerio, e tutti l'ascoltavano con rispetto e attenzione.

9.

Qualche tempo dopo l'episodio di Rafael, Teresa era andata a pranzo a casa di Maria Petisco e aveva trovato la ragazza completamente fuori di sé, sembrava un'altra persona. Aveva la sua piccola cicatrice sulla spalla, ma dove erano andate a finire le sue risate, la sua allegra volgarità, la sua serenità, il suo entusiasmo, insomma tutto ciò che l'aveva resa cosí popolare nella «zona»? Sembrava imbronciata, col viso preoccupato, di malumore. E non soltanto lei, ma anche la negra Domingas, Doroteia, Pequenota, le sue compagne di casa, e Assunta, la proprietaria del bordello. Assunta a capo tavola rifiutava il cibo.

– Gente mia, ma che cosa avete?

– La faccenda non tocca soltanto noi. Ci tocca tutte. Vogliono trasferire la «zona», non ne hai sentito parlare? La settimana prossima se vorrai mangiare con noi ti toccherà di andare a casa del diavolo, – rispose Assunta di malumore.

– Che storia è questa? Non ho saputo niente.

– Stamattina Pesce Cane e l'investigatore Coca sono andati di casa in casa qui in rua Barroquinha ad avvisarci: fate fagotto che dovete traslocare, – disse Maria Petisco.

– Ci ha dato una settimana di tempo. Lunedí, oggi a otto, il trasloco deve essere già fatto –. La voce di Assunta è stanca e irritata.

La negra Domingas possedeva una voce bassa, notturna, carezzevole:

– Dicono che dobbiamo trasferirci tutte quante. Si comincia di qui, poi quelle di Maciél, di Portas do Carmo, del Pelourinho, insomma tutto il puttanaio.

– E dove?

Assunta non riusciva piú a inghiottire, tanta era la rabbia:

– È qui il lato peggiore di tutta la storia. In un buco disgraziato nella Città Bassa vicino a rua Carne Seca, cioè alla Ladeira do Bacalhau, una schifezza. Da tempo non ci abita piú nessuno. Si sono messi ad aggiustarlo un po', hanno passato una mano di calce. Sono andata a vedere, roba da piangere.

Le donne masticavano in silenzio e bevevano birra. Assunta concluse:

– Sembra che i padroni siano certi pezzi grossi, parenti del commissario Cotías. Gente protetta, sai com'è. C'è una casa mal situata, che ci piove dentro e non vale un soldo? Affittala a una puttana e fatti pagar caro. È cosí che fanno al Commissariato.

– Un branco di avvoltoi.

– E voi traslocherete?

– Per forza! Non è forse la polizia che comanda nella «zona»?

– Ma non c'è un modo? Di lamentarsi, di reclamare?

– Reclamare con chi, creatura? Hai mai visto una donna-di-vita che abbia avuto il diritto di reclamare? Se reclamiamo le buscheremo di certo.

– È un abuso, bisogna far qualcosa.

– E cosa mai possiamo fare noi?

– Non traslocare, non muovervi di qui.

– Non traslocare? Sembra proprio che tu non sappia come vanno le cose per una prostituta, le puttane non hanno diritto di reclamare, le puttane hanno soltanto il diritto di soffrire.

– E zitte, altrimenti c'è la galera e il bastone.

– È possibile che tu non lo sappia ancora? Non hai ancora imparato?

10

Chi non lo sa è meglio che se lo tenga per detto una volta per tutte: una puttana non ha nessun diritto, una puttana è fatta per dar piacere agli uomini, ricevere il pagamento di tabella e basta. All'infuori di questo le busca. Le busca dal ruffiano, dal gigolò, dal poliziotto, dalla guardia, dal soldato, dal delinquente e dall'autorità: dal vizio e dalla virtù; è una rinnegata. Le busca per cose da niente, finisce in galera e chi vuole le può sputare in faccia. Impunemente.

Lei signore, che fa il paladino della causa del popolo e che ha un nome che viene elogiato sui giornali, mi dica per gentilezza se una volta nella sua vita si è degnato di pensare alle puttane, salvo, è chiaro, nelle occasioni inconfessabili in cui si corica con loro in un letto di piacere a farsela bene, giacché anche un incorruttibile ha bisogno di soddisfare la carne, è soggetto alle esigenze dell'istinto. Letto infame, carne vile, bassi istinti, secondo l'opinione corrente in tutto il mondo.

Lo sa lei, indomito leader, che è un affare eccellente possedere case d'affitto nella zona del meretricio? La polizia localizza questa «zona» basandosi su interessi politici, come pure per favorire parenti, amici, compagni di partito. Perché l'affitto di una casa di puttana è molto più elevato che quello di una casa di famiglia. Era al corrente di questo particolare lei, audace campione degli sfruttati? Del resto tutto per esse è più caro e più difficile, e tutti lo trovano giusto, nessuno protesta. Neppure un nobile difensore del popolo come lei. Non lo sapeva? Ebbene adesso lo sa. E sappia anche che lo sfratto di una puttana può essere fatto senza nessuna azione giudiziaria, basta che decida la polizia; l'ordine di un ispettore, di un commissario, di un investigatore e il trasloco è fatto. E la scelta di dove abiterà e eserciterà il suo mestiere non dipende dalla puttana.

Quando una puttana si spoglia e si corica per ricevere un uomo e concedergli il supremo piacere della vita in cambio di uno scarso salario, lo sa lei, illustre combattente della giustizia sociale, quanta gente si dividerà quel salario? Dal padrone di casa a quello che subaffitta, dalla ruffiana all'ispettore di polizia, dal gigolò al poliziotto, insomma il Governo e il lenocinio. Una puttana non ha nessuno che la difenda, nessuno alza un dito per lei e i giornali non mettono a disposizione le loro colonne per descrivere la miseria dei postriboli, argomento proibito. Una puttana fa notizia soltanto nella cronaca nera, come ladra, piazzaiola, drogata, falena del vizio, arrestata e processata, accusata dei mali del mondo, responsabile della perdizione dell'umanità. Di chi è la colpa di tutte le cose brutte che accadono nel vasto universo? Ma delle puttane, sissignore.

Lei, che è un indomito avvocato degli oppressi, non è per caso venuto a conoscenza del fatto che esistono milioni di donne che non appartengono a nessuna classe sociale, che da tutte vengono ripudiate, che si trovano poste ai margini della lotta e della vita, insomma marchiate a ferro e fuoco? Senza lista di rivendicazioni, senza organizzazione, senza libretto di lavoro, senza sindacato, senza programma, senza manifesto, senza bandiera, senza calcolare il tempo in cui lavorano, piene di malattie, senza medico della mutua né un letto all'ospedale, e che patiscono la fame e la sete senza aver diritto a sussidi alimentari, alla pensione, alle ferie, senza aver diritto ai figli, senza aver diritto a una casa, senza aver diritto all'amore, soltanto puttane e niente più? Lo sa, o non lo sa? Ebbene se lo tenga per detto una volta per tutte.

E finalmente la puttana è merce da poliziotto, buona per la galera e per l'obitorio. Ma un caritatevole padre dei poveri come lei non ha mai pensato a cosa succederebbe se un giorno le puttane di tutto il mondo unite decidessero di fare lo sciopero generale, sprangassero il loro fiore e si rifiutassero di lavorare? Ha mai pensato al caos, al giorno del giudizio, alla fine del mondo che ne verrebbe fuori?

Anche gli ultimi degli ultimi trovano sempre qualcuno che alza la voce e lotta per loro, soltanto le puttane non lo trovano. Io sono il poeta Castro Alves, morto cent'anni fa; mi alzo dalla tomba e sulla piazza che porta il mio nome e possiede il mio monumento, a Bahia, ricalco la tribuna dalla quale ho perorato per gli schiavi in quel teatro São João che il fuoco ha consumato, per esortare le puttane a dire basta.

11.

La ditta H. Sardinha & C., investimenti, finanziamenti, costruzioni, affitti, immobili in genere, aveva acquistato un'area molto estesa ai piedi della montagna con vista sul golfo, approfittando dei vantaggi offerti dal Governo alle opere edilizie destinate all'incremento turistico. In quel posto voleva costruire un moderno e imponente insieme architettonico: palazzine per appartamenti, alberghi, ristoranti, negozi, locali di svago, supermercati, aria condizionata, giardini tropicali, sauna, piscine olimpiche, grandi parcheggi, insomma tutto quello che ci vuole in una città a maggior conforto degli abitanti e per gli ozi dei forestieri.

Multicolori opuscoli di propaganda invitano la gente a partecipare alla gigantesca iniziativa, investendo denaro, cioè acquistando quote che verranno pagate in ventiquattro mesi attraverso un magnifico piano di finanziamento che garantisce lucri sicuri e innumerevoli vantaggi. Affrettati a diventare proprietario al PARQUE BAHIA DE TODOS OS SANTOS, la piú grande realizzazione immobiliare del Nordeste. Fa il turismo senza muoverti da Bahia: tutti i proprietari di una quota avranno diritto a trascorrere venti giorni all'anno in uno degli alberghi del complesso residenziale pagando soltanto il cinquanta per cento del prezzo stabilito per i clienti. Nella parte piú bassa del comprensorio, la piccola e nascosta Ladeira do Bacalhau, accanto a mezza dozzina di casupole, erano ancora in piedi quattro o cinque vecchi casoni, superstiti di antiche residenze che da parecchi anni erano in stato di abbandono. Erano abitati da marginali o servivano di nascondiglio ai *capitães da areia* [1] e agli spacciatori di maconha. Tanto per cominciare l'impresa fece abbattere le casupole ed espellere gli abitanti. Il vecchio Hipolito Sardinha, che era capace di cavar sangue dalle pietre secondo un'opinione diffusa nel mondo degli affari, venne a esaminare l'area in compagnia degli ingegneri e si soffermò a lungo sui vecchi casoni.

In un'operazione importante come quella, la tappa iniziale consiste nella preparazione dei progetti, nell'organizzazione del personale, nel suscitare l'interesse del pubblico e nel raccogliere il denaro necessario al finanziamento; intanto gli architetti, gli urbanisti, gli ingegneri e i paesaggisti studiano e mettono in piedi il monumentale progetto. I lavori propriamente detti vengono iniziati soltanto dopo circa due anni.

Due anni sono ventiquattro mesi. Il vecchio H. Hipolito

---

[1] Capitani di terra ferma, i monelli. Titolo di un romanzo di Jorge Amado.

esamina i casoni. Durante tutto questo tempo dovrebbero continuare a ospitare ladri, vagabondi, bambini e topi? Non sarebbe meglio demolirli immediatamente liberando cosí la zona definitivamente, come vorrebbe uno degli ingegneri? Sono vecchi casoni in pietra e calce ridotti in brutto stato, è vero, ma sono costruzioni ancora solite. Il vecchio Sardinha non è d'accordo.

– Non vedo a cosa potrebbero servire se non come bordelli di infima categoria, – opina l'ingegnere.

Il vecchio ascolta in silenzio: anche da una frase sprezzante buttata là nella brezza del golfo si può trarre denaro.

12.

La decisione di trasferire la «zona» dalla Città Alta alla Bassa non era stata tanto improvvisa come era parso ad Assunta e alle sue pensionanti. Se si fossero dedicate a un'attenta lettura dei giornali non sarebbero state sorprese dall'ordine di trasloco trasmesso loro oralmente da Pesce Cane e dall'investigatore Dalmo Coca durante la loro visita mattutina. Ma esse si limitavano alla cronaca nera e alle colonne mondane e ne traevano una sufficiente razione di emozioni. Da una parte furti, assassinii e violenze in quantità, pianto e stridor di denti; dall'altra feste, ricevimenti, banchetti, risa e amori, champagne e caviale.

– Un giorno o l'altro voglio assaggiarlo questo famoso caviale... – assicura Maria Petisco dopo la lettura della affascinante descrizione della cena di Madame Teté Muscat, redatta dal divino Luluzinho, tra sospiri e punti di esclamazione. – Lo champagne non mi entusiasma, ne ho già preso a fiumi.

– Ma era nazionale, *minha branca*, e quello non val niente. Buono davvero è soltanto quello francese che non arriverà mai fino alla tua boccuccia, – spiega puntigliosamente Doroteia.

– E tu ne hai già bevuto, principessa?

– Una volta. Alla tavola del *coronél* Jarbas, un tipo di Itabuna, al Palace quando si giocava. È tutto pieno di bollicine, sembra di star bevendo schiuma bagnata.

– Un giorno o l'altro voglio accalappiare un *coronél* pieno di grana e rimpinzarmi di caviale e di champagne francese. Francese, inglese, americano, giapponese. Vedrete.

Mentre discutevano di champagne e di caviale trascurando le pagine piú nobili, cioè gli articoli e gli editoriali, non si erano accorte dell'improvvisa indignazione che si era impadronita dei proprietari di giornali per il fatto che la «zona» del meretricio si trovasse localizzata praticamente al centro della città.

Proprio a rua Barroquinha, accanto alla Piazza Castro Alves, «nelle vicinanze di rua Cile, che è il cuore commerciale dell'urbe, dove ci sono i negozi piú eleganti di tessuti, di abbigliamento, di calzature, le gioiellerie, le profumerie, si effettua il degradante commercio del sesso». Le signore della società che vanno a far compere, «sono obbligate a mescolarsi alle bagasce». Dalla Ladeira di São Bento è perfettamente visibile «il turpe spettacolo delle prostitute della Barroquinha davanti alle porte e alle finestre a dar scandalo seminude».

Cosí la prostituzione si è diffusa per tutto il centro: Terreiro, Portas do Carmo, Maciél, Taboão, che è la zona turistica, un vero assurdo. «Scendendo le vie e i vicoli dell'insieme di case dell'epoca coloniale al Pelourinho, che è mondialmente famoso, i turisti sono testimoni di scene vergognose con donne mezze svestite o addirittura completamente spogliate, affacciate a porte e a finestre o sui marciapiedi, con parolacce, scenate, insomma, il vizio senza veli, ostentato, spampanato». Forse che i turisti «giungono dalle plaghe del Sud e dall'estero per assistere a spettacoli cosí deprimenti, indegni del nostro livello di civiltà di capitale nazionale del turismo?» No, assolutamente no! – s'infiamma il redattore. I turisti accorrono per «conoscere e ammirare le nostre spiagge, le nostre chiese istoriate d'oro, le ceramiche portoghesi, il barocco, il pittoresco delle feste popolari e delle cerimonie feticistiche, le nuove costruzioni, il progresso industriale, insomma, per vedere la bellezza e non le vergogne, il putridume dei disperati e del meretricio!»

Una soluzione s'impone: trasferire la «zona», confinandola in un luogo meno centrale e piú discreto. Dal momento che è impossibile farla finita con la piaga della prostituzione, un male indispensabile, cerchiamo almeno di nasconderla agli occhi pii delle famiglie e alla curiosità dei turisti. Per incominciare è urgente ripulire la Barroquinha dall'infamante presenza delle zoccole.

La stampa era dunque indignatissima, come abbiamo visto, specialmente nei riguardi dei bordelli situati a rua da Barroquinha, «un cancro che deve essere estirpato con urgenza!»

Le autorità preposte alla difesa del buon costume ascoltarono quelle patriottiche rimostranze e prontamente decisero di trasferire le donne di malaffare dalla Barroquinha alla Ladeira do Bacalhau.

13.

– Si tratta di migliaia di marinai che pagano in dollari. Vi rendete conto?

Gli altri due esaminano la notizia sulla prima pagina del giornale della sera, indubbiamente l'idea sembra buona.

– E che cosa proponi esattamente?

Se qualcuno fosse entrato in fretta a comprare sigarette o fiammiferi al Bar-da-Elite – piú noto in seno alla sua copiosa clientela come Bar-das-Putas a rua do Maciél – e passando li avesse veduti, tre signori in cravatta e cappello a confabulare animatamente sull'entità del capitale, condizioni del mercato consumatore, prospettive su come collocare il prodotto e durata del periodo in cui la richiesta sarebbe stata piú intensa, scelta di coadiuvanti capaci, localizzazione dei punti propizi alla vendita e all'offerta, calcolo dei profitti, avrebbe potuto scambiarli per uomini d'affari intenti a fissare le basi di un'iniziativa lucrosa e in certo qual modo non si sarebbe sbagliato.

Se però quel cliente casuale si fosse trattenuto a sorseggiare una birra a un tavolino vicino e avesse prestato attenzione a quei tre impresari, li avrebbe identificati subito e ne avrebbe immediatamente indovinato la vera professione, perché l'agente investigativo Dalmo Garcia, l'investigatore Nicolau Ramada Junior e il commissario Labão Oliveira puzzano di poliziotto a chilometri di distanza. Il che non impedisce loro di realizzare ottimi affari quando si presenta un'occasione come quella, cioè eccezionale. Niente meno di tre navi da guerra della flotta nordamericana in manovra sull'Atlantico Meridionale sarebbero approdate a Bahia e sarebbero rimaste all'ancora nel porto per qualche giorno e qualche notte. Migliaia di marinai sparpagliati per la città si sarebbero rifugiati nella «zona» per cavarsi la voglia, e tutti

435

avrebbero avuto bisogno di preservativi, pagamento in dollari; come aveva fatto quel cervellino di Pesce Cane a concepire un'idea magnifica come quella? Ecco dove si può arrivare per amor del denaro, pensa il commissario Labão, che pure lui ama molto il guadagno facile: illumina le teste piú dure, fa diventare intelligente anche l'asino piú bestia del mondo.

– E se facessimo le cose un po' piú in grande? – insinua l'agente Dalmo.

– Come, piú in grande? Non vorrai mica metterti a vendere *figas* e *berimbáus*[1] nella «zona», quella è roba che va bene al Mercado, ma qui non vale neanche la pena.

Il commissario non capiva dove voleva arrivare l'agente, eppure non era difficile, dato che la proposta veniva da un poliziotto che si occupava normalmente del settore della droga e degli stupefacenti.

– Chi ha parlato di *figas* e *berimbáus*? Io sto parlando di certe sigarette...

– Sigarette? – Pesce Cane fa uno sforzo enorme per capire e crede di esserci riuscito: – Ah! ho capito, vuoi scambiare camicie-di-venere con pacchetti di sigarette americane, vero? buona anche questa, le sigarette americane sono denaro sicuro. So dove potremmo rivenderle.

Evidentemente non è il caso di aspettarsi da Pesce Cane un ragionare rapido e brillante, ma il commissario invece è un uomo intelligente e ricco di esperienza. L'agente investigatore si deterge il sudore e abbassa la voce:

– Sigarette di erba. Di maconha.

– Ahn!

Ruminano la proposta in silenzio. Venderle per la strada servendosi dello stesso gruppo che venderà i preservativi e gli afrodisiaci, non è possibile. Quella è roba che va fatta fuori con discrezione, è un affare insomma ben piú serio e complicato. E non si presta a venir discusso al bar, in un locale pubblico. Il commissario si alza:

– Andiamocene via di qui. Dobbiamo studiare la cosa con calma.

Già in piedi, Pesce Cane grida rivolto al proprietario:

– Ficcaci anche queste, gallego.

Piccoli vantaggi di chi lavora per la pubblica morale e per l'ordine pubblico. Ah! Migliaia di marinai. Dalla contentez-

[1] Piccolo strumento musicale simile allo scacciapensieri.

za Pesce Cane si metterebbe a ballare. Nel passare, quasi rovescia a terra un cliente che sta per entrare, ma è tanto giulivo che ride in faccia al poveretto:

– Non le è piaciuto? Peggio per lei!

14.

Pesce Cane – perché ha fatto la festa alle sue due figlie minorenni, e anche alla sorella di sua moglie, altra minorenne. E se ce ne fossero state di piú, se le sarebbe fatte fuori tutte, tale è l'amore per la famiglia che infiamma il petto di Nicolau Ramada Junior. Queste sue gesta domestiche divennero di pubblica ragione il giorno in cui sua cognata si mise a dare in escandescenze e proclamò:

– Pesce Cane! Si pappa le figlie, tutte e due! E ha pappato anche me nel letto di mia sorella.

Insomma quella ingrata creatura si era messa a fare uno scandalo e aveva portato a conoscenza di tutti fatti intimi di famiglia per delle ragioni senza importanza. Siccome aveva fatto sapere che intendeva lasciare la famiglia per vivere in concubinaggio con un alto funzionario della Segreteria dell'Agricultura, Nicolau aveva subito pensato bene di farsi dare una giusta indennizzazione per le spese che aveva sostenuto per la cognata in quegli ultimi cinque anni: casa, alimenti, bucato, educazione completa. Ma come pagamento per il denaro che aveva speso e per l'affetto e le cure dimostratele anche a letto, ottenne soltanto insulti e quel soprannome che l'avrebbe accompagnato per tutta la vita. Quanta ingratitudine a questo mondo, non è vero?

Era un uomo sulla cinquantina già brizzolato, pesante, malvestito, con un cappello nero ficcato basso sulla fronte stretta, giacca bisunta, pantaloni buoni per andare a pescar granchi, e con la protuberanza della pistola bene in vista sotto la giacca per farsi rispettare: un funzionario di polizia con i precedenti che aveva lui, dove avrebbe potuto trovare un posto piú adatto, Nicolau Pesce Cane, se non come capo della Buoncostume, a far rispettare la legge e a reprimere il vizio?

Era diventato uno dei piccoli tiranni della «zona» e estorceva denaro a ruffiani e ruffiane, e ai padroni e padrone dei casini, dei bordelli, dei cabarè e delle bettole. Beveva e mangiava a sbafo, sceglieva lui le donne con cui voleva dormire, minacciava, perseguitava. Disgraziata quella che avesse osato rifiutare un invito di Pesce Cane, la sua audacia le sarebbe costata cara. Quella famosa Teresa Batista per esempio, può aspettarsi il peggio. Non soltanto ha declinato le offerte del piedi-piatti, ma lo ha anche schernito mettendolo in ridicolo al Flor-de-Lotus mentre era zeppo di clienti.

– Stia a sentire! Quando avrò voglia di dormire con un porco, andrò a cercarmelo in un porcile –. Teresa era stufa delle minacce e delle proposte dell'investigatore e le era saltata la mosca al naso, era pronta a tutto, negli occhi quello sfolgorio di diamante.

In confronto a Pesce Cane l'agente Dalmo (Coca) Garcia è un vero figurino, un dandy. È giovane, vestito con abiti ben tagliati e alla moda, cappello grigio, l'arma nascosta discretamente, e l'importanza in lui si fa sentire piuttosto nei modi autoritari e nelle occhiate bieche. Differenze sensibili di corporatura e abbigliamento, ma quanto al resto erano identici. Infatti, malgrado la sua giovane età e la sua eleganza, l'agente investigativo viene considerato il peggiore dei due, perché le reazioni di chi aspira la polverina sono sempre imprevedibili. Una sera, in preda alle allucinazioni, per poco non aveva strangolato la Miguelita, una paraguaiana capitata nella «zona» di Bahia che si era innamorata di lui. Se non fosse venuta gente, era bell'e finita la promettente carriera di quella piccola india docile che con voce assai gradevole interpretava le canzoni guaraní della sua terra.

Quanto al commissario Labão Oliveira è meglio non approfondire la sua storia movimentata, lunga e spaventevole. Malgrado lo stipendio relativamente modesto, si è arricchito. Come abbiamo visto non disprezza i buoni affari. È già stato sospeso due volte per essere sottoposto a inchiesta, ma nulla di irregolare è mai stato provato a carico del suo onore personale e della sua condotta professionale. Incorrotto, per servirci di un aggettivo piuttosto in disuso alla polizia e nella «zona», cioè nell'ambiente in cui si svolse la storia dello «sciopero del canestro» che qui grosso modo vogliamo raccontare, perché in essa si trovò implicata quell'impicciona della già citata Teresa Batista.

15

Impicciona, sí. Perché lei faceva la vita discretamente nel casino di Taviana, non esercitava il mestiere in un bordello aperto a tutti, abitava in una casa senza sospetti in una strada ammodo e non in una pensione da prostitute, insomma Teresa non aveva nulla a che vedere con la faccenda del trasloco. Invece volle partecipare a quella baraonda, anzi, secondo alcuni testimoni, fu tra le piú esaltate e tra le piú accanite a provocar disordini. Secondo l'opinione di Pesce Cane la principale responsabile. Ragione di piú per far arrabbiare gli sbirri, che, quando tutto fu terminato, si sfogarono su di lei.

Si era portata dietro la fama di piazzaiola già dal *sertão* di dove era venuta: una donnetta sfegatata e maleducata. Nessuno l'aveva chiamata o le aveva chiesto la sua opinione, perché dunque si era intromessa? Per la smania di prendersi a cuore i guai altrui, di non tollerare le ingiustizie, era un carattere indomabile, era una sediziosa. Come se una donna di strada avesse il diritto di far valer le sue ragioni disubbidendo all'autorità costituita, affrontando la polizia, facendo sciopero, la fine del mondo.

«L'autorità della legge venne restaurata grazie all'energica e ponderata opera della polizia». Gli aggettivi sono dell'ispettore Helio Cotías in una intervista data alla stampa, e se la ponderatezza può esser messa in dubbio, di energia non si mancò certamente. C'è chi parla di violenza brutale e inutile, citando la prostituta uccisa da una pallottola nel collo e i feriti di ambo i sessi. «Se si sono verificati degli eccessi, di chi la colpa?» – domandava il dottor Cotías ai suoi colleghi redattori, anche lui aveva fatto il giornalista quando era studente in Legge. «Se non avessimo usato la maniera forte, dove saremmo andati a finire?» Con questa domanda irrispondibile e qualche fotografia – di profilo cosí riesco meglio – si era conclusa la conferenza-stampa e anche quell'argomento, talmente strombazzato dai giornali che un quotidiano di Rio de Janeiro era uscito con un servizio sui recenti avvenimenti illustrato da fotografie in una delle quali si vedeva Teresa Batista tenuta ferma da tre guardie. Rimase in piedi soltanto, nelle mani di un giudice certamente favorevole, la causa promossa dalla ditta H. Sardinha & C. contro lo

Stato, dove si richiedeva un indennizzo per i danni causati agli immobili di sua proprietà dalla folla sfrenata – la responsabilità civile dello Stato si caratterizzava nella mancata preservazione dell'ordine pubblico. Una causa vinta a priori.

Rimane però qualche dubbio, che certamente non sarà mai chiarito. Come trovare una risposta concreta alle domande dei curiosi? Il territorio del meretricio è vasto, impreciso, oscuro.

Fino a che punto si trovarono in contrasto, pregiudicandosi reciprocamente, gli interessi della stimata ditta finanziaria e quelli della società appena costituita dai tre non meno stimati poliziotti, società che per ovvi motivi non aveva però né nome né sigla? È possibile che il commissario e i piedipiatti, in altre personali faccende affaccendati, abbiano trascurato i propri doveri verso la società (anonima)? Dimenticando di seguire le direttive dell'ispettore Cotías pur cosí precise? Oppure l'ispettore nell'entusiasmo della sua recente passione per Bada, moglie di un deputato, un pozzo di virtú peregrine, bellissima, elegante e generosa, avrebbe negletto la causa sacra della famiglia (Sardinha)? Del resto questa pendenza, peraltro superata, tra autorità parimenti gelose della propria responsabilità, è consigliabile lasciarla perdere. Bianchi sono e si arrangino tra loro.

È possibile che i giornali, che hanno fatto la campagna tendente a sistemare alla Ladeira do Bacalhau soltanto i bordelli di rua da Barroquinha, abbiano esagerato, provocando il panico e eccitando gli animi, contribuendo insomma ai disordini col proporre e annunciare il trasferimento di tutto il meretricio? Del resto Vavá e dona Paulina de Souza avrebbero organizzato le cose a quel modo, se non si fossero sentiti personalmente minacciati? E d'altra parte come avrebbe potuto la stampa battersi soltanto perché fossero traslocati quei pochi nidi di rua Barroquinha, che erano sei in tutto? Anche nel campo dei bordelli è necessario salvare le apparenze.

E sarà vero, poi, che la polizia ha preparato un ordine di arresto contro un certo Antonio de Castro Alves, poeta, ossia perdigiorno, studente, ossia perturbatore dell'ordine pubblico, e che ha rovistato la Barroquinha, l'Ajuda, la «zona» intera alla ricerca dell'indiziato, mentre il sunnominato vate era morto da circa cent'anni, era monumento in una piazza pubblica? Sarà vero o soltanto lo scherzo di un giornalista spiritoso, desideroso di vilipendere la polizia? L'ordine era stato emesso dal commissario Labão, che aveva allergia per i poeti ed era ridicola, è certo, ma non del tutto improducibile. In verità quel giovane pallido dai baffi insolenti e dall'occhio di fuoco che si faceva vedere al momento degli scontri e che da alcuni fu visto volare al di sopra della manifestazione, chi poteva essere se non il poeta Castro Alves? Morto da cent'anni? Che c'entra, non siamo forse per caso a Bahia? Cosí l'ha descritto Maria Petisco: «Un'apparizione tutta luce al di sopra della folla, bello da morire». E per concludere ancora una domanda: fu una dimostrazione, oppure la processione di santo Onofrio, patrono delle puttane?

Molte cose sono rimaste da chiarire, troppe. Per non parlare della partecipazione di Exú Tirirí e di Ogúm Peixe Marinho, che furono decisive. Tutto fu confusione, disordine e anarchia nella faccenda dello sciopero del canestro.

Sciopero del canestro, ecco come la stampa ha chiamato il movimento. E questo a causa della pia consuetudine di astinenza delle prostitute, le quali non ricevono piú uomini a partire dalla mezzanotte del Giovedí Santo, quando «chiudono il canestro» per riaprirlo soltanto a mezzogiorno del sabato allo scoccare dell'alleluia. È con questa devota usanza scrupolosamente osservata, che nella «zona» si commemora la Settimana Santa. In questo caso però non si trattava di un precetto religioso, particolare del resto assolutamente privo di importanza, dato che la maggior parte dei marinai era costituita da seguaci di varie sette protestanti.

16.

L'avvocato Helio Cotías, il «gentleman della polizia», secondo la lapidaria espressione del cronista Luluzinho (che in certi ambienti viene chiamato la Dissoluta Lulú) non riesce a nascondere la propria irritazione:

– Ma lor signori dove si erano cacciati, che cosa diavolo stavano facendo?

Pesce Cane brontola delle scuse, mentre il commissario Labão preferisce serbare il silenzio, fissando il superiore con quel suo sguardo apparentemente privo di espressione, fisso e freddo: avvocato di mezza tacca, figlio di papà pieno di boria, una merda. Non alzi la voce con me, non lo sopporto.

Se lo fa mando tutto al diavolo e le rispondo per le rime: io non dipendo da una ditta privata e finora nessuno mi ha detto cosa ci guadagno in questa storia. Gli occhi del commissario, immobili e spenti, fanno venire i brividi. L'ispettore raddolcisce il tono di voce e dà un ordine.

– Voglio che le donne vengano qui, e subito. Tutte. Requisite uno dei mezzi della «volante» e portatele qui. La vedremo se cambiano idea o no.

Il commissario si ritira in compagnia di Pesce Cane, ma prima di raggiungere la porta comincia a fischiare ostensivamente. L'avvocato stringe i pugni: un uomo come lui, con la sensibilità a fior di pelle, essere obbligato a vivere a contatto di marginali di quel genere, sorte ingrata. Ah! Non fosse per i vantaggi che ci sono.

La nomina dell'avvocato Helio Cotías alla carica di capo della Squadra Giuoco e Buoncostume aveva costituito, secondo un giornale amico, la prova evidente che il Governo aveva deciso di rinnovare i quadri della Pubblica Sicurezza giovandosi di uomini seri e meritevoli della fiducia della popolazione. Ben nato e meglio ammogliato (con Carmen, *née* Sardinha), proprio quella mattina se ne era sentite dire di cotte e di crude al telefono dallo zio di sua moglie. E per di più fuori ora, mentre era ancora a letto a smaltire i postumi del ricevimento della sera prima – postumi di scozzese, il whisky del deputato era tutto di marca. In compenso Bada, la moglie, era una dea, una statuetta di Tanagra – cosí l'aveva classificata ed essa era andata in sollucchero. I giorni a venire si annunciavano rosei.

L'accento sprezzante del vecchio l'aveva lasciato irritato e aveva bisogno di scaricare il suo malumore su qualcuno. Aveva tentato di comunicare a Carmen la sua opinione circa il carattere di quel parente, ma essa si era messa a difenderlo come una furia: zio Hipolito, caro mio, è tabú. Ora in Polizia gli sarebbe piaciuto di dirne quattro a quella caterva di scellerati, ma anche per questo gli mancava il coraggio. Gli occhi del commissario erano occhi da obitorio, quello era un facinoroso! Cosí serbò tutta la rabbia per le padrone dei postriboli della Barroquinha.

Vennero tutte, erano sei, e l'udienza durò soltanto qualche minuto. Mandate avanti a spintoni fino all'ufficio del capo, per prima cosa dovettero subire una ramanzina in piena regola, l'avvocato si sfoga, finalmente, a pugni sulla tavola.

Ma che cosa credevano, che non ci fossero piú autorità a Bahia? Avevano ricevuto l'ordine di traslocare e l'indirizzo dove avrebbero potuto discutere l'affitto degli alloggi e relativa cauzione per il nuovo domicilio e loro come se nulla fosse, continuano a infestare la Barroquinha. Che razza di follia le aveva colpite?

– Nessuno può abitare in quei tuguri, è tutto uno sfacelo: pavimenti, soffitti, pareti. Né abitarci né riceverci un uomo, – si azzarda a dire Acacia che, coi suoi capelli bianchi e cieca di un occhio, è la decana delle prossenete e la padrona di un postribolo dove abitano e esercitano il mestiere otto donne. – Sono troppo malsani.

– Ho qui il lodo dell'Ufficio di Igiene che afferma che le case possiedono tutte le condizioni igieniche necessarie. O forse voi volete vivere nelle palazzine di Corredor da Vitoria, di rua da Barra, o da Graça? Ma che cosa vi credete?

– Ma, dottore... – anche Assunta tenta di farsi coraggio.

– Zitta! Non vi ho fatte chiamare per ascoltare le vostre chiacchiere. Il posto è ottimo e ha l'approvazione dell'Istituto di Igiene e della Polizia. Non c'è niente da discutere. Vi do tempo fino a domani per traslocare. Se domani sera ci sarà ancora un solo postribolo aperto alla Barroquinha, saran dolori. E non andate poi a lamentarvi. È un consiglio da amico.

17.

Quella sera l'avvocato Helio Cotías diede una capatina in Polizia per farsi dare qualche informazione sul problema del trasloco.

– Dov'è il commissario Labão?

– Fuori in servizio, dottore.

– E Nicolau?

– Anche lui. Sono usciti insieme.

Probabilmente sono andati a controllare l'operazione di cui sono responsabili. Comunque il termine scade il giorno dopo. Sull'automobile con targa bianca Carmen lo aspetta, vanno a giocare a biribissi a casa del deputato, si tratta di alcune coppie appartenenti alla crema, e il funzionario di polizia sorride al pensare a Bada. Il giorno prima l'aveva chiamata statuetta di Tanagra, stasera le dirà: enigmatica

Gioconda di Leonardo. Non deve bere whisky falsificato in nessun caso, accontentarsi piuttosto di un bicchiere di birra.

Per guadagnar tempo dà ordine all'autista di prendere la via piú breve, che sono già in ritardo. La macchina percorre certe stradine nascoste e la luce dei fari illumina donne in cerca di uomini e altre mezze nude sulla porta dei bordelli. Carmen guarda con curiosità.

– Adesso sei tu che comandi a questa gente, vero? Il mio piccolo Helio, il re delle bagasce. Divertente.

– Non ci trovo niente di divertente, è una carica importante e con molte responsabilità.

L'automobile sbocca alla Baixa dos Sapateiros e si dirige verso rua Nazaré.

18.

Nel regno dell'avvocato Helio Cotías, capo del Dipartimento dei Giuochi e del Buoncostume, il movimento è normale. Nel labirinto delle vie mal illuminate le donne vanno a caccia di clienti, si offrono, chiamano, invitano, parole che indicano specializzazione, è tutto un bisbiglio, un richiamo. Sulle porte e alle finestre espongono la merce in vendita, seni, cosce, natiche, vulve, prodotti a buon mercato. Alcune di loro si sono vestite, si sono truccate la faccia e con la loro borsetta sotto il braccio si dirigono verso la rua Cile, dove vi sono alberghi che ospitano abitualmente i *fazendeiros* e i commercianti provenienti dall'interno.

Nelle bettole, i clienti di tutti i giorni e i saltuari, la birra, il cognac, la *batida*, la *cachaça*. Ruffiani, sfruttatori, qualche artista, gli ultimi poeti dalla musa romantica. Al Flor-de-São-Miguel il tedesco Hansen, alto, biondo e col pizzo, disegna scenette, figure, ambienti e intanto chiacchiera con le baldracche che son tutte sue amiche e di cui sa morte e miracoli.

Nei cabarè le orchestrine, i jazz, i pianisti, attaccano musiche da ballo e le coppie avanzano sulla pista al ritmo dei fox, delle rumbe, dei samba, delle marce. Ogni tanto un tango argentino. Tra le undici e mezzanotte numeri di canterine, danzatrici, contorsioniste, tutte di ultima categoria; dopo gli applausi aspettano di essere invitate a concludere la serata e si fanno pagare un po' piú care, questione di status.

Col passare delle ore ferve la vita: la clientela aumenta fra le nove e le undici, poi torna a diminuire. Vecchi e giovani, uomini maturi, poveri, mezze tacche, qua e là un ricco vizioso (i ricchi in generale si servono di bordelli piú confortevoli e discreti, quasi sempre alla fine del pomeriggio), operai, soldati, commessi, studenti, gente di ogni mestiere, e inoltre coloro che fanno la bohème per professione e invecchiano davanti ai tavolini di bettole a buon mercato, di melanconici cabarè, nella scia delle prostitute. Notti rumorose, trepidanti, faticose, segnate a volte dall'angoscia e dalla passione.

Nell'ora di punta percorrono le vie della «zona» alcune dame curiose in compagnia dei mariti e degli amanti per eccitarsi allo spettacolo movimentato della prostituzione, donne seminude, uomini che entrano nei bordelli, parolacce, insulti. Ah! che delizia sarebbe far l'amore in uno di quei tuguri in un letto di puttana. Un brivido lungo la spina dorsale.

Al momento del passaggio dell'automobile dell'avvocato preposto a quei luoghi, negli anfratti di quel vasto regno si muovono rapidamente alcune figure di uomo e di donna. Teresa Batista e l'investigatore Dalmo Garcia raggiungono nello stesso momento, provenendo da luoghi differenti, la porta dell'immenso casino di Vavá.

Mentre supera la porta diretto alle scale il poliziotto si trattiene un attimo per osservare la donna: è la sambista del Flor-de-Lotus, quel pezzo di mulatta. Si è forse messa a far la vita per conto di Vavá? Lei cosí riservata, piena di boria secondo il suo collega Pesce Cane, starebbe ora dandosi da fare nel piú grande bordello di Bahia? Che cosa è successo? Uno di questi giorni, con calma, l'investigatore Dalmo Coca verificherà le affermazioni di Cane Pappa-Figlia, ma oggi non ha tempo. Quello che l'ha condotto alla presenza di Vavá è un argomento molto importante. Sale le scale, mentre Teresa si ferma ad aspettare qualche minuto per la strada.

19.

Quale sarà il nome completo e autentico? Forse non lo sa nessuno in tutta la «zona», dove tuttavia Vavá regna da circa trent'anni. Un cronista con velleità letterarie e pretese sociologiche, autore di una serie di articoli sulla prostituzione, l'aveva designato come l'Imperatore del Mangue[1] ma non aveva scoperto né di che famiglia era né da dove veniva. Se egli fosse stato un professionista di quelli di una volta, cioè meno pieno di sé, sarebbe andato a sfogliare gli archivi della polizia del Buoncostume e il registro dei fatti diversi come pure avrebbe potuto trovare presso il registro immobiliare la firma di Walter Amazonas de Jesus. Un nome onorato e sonoro; ma a lui basta quello di Vavá per farsi ascoltare e rispettare in tutta l'estensione della «zona» e anche piú in là.

Piú difficile ancora indovinarne l'età. Sembra essere esistito da sempre, piantato lí al Maciél in quel casone, prima come inquilino e piú tardi come proprietario esclusivo, come pure di altri immobili delle vicinanze; considera gli immobili un eccellente investimento, specialmente se situati nell'area del meretricio. Il cronista aveva parlato di «vie intere di case» acquistate da Vavá. Un'espressione un po' forte, indubbiamente. Anche se soltanto quel ruffiano in persona ne conosce il numero esatto, non devono essere piú di quattro o cinque tra casette e case a due piani. In ogni modo un considerevole reddito mensile.

Il suo era un casone a tre piani, ma il pianterreno era affittato a una grande drogheria, mentre di sopra c'era l'immenso postribolo, dove ogni camera era suddivisa in due o piú alcove. Potente e temuto, Vavá amministra i suoi beni e dirige il bordello da una poltrona a rotelle che egli stesso manovra e sposta attraverso il salone, i corridoi e le camere. Ha perso l'uso di entrambe le gambe a causa della paralisi infantile che gliele ha atrofizzate, è gobbo, con un gran testone, un essere informe la cui vita è tutta concentrata negli occhi diffidenti e furbi e nelle grandi fortissime mani. Schiaccia le noci e le nocciole con le nocche delle dita. E accanto al padrone c'è quasi sempre Amadeu Mestre Jegue, un ex lottatore che mantiene l'ordine della casa e trasporta Vavá all'ultimo piano per l'immancabile ispezione quotidiana.

Da mezzogiorno alle quattro del mattino il movimento è intenso e costante, c'è una quantità di donne e una clientela numerosissima, e perciò la sala d'attesa, dove il delicato Greta Garbo serve da bere, è sempre piena. Vavá, quando non si

[1] Nome del quartiere dove è situata la «zona» di Rio de Janeiro; per antonomasia equivale a «zona».

trova in quella sala a sorvegliare il movimento, si apparta in un'ampia e confortevole stanza al primo piano che gli serve da ufficio e allo stesso tempo da camera da letto: un letto matrimoniale, il lavandino, la scrivania, la radio, il giradischi, i dischi, il *pejí* del santo dove ha collocato Exú Tirirí. Cura il suo *encantado* con la massima sollecitudine, è stato sempre per lui di grande aiuto. Senza la protezione di Exú, Vavá avrebbe terminato la sua carriera da un pezzo, contornato com'è da invidia, avidità e tradimento. C'è molta gente che ha messo gli occhi sul suo denaro.

Anche gente della polizia. Malgrado i pagamenti che effettua religiosamente tutti i mesi al commissario Labão e a un reggimento di piedi-piatti, ne inventano di tutti i colori per sfruttarlo. Un poliziotto non è mai di parola e non ha dignità.

Una volta erano venuti a perquisirgli la casa accompagnati da alcuni rappresentanti del Tribunale Minorile e con un mandato del giudice. Si erano portati via ben sette prostitute tra i quattordici e i diciassette anni. Quegli scellerati, che erano stanchi di sapere che c'erano quelle ragazze, avevano mandato una sfilza di indignati padri di famiglia davanti a quelli del tribunale. E per di più, Vavá era riuscito a sapere che il commissariato era stato informato in antecedenza del sopralluogo deciso dal magistrato. Lui non ungeva forse le ruote a quei poliziotti senza economia? Che cosa costava avvisarlo? Vavá, fa sparire le minorenni che c'è pericolo di finir dentro. Per riaprire il bordello aveva avuto il suo da fare. Se lui non fosse stato in rapporti d'amicizia con influenti personaggi del foro (alcuni dei quali andavano matti per le ragazzine giovanissime), e se non l'avesse aiutato l'onnipossente Exú, sarebbe rimasto senza il suo commercio e sarebbe andato a finire in gattabuia con un bel processo e una pena da scontare.

Un'altra volta, col pretesto di una denuncia falsa, che era un'invenzione della polizia stessa, secondo la quale nel postribolo sarebbe stata posta in vendita della droga, gli misero sottosopra tutta la casa, chiusero l'esercizio per più di una settimana, lo arrestarono e lo tennero al fresco un giorno e una notte, lontano da casa sua. Per uscire da quella trappola c'erano volute le economie di cinque anni, che aveva messo da parte soldo per soldo per comprare a vista l'edificio di fronte che era oggetto di una lite tra eredi. Eppure Exú l'aveva messo in guardia a tempo e con insistenza contro quell'Altamirando, un poliziotto drogato che ormai fortunatamente si trova sotto sette palmi di terra, c'è poco da scherzare con Tirirí.

Malvagità da parte della polizia, tradimento da parte delle donne. Vavá non s'innamora facilmente, ma quando capita è all'improvviso e lui perde la testa, ritorna bambino. Prima le fa la corte, romantico e mellifluo, poi installa la prescelta nella camera al primo piano allontanandola dal lavoro e colmandola di favori e di regali. Quante di quelle lo avevano derubato? Quasi tutte, maledetta gentaglia, furbacchione senza cuore. Andavano a letto con lui pensando già di arraffare tutto quello che potevano. Per una di loro a momenti si rovinava: Anunciação do Crato, che era color bronzo, asciutta di corpo, altera, sempre ridente, proprio come piaceva a Vavá. Sembrava la bontà in persona e invece un giorno, mentre lui era a letto nell'impossibilità di alzarsi senza aiuto, gli aveva annunciato che intendeva partire e ritornare al *sertão* la mattina stessa, anzi tra poco, giusto il tempo di prendere il denaro riposto nel cassetto della scrivania, cioè tutto l'incasso del giorno prima. Gli aveva riso in faccia, facendosi beffe di lui: che non gli sarebbe servito a niente mettersi a gridare a quell'ora del mattino quando l'intero bordello dormiva, compreso Mestre Jegue. Dal suo letto Vavá la vide frugare nella scrivania. Dove aveva trovato la forza e la maniera di scivolare giú dal letto e di trascinarsi per terra? Come gli fu possibile raggiungerla e abbrancarla alla caviglia con una delle sue terribili mani? Quando era accorso Mestre Jegue l'aveva già buttata per terra e stava stringendola alla gola. Non l'ammazzò per miracolo. E chi gliene diede la forza? Ma che domanda! Exú non si trova forse al suo posto sul *pejí* davanti a un piatto e a un bicchiere?

– Voglio parlarle a quattr'occhi, – disse Dalmo Garcia. Per farsi dare dei soldi, pensa Vavá. Quello lí non figura nella sua lista di pagamento, perché lavora nel settore della droga, e droga e drogati Vavá li mantiene a distanza. Quello lí ha il vizio della polverina, lo chiamano Dalmo Coca; tutto ciò che succede nella «zona» arriva sempre alle orecchie di Vavá.

20

Dei tre soci della novella impresa fondata per accogliere, proteggere e rallegrare gli eroici difensori della civiltà occidentale durante il loro rapido scalo nel porto di Bahia, difendendo la loro salute, accrescendo la loro potenza e rendendo loro possibile di sognare, l'investigatore Coca era di gran lunga il meno analfabeta e il piú sciocco.

Si sedette sulla sedia a bracciuoli che si trovava accanto alla scrivania e cominciò a raccontare tutto al ruffiano senza neppure darsi la pena di chiedere che Amadeu Mestre Jegue, che era presente al dialogo, si ritirasse. Avevano intenzione di sparpagliare per tutta l'estensione della «zona» degli ambulanti per vendere ai marinai preservativi e flaconcini di un elisir afrodisiaco fabbricato da Heron Madruga, un conoscente di Pesce Cane. Per quella parte dell'iniziativa non aveva bisogno della cooperazione di Vavá, ma per l'altra, che era molto piú redditizia, sí: mentre per la strada i preservativi sarebbero stati venduti pubblicamente, gente di fiducia e del mestiere avrebbe fornito agli intrepidi ospiti nell'ambiente discreto dei postriboli sigarette della migliore maconha nazionale a un prezzo ragionevole.

– Vuol vendere maconha qui in casa mia?

E non soltanto questo, caro mio. Dalmo è responsabile di una grande quantità di erba che ha ordinato e che deve ricevere il giorno dopo verso sera e sta cercando un luogo sicuro dove depositarla fino al momento della vendita al dettaglio. Le navi possono arrivare in un giorno qualunque; quando esattamente nessuno lo sa, per la solita storia del segreto militare. Un posto sicuro, anzi sicurissimo: le stanze di Vavá. Non possiede egli forse una cassaforte sistemata dentro una parete? Certo che ce l'ha dopo l'episodio della mulatta Anunciação do Crato. E se è troppo piccola, anche un baule come quello là in quell'angolo serve, basta chiuderlo a chiave. Quell'immenso bordello con un tale continuo viavai di uomini e di donne è il deposito ideale. Di lí si potrà distribuire tranquillamente il prodotto agli agenti incaricati della vendita. In mezzo al solito bailamme nessuno si accorgerà di un certo numero di venditori di maconha che entrano ed escono confondendosi con i clienti che vengono solo a farsi una scopata per far divertire l'uccellino.

– Tenerla in casa mia? In camera mia? – Gli occhi di Vavá sembrano volergli schizzare dalle orbite. – Lei è matto! Qui, neanche per sogno.

Per fortuna a quell'ora i riflessi dell'investigatore Garcia rispondono ancora ai suoi comandi e le narici non gli palpitano ancora con incontrollabile agitazione. Piú tardi sarebbe stato differente e neanche la presenza di Amadeu Mestre Jegue sarebbe riuscita a trattenere la mano dell'elegante poliziotto abituato a chiuder la bocca dei testardi a pugni.

Amadeu Mestre Jegue aveva sostenuto in tutto trenta incontri di lotta, categoria dilettanti e categoria professionisti e ne aveva persi ventisei ai punti, moltissimi punti, mentre ne aveva vinti quattro per knock-out, gli unici in cui era riuscito a colpire l'avversario al mento o alla cassa toracica. Mortifera zampata. Era sinceramente devoto a Vavá, ma se Dalmo avesse schiaffeggiato il suo padrone davanti ai suoi occhi avrebbe reagito? Avrebbe osato alzar le mani su un poliziotto? Solo Dio lo sa.

Dalmo si accontentò di minacce. Ci pensi due volte prima di rifiutare agli uomini della polizia speciale un piccolo favore. Non è al corrente dell'ordine di traslocare? Questa volta si fa sul serio, è una decisione presa in alto e dev'essere messa in atto entro pochi giorni. Domani le donne di rua da Barroquinha si trasferiscono alla Ladeira do Bacalhau. Dopo toccherà al Maciél. I bordelli che si trovano in questo rione andranno a stabilirsi nei vecchi tuguri di rua do Pilar tra i quali solo due o tre sono passabili. Tutto il meretricio deve sloggiare dal centro e andare a istallarsi nella Città Bassa ai piedi della montagna. Chi godrà delle buone grazie della polizia avrà facilitazioni e vantaggi, ma guai a quelli che faranno parte della lista nera! Vavá, che è padrone di uno stabilimento grande e fiorente, deve mantenere buoni rapporti con la polizia. Dalmo Coca tornerà domani nel tardo pomeriggio per decidere i particolari. Forse porterà già l'erba.

A portata di mano sulla scrivania ci sono due pacchetti di sigarette americane, l'investigatore se le mette in tasca e se ne va. Preoccupato Vavá china il suo testone e non sa cosa decidere.

A differenza delle donne della Barroquinha leggeva gli articoli di fondo dei giornali ed era al corrente della campagna per il trasferimento della «zona», ma non se ne era preoccupato piú che tanto: bastava che mancassero gli argomenti perché i giornali si buttassero su quello della «zona» del meretricio. Il giorno prima, tuttavia, aveva saputo che il commissario aveva fissato il termine di quarantott'ore perché venisse sgomberata la Barroquinha e si era preoccupato. Adesso, dopo le parole del piedi-piatti, capisce che le cose vanno male.

Un trasloco significherebbe per lui un danno enorme, e questo non soltanto a causa dello scombussolamento che avrebbe portato nel bordello, un vero disastro, ma anche perché la rendita dei suoi immobili, tutti quanti affittati a prezzi altissimi agli inquilini piú seri del mondo, cioè a ruffiani e ruffiane, sarebbe precipitata, sarebbe caduta allo stesso livello degli affitti comuni. Forse l'unica via d'uscita per salvare qualcosa in mezzo alla bancarotta generale era di accettare la maconha. E se poi tutto ciò non fosse nient'altro che un tradimento, una trappola della polizia? Mettono la maconha in camera sua, poi perquisiscono la casa, lo denunciano in flagrante e lui è bell'e spacciato. In momenti simili l'unica strada sicura è consultare Exú. Domani manderà a chiamare *pai*-Natividade.

Greta Garbo si fa sulla soglia della camera:
— C'è una tizia che le vuol parlare. Una certa Teresa Batista.

21.

Posar gli occhi su Teresa e innamorarsene follemente fu tutt'uno. Una passione repentina, amore a prima vista? Probabilmente sí: era la prima volta che la contemplava in carne ed ossa ferma sulla porta, che sorrideva col suo dente d'oro. Ma si può dire anche di no, perché lui l'aveva cercata, perseguita e percepita in migliaia di sogni, quella celeste visione. Era giunta finalmente, che Exú sia lodato.

Aveva già sentito parlare di Teresa Batista. Aveva saputo dell'episodio del pugnale di Toledo, della sfuriata dello spagnolo Rafael Vedra cornificato da Oxossí; e dell'intervento di Teresa che aveva salvato la vita a Maria Petisco e allo stesso tempo aveva facilitato la fuga di quel geloso, entrambe azioni meritorie secondo il codice della «zona». Gli avevano riferito anche la risposta insolente che aveva sputato in faccia a Pesce Cane. Di aspetto gli avevano detto che era bella e attraente, ma in termini molto al di sotto di quello che meritava. Per l'emozione di tanto miracolo Vavá dimentica persino la visita di Dalmo (Coca) Garcia e gli altri grattacapi e preoccupazioni. Ripete a Mestre Jegue di far venire *pai*-Natividade il giorno dopo. Un nuovo problema si è aggiunto a quelli di prima: perché dopo la faccenda di Anunciação do Crato anche sull'amore veniva consultato Exú. Vavá è circondato dall'invidia, dall'avidità e dal tradimento, ha bisogno di essere difeso su tutti i fronti.

– Entri e si metta a sedere.

Altera e flessibile attraversa la stanza, ah, mio Dio del Cielo! Si siede sulla medesima seggiola su cui si era seduto l'investigatore. Le grandi mani del paralitico spingono le ruote, si avvicina. Che cosa l'avrà condotta fin lí? Perché è impossibile che lei, abituata al casino di Taviana, che ha una clientela scelta e ricca, venga a offrirsi in un bordello aperto a tutti gli strati della popolazione. Là in un solo pomeriggio con un unico cliente, un vecchietto educato, pulito, generoso, guadagna piú dell'incasso di qualsiasi donnina del casotto di Vavá in due giorni e due notti di lavoro, a ricevere uomini uno dopo l'altro.

Con il suo fare franco e deciso Teresa entra in argomento:

– Ha già sentito parlare del trasloco della «zona», signore?

La sua voce calda completa l'immagine di sogno che sembra dileguarsi nella luce dell'alba. Gli sfolgoranti occhi neri nel suo viso sereno ma con una punta di melanconia, la chioma sciolta sulle spalle, la figura snella, il colore di rame, il languore dei suoi modi tuttavia seri, un'apparizione. Vavá non ha capito bene la domanda, è turbato. Ha notato soltanto il modo cerimonioso con cui si è rivolta a lui; a Bahia nessuno gli dava del signore, neppure le persone che avevano paura di lui, ed erano molte. Come risponderle? I riti di cortesia della gente baiana sono complicati.

– Mi chiami Vavá, cosí io potrò chiamarla Teresa, è meglio. Che cosa mi ha domandato?

– Con piacere. Le ho chiesto se ha già sentito parlare del trasloco della «zona».

– Neanche due minuti fa stavo parlando proprio di questo.

– Quelle di rua Barroquinha hanno tempo fino a domani per trasferirsi alla Ladeira do Bacalhau. Lo sa in che stato sono quei casoni alla Salita?

– Ne ho sentito parlare.

– E lo sa che anche tutti gli altri dovranno trasferirsi? Sa dove dovrà trasferirsi il gruppo di rua do Maciél?

– A rua do Pilar, lo so. Ma adesso che mi ha fatto tante domande, lasci che gliene faccia una io: a che scopo tutto questo? – La conversazione lo interessa per l'argomento e anche perché la fisionomia di Teresa ad ogni parola si illumina, sembra che la ragazza si sollevi per aria, come una fiammata. In sogno cosí l'aveva vista in cima a una roccia, simile a una fiaccola di fuoco nell'oscurità.

– Quelle di rua Barroquinha non traslocheranno.

– Eh? Non traslocheranno?

La notizia suggeriva un'idea tanto nuova e rivoluzionaria da obbligare Vavá a uscire dal clima romantico che l'aveva pervaso fin dal momento dell'entrata di Teresa, per fissarla con occhi interrogativi, in fondo ai quali rispuntava la diffidenza. Ripeté la domanda:

– Come, non traslocheranno?

– Rimangono dove sono, restano a Barroquinha.

– Chi gliel'ha detto? La vecchia Acacia? Assunta? Mirabél? Quello che dice Mirabél non conta niente. Ma la vecchia Acacia non intende ubbidire agli ordini?

– Proprio cosí, nessuno ubbidirà.

– La polizia farà il diavolo a quattro.

– Lo sappiamo benissimo.

– È capace di mandarle via a botte.

– Ma loro non vogliono traslocare lo stesso. Nessuno andrà nelle case di Ladeira do Bacalhau, a costo di rimanere su una strada.

– O in galera.

– Non resteranno mica in galera per tutta la vita. Per questo sono venuta a vederla.

– A che scopo?

– Dicono che dopo la Barroquinha toccherà al Maciél. Mi dica, se non è un segreto, Vossignoria... scusi: lei... Lei traslocherà?

Vavá tiene gli occhi fissi su Teresa, quegli occhi che sono la vita del suo corpo, inquisitori, diffidenti, perspicaci. Perché non si accontenta di essere bella? Troppo bella, ah Dio del cielo!

– Se riesco a evitarlo, no, naturalmente.

– E se non ci riesce? Mirabél ha dato tutti i soldi che aveva al commissario Labão, lui li ha intascati e non è cambiato nulla, deve traslocare come le altre.

– Se non ci riesco? Meglio non pensarci.

– Ma se nessuno trasloca, proprio nessuno? Crede che la polizia potrà obbligarci, farci traslocare con la forza, se nessuno ubbidisce? Io credo di no.

Disubbidire alla polizia, che razza di idea folle, assurda. Però, se la gente della «zona» riuscisse a imporre la localizzazione del meretricio facendo sí che rimanga dove si trova da tanti anni, sarebbe una bellezza. Un'idea assurda e folle, ma un'idea tentante. Invece di rispondere Vavá domanda:

– Mi dica ancora una cosa, per favore: pensa che la polizia vorrà disturbare Taviana e la sua casa di tolleranza con tutti quei pezzi grossi che la proteggono?

– Non saprei dirle.

– Ebbene, io ne dubito. Ne du-bi-to! Può far traslocare tutti, meno Taviana. E se è cosí, perché lei s'interessa di questa faccenda e parla come se stesse lavorando alla Barroquinha o qui? Perché?

– Perché, sebbene oggi io frequenti la casa di Taviana, ho già lavorato in case di tolleranza aperte a tutti e può succedermi di nuovo –. Tacque un istante e Vavá, sbalordito, le vide negli occhi neri lo sfolgorio di un lampo. – Ne ho passate di tutti i colori e ho imparato che con le buone a questo mondo non si ottiene nulla. Neanche provare.

Resistere agli ordini della polizia, un'idea assurda, folle, ma proprio per questo, chi lo sa? Come, chi lo sa? Ma Exú, padre e protettore.

– Domani a mezzogiorno le saprò dire qualcosa, ci penserò.

– A mezzogiorno in punto tornerò. Buona sera, Vavá.

– Va via, di già? Non posso offrirle qualcosa? Un sorso di liquore? Ne ho qui uno buonissimo, fatto dalle suore, a base di cacao e violetta. È presto, resti a chiacchierare un poco.

– Ho ancora molto da fare prima di andare al Flor-de-Lotus.

– Domani, allora. A mezzogiorno. Venga a pranzo con me. Mi dica cosa le piacerebbe mangiare.

– Quello che ci sarà, grazie tante.

Si alza in piedi e Vavá la contempla in carne e ossa, ah Dio del cielo! Sorridente, Teresa si congeda. La mano di Vavá è una zampa deforme, ma con quanta delicatezza sfiora la punta delle dita alla ragazza. La quale non si accontenta di esser bella, ha anche delle idee assurde. Vavá, non far lo stupido, sta' attento, ricordati di Anunciação do Crato. Ma con l'incendio nel petto come può Vavá stare attento? Pazzo d'amore, perdutamente innamorato.

22.

Una volta era una tonda e portentosa mulatta soprannominata Paulina-Disordine, o Paulina-Sururú, ed era stata eletta Regina del carnevale e incoronata nel Club Carnevalesco *Fantoches da Euterpe*, sul carro principale del quale aveva sfilato per le vie della città tutta coperta di lustrini; attualmente era l'imponente ruffiana Paulina de Souza, dona Paulina con tutto il rispetto, e col passar del tempo era diventata la grassa e ben organizzata proprietaria di quattro pensioni di donnine allegre in largo do Pelourinho e in rua do Taboão. Era il personaggio piú potente della «zona» dopo Vavá e comandava a una vasta e numerosa sudditanza. Le donnine la stimavano: dona Paulina è esigente, ma con lei nessuno rimane a piedi, non è come le altre che son buone soltanto a succhiarci il sangue.

Tutte la chiamavano *dona* e le piú giovani, appena venute dall'interno, le chiedevano la benedizione: le sue quattro case di tolleranza erano dei modelli di buona amministrazione, erano pacifiche e offrivano alla clientela donne gentili e sane, silenzio e sicurezza. Lí non succedevano scandali, discussioni, battibecchi, furti, ubriacature, tutte cose abituali nei bordelli. In nessuna di esse vi era un bar aperto e non si vendevano bevande alcooliche ai clienti; in compenso dona Paulina forniva ai piú curiosi o bisognosi una letteratura erotica rudimentale ma efficace e libretti da *cordel* con canzonette e illustrazioni pepate e, per i piú a mezzi, fotografie sensazionali. Un piccolo incremento al commercio propriamente detto.

Dona Paulina de Souza fissava le leggi e le faceva rispettare. Ma era bonaria e comprensiva e non rifiutava un aiuto nei momenti di necessità; però non ammetteva neanche il minimo disordine nell'ambito delle sue pensioni. Le sue inquiline avevano l'obbligo di comportarsi bene e di rendersi conto che si trovavano in un posto di lavoro che doveva rendere. Scherzi, *cachaça*, maconha, vizi: alla porta. Chi non era d'accordo poteva far fagotto e andare a piantar le tende da un'altra parte.

Del suo agitato e allegro passato, oltre ai ricordi e a certi episodi da raccontare, dona Paulina ha serbato riserve di energia sufficienti a tagliare le ali a qualunque sgualdrinella sfacciata e anche a certi clienti novellini poco pratici del suo regolamento – chi vuole scopare a credito o gratis che vada a scopare a casa «della puttana che l'ha partorito» – che avessero la pretesa di scroccare, di far mettere la spesa sul conto, insomma, di godersela senza pagare. Valeva la pena vederla in quei momenti, tutta indignata, come si muoveva svelta malgrado il suo corpaccione, aggressiva, una furia. Metteva in fuga persino i caricatori del porto.

Dona Paulina viveva maritalmente con Ariosto Alvo Lirio, cassiere alla Prefettura, un mulatto chiaro, alto e magro, educato e gentile, e si preparava a un meritato riposo. Per motivi legali aveva comprato a nome di Ariosto una casa e un po' di terra a São Gonçalo dos Campos, di dove era oriunda e dove aveva intenzione di vivere pacificamente il resto della sua vita. Tra cinque anni, quando il funzionario del municipio andrà in pensione, lei rivenderà i suoi fiorenti casini, i candidati alla successione non mancano, e andrà a curare la sua terra in compagnia dell'amante che forse sarà già suo marito.

Due sole cose rattristano e irritano dona Paulina e una di queste è proprio il fatto di essere sposata con Telemaco de Souza, di mestiere barbiere ma per vocazione bevitore. Quel recalcitrante individuo è già riuscito a sfuggire a successive e poderose fatture ordinate contro di lui dalla moglie, che è molto legata a certa gente di Ifá che sono stregoni pericolosi. Il barbiere ha già avuto due tremendi incidenti di automobile; nel primo sono morte tre persone e nel secondo due, l'unico a cavarsela è stato lui. Si è preso un tifo tremendo, tanto che il medico l'aveva dato per spacciato, ma lui, mancando di rispetto al dottore, è sopravvissuto lo stesso.

Una volta, al ritorno da una gita a Itaparica pieno di *cachaça*, cadde in mare e pur non sapendo nuotare mica si affogò, l'ingrato. Era nato con la camicia, e chi nasce con la camicia vuol dire che è protetto da Oxalá, cioè dal Lemba di Lé di Angola. Cionondimeno dona Paulina non perde la speranza e ripete infallibili *ebó*: un giorno gli cadrà la casa in testa e lei potrà dirsi vedova e sposa.

L'altra cosa che le dispiace è tutto il denaro sperperato per i poliziotti. Perché dal momento che mantiene il suo esercizio perfettamente in ordine, che non sfrutta minorenni, che non fa traffico di droga e non permette tafferugli nei suoi locali, si sente derubata, si sente vittima di uno sfruttamento ingiusto e sordido quando deve metter mano alle economie destinate a dissodare la terra a São Gonçalo dos Campos e questo per fare ingrassare tipi come Pesce Cane, per esempio, un individuo sozzo capace di abusare delle proprie figlie.

Anche quel giorno quel malvagio era stato lí a chiederle denaro col pretesto di preparare l'ambiente per l'arrivo dei marinai americani. E non soddisfatto ancora, aveva minacciato il finimondo con quella storia del trasloco della «zona». Se Paulina ci teneva a rimanere al Pelourinho che preparasse la borsa, perché le sarebbe costato caro e in ogni caso lui le avrebbe dato delle ben precarie garanzie. Questa volta, a sentire lo sbirro che aveva tutto l'interesse a spaventarla, l'ordine veniva direttamente dal governatore: cacciate via le puttane dal centro della città. Era un voto che aveva fatto sua moglie durante la campagna elettorale: se il marito fosse stato eletto, avrebbe mandato le prostitute a casa del diavolo. Pesce Cane esultava:

– Adesso voglio vedere se i santi del *candomblé* vi aiutano. Se volete che noi vi diamo una mano, c'è da sganciare molto denaro. Si prepari che non c'è tempo da perdere.

Dona Paulina de Souza aveva conosciuto Teresa Batista attraverso Anália, una prostituta molto gaia e pacifica, che passava il tempo a cantare canzoni del Sergipe, certe canzoncine nostalgiche, un uccelletto. Siccome era di Estância e si riferiva continuamente al fiume Piauitinga, alla Cascata d'Oro e al vecchio ponte, Teresa, al Flor-de-Lotus, diventò sua amica e insieme ricordavano i villini coloniali, il Parco Triste, la luna smisurata e un tempo ormai morto. Il nome del dottore non venne mai fuori e Teresa preferiva conservare avaramente per sé i suoi ricordi di gioia e d'amore.

Anália era inquilina di una delle pensioni della ex regina del Carnevale, quella dove si trovava anche l'appartamento regale, e aveva invitato a pranzo Teresa; le visite si erano ripetute. A dona Paulina piaceva molto conversare, raccontando e ascoltando peripezie, e si era affezionata a quella ragazza del *sertão*, che aveva maniere raffinate e parlava come una persona colta. Teresa le raccontava del *sertão* e delle città del Nord, le riferiva avvenimenti curiosi, storie di bestie, di persone e di fantasmi. Menzionava con lo stesso rispetto tanto un signore distinto, un lord, come un povero diavolo senz'arte né parte. Quando la vedeva arrivare – son venuta a scroccare il pranzo – dona Paulina era tutta contenta: l'aspettava un intero pomeriggio di svago. Anália le aveva confidato in segreto che Teresa era stata l'amante di un riccone nel Sergipe e che era vissuta nel lusso e in mezzo a ogni ben di Dio. Se non fosse stata una sventata e se si fosse interessata di piú ai soldi, a quest'ora avrebbe potuto vivere indipendente, perché dal vecchio poteva cavare quello che voleva. Andava matto per lei, era completamente cotto.

Quel giorno Teresa si fece vedere a un'ora inattesa; dona Paulina era indaffarata a controllare i conti delle sue pensioni, ma neanche cosí la volle mandar via:

– Rimanga con me, mi dica perché è venuta. Ha bisogno di denaro?

– Grazie. Non è questo. Domani la gente della Barroquinha deve traslocare.

– Un arbitrio, un abuso. Oggi è venuto qui quel Pesce Cane, che già sta chiedendoci denaro a causa del trasloco.

– Ma quelle di rua Barroquinha non traslocheranno.

Dona Paulina de Souza spalancò gli occhi:

– Disubbidire? E chi garantisce per le conseguenze?

– Tutti quanti, se tutti quanti decideranno di non traslocare. Ho già parlato con Vavá e credo che ci starà anche lui.

– Mi spieghi questo come si deve, bambina, in parole povere.

Teresa spiega tutto di nuovo. Forzare al trasloco un gruppo di pensioni è facile, ma come farà la polizia a obbligare tutta la «zona» a trasferirsi? Se nessuno si muoverà? Quelle della Barroquinha hanno già deciso: non traslocano.

– Non obbediscono? Ah! Ma la polizia...

Sí, la polizia userà la violenza, farà arresti, farà il diavolo a quattro. Ma le donne non ubbidiranno lo stesso e nei casoni del Bacalhau non ci andrà nessuno. Se non potranno ricevere uomini alla Barroquinha vuol dire che faranno il loro mestiere qua e là in casa di amici. E le padrone-di-pensione faranno fronte alla perdita per qualche giorno finché la polizia non rinuncerà. Ma con il trasloco il danno sarebbe molto piú grande.

– Questo è vero.

E allora? Anche quelle di Maciél non traslocano, Vavá darà una risposta domani, ma Teresa è pronta a scommettere che ci sta. E neanche le pensioni del Pelourinho, né quelle di rua do Taboão, se dona Paulina è d'accordo. Tutto dipende da lei.

– È una pazzia! L'unico rimedio è pagare, riempire le tasche dei piedi-piatti, è sempre stato cosí. Quel miserabile di Pesce Cane ha già cominciato a riscuotere.

– E se anche questo non serve a niente? Mirabél ha pagato e non è servito a niente.

A metà della conversazione era arrivato Ariosto Alvo Lirio, il principe consorte. Da giovane aveva avuto delle velleità sindacali e aveva partecipato a uno sciopero in Prefettura per impedire che venisse approvato un progetto di legge contrario agli interessi dei funzionari pubblici, uno sciopero vittorioso. Dotato di grande facilità di parola, aveva pronunciato dei discorsi sullo scalone del Palazzo del Municipio ed era stato applaudito. Perciò conserva di quel movimento un ricordo gradevole e giocondo. E approva l'idea della resistenza, può ottenere risultati positivi. Anzi non nasconde il suo entusiasmo.

Anche cosí, però, dona Paulina de Souza, che è una donna di buon senso, nemica di qualunque decisione precipitosa, non si risolve immediatamente a prestare il suo aiuto alla proposta. Teresa aspetta controllando l'impazienza. Se dona Paulina e Vavá diranno di sí e detteranno gli ordini, nessuno in tutta la «zona» si muoverà e le donne della Barroquinha avranno un posto dove esercitare il loro mestiere, perché la disobbedienza all'intimazione della polizia sarà generale.

– È una cosa che può provocare un cataclisma, – mormora la ruffiana.

Dona Paulina de Souza aveva scelto il suo santo da molti

anni, quando era ancora ragazzina, prima di diventare Paulina Sururú e Regina del Carnevale baiano, con *mãe* Mariazinha de Agua dos Meninos, in un *candomblé angola* in cui regna Ogúm Peixe Marinho, *inkice* del maggior rispetto. Prima di tutto vuole sentire l'opinione dell'*encantado* che è la sua guida. Torni domani, disse a Teresa. E tu signor Ariosto, non ficcarci il becco, tientene fuori, altrimenti ti metti in cattiva luce alla Prefettura.

23.

Mãe Mariazinha, Regina di Angola, potente in terra e nei cieli, e anche sulle acque, accolse calorosamente la *ébômim*[1] Paulina de Souza che era stata consacrata sulla prima barca varata nel *candomblé* di Agua dos Meninos dalla venerabile guardiana degli *inkices* che a quell'epoca era stata autorizzata da poco a maneggiare il filo del rasoio. Era notte alta, ma per una *mãe-de-santo* non esiste ora di mangiare, di dormire o di riposare che le appartenga. Paulina salutò i santi con i rituali battimani, baciò la terra, ricevette la benedizione e aprí il suo cuore. È un argomento serio, madre. Il trasloco significherebbe la rovina e fa male al cuore consegnare agli sbirri le economie che uno ha messo da parte a forza di sudore e di sangue.

Uno degli attributi di Ogúm Peixe Marinho è la ritrosia. Anche nel *terreiro* non scende a danzare con la gente piú di una volta all'anno nel mese di ottobre; il resto del tempo vive isolato nelle profondità del mare. Ma sentite questa: egli considerò tanto importante la consultazione di quella figlia in angustie che, abbandonando abitudini inveterate, invece di rispondere per mezzo delle conchiglie, venne in persona tutto lucido di squame e di coralli. Un colpo di vento scuote *mãe* Mariazinha facendola rabbrividire: Ogúm Peixe Marinho monta il suo «*cavalo*».

Abbraccia affettuosamente la figlia Paulina: essa è generosa, contribuisce a mantenere il lustro del *terreiro* ed è sempre tra le prime ad arrivare per i festeggiamenti di ottobre. Passa una mano su di lei dall'alto verso il basso, dalla testa ai piedi per liberarla dal malocchio e dalle contrarietà. Quin-

[1] Adepta, postulante.

di con voce da mareggiata definisce l'argomento come complicato, pieno di cose poco chiare e di molta confusione. Però, se condotto bene, darà un risultato favorevole. Chi non risica non rosica. E per essere ancora piú chiaro aggiunge: chi vuole vada e chi non vuole mandi perdendo tempo e denaro.

E la ragazza Teresa, merita fiducia? Qui fu categorico: assoluta. È una guerriera, figlia di Iansã, e dietro di lei Ogúm Peixe Marinho intravede un vecchio col bordone e la barba bianca, cioè Lemba-di-Lê, quello che i Nagô chiamano Oxalá.

Una ventata e l'*encantado* se ne va; *mãe* Mariazinha rabbrividisce e apre gli occhi. Paulina le bacia la mano. In lontananza, dalle parti della Ribeira, rombano gli *atabaques*.

24.

La sera seguente al Flor-de-Lotus Almerio das Neves ballando con Teresa la sente preoccupata. Aveva lasciato passare quattro giorni senza andarla a cercare perché era stato trattenuto a letto da una forte influenza, ma appena alzato si era recato al cabarè. Teresa lo ricevette e lo salutò amichevolmente:

– È sparito, si vuol rendere prezioso.

Sotto lo scherzo affettuoso l'inquietudine. Sulla pista, massacrando una rumba, le domanda se ha avuto notizie di Gereba. No, niente di nuovo, purtroppo. Aveva scoperto l'ufficio della ditta che aveva ingaggiato i marinai a richiesta del comandante della nave da carico. Le avevano promesso di cercar di informarsi. Se avessero saputo qualcosa, glielo avrebbero poi comunicato. Ci lasci il suo numero di telefono, è la cosa migliore. Il telefono non l'ha, ma passerà ogni tanto a vedere. Vi è già stata due volte, ma finora niente, il Balboa deve star facendo un'altra rotta, queste navi panamegne non osservano un programma regolare, vanno dove c'è un carico da fare, sono imbarcazioni girovaghe, le aveva spiegato Gonzalo, uno spagnolo che fa lo spedizioniere della ditta, guardandola con occhi ostensivamente cupidi. A Teresa non resta altro da fare che aspettare con pazienza e intanto continuare a vivere alla bell'e meglio.

Almerio voleva sapere quello che aveva fatto durante quei

giorni. Ah! tante cose, lui non è al corrente delle novità, c'è molto da raccontare. È tesa, né la danza né la conversazione riescono a tranquillizzarla:

– Sa con chi ho pranzato oggi? Un *xinxim* di gallina spettacoloso. Non credo che indovinerà.

– Con chi?

– Con Vavá.

– Vavá del Maciél? Ma quello è un individuo pericoloso. Da quanto tempo ha rapporti con lui?

– L'ho conosciuto solo adesso... Le spiegherò...

Ma non fece a tempo. Qualcuno aveva salito di corsa le scale e già dalla porta annunciava senza riprender fiato:

– Alla Barroquinha stanno volando botte da orbi!

Teresa si scioglie dalle braccia di Almerio, si lancia giú per le scale e esce di corsa per la strada. Il commerciante si precipita dietro di lei, non ha ancora capito niente, ma non vuol lasciar sola la ragazza. Giunti all'Ajuda cominciarono a incontrare dei passanti che discutevano, alcuni molto eccitati. Il loro numero aumenta in piazza Castro Alves. Dalla Barroquinha giunge l'urlo delle sirene delle gazzelle della polizia. Teresa si leva le scarpe per correre piú in fretta senza neppure accorgersi di Almerio che segue le sue orme ansando.

25.

Un'automobile carica di fermati passa di fianco a Teresa Batista seguita subito da un'altra, mentre alla Barroquinha ne rimangono ancora due a completare il carico.

La resistenza è finita, il conflitto è stato breve e violento. Dai mezzi della polizia sono discesi guardie e poliziotti in quantità, hanno bloccato la strada e sono penetrati nelle case cominciando a picchiare. Gli sfollagente hanno lavorato di gusto sulla schiena delle rivoltose. Dove s'è mai visto non tener conto degli ordini della polizia? Riducete quelle cretine alla ragione a forza di bastonate, aveva ordinato l'ispettore-capo Helio Cotías, il gentleman della Pubblica Sicurezza, con fare eroico. Alcuni uomini, quasi tutti clienti interrotti a metà, tentarono di impedire la violenza, ma le buscarono anche loro e vennero arrestati.

Molte donne reagirono. Maria Petisco diede un morso e graffiò l'investigatore Dalmo Coca e la negra Domingas, che era forte come un toro, lottò fino a quando non ne poté piú. Trascinate dagli sbirri venivano gettate dentro ai cellulari, un bel raccolto, da molto tempo non erano state messe dentro tante meretrici in un colpo solo. In prigione quella notte ci sarà una grande animazione.

Arrivando all'imbocco della strada, Teresa scorge Acacia in mezzo a due poliziotti. La vecchia si dibatte riempiendoli di maledizioni e di insulti. Teresa corre verso di loro, è Teresa Brava-a-Litigare. Ma Pesce Cane, che è uno dei comandanti delle truppe di invasione, col suo revolver in pugno riconosce la ballerina del Flor-de-Lotus, ah! è arrivato finalmente il giorno della vendetta, quella cagna pagherà cara la sua superbia.

Proprio vicino a Teresa c'è una guardia che cerca di far circolare i passanti. Pesce Cane gli indica la ragazza gridando:

– Quella lí! Acchiappala, non lasciarla scappare. Proprio quella!

Teresa fa un mulinello con le scarpe, e con i tacchi raggiunge le tempie della guardia, quindi procede nell'intento di raggiungere Acacia prima che la spediscano via. Ma Pesce Cane si fa avanti e Teresa viene a trovarsi chiusa tra lui e la guardia che ha la faccia ferita e ruggisce schiumando di rabbia: tu me la paghi, puttana miserabile! Ma un cellulare in partenza passa tra lei e quella guardia. Da dove è spuntato il vecchio che la nasconde agli occhi di Pesce Cane? Un vecchio imponente, con un abito di lino bianco, un cappello di panama finissimo e un bastone col pomo di oro.

– Togliti di mezzo, pezzo di scroto! – urla Pesce Cane puntando la pistola.

Il vecchio non ci bada e continua a impedirgli il passaggio. Il poliziotto lo spinge ma non riesce a smuoverlo. Giusto il tempo che Almerio entri in un tassí, raggiunga Teresa e la trascini dentro. Ma essa protesta:

– Stanno portando via Acacia.

L'hanno già portata via. Vuole andarci anche lei? È impazzita?

L'autista commenta:

– Mai viste tante bastonate. Picchiare le donne è una vigliaccheria.

Pesce Cane e la guardia la cercano inutilmente, dove è sparita quella disgraziata? Anche il vecchio è sparito, senza lasciar tracce. Quale vecchio? Un figlio di puttana che ci ha tagliato la strada. Ma nessuno ha visto un vecchio, né prima, né ora, né poi.

L'ultimo cellulare lascia la Barroquinha e la sua sirena fa largo fra i curiosi in piazza Castro Alves.

26.

Agenti e guardie portano fuori dalle case qualche mobile, vari materassi, lenzuola, indumenti, l'immagine di un santo, un giradischi. Questo materiale viene accumulato davanti alle porte. Piú tardi un camion della polizia lo raccoglie alla rinfusa e lo va a buttare davanti ai casoni della Ladeira do Bacalhau. Cosí è bell'e fatto il trasloco simbolico, in seguito le padrone stesse delle pensioni, quando saranno messe in libertà, provvederanno a trasportare il resto, il grosso della mobilia e gli oggetti d'uso. Questo riferí il vittorioso commissario Labão al suo superiore Helio Cotías alla fine dello scontro. La calma regna in tutto l'immenso puttanaio: l'inammissibile disobbedienza è stata liquidata, il fuoco della rivolta è stato spento. Il signor dottore, se vuole, può andarsene a dormire tranquillo; degli arrestati, maschi e femmine, lasci che se ne occupi il commissario, per lui è un divertimento. In prigione, dottore, ci aspetta una notte di baldoria.

27.

No, non regna la calma, il valoroso commissario si sbaglia della grossa. Nella «zona» le manifestazioni di malcontento crescono sfrenate.

Il dottor Cotías si ritira verso un meritato riposo portando negli occhi la doppia visione delle donne seminude buttate come fagotti nel cellulare e del commissario Labão che pregusta una piacevole notte di divertimento, visione che è molto difficile ricondurre all'euforia della vittoria. Attraversando piazza Castro Alves constata che alla Barroquinha c'è una tranquillità assoluta e le guardie fanno la ronda. Tutto finito, meno male. Una notte allo stesso tempo esaltante e deprimente, sospira l'avvocato.

Mentre il caposezione se ne va a dormire tranquillizzato, la notizia delle violenze e degli arresti circola rapida giú per i vicoli e per le strade, nei bordelli e nelle pensioni, penetra nei postriboli, nei cabarè, nei bar. Dona Paulina de Souza sta ascoltando il drammatico rapporto di un cliente e intanto ricorda le parole che Ogúm Peixe Marinho aveva pronunciato il giorno prima: chi non risica non rosica. Quando verrà il turno del Pelourinho? Per ora avvisa le ragazze:

– Se qualcuna di voi incontra una delle donne di rua Barroquinha, le dica che può venire a far la vita qui, finché le cose non si mettono a posto.

Anche Vavá è subito messo al corrente di quanto è successo. E sta ansiosamente in attesa dell'arrivo di *pai*-Natividade, il quale durante il giorno è stato trattenuto nel *terreiro* da alcune faccende importanti e per tutta la giornata non ha potuto venire a tirargli la sorte. Cosí all'ora di pranzo il ruffiano non aveva potuto dare a Teresa la promessa risposta:

– Soltanto dopo la mezzanotte, mi scusi. Non dipende solo da me.

Per fortuna l'investigatore con la macorha non si è fatto vedere, ma può arrivare da un momento all'altro. Dalmo Coca aveva partecipato alla battuta della Barroquinha, Vavá ne era stato informato con tutti i particolari. C'era anche la bellissima, ma non era stata arrestata. Per miracolo. Sulla sua sedia a rotelle, in preda a contraddittorie emozioni, timore, rabbia, ambizione, e amore, Vavá controlla l'andamento degli affari e le lancette dell'orologio.

Al bar Flor-de-São-Miguel Nilia Cabarè, una prostituta molto popolare nell'ambito del meretricio e anche al di fuori, amica di tutti e soprattutto di far baldoria, arrestata cento volte per schiamazzi e vilipendio, proclama mezza brilla ai quattro venti:

– Voglio che tutti sappiano che finché le altre non ritorneranno alla Barroquinha, io faccio lo sciopero del «canestro», non ricevo uomini. Per nessun prezzo. Chi è una donna a posto mi segua, spranghi lo scrigno, faccia conto di essere nella settimana santa!

Hansen il tedesco si alza e bacia in viso Nilia Cabarè. Ai tavolini mezza dozzina di donne in attesa di clienti. Tutte si dichiarano solidali. Eccole per la strada che annunciano la loro decisione di porta in porta. Nilia Cabarè si è fatta imprestare un lucchetto dal padrone del bar e se l'è attaccato alla gonna al punto giusto. Dietro di loro le seguono il gringo, alcuni poeti, alquanti perdigiorno, il disegnatore Kalíl, che è il bello di Análio, insomma gli ultimi *bohémiens* di un mondo che la fretta e la civiltà dei consumi stanno distruggendo.

Chiudi il «canestro» subito, è incominciato un nuovo calendario, è l'ora della passione delle puttane e la penitenza terminerà soltanto quando le prostitute saranno ritornate alle case della Barroquinha e canteranno l'alleluia schiudendo le serrature del «canestro». E siccome quella risoluzione era spontanea, fu irremovibile.

Le donne abbandonano il loro letto di lavoro lasciando i clienti a metà della festa e sprangano il loro scrigno.

28.

Intanto nella panetteria Teresa spiega ad Almerio i precedenti dell'invasione della Barroquinha da parte delle forze della Sezione Giuoco e Buoncostume. Il commerciante ne aveva saputo qualcosa dai giornali; proteste contro la localizzazione del meretricio. Secondo lui Teresa quella sera non dovrebbe ritornare al Flor-de-Lotus. È ricercata dalla polizia, non si è accorta della rabbia di quell'ordinario di Pesce Cane? La cosa migliore sarebbe che dormisse lí nella stanza di Zeques, perché neppure in casa di dona Fina sarebbe al sicuro da un abuso dei piedi-piatti, è gente capace di tutto. Ma Teresa rifiuta quell'offerta e dopo essere andata a vedere il bambino che dorme nel suo lettino nuovo, si congeda.

— Lasci almeno che l'accompagni fino a casa.

Neanche questo perché non ha ancora intenzione di rincasare. Prima deve ricevere la risposta di Vavá. È già ora, mezzanotte e un quarto. Se nessuno traslocherà, Almerio, la polizia rimarrà con le mani legate. Ma ci pensa alla faccia dei piedi-piatti che sono abituati a fare e disfare? Almerio non partecipa all'entusiasmo di Teresa. Perché s'immischia in questa storia, è una faccenda che non la riguarda, ha già tanti motivi di preoccupazione, ne vuole altri ancora, per caso? Chissà, forse nella lotta potrà dimenticare altre tristezze, la nave Balboa, nave girovaga dell'oceano Pacifico, Janú del mio cuore, perduto marinaio?

— Allora l'accompagno fino a casa di Vavá.

Quando Almerio, davanti al postribolo, fa il gesto di offrire una mano a Teresa per aiutarla a scendere dal tassí un gruppo di donne accorre vociando parole incomprensibili:

– Spranga il «canestro», spranga il «canestro»!

Teresa sale le scale: – Grazie tante, Almerio, a domani.

Almerio però non se ne va, dà ordine al tassí di aspettare. Le donne si avvicinano, una di loro ha un lucchetto attaccato al vestito, sembra una matta. L'autista desidera sapere il significato di tutto ciò. Le donne della «zona» hanno deciso di chiudere il «canestro», tutto qui.

L'autista scuote la testa: si sentono certe stravaganze a questo mondo, dove s'è mai visto commemorare la Settimana Santa alla fine dell'anno? Un branco di donne ubriache.

29.

Contemplando quella bellezza, a stento riesce a trattenere le parole d'amore che gli spuntano sulle labbra. Lui s'innamora di colpo, ma la strada fino al letto è lunga; a Vavá piace progredire lentamente pregustando ogni istante, ogni parola, ogni gesto, facendo la sua corte con calma. Ha un cuore timido e romantico. In questo caso, però, dal momento che all'amore si mescolano altri interessi, talmente diversi, Vavá non ha intenzione di dare a vedere i suoi sentimenti prima di aver consultato Exú. Gli occhi lo tradiscono tuttavia, posandosi con fuoco sulla ragazza. *Pai*-Natividade non può tardare, Mestre Jegue è andato a prenderlo al *terreiro* in tassí.

– Abbia pazienza, aspetti un pochino, non se la prenda. Ho saputo che si trovava alla Barroquinha al momento del tumulto. Che cosa è andata a fare da quelle parti? Perché si mette in pericolo?

– Sono arrivata troppo tardi, avrei dovuto trovarmi là fin dal principio. Non ero forse stata io a dir loro che non dovevano traslocare?

– Lei è senza giudizio. Ma a me piace la gente cosí sfegatata.

– Ci sono piú di venti donne in arresto, tra padrone di pensione e prostitute.

– E in questo momento le buscano. Ecco quello che lei ha voluto.

– Era forse meglio abbassare la testa e traslocare per andare a vivere in un posto immondo? Dica lei? La polizia non potrà tenerle in prigione per sempre, diamine!

Dai corridoi giunge un rumore inatteso, come un repentino e confuso galoppo. Passi, parole, risate, varie persone che scendono le scale contemporaneamente e in fretta. Vavá drizza le orecchie: che cosa succede? Il rumore si fa piú forte tanto al piano di sotto come a quello di sopra. Greta Garbo entra in camera al colmo dell'eccitazione:

– Vavá, le donne se ne stanno andando via tutte, piantando gli uomini a letto nel bel mezzo del fuchi-fuchi. Stanno dicendo che hanno chiuso il «canestro» a causa della bastonatura alla Barroquinha, non so che cosa le ha prese... – Ha parlato tutto d'un fiato con voce rotta e gesti nervosi.

Gli occhi di Vavá vanno da Greta Garbo a Teresa colmi di diffidenza, lui non vede altro che tradimento e falsità da tutte le parti.

– Resti lí che torno subito.

Rapido dirige la sedia a rotelle verso la sala d'aspetto e Greta Garbo lo accompagna.

– Che cosa diavolo sta succedendo? Dove andate?

Alcune si fermano a spiegare: hanno chiuso il «canestro» e lo apriranno di nuovo soltanto quando le donne della Barroquinha saranno ritornate alle loro case.

– Siete matte? Andiamo, tornate indietro. Ci sono i clienti che aspettano.

Ma non gli obbediscono, eccole giú per le scale simili a un gruppo di studenti che escono da scuola. Vavá spinge la sedia a rotelle verso la sua camera. Greta Garbo, con le mani sui fianchi, domanda:

– Vavá, pensa che devo chiudere il «canestro» io pure? Oppure rimango da parte?

– Togliti di mezzo!

Poi in camera fissa Teresa con occhi maligni ed esplode:

– Tutto questo è farina del suo sacco, nevvero? È stata lei a inventare questo carnevale. – E le punta addosso il suo dito deforme come una minaccia.

– Che cosa, questo? Di quale carnevale sta parlando?

L'espressione sorpresa, gli occhi limpidi e franchi e il volto perplesso di Teresa indeboliscono il convincimento di Vavá. Sarà falsa e ipocrita fino a questo punto, oppure non ne sa ancora niente? E tutto eccitato le racconta la follia delle donne e la storia del «canestro» chiuso. S'illumina il volto di Teresa man mano che egli parla. Non lo lascia neanche terminare, è già in piedi:

– Vengo a sentire la risposta piú tardi.

E scende precipitosamente per la strada.

30.

Per la prima volta da molti anni a quell'ora nel bordello non si udiva la densa respirazione dei sessi, le macine del piacere al lavoro. Nell'insolito silenzio Greta Garbo, indeciso, si rosicchia le unghie: deve aderire sí o no?

Nella stanza di Vavá *pai*-Natividade prepara le conchiglie per il gioco. Addossato alla parete Amadeu Mestre Jegue. Il paralitico sta parlando per spiegare quella complicata situazione.

– L'ho fatta chiamare, padre mio, perché le cose si stanno mettendo male per me e voglio consigliarmi con il compare.

Al collo Vavá ha una collana rossa e nera, la collana di compare Exú. Ha bisogno di schiarimenti a proposito di un mucchio di dubbi, non si era mai trovato con un cosí gran bisogno di aiuto. Se la polizia vorrà trasferire le prostitute di rua Maciél a rua do Pilar e cosí rovinarlo, lui deve ubbidire, come ha sempre fatto, o deve dar retta ai consigli di quella ragazza e rifiutarsi? Deve ospitare le prostitute della Barroquinha? E la maconha che l'investigatore vuole immagazzinare lí in camera sua? È meglio acconsentire o è pericoloso? E per di piú adesso è capitata questa storia pazzesca di chiudere il «canestro» e le mignotte che si rifiutano di lavorare, che cosa ne dice di questo il compare Exú? Come devo comportarmi? Forse sono già perduto senza saperlo.

E finalmente parlami della ragazza, è onesta o è falsa, posso aver fiducia in lei o è capace di inganni e di tradimenti? Mi è già capitato di nutrire serpenti sul mio candido petto, e se questa qui non val niente, allontanami e salvami da lei. Ma se è altrettanto sincera quanto è bella, allora sono l'uomo piú felice del mondo.

Pai-Natividade agita l'*adjá* salutando. A voce bassa canta:

> Bará ô bêbê
> Tirirí Ionán

Dal monte di terra dove è piantato il tridente sul *pejí*, Exú Tirirí risponde allegramente:

Exú Tirirí
Bará ôbêbê
Tirirí Ionàn

Fate largo tutti che passa Exú. Diversamente da Ogúm Peixe Marinho, Exú Tirirí è disinvolto e rumoroso, amico del movimento e di qualsiasi biricchinata, fautore di confusione e di disordine.

Le conchiglie schizzano via dalla mano di *pai*-Natividade, rotolano e parlano. Qui non voglio droghe di nessun genere, soltanto *cachaça* e roba da mangiare. Vive, in mano al *Babalorixá*, le conchiglie continuano a rispondere.

Voglio vedere tutti i «canestri» chiusi, neanche uno aperto, e gli uomini con l'affare armato senza sapere dove scaricare il desiderio e la foga. Se ci sarà del chiasso e scorrerà sangue, non badarci, i «santissimi» bollenti metteranno tutto a posto e da Maciél non andrà via nessuno, perché Exú non lo permette. Né di qui né da nessun altro posto, purché tutti i «canestri» restino chiusi finché la polizia avrà rinunciato a perseguitare i poveracci. Sono stato io, Exú, a ordinare che si chiudessero i «canestri», io e nessun altro.

Il *pai-de-santo* legge nelle conchiglie la sentenza fatale: guai a quella prostituta che riceverà un uomo prima che alla Barroquinha scocchi l'alleluia! Guai alla padrona di pensione, al padrone di bordello, alla direttrice di casino che continuerà a tenere la porta aperta e tenterà di violare la chiusura dei «canestri»!

La prostituta finirà contaminata, carica di malattie, mangiata dalla sifilide, cieca, paralitica, lebbrosa. Il ruffiano o la ruffiana moriranno prima che finisca il mese, di una brutta morte e in mezzo alle sofferenze.

E della ragazza che cosa mi dici? Si chiama Teresa Batista, voglio sapere se è onesta o se dietro tanta bellezza alberga malvagità e finzione.

Exú Tirirí lo fece tacere. Per pronunciare il nome di Teresa, prima lavati la bocca. Una persona piú corretta non esiste, né qui né in nessun altro luogo. Ma rinuncia a lei finché sei in tempo, essa non è pane per i tuoi denti. Nel petto le sta infitto un pugnale, Teresa perduta nel mare.

— Malattia o mal d'amore? — domanda Vavá.

— Mal d'amore, morbo fatale.

– Mal d'amore si cura... – nessuno ha vissuto tanto quanto Vavá, nei bordelli il tempo vale il triplo.

Perché tutto riesca bene, Exú chiede un caprone e dodici galli neri. Quindi ordina che tutti si facciano da parte perché deve andar via.

Bará ô bêbê
Tirirí Ionán

Saluti alla ragazza, è un ordine, i suoi passi sono i miei. Guai a quella che non avrà chiuso il «canestro». Dall'alto del suo tridente ripeté, guai a quella!

31.

Guai a quella! – Era la maledizione scagliata e ripetuta dalle prostitute di tutta la «zona», da rua Barroquinha a rua do Carmo, a Maciél, Taboão, Pelourinho, Ladeira da Montanha. Di casa in casa, di stanza in stanza, di bocca in bocca.

Guai a quella! – Una minaccia lanciata e trasmessa a nome di Vavá, di dona Paulina de Souza e della vecchia Acacia che è chiusa in prigione.

– Guai a quella! – Nei crocicchi del puttanaio la voce di Exú, signore di tutte le strade, padrone di tutti i «canestri», colui che possiede la chiave.

32.

L'ispettore Helio Cotías si svegliò presto ed ebbe una lunga conversazione telefonica con lo zio di sua moglie. Vittorioso e trionfante lo informò: trasloco praticamente realizzato, i mobili si trovano già alla Ladeira do Bacalhau, le case di rua Barroquinha sono chiuse; una vera battaglia, aveva dovuto agire con polso di ferro. Ma lo zio rispose con meschinità che in tutto ciò non vedeva motivo di vanagloria. Sarebbe stato meglio che le donne avessero traslocato tranquillamente, senza scandalo, senza baruffe, senza comunicazioni sui giornali e interviste idiote. Per non parlare della fotografia del camion della polizia carico di mobili e dell'elzeviro di quel Jehová. Vecchio impertinente, non era mai malato, lui.

Sulle pagine riservate ai fatti diversi i giornali avevano dato il dovuto distacco ai fatti di rua Barroquinha: VIOLENTO CONFLITTO NEL MERETRICIO; IL TRASLOCO DELLA «ZONA» SI INIZIA A LEGNATE; I CAMION DELLA POLIZIA FANNO IL TRASLOCO DELLE PROSTITUTE A RUA DO BACALHAU, ecco alcuni dei titoli e dei sottotitoli dei vari servizi, uno dei quali era illustrato dalla fotografia del mezzo appartenente alla polizia carico della mobilia sottratta ai bordelli. Del tafferuglio non c'erano fotografie, perché durante la lotta soltanto un fotografo, il barbuto Rino, si era fatto vedere, giusto in tempo per documentare l'eroismo dei poliziotti alle prese con le donne mentre le picchiavano a braccia con lo sfollagente o col calcio delle rivoltelle. Gli avevano confiscato la macchina, avevano distrutto il rullo, per poco non lo arrestavano. I benemeriti guardiani della morale sono di temperamento modesto e non gradiscono veder pubblicate istantanee riproducenti i loro nobili gesti di coraggio e di devozione alla causa pubblica, preferiscono fotografie semplici, in posa, fatte al Commissariato.

Fotografie come quella dell'ispettore Cotías sorridente, che illustrava la rapida conferenza-stampa concessa ai giornalisti accreditati presso la sua sezione speciale. «Stiamo ripulendo il centro della città dalla piaga del meretricio, cioè realizzando lo scopo della patriottica campagna della stampa. Abbiamo incominciato da rua Barroquinha e proseguiremo inflessibilmente – nell'attuale "zona" della prostituzione non ci rimarrà un solo postribolo».

Dichiarazione indubbiamente di eccelso valore morale e civico, degna di elogi e di applausi. Tuttavia quella inflessibilità e l'ampiezza del ripulisti previsto e appena iniziato ebbero un grande peso nel rafforzare l'appoggio dei ruffiani e delle ruffiane allo sciopero del «canestro».

Però non c'era soltanto simpatia da parte dei cronisti nei confronti del gentleman della polizia. Quel Jehová de Carvalho, per esempio, che era favorevole alla causa delle prostitute e aveva poca simpatia per i piedi-piatti, condannava con durezza e con sarcasmo la violenza di quell'operazione di polizia nella sua popolare colonna. Verso la fine dell'elzeviro domandava ironicamente se «il trasferimento delle donne di rua Barroquinha alla Ladeira do Bacalhau fa parte della tanto sbandierata utilizzazione turistica della vasta area destinata a diventare il paradiso dei visitatori della città, come era stato ampiamente annunciato». Piú chiaro di cosí non poteva parlare il poeta Jehová, visto che i giornali, come tutti sappiamo, vivono di pubblicità e non grazie alle vendite.

Osservando l'atteggiamento marziale dell'ispettore in quella fotografia sul giornale, Carmen, sua moglie, *née* Sardinha e che Sardinha era restata per la durezza del carattere, aveva commentato con sprezzo:

– Un vero maschione, eh? Il re delle baldracche che punisce le sue suddite! Il lavoro in polizia ti fa bene, mio piccolo Helio, stai diventando un uomo.

In ogni modo, malgrado particolari tanto sgradevoli, l'ispettore trasse dall'azione del giorno prima anche motivi di soddisfazione. Bada, al telefono, dopo aver letto i giornali, fu commovente. Il mio eroe! Hai corso pericolo? Me lo racconti questo pomeriggio? Al posto combinato, alle quattro? Mio Bonaparte!

33.

Verso le undici del mattino l'avvocato Helio Cotías scende dall'automobile davanti alla Sezione Giuoco e Buoncostume. E manda a chiamare le prostitute in arresto.

Gli uomini erano già stati liberati all'alba, tra spintoni e proteste, due erano in mutande. Ne avevano buscate un poco anche loro affinché non tentassero mai piú di ostacolare l'azione della polizia. Qualche sberla, cosa da poco.

Una vera battuta di quelle come si deve, da lasciarti il segno, se l'era presa la negra Domingas, che aveva fatto prodezze durante la baruffa e si era ribellata agli sbirri. Ne era uscita tutta pesta e la sua faccia luccicante e simpatica era ridotta a un ammasso brutto a vedersi e opaco. Quanto a Maria Petisco, mentre graffiava il viso di Dalmo Coca e lo morsicava aveva risvegliato le voglie di quell'elegante investigatore, sicché nel bel mezzo della notte quel guardiano della pubblica morale era penetrato in guardina, sotto l'azione della polverina, deciso a infilzare la prostituta anche lí davanti a tutti. In una notte simile tra battute e castighi era buffa quella scena di un drogato instabile sulle gambe che voleva acchiappare Maria Petisco e scoparsela in faccia ai presenti. I piedipiatti ridevano e incitavano il loro campione. Poi si stufarono e lo portarono via.

Il dottor Cotías sta cominciando ad imporsi sia nella carica che nel concetto dei suoi subordinati, come è facile constatare. Però alla vista della negra Domingas si sente scombussolare. La pelle scura della prostituta presenta macchie violacee e grandi ecchimosi, ha un occhio chiuso, la bocca spaccata, e quasi non si regge in piedi. Con disprezzo il commissario Labão osserva lo sguardo disorientato del suo capo. Questo è un lavoro da uomini, non da finocchi.

– Questa qui è un brutto tipo, una piazzaiola. Giú in prigione aggrediva tutti, non c'è stato altro rimedio che darle una lezione, altrimenti nessuno dormiva, questa gente, solo a bastonate –. Il commissario spiega ancora: – Non si deve sentir pena di gente simile.

Bisogna che mi abitui a non provar compassione, quella gentaglia non lo merita, decide l'avvocato. Ma è inutile, lui è debole di stomaco. Ordina che le prostitute siano messe in libertà. Nel suo ufficio rimangono soltanto le padrone-di-pensione. L'avvocato percorre con gli occhi la fila delle donne, sei disgraziate, e diventa allo stesso tempo feroce e paterno.

– Non avete voluto traslocare con le buone, ebbene traslocherete con le cattive. A cosa serve rifiutarsi? Quelle che sono disposte a uscire di qui per completare subito il trasloco, che facciano un passo avanti, le faccio liberare immediatamente.

Si aspettava il consenso generale e anche congratulazioni. Ma solo Mirabél accenna a muoversi e subito la vecchia Acacia prende la parola:

– Noi non traslochiamo. Piuttosto morire in galera ma nessuna di noi vuole andare a marcire in quel letamaio.

L'ispettore perde il controllo, batte i pugni sul tavolo e avanza con un dito in faccia alla vecchia da vero maschione come l'ha definito Carmen Cotías, *née* Sardinha:

– Ebbene, marcirete qui. Commissario, le faccia portare di nuovo in prigione.

Il commissario, di buon umore, propone:

– Una dozzina di sberle per ciascuna a ora di pranzo e a ora di cena invece dei pasti. È un ottimo regime, vedrà, dottore, che decideranno subito di traslocare.

Pesce Cane apre la porta dell'ufficio senza chiedere permesso fregandosi le mani al colmo della contentezza:

– Le navi della squadra americana sono già in vista davanti a Itapoã. Pioveranno dollari!

Il commissario fu talmente stimolato e commosso da quella notizia promettente che stava quasi dimenticandosi di raccomandare al capo carceriere di passare una dozzina di colpi di regolo a ciascuna delle ruffiane prima della minestra acquosa e del pane raffermo di mezzogiorno e del tardo pomeriggio. Non fosse per Pesce Cane, sempre rigido nell'adempimento del suo dovere, quelle rinnegate sarebbero sfuggite a un trattamento destinato a farle dimagrire e a educarle, trattamento efficace quanto gratuito.

Di passaggio svegliano l'investigatore Dalmo (Coca) Garcia. Svegliato di soprassalto, l'elegantissimo ascolta la notizia: a Itapoã è già stata avvistata la squadra americana, le navi si stanno dirigendo al porto di Bahia cariche di dollari, compagno, e il cambio è favorevole. Tre urrà per i marinai e i fucilieri navali della grande nazione del Nord, la cui presenza onora la città! Che trovino a Bahia belle donne, competenti nella professione, ospitali e amabili. Per la salute degli invincibili guerrieri si adopreranno le forze di polizia locali, che sono tanto ben rappresentate dai nostri tre eroi. Eroi, sí, anche loro. Sia colta l'occasione di questo augurio per rendere giustizia a quelli di casa, modesti eppure parimenti infaticabili difensori della civiltà occidentale contro le orde rosse e gialle, l'immoralità e la corruzione.

A che punto siamo con la riservatissima faccenda della maconha, investigatore Dalmo, amico Coca? Il giorno prima Camões non aveva mantenuto la parola a causa di impreviste difficoltà nella consegna del materiale. Ha fissato un altro appuntamento per il pomeriggio. Purché non manchi di parola un'altra volta! Se si tira indietro di nuovo, se vuol fare il furbo, per lui c'è la prigione per commercio di droga, riapriamo quel vecchio processo accantonato e facciamo rispettare la legge.

Va a cercarlo immediatamente, collega, socio, compagno, scova quel tipo e l'erbetta santa, perché un'occasione come questa di guadagnare un po' di soldi senza sforzi non si ripeterà troppo presto.

Seguendo le buone norme delle imprese moderne, i tre soci si erano suddivisi compiti e responsabilità. Al commissario Labão, il socio piú importante, l'impavido capo, era toccata l'organizzazione generale e la ricerca dei fondi necessari.

Egli prese accordi con i venditori ambulanti e i «capitani di terra ferma», e con essi aveva combinato la distribuzione e la vendita dei preservativi e dell'elisir afrodisiaco. Aveva comprato a basso prezzo al mercato di São Joaquím una quantità di cestini. E ogni venditore, ogni ragazzino, ne ebbe uno per metterci dentro la mercanzia. Quanti venditori? E chi lo sa! Era una vera moltitudine, pronta a sparpagliarsi per tutta la «zona» a mostrare, offrire e scambiare con dollari camicie-di-venere e flaconcini di «Cazzoduro». La faccenda era stata studiata in tutti i particolari, i venditori avevano imparato a memoria persino frasi in inglese. E naturalmente erano state adottate misure di sicurezza per evitare furti, storni di materiale e di grana. Nel caso specifico la miglior garanzia dell'onestà dei venditori è la paura che hanno del commissario il cui solo nome, Labão Oliveira, apparentemente tanto inoffensivo, fa venir le gambe molli a qualunque smargiasso. Con il commissario c'è poco da scherzare.

Era un organizzatore modello, un finanziere emerito. Si era fatto dare da usurai che conosceva il liquido necessario a finanziare l'operazione, e l'aveva spiegata all'agente e all'investigatore, completa di tutti i calcoli del pesante interesse da pagarsi agli strozzini. In realtà aveva pagato il necessario di sua tasca e cosí aveva guadagnato ancora un po' di soldini alle spalle di quelle due comparse, quei minchioni.

Durante quella affannosa mattina non si mosse dal suo ufficio e aveva mandato delle guardie di sua fiducia a chiamare gli organizzatori dei venditori ambulanti e dei «capitani di terra ferma». Il gran giorno era finalmente arrivato.

36.

In una stamberga di rua do Taboão l'investigatore Nicolau Ramada Junior, cioè Pesce Cane di fama notoria, parla d'affari con Heron Madruga, illustre chimico pernambucano. Gli ha appena pagato la metà del prezzo pattuito per la fornitura di cinquecento dosi di «Cazzoduro», preparato incontestabile: *one dose five fucks*.

Heron Madruga, valoroso scienziato, ampiamente noto nel *sertão* e in alcune capitali di Stato, aveva incominciato a interessarsi di chimica e di farmacologia quando a Recife lavorava nel laboratorio di analisi dei dottori Doris e Paulo Loureiro, moglie e marito, entrambi competentissimi. Madruga passava le mattine a ricevere l'urina, la cacca e il sangue dei clienti e la fine del pomeriggio a consegnare gli esami e a incassare i conti; il tempo libero lo dedicava tutto ad ammirare i sali e gli acidi che si mescolavano nelle provette, nelle sfere di vetro, nelle pipette, nei beckers, nei cilindri di precipitazione del laboratorio, odori forti, colori strani, fumo azzurrino, che cosa splendida. Imparò termini e formule.

Poi perse il controllo e non seppe rinunciare ad appropriarsi ogni tanto del pagamento di un semplice esame d'urina, e intascò due mielografie, finché improvvisamente venne scoperto e licenziato. Una disdetta, perché stimava il padrone e la padrona, che erano bravissima gente. Tuttavia si rese conto che ormai era diplomato in chimica, farmacia e medicina e che si trovava in condizioni di partecipare alla cura delle sofferenze dell'umanità. Per dir meglio: le sofferenze degli esseri viventi in genere, perché in certe occasioni esercitò anche la medicina veterinaria e non fece brutta figura. A parte un morso da un cane e un calcio da un cavallo, la scienza ha i suoi inconvenienti.

Alcuni prodotti fabbricati da lui con formula sua in esclusiva godettero di un indiscutibile prestigio tra le popolazioni rurali e in alcuni piccoli centri urbani del Nordeste, dove venivano venduti sui mercati. L'«Elisir Lava Petto», di comprovata efficacia contro qualsiasi malattia dei bronchi e dei polmoni, liquidò molte epidemie di influenza nel Pernambuco e guarí molte tisi croniche nell'Alagoas. Una bottiglietta di «Meraviglia del Capiberibe» libera il corpo da qualsivoglia infezione, compreso il cancro e la gonorrea. La lozione aromatica «Fior di Magnolia» guarisce la forfora, uccide lendini e pidocchi, fa rinascere i capelli anche sulla testa piú calva, come è dimostrabile con documenti autentici e persino con fotografie prima e dopo la cura. Quando il primo flacone sarà finito se Vossignoria non avrà una criniera da leone può rendere il flacone e verrà rimborsato. Non ci fu mai nessun reclamo. Scegliete il colore dei capelli dal colore dell'etichetta, comprate chiome bionde, nere, castane, rosse, azzurre o verdi. I capelli verdi sono di moda in società.

Quanto al «Cazzoduro» è quello che tutti sanno: un eccitante fantastico. A quanto afferma Madruga stesso nel discorso con cui presenta il suo meritorio prodotto alla clientela, cioè l'attento uditorio dei mercati e delle pubbliche piazze, un vecchio di cent'anni dopo aver preso la dose prescritta si alzò dal suo letto di morte, sverginò una donzella, fece quattro chiavate una dopo l'altra e alla quinta fece anche un paio di figli. Morí felice, di priapismo.

L'idea dell'etichetta in inglese – lettere rosse su fondo nero, APHRODISIAC: ONE DOSE 5 FUCKS – era di Madruga, la traduzione dell'investigatore Coca, un vero poliglotta, che aveva fatto anche da professore agli ambulanti ai quali aveva insegnato come farsi pagare almeno un dollaro per una camicia-di-venere o un flaconcino di «Cazzoduro». Ai «capitani di terra ferma» non fu necessario insegnar nulla, parlavano tutte le lingue e ridevano con tutti i denti, quegli stracciati, scheletrici, invincibili monelli, padroni da sempre delle vie di Bahia. Tra poco il commissario Labão manderà a prendere la mercanzia, perché le navi si trovano già in vista del faro di Itapoã, avvisa Pesce Cane.

– Arrivano oggi?

– Stanno arrivando.

– E le donne apriranno i «canestri»?

– Che cos'è questa storia?

Madruga racconta che la sera prima si era recato nella «zona» allo scopo di dar sfogo ai bisogni naturali, ma non aveva ottenuto il suo scopo. Casini e bordelli erano tutti vuoti, con le stanze deserte e le porte chiuse. Aveva attribuito quella scarsità di donne all'ora tarda, erano già piú delle due del mattino. Allora era andato in giro alla ventura, chissà, forse poteva ancora trovare qualche battona nei bar. Era entrato al Bar Flor-de-São-Miguel, il locale era affollato e rumoroso e ai tavolini c'erano molte professioniste. Ma nessuna l'aveva accettato. Gli avevano comunicato che tutto il puttanaio stava facendo lo sciopero del «canestro» fino a quando le prostitute di rua Barroquinha fossero ritornate a casa loro.

Pesce Cane non dà troppa importanza a questo fatto. Basta che la polizia arresti le piú esaltate a mo' di esempio, come ha fatto ieri a rua Barroquinha, perché subito delle altre disgraziate si riuniscano nelle bettole a bere e a sbraitare. Drizza l'orecchio tuttavia quando Heron Madruga si mette a parlare di una di quelle streghe, la piú esaltata di tutte, una tizia molto bella, che Dio la benedica, che aveva conosciuto a Recife qualche anno fa, una donna che aveva la pretesa di suonarle agli uomini e che, per dire onestamente tutta la verità, da quelle parti ne aveva picchiato piú d'uno. Madruga stesso aveva avuto occasione di constatarne l'audacia come testimonio oculare che non si lascia far fesso con facilità. Si chiamava Teresa Batista, ma l'avevano soprannominata Teresa-Scalcia-Balle, e la ragione del nomignolo è palese.

Al sentire quel nome detestato, Pesce Cane brontola e sbava:

– Ieri quella maledetta mi è scappata di mano, ancora non riesco a capire come, sembra persino ci sia stata di mezzo qualche stregoneria. Ma prima o poi me la paga, altroché se me la paga! Sono contento di aver saputo che va in giro a sobillare le mignotte contro di noi, quella puttana disgraziata!

37.

Quel 21 settembre i titoli dei giornali della sera annunciavano a tutti i baiani: CITTÀ IN FESTA – LA PRIMAVERA E I MARINAI.

Al bar Flor-de-São-Miguel, la sera precedente, prima che si sapesse dell'invasione di rua Barroquinha da parte delle forze di polizia della Sezione Giuoco e Buoncostume e del grido di guerra di Nilia Cabarè, e prima del pronunciamento di Exú Tirirí, il giovane Kalíl Chamas aveva biasimato con parole piene di infiammata indignazione la pletora di pedissequi imitatori dei costumi europei che festeggiavano l'arrivo della primavera nel bel mezzo dei piovaschi settembrini – una caterva di idioti, gli stessi che, in occasione della Pasqua, travestivano i figli da conigli e, nel piú torrido dicembre, collocavano fiocchi di cotonina sugli alberi di Natale simulando le nevi invernali:

– Ci manca solo che indossino la pelliccia e si mettano a

tremare dal freddo! Domani vedrete le scuole sfilare per comunicarci che è giunta la primavera. Puro colonialismo. Speriamo che venga giú pioggia a catinelle.

Kalíl Chamas, studente di Scienze Sociali iscritto alla Facoltà di Filosofia, e commesso nel negozio di antiquario di suo padre in rua Ruy Barbosa, era un disegnatore dilettante che sognava esposizioni, successo e fama, ed era anche un nazionalista ostinato; per di piú è anche il fortunato beniamino della dolce Anália. Seduto al tavolino del bar si sfoga contro il vezzo idiota di importare abitudini straniere che in Brasile non hanno senso. Ai Tropici l'inverno dura sei mesi di pioggia e l'estate sei mesi di calore soffocante: parlare di primavera e d'autunno è ridicolo. Ridicolo! – in piedi sottolinea l'esclamazione coll'indice alzato.

– Qui regna l'eterna primavera... – declama Tom Livio, attore di teatro in cerca di un palcoscenico dove sfoggiare il suo talento, approfittando del luogo e dell'occasione per modulare la voce.

Due disegni di Kalíl, cioè due illustrazioni per le poesie di Telmo Serra, suo amico del cuore e poeta immenso (ma superato, secondo l'opinione di Tom Livio) erano stati pubblicati sul supplemento letterario domenicale di un quotidiano, e in entrambe le occasioni gli autori avevano commemorato nelle bettole della «zona» la gloria incipiente con birra e reciproci elogi.

Nella tarda serata il crocchio di bohémiens si scioglie; alcuni vanno a casa a dormire, altri si dirigono verso i bordelli delle donne-di-vita, dove, dopo un'intera giornata di lavoro, le prostitute aspettano il momento delle avventure, delle passioni, dell'amore. A volte, quando ci sono molti clienti, Kalíl deve aspettare sulla scalinata della Chiesa do Rosario dos Negros, che alla finestra di Anália appaia il segno di via-libera. Quella furbetta scuote un asciugamano bianco e Kalíl si precipita. Ma la sera in cui fu proclamata la guerra, Anália abbandonò il suo posto prima dell'ora in compagnia delle sue compagne. Insieme a Kalíl percorse tutta la «zona» annunciando dappertutto la dichiarazione di sciopero del «canestro». La gaia Anália batteva le mani:

– Con questa storia di chiudere il «canestro» domani riuscirò a vedere la sfilata scolastica per la festa della primavera. È un secolo che non la vedo. Sai che a Estância ho sfilato con gli alunni delle elementari? Io facevo da mazziere. Domani non me la perdo.

– Sottosviluppata! – O innamorato Kalíl, che cosa hai fatto dei tuoi principî e delle tue convinzioni? – Ci andremo insieme, speriamo che faccia bel tempo.

Sui giornali della sera il titolo occupa tutta la parte superiore della prima pagina. Ma per esprimere interamente la verità il redattore avrebbe dovuto completare la frase: CITTÀ IN FESTA – LA PRIMAVERA, I MARINAI E LE PROSTITUTE.

38.

L'investigatore Dalmo Garcia lascia ad aspettarlo in macchina i due tipi – era una vecchia Buick che apparteneva a uno di loro, quello cieco da un occhio, conosciuto tra i marginali col nome di Camões Fumaça –, e sale le scale che conducono alla porta del postribolo; siamo di primo pomeriggio e fa un caldo tremendo. La porta è chiusa, quella porta sempre aperta a partire dalle ore tredici alla gran folla dei clienti.

L'investigatore bussa, chiama, ma nessuno risponde. Davanti a quella porta sprangata Dalmo Coca si accorge improvvisamente della completa mancanza di donne in rua Maciél. Sebbene sia ancora presto, ci dovrebbe essere già un po' di animazione, seni esposti alle finestre, e le zelanti del trottuar con la loro borsettina in mano a indicare lungo le strade l'inizio di un altro giorno di lavoro. Invece non si vede nulla di simile: soltanto qualche passante occasionale, neppure una prostituta in vista. E il bordello è chiuso. L'investigatore Dalmo (Coca) Garcia non capisce, bussa alla porta ancora una volta per chiamare Vavá. Ma non ottiene risposta.

Scende la scala e entra nell'automobile. Camões Fumaça vuol sapere:

– E allora?

Anche se è in compagnia di un addetto all'ordine pubblico, di un poliziotto che fa parte della Squadra Speciale, non si sente al sicuro. Per cominciare non si fida di Dalmo, i poliziotti sono privi di senso morale, specialmente quando hanno il vizio della droga. Dov'è il denaro che gli ha promesso? L'investigatore aveva detto che si sarebbe incontrato con loro verso la fine del pomeriggio e che avrebbe portato la somma stipulata, che era un bel po' di denaro. Invece era venuto subito dopo pranzo senza un soldo simulando una gran fretta. Le navi stanno arrivando, dov'è la paglia? Era incalzante e minaccioso: presto, se non volete che ve la faccia pagar cara. Camões Fumaça ricomincia a provare un certo malessere:

– E allora? – ripete la domanda immaginando il peggio.

– Non so... Non c'è nessuno e le donne sembrano sparite. Dove possono essere?

Nella strada quasi deserta il cieco Belarmino che da molti anni frequenta quel punto estremamente redditizio per le elemosine, sta preparandosi la scodella, il giornale e il sandwich per uno spuntino con l'aiuto di un ragazzino. Afferra il suo chitarrino e incomincia la sua cantilena, di solito non mancano mai due o tre curiosi fermi ad ascoltare:

> La donna ha il culo
> la gallina il sopracculo
> della giovane vo' il petto
> della donna il rompiculo.

A Camões Fumaça quella faccenda sta piacendo sempre meno e ordina al suo socio, un silenzioso pigmeo seduto al volante del vecchio catorcio:

– Andiamocene via...

L'investigatore Dalmo si siede al suo posto ripetendo come un citrullo:

– Dove diavolo si saranno ficcate le donne, gente mia?

39.

Alcune erano rimaste nelle pensioni approfittando della vacanza per rammendarsi i vestiti, scrivere a casa le loro lettere piene di bugie, oppure semplicemente a riposare. Fino a nuovo ordine, nell'ambito del meretricio nessuna prostituta può ricevere un cliente e neppure un amante nel letto di una pensione, di un casino o di un bordello. Se una ha voglia di sfregarsi all'innamorato, che se ne vada fuori, lontano dalla «zona». Ma a rompere il tacito impegno assunto il giorno prima, chi si azzarderebbe? Exú aveva preannunciato la malattia e la morte, cecità, lebbra, obitorio.

Le prostitute che erano state messe in libertà quella mattina cercavano di ritornare alle case che erano state occupate con l'intenzione di continuare ad abitarvi o almeno di raccogliere i propri indumenti e le proprie cose, ma le guardie distaccate in rua Barroquinha non permisero l'ingresso a nessuna di loro. Cosí andarono a cercare ospitalità nelle pensioni conosciute; soltanto dona Paulina de Souza ne ospitò dodici, quattro per casa. Sciolse i cordoni della borsa e voleva mandare la negra Domingas a São Gonçalo dos Campos.

– Hai bisogno di qualche giorno di riposo, ragazza mia. Sei stata maltrattata.

Ma la negra non volle saperne di lasciare Bahia in quel momento, lei e Maria Petisco erano seriamente preoccupate: Oxossí e Ogúm, che erano abituati a scendere alla Barroquinha, avrebbero saputo rintracciarle?

– Domani è il loro giorno.

– Credete forse che gli *encantados* non sappiano dove siete? A rua da Barroquinha, qui, o a São Gonçalo, Ogúm ti monterà lo stesso.

La maggioranza decise di andare a spasso e la città si riempí di risa, di allegria e di grazia. Sembravano operaie, commesse, studentesse, donne-di-casa, madri-di-famiglia in un giorno di vacanza o di festa comandata. Facevano acquisti, andavano al cinema, passeggiavano nei rioni piú lontani a coppie, a piccoli alacri gruppi, sottobraccio agli innamorati tubando, come una frotta di gentili bambine, o di garrule ragazze, o di signore serie e tranquille.

Altre andarono a trovare i figli affidati a estranei. Ed ecco madri amorosissime che si portano a spasso i rampolli, in braccio o per mano, rimpinzandoli di gelati, bibite e dolciumi. E anche di baci e carezze.

Alcune tra le piú anziane presenziarono pure l'inaugurazione della primavera: libere per un giorno dall'obbligo del trucco pesante destinato a nascondere rughe e pieghe della pelle e dall'ingloriosa lotta per un cliente, finalmente soltanto delle donne anziane e stanche.

Durante quell'insolito ozio le prostitute occuparono la città intera, una festa di quelle: correndo a piedi nudi sulle spiagge, sedute sull'erba dei giardini, ferme allo zoo davanti alle gabbie delle belve, delle scimmie e degli uccelli, in pellegrinaggio alla chiesa del Bonfim, comprando opuscoli sul santo miracoloso.

Quelle che si trovavano sulla collina a contemplare il golfo, videro verso le quindici tre navi da guerra che entravano in porto.

40.

Poco prima delle sedici il signor governatore ricevette a Palazzo la visita del comandante in capo delle navi da guerra nordamericane ancorate al largo. Accompagnato dal suo stato-maggiore l'ammiraglio ebbe uno scambio di cortesie con il capo del Governo dello Stato e lo invitò a visitare la nave ammiraglia la mattina dopo trattenendosi poi a pranzo con gli ufficiali.

Brillano i flashes e i fotografi schizzano da una parte all'altra fissando sorrisi e gentilezze. L'ammiraglio comunica che i marinai avrebbero avuto il permesso di scendere a terra verso sera; un'ora propizia.

41.

La Radio Abaeté, una stazione potente che aveva un grande uditorio, durante il Grande Giornale Parlato delle ore sedici presentò un servizio particolareggiato sulle navi da guerra nordamericane presenti nel porto. «Per informazioni fresche ci vuole l'Abaeté», «Mentre la notizia sta succedendo, l'Abaeté la sta divulgando», «I microfoni dell'Abaeté sono le orecchie della Storia», ripetevano gli annunciatori interrompendo i programmi. «Se non ci sono notizie, l'Abaeté le inventa» ribattevano i concorrenti.

Dopo aver descritto la visita degli ufficiali superiori al governatore, le frasi che si erano scambiate, gli inviti che erano stati fatti, la radio si soffermò a fornire particolari precisi, numerosi e istruttivi sulle tre navi: i nomi, le date del varo, il numero degli ufficiali e dei marinai, i cannoni, la lunghezza del tiro, la velocità, la carriera degli ufficiali ai posti di comando, insomma dati esaurienti. La sezione di documentazione e ricerca fu ancora una volta all'altezza delle tradizioni della stazione.

Il reportage concludeva informando che i marinai sarebbero scesi a terra verso sera. L'ora esatta non era ancora stata fissata, probabilmente verso le otto.

Un'ultima e curiosa notizia che in qualche modo si poteva collegare all'arrivo dei marinai Yankee: per protestare contro il progettato trasferimento del meretricio, che aveva avuto inizio il giorno precedente con una violenta incursione della polizia del Buoncostume in via Barroquinha, le donne pubbliche avevano deciso di fare sciopero fintantoché le loro compagne non avessero potuto far ritorno alle case dalle quali erano state espulse e la minaccia di trasloco fosse rimasta in piedi.

42.

Alle diciassette circa, mentre Bada fa una rapida doccia per liberarsi dal sudore attaccaticcio di quel pomeriggio afoso, l'avvocato Cotías, il gentleman della polizia, amante felice ed esangue, accende la radio e si riposa al suono della musica.

Un meritato riposo dopo un'ora di esercizi violenti: la fragile Bada è un treno espresso, un fuoco d'artificio, una femmina sensazionale da tutti i punti di vista. Prima egli le aveva detto: statuetta di Tanagra, Gioconda enigmatica; ma quando la ebbe nuda tra le braccia le sussurrò in un orecchio: Giuseppina, mia Giuseppina!

— Perché Giuseppina? Madonna, che brutto nome!

— Non sono il tuo Napoleone, il tuo Bonaparte? E non era forse sposato con Giuseppina?

— Preferisco essere Maria Antonietta.

— Storicamente è errato, cara, perché Maria...

— Che cosa me ne importa? — E gli chiuse la bocca con un bacio, un succhione di quelli.

Né Giuseppina, né Maria Antonietta; se l'avvocato Cotias ne avesse il coraggio, adesso le direbbe: Messalina. Un pomeriggio di falso entusiasmo, un corpo a corpo feroce: Bada era una furia in delirio e l'avvocato dovette fare uno sforzo inaudito per essere all'altezza della situazione. Sua moglie Carmen, *née* Sardinha, che aveva un carattere duro, quando si accorgeva del suo interesse per una donna, gli diceva sdegnosamente:

— Cerca di comportarti bene, bada di non far brutta figura mettendo in ridicolo anche me.

Questo lo turbava e rendeva tutto difficile; del resto non

altro era certamente l'obiettivo di Carmen. Con Bada, fortunatamente, se l'era cavata bene. Vacca insaziabile, dissoluta. Aveva voluto farsi dire tutto sulla «zona», non soltanto a proposito della battaglia del giorno prima e dell'operazione trionfale di Helio, ma anche circa l'intimità delle mignotte, come sono e come si comportano: ah! ho tanta voglia di visitare un bordello! Si morde le labbra, si avvinghia all'avvocato e al momento finale singhiozzando lo supplica:

— Chiamami puttana, insultami, picchiami, poliziotto mio!

L'appartamento si trova nella parte alta di rua Gamboa e dalla finestra sul retro l'ispettore esausto e coperto di sudore, mentre fuma una sigaretta ascoltando la melodia di una canzone italiana, scorge le tre navi ancorate nel porto.

Prima di recarsi all'appuntamento con Bada, l'avvocato Cotias era passato a compiere il suo dovere in Sezione, dove il commissario Labão lo aveva informato che tutto era in perfetto ordine: i marinai sarebbero sbarcati alla fine del pomeriggio o all'inizio della serata, il piantonamento della «zona» era già stato organizzato e la polizia militare stava dando una mano a quella civile per impedire qualsiasi disordine. Quanto alle ruffiane di rua Barroquinha, persistevano insolentemente nel rifiutarsi ad accettare l'ordine di trasferimento. Per deciderle ci vorrà una bella battuta, un fracco di legnate per ciascuna. Domattina presto, dopo che sarà finito il movimento nella «zona». Per ora si prendono qualche sberla e fanno la fame. Un poco di pazienza, dottore, e le rovine di Ladeira do Bacalhau saranno affittate, e a un buon prezzo. Il commissario aveva riso in faccia all'ispettore fissandolo con quei suoi occhi impietosi. È un delinquente, pensa il gentleman della polizia: che cosa ha voluto insinuare parlando dell'affitto di quelle case? Chissà, forse la ditta avrà unto le ruote al commissario?

Bada chiude il rubinetto e il rumore dell'acqua della doccia cessa. Tutta sgocciolante e con una goccia d'acqua sulla punta del seno sinistro si dirige verso l'amante osservandolo intensamente. Alla radio la musica s'interrompe bruscamente e, dopo il prefisso marziale dei notiziari, si sente la voce dell'annunciatore: «Attenzione! Molta attenzione!»

A letto Bada si getta su Helio senza badare a quell'urgente richiesta di attenzione. Ma l'avvocato, durante il suo avido bacio, ascolta l'annunciatore: «La situazione del meretricio preoccupa le autorità. È confermato che lo sbarco dei marinai avverrà alle ore venti al molo di piazza Cayrú e fino al momento attuale i postriboli sono chiusi. Il commissario Labão Oliveira, che in questo momento si trova in rua Maciél a prendere i provvedimenti che le circostanze esigono, ha comunicato alla nostra stazione che la normalità verrà ristabilita prima dello sbarco dei marinai. Non resteranno a bocca asciutta, ci ha detto, ed ha soggiunto: cosa si direbbe del nostro grado di civilizzazione se succedesse una cosa simile? Metteremo in atto provvedimenti energici, la polizia detiene il controllo della situazione. Avete ascoltato la Radio Gremio da Bahia».

L'avvocato Helio Cotías spalanca gli occhi e cerca di liberarsi di Bada. Che cosa significa questa notizia e come mai la situazione del meretricio preoccupa le autorità? La musica ricomincia, una nostalgica canzone napoletana. L'ispettore forzato, reclamato dall'amante, supplica: un momento solo, tesoro. Muove l'indicatore alla ricerca di altre informazioni. Finalmente ne trova: «...nulla di nuovo, solo che la sorveglianza si è intensificata con l'arrivo della polizia a cavallo. Lo sciopero del meretricio prosegue, i nostri reporters stanno per recarsi sul posto, e tra qualche istante saremo in condizioni di trasmettere direttamente da rua Maciél, dove si sono concentrate le forze di polizia. Tenete i vostri apparecchi sintonizzati con la Radio Abaeté, tra pochi istanti trasmetteremo altre notizie».

Irritata, Bada getta lontano la radio. L'ispettore, preso dal panico, vuole andarsene, il dovere lo chiama. Trascinarlo, cercare di interessarlo non serve a nulla. Helio adesso non può, gli mancano il tempo, le forze e la voglia, basta guardarlo per accorgersene. Deve correre in Sezione a mettersi al corrente di quanto sta succedendo e del significato di queste notizie allarmanti, e anche a prendere il suo posto di comando, che per questo è stato preposto alla Sezione del Giuoco e del Buoncostume.

– Devo andarmene immediatamente, tesoro. Lasciami, per favore.

Ma non conosce bene Bada né è in grado di supporre quanto potente sia il suo desiderio:

– Frocio!

Si butta bocconi su di lui e l'avvocato la lascia fare, smontato: puttana disgraziata, questo è furore uterino. Dal pavimento la radio urla: «Stiamo trasmettendo direttamente da largo do Pelourinho. La polizia ha deciso di forzare le porte dei postriboli».

43.

Al braccio di Kalíl, ridendo per niente, Anália applaude i bambini e le bambine delle elementari alla sfilata di primavera, rammentando i bei tempi della scuola, prima della fabbrica di tessuti e prima che il dottor Braulio l'abbandonasse a far la vita. Pranzarono al ristorante Porto, specializzato in piatti portoghesi e, per accompagnare il baccalà alla Bras, lo studente scelse un vino giovane col quale brindarono all'amore eterno. Uscendo di là le comprò e le offerse un mazzolino di violette, che essa si appuntò sul colletto del suo candido e vaporoso vestito. Per far questo si fermò accanto al busto del defunto giornalista Giovanni Guimarães e, nell'ombra protettrice di quell'amorevole cronista della vita della città e della sua popolazione, si lasciò baciare dal giovanotto, un bacio da innamorati. Anália si sentiva dolcemente ebbra, rideva senza volere, lentamente camminarono per le strade.

Kalíl aveva lasciato il suo vecchio solo nel negozio di antiquariato col pretesto di qualche impegno in facoltà, riservando cosí tutta la giornata all'amica. Per la prima volta dall'inizio della loro relazione, che durava da circa due mesi, passano tutta una giornata insieme. Di solito si riuniscono soltanto all'alba, dopo che essa ha salutato l'ultimo cliente, e restano a letto insieme fino allo spuntar dell'aurora – lui non può fare a meno di svegliarsi a casa e fare la prima colazione in compagnia dei genitori.

Si tengono per mano senz'ombra di preoccupazione, felici e contenti. Si sono sdraiati sull'erba accanto al Faro da Barra, hanno bevuto acqua di cocco verde ad Amaralina, hanno fatto merenda con *acarajé* [1] fritto al momento, hanno fatto un bagno di mare a Piatã, hanno guardato il tramonto diffondersi sul mare. Venturosi adolescenti.

Nulla sapevano degli avvenimenti cittadini, delle navi da guerra ancorate nel porto di Bahia, della polizia che aveva occupato rua Maciél, largo do Pelourinho e rua do Taboão,

---

[1] Varie qualità di pesce.

cioè la zona del cosiddetto basso meretricio. Emersero dalla spiaggia e dal crepuscolo verso l'inizio della notte a Pituba. Prima di entrare al ristorante Jangadeiro, dove cenarono con una *moqueca* a base di granchi molli con la birra, Anália chiese un biglietto della fortuna al vecchio con l'organetto che lo faceva scegliere dal becco di un pappagallino verde:

> Chi vuol sceglirsi uno sposo
> faccia attenzione al cappello
> se porta il cappello inclinato
> lo lasci perdere, è un pivello.

Ridevano senza ragione. Che giorno felice quello della chiusura del «canestro», quando per una volta la primavera sbocciò nella città di Bahia in obbedienza al calendario.

44.

Alla Sezione del Giuoco e del Buoncostume il commissario Labão Oliveira ha tracciato per il dottore-ispettore il suo piano di azione:
– Lasci fare a me. Farò lavorare quelle figlie-di-puttana a qualunque costo. O aprono il «canestro» entro un'ora, o io non mi chiamo piú Labão de Oliveira. Cambio nome.

Quel nome faceva tremare prostitute, ruffiane, prosseneti, malandrini, contravventori, marginali impuniti e anche innocenti cittadini, insomma chiunque fosse obbligato ad avere qualsiasi specie di contatto con quel tutore della morale e dei buoni costumi. Si parlava a fior di bocca di omicidi praticati a freddo in polizia, di cadaveri seppelliti di nascosto, cose terribili. Ma quando certe accuse raggiungevano le pagine dei giornali, dov'erano le prove?

Quel pomeriggio persino poliziotti incalliti, vecchi compagni di lavoro che a volte si erano anche associati a lui negli affari, erano spaventati vedendo il commissario fuori di sé e con uno sguardo veramente sinistro. Sinistro, non c'è altro aggettivo. L'avvocato Helio Cotías, che ha la sensibilità a fior di pelle e che i poliziotti considerano un fifone, è a disagio e ride contro voglia nell'approvare i progetti dell'autorità competente. È come un crampo allo stomaco, qualcosa che vien su e vorrebbe uscire dalla bocca. Con grande sforzo, a stento lo controlla e lo domina; tanto piú dopo aver sgobbato tutto il pomeriggio a letto con una pazza. Poi, nell'intento di alleggerire quel clima pesante, il gentleman della polizia propone di dare a tutta l'operazione il titolo di Allegro Ritorno al Lavoro. Il ché non fu una trovata felice, perché il già citato poeta Jehová de Carvalho, commentando gli avvenimenti in un articolo scritto in seguito, giudicò quella designazione «uno scherzo funebre e mostruoso, degno di Hitler e dei nazisti nei loro campi di concentramento e di morte».

45.

Al Bar-da-Elite, o Bar-das-Putas, a scelta, tanto al proprietario non secca, il commissario Labão si sta preparando a celebrare con il suo stato-maggiore la seduta finale prima dell'imminente campagna contro le forze del vizio in rivolta, e Camões Fumaça, trafficante e drogato, cerca di incassare il denaro che gli è dovuto per quel monumentale carico di maconha. La scomparsa di Vavá aveva privato l'investigatore Coca di un posto dove immagazzinare quella merce esplosiva e anche di una persona a cui estorcere i soldi per il cinquanta per cento che aveva combinato di pagare – il saldo l'avrebbe dato solo dopo la lucrosa notte di marinai e di dollari. Dollari che erano minacciati da quelle disgraziate prostitute. Il commissario fissa gli occhi funesti sul temerario, ma il guercio non si lascia intimidire facilmente. Perché, nella sua nuvola di fumo, vive al di là della paura.

Mentre circolavano senza meta nella buick sgangherata, l'investigatore aveva avuto un'idea luminosa, come mai non gli era venuta in mente prima? Ordinò di prendere la direzione della Ladeira do Bacalhau e scaricò la maconha in uno dei casoni. Sempre con Camões alle calcagna si era poi messo a contatto con gli specialisti incaricati della vendita del prodotto ai marinai. Andate tutti al Bacalhau a aspettare istruzioni. Appena la situazione sarà chiarita con il ritorno dell'ordine e delle prostitute, li farà avvisare ed essi potranno dirigersi verso la «zona» a raccattar dollari. Ma mantenetevi lucidi, per favore, la ricompensa verrà dopo il lavoro: una percentuale in denaro e anche l'erba. Tutto in ordine, dunque, restava soltanto Camões che scocciava per essere pagato.

– Levati dai piedi! – urla il commissario.

Lo spacciatore sente che se non fa una fumata non resiste più. Quello che gli conviene di fare è: ritornare a Ladeira do Bacalhau, darla a bere ai tipi che stanno là ad aspettare, riprendersi chiotto chiotto la merce e con l'aria di niente metterla nella buick e portarsela indietro. Prima però ha bisogno di fumare.

46.

Mentre il commissario combina i particolari dell'operazione destinata a forzare l'apertura dei postriboli e il ritorno delle meretrici all'esercizio della loro professione – l'Operazione Allegro Ritorno al Lavoro, un titolo bellissimo, bisogna proprio essere nemici della polizia per trovarci qualcosa da dire –, notizie inquietanti circolano per la città quasi tutte provenienti da emissioni radiofoniche.

Il popolarissimo radiocronista sportivo Nereu Wernéck nella sua cronaca serale, in mancanza di argomenti, dopo aver informato sugli sport praticati dai marinai della squadra nordamericana, rivelando anche che in una delle navi ancorate in porto c'era un campione di boxe, peso piuma, aveva ripiegato sul problema del «canestro chiuso».

Aveva un tono drammatico come se stesse trasmettendo la descrizione di un calcio di rigore: se gli sforzi della polizia dovessero risultare improduttivi e le prostitute mantenessero il loro riprovevole atteggiamento negativo e il proposito di non collaborare con le autorità, se insomma i marinai dovessero restare a bocca asciutta – per servirci di una pittoresca espressione del commissario Labão Oliveira – che cosa succederà? Ah! Può succedere di tutto! Abituato a trasmettere eccitanti partite di calcio, Nereu Wernéck suggerisce, riferisce, argomenta. Incisivo, inquietante. La suspense è il segreto di una buona trasmissione.

Un concentramento di forze di polizia nella zona del meretricio ha sempre voluto dire disordini a volte anche sanguinosi. Siccome poi ci sono degli stranieri di mezzo il pericolo è anche maggiore, giacché sono frequenti le risse tra i cittadini e gli ospiti, risse che degenerano in gravi tafferugli, in baruffe, con conseguenze imprevedibili. Cita una quantità di esempi rifacendosi persino al tempo di guerra.

Che cosa succederà, domanda il popolare cronista sportivo, quando i marinai sbarcheranno affamati di donne e non troveranno con chi soddisfare gli istinti naturali? Vorranno ritornare rassegnatamente alle loro navi nella solitudine del mare? Oppure si sguinzaglieranno per la città cercando donne per le strade, mancando di rispetto alle famiglie e, chissà, persino invadendo le residenze? È già successo in passato e gli ascoltatori se ne ricorderanno di certo.

La minacciosa domanda rimane nell'aria, la paura si fa strada, si chiudono le serrature, si stabilisce il panico.

47.

L'assessore Reginaldo Pavão non perde occasione per farsi notare, per mettere in vista il proprio nome e guadagnar prestigio. Non può vedere un microfono disponibile senza approfittarne subito. Ha la mania dei discorsi; ed è un oratore barocco e analfabeta, ma un politicante astutissimo, una vera volpe. Dove si è riunita un po' di gente per qualsiasi motivo, eccolo che si presenta e si dà da fare. In quel pomeriggio di sciopero del «canestro» dove poteva quindi trovarsi se non nella «zona»?

Gli invidiosi hanno propalato che vi si era recato per scopi inconfessabili e che, non potendo dar sfogo agli istinti, aveva approfittato della presenza dei giornalisti e dei reporter radiofonici per la sua abituale demagogia. Lingue maligne: l'attivo assessore agí spinto da un imperativo della sua coscienza con il desiderio di servire la causa pubblica e allo stesso tempo le autorità costituite e le grandi masse popolari.

Arrivato al Pelourinho alla fine del pomeriggio dopo la seduta del Consiglio Municipale dove era stata votata una mozione di benvenuto alle navi della squadra nordamericana, si era diretto come sempre alla casa di dona Paulina de Souza che godeva delle sue preferenze per la qualità delle femmine, la pulizia delle stanze e quella calma propizia, e anche perché era amico di Ariosto Alvo Lirio, guadagnandosi cosí il suo appoggio e il suo voto, una mano lava l'altra. La grassa padrona gli spiegò quanto era successo. Perdoni, amico carissimo, il mio involontario rifiuto, ma oggi è impossibile, il «canestro» è chiuso.

C'era con lei la ballerina del cabaré Flor-de-Lotus, una divinità dagli occhi fiammeggianti, una Venere. La bella aveva preso la parola soggiungendo: è chiuso, e chiuso rimarrà finché le padrone di pensione di rua da Barroquinha, che ieri sono state arrestate e maltrattate in prigione, non ritorneranno alle loro case e le prostitute espulse non ritorneranno anch'esse ai letti dai quali sono state strappate, e senza nuove minacce di trasloco. Decisa, energica, entusiasta, quella forestiera sarebbe un ottimo assessore. Probabilmente toccherà alle donne di rua Barroquinha, il grido di alleluia. Reginaldo Pavão decide di mettersi a frequentare il Flor-de-Lotus non appena il cabaré riaprirà i battenti. Una vera apparizione, quella prostituta.

Dopodiché l'assessore fu visto percorrere frettolosamente la «zona», Pelourinho, Taboão e Maciél, parlottando nei bar con i clienti e i poliziotti. Si recò quindi alla Sezione Giuoco e Buoncostume dove l'avvocato Helio Cotías l'ascoltò con cordialità e gentilezza, pur mantenendo una posizione intransigente quanto al proposito di trasferire i postriboli di rua da Barroquinha alla Ladeira do Bacalhau. Il trasloco praticamente era già stato realizzato il giorno prima, bastava solo che le ruffiane si rassegnassero e obbedissero alle disposizioni della polizia, la misura era stata presa a beneficio della collettività. Su questo punto, caro assessore, non c'è niente da fare, sono ordini superiori che vengono dall'alto: con un gesto vago l'ispettore indicava l'alta provenienza della decisione.

Quanto al resto è affare del commissario Labão, è lui che deve rimettere in funzionamento il meretricio. E deve agire rapidamente ed energicamente, perché alle venti sbarcano i marinai.

48.

Al cader della notte la «zona» è un campo di battaglia. I mezzi della polizia hanno portato i rinforzi richiesti dal commissario, le «gazzelle» e i cellulari bloccano strategicamente l'accesso alle vie, alle salite, ai vicoli. Pattuglie della polizia militare a cavallo risalgono e discendono il largo do Pelourinho, circolano in rua Maciél. La maggior parte dei curiosi preferisce fermarsi al Terreiro de Jesus in attesa degli avvenimenti. Nell'area circondata restano solo alcuni clienti renitenti a discutere ai tavolini dei bar bevendosi qualche birra. Non si vede neppure una donna battere il marciapiede. Quelle che non sono andate a spasso rimangono all'interno delle pensioni a riposare. Le guardie mandate dal commissario Labão hanno presentato alle sediziose un ultimatum: vi do mezz'ora per aprire le case e assumere i vostri posti abituali sulle porte, alle finestre, nelle sale d'aspetto, sul marciapiede o ferme alle cantonate. Non rispondono neanche.

Rimangono aperti soltanto i bar: casini, pensioni, bordelli, chiusi, al buio. Niente a che vedere con la solita animazione, non si sentono parolacce e risa di scherno e neppure il sussurrar degli inviti, le offerte seducenti, il passaggio degli uomini, l'esibizione di donne seminude, ma solo il risuonare degli zoccoli dei cavalli sulle pietre nere del lastrico. La Settimana Santa è caduta nella seconda quindicina di settembre, matto d'un calendario. Persino il cieco Belarmino, che da piú di vent'anni ha il suo posto fisso di fronte al movimentato bordello di Vavá, e che di lí si allontana soltanto nei giorni delle grandi cerimonie religiose, si era stufato di aspettare clienti caritatevoli e se ne era andato a chieder l'elemosina sulla scalinata della cattedrale. Per ogni postazione aveva un repertorio adatto:

> Viva il bambino Gesú
> nella sua culla lucente
> e il signor San Giuseppe
> protettore di nostra fede
> e anche la Santa Vergine Maria
> con bontà e cortesia.

In rua Maciél il commissario Labão Oliveira con la pistola in pugno dà l'ordine di carica alle truppe del Buoncostume e della Morale. E al largo Pelourinho, con un minuto di ritardo a causa di quella porcheria di orologio confiscato a un contrabbandiere, avanza Pesce Cane seguito dagli agenti e dalle guardie.

È incominciata la battaglia! – proclama l'annunciatore di Radio Abaeté, dove c'è una notizia, là c'è l'Abaeté, per acqua e nel fuoco, in pace e in guerra. Nella «zona» c'è un pandemonio! – vibra al microfono la voce di Pinto Scott, l'ugola d'oro di Radio Gremio da Bahia.

49

Le porte delle pensioni e dei casini vengono aperte con la violenza, a calci, e a forza di spalle dai poliziotti. Guardie e agenti invadono le case e aggrediscono le donne obbligandole a uscire per la strada. Entrano in scena gli sfollagente, i bastoni di gomma; alcuni poliziotti preferiscono il pugno di ferro, piovono legnate. Grida e parolacce, donne che scappano fuori dalla porta, altre che resistono e vengono trascinate via. È l'inizio dell'Operazione Allegro Ritorno al Lavoro. Per le truppe della legalità è un divertimento.

In qualche caso, tuttavia, il compito degli agenti si complica e diventa sgradevole. Nella pensione di Ceres Grelo Grande gli impianti sanitari non funzionavano da piú di ventiquattr'ore obbligando le pensionanti al fastidio di servirsi di vasi da notte. I quali, accumulati nel retro della casa, si rivelarono eccellenti armi da guerra. Impugnando i loro pitali pieni, le prostitute affrontarono e misero in fuga gli invasori. L'investigatore Dalmo, che comandava il battaglione, ricevette sul muso e sul vestito chiaro il contenuto di uno di quei vasi nel quale si era liberata ripetute volte la giovane Zabé, vittima di una feroce dissenteria. Quell'elegantone si trovò coperto di piscio, merda e rabbia. Allora ordinò molte bastonate e lui stesso diede l'esempio.

Il commissario Labão Oliveira diresse personalmente l'assalto al bordello di Vavá impugnando la pistola. Salí la scala alla testa di alcuni agenti di fiducia, fece abbattere la porta e oltrepassò la soglia dell'ingresso. Nei due piani dell'enorme edificio non c'era anima viva. Alcove deserte, un silenzio assoluto. Dove si sarà ficcato quel ruffiano? Ah! Se il commissario l'avesse trovato, sapeva come obbligarlo a dare il contrordine decretando l'apertura dei «canestri». Soltanto cosí avrebbe potuto ottenere una rapida vittoria, giacché a fare il bello e il cattivo tempo nella «zona» era proprio Vavá; la sua parola è legge. Dove si è nascosto quel figlio-di-puttana di uno storpio?

A un cenno di Labão la porta della sua stanza viene forzata e gli agenti entrano nel rifugio del paralitico; ma di Vavá neppur l'ombra. Furibondi strappano le lenzuola dal letto, spaccano oggetti d'uso e di valore, forzano la serratura della scrivania, sparpagliano e strappano documenti, tentano di aprire la cassaforte incassata nel muro, non ci riescono. Memore degli aurei tempi della repressione dei *candomblé*, quando era ancora un semplice agente assunto temporaneamente all'inizio di una carriera che sarà brillante, il commissario Labão, il cui ardimento non teme nulla né in cielo né in terra, si dirige verso il *pejí* e incomincia a distruggerlo. Nessuno degli agenti si azzarda ad aiutarlo, e chi ne ha il coraggio? Persino Alirio, un poliziotto dei meno superstiziosi, anzi un freddo assassino, ha paura e grida:

– Commissario, lasci stare, è una pazzia, lasci perdere Exú!

– Merde che non siete altro, branco di pusillanimi, io ci cago sopra a Exú!

Volano via tridente, lancia e *ogô*, armi sacre di Exú, crolla il monte di terra, che è il suo trono, il suo cibo e le sue vivande si spargono per la stanza: cioè il *xinxím* di caprone e le dodici teste di gallo nero. I poliziotti guardano senza partecipare il commissario che riduce in frantumi il *pejí*. Poi, pieno di rabbia e di disgusto, sputa per terra:

– Che cosa state facendo lí fermi? Andate a prendere le puttane e portatele a lavorare, razza di vigliacchi. Oppure avete paura anche delle donne?

Uno sguardo all'orologio. Tra poco sbarcheranno i marinai. Il tempo stringe.

50.

Le donne trascinate per la strada corrono, scappano, si infilano nei vicoli e scompaiono. Le guardie a cavallo tentano di trattenerle accerchiandole, ma non è facile. La caccia si estende per tutta la «zona».

I clienti dei bar, capeggiati dal tedesco Hansen, buttano bottiglie vuote sotto gli zoccoli dei cavalli protestando contro la violenza della polizia. Il poeta Telmo Serra s'impadronisce del microfono di Radio Gremio da Bahia e pronuncia la parola vandalismo.

La «zona» è in fiamme! – Questa frase di uno dei locutori fa aumentare il panico in città, perché molti ascoltatori la interpretano in senso letterale anziché figurato, e cosí incominciano a circolare voci a proposito di incendi. La luce dei flashes dei fotografi illumina il volto delle prostitute, alcune terrorizzate, altre furibonde. Coperto di merda e di piscio, un fetore spaventoso, l'investigatore Dalmo (Coca) Garcia abbandona la lizza.

51.

Prende il microfono di Radio Abaeté, «installati nel cuore della mischia», per un appello destinato alla massima ripercussione l'assessore Reginaldo Pavão, «popolare figura nell'ambito delle nostre battaglie politiche, che è qui con noi affrontando insieme a noi pericoli non indifferenti, nel benemerito tentativo di trovare una via d'uscita alla situazione, la cui gravità cresce di minuto in minuto».

La voce tonante dell'astuto caccia-voti risuona all'interno di migliaia di residenze. Neppure dalla tribuna del Consiglio Municipale o dalle pedane dei comizi ha mai conseguito un uditorio simile. In tutta la città gli apparecchi radio sono accesi e tutta la popolazione attende le notizie degli avvenimenti e la conclusione dello sciopero del «canestro».

«Con il cuore che sanguina» Reginaldo Pavão si rivolge agli «ascoltatori di Radio Abaeté, al popolo di Bahia, alla popolazione dello Stato» e descrive lo «spettacolo dantesco» che si svolge dinanzi ai suoi occhi «offuscati dall'emozione» comparandolo a quelli che si svolgevano «nella Roma dei Cesari e dei quali parla la sublime storia universale». Le sue parole vibrano nell'aria: «La mia voce è rotta dalle lacrime».

Lancia un commovente appello alle prostitute: «Confido nel patriottismo delle gentili conterranee che le tempeste dell'esistenza hanno spinto nei lupanari. Esse non vorranno commettere l'indelicatezza di lasciare gli eroi dell'Atlantico del Sud, gli invincibili fratelli della gloriosa nazione americana a...» Come dire? Dica «a bocca asciutta», assessore, si serva dell'espressione del commissario Labão Oliveira, che è già stata resa popolare dagli inviati radiofonici nascosti nel vano delle porte di rua Maciél e del Pelourinho. «...non lasceranno a bocca asciutta quei bravi che rischiano la vita affinché tutti noi – e anche voi, gentili compatriote, galanti maddalene – godiamo le gioie e il benessere della civiltà. La vostra inopportuna astinenza minaccia di creare un problema diplomatico, badate alla gravità della situazione, mie care sorelle postribolari».

Questo patetico discorso ottiene un successo indescrivibile tra gli ascoltatori di Radio Abaeté. Peccato che un appello tanto commovente non arrivi alle orecchie delle battone, troppo occupate a buscarne e a scappare sparpagliate per le strade tentando di sfuggire alle zampe dei cavalli.

Piú tardi Reginaldo Pavão si rivolse a Sua Eccellenza il Governatore dello Stato «con tutto il rispetto dovuto all'eccelsa persona del grande uomo che si trova alla testa dei gloriosi destini di Bahia», citandone i «sentimenti cristiani e la comprovata capacità di statista». I marinai stanno dirigendosi a terra, le donne resistono agli ordini della polizia, la situazione nel basso meretricio è delicata, il conflitto in corso è suscettibile di estendersi minacciando la tranquillità delle famiglie baiane. Il nobile assessore si rivolge al nobilissimo governatore: «Ordini, Eccellenza, che vengano liberate le padrone di bordello che si trovano ancora in prigione e permetta loro di riaprire le case che la polizia ha chiuso ieri nell'intento di trasferirle da rua Barroquinha alla Ladeira do Bacalhau». È un caso d'emergenza, signor governatore, bisogna che lei faccia sospendere l'ordine di trasferimento se si vuole impedire che il conflitto, «contenuto fin'ora dentro i limiti della «zona», assuma proporzioni da catastrofe nazionale, e forse addirittura internazionale!»

La città è in preda al panico e le famiglie sprangano la porta di casa; i telefoni del Palazzo del Governo e dell'Ufficio del capo di polizia non smettono di trillare chiedendo provvedimenti.

52.

Nascosti nella boscaglia dentro la buick, Camões e il suo compagno odono l'appello dell'assessore Reginaldo Pavão. Avevano acceso la radio per concedersi un piacevole sfondo musicale durante la fumata. Camões ascolta con attenzione:

– L'affare è andato a gambe all'aria. Andiamo a prendere quello che è nostro finché c'è tempo.

– Giusto, – annuisce l'altro, che è un tipo atticciato, quasi un nano, ed è persona di poche parole.

Prende il volante e porta la buick verso il distrutto viale

della Ladeira do Bacalhau. I due soci si sentono in forma e sono pronti a riprendersi la loro merce per portarsela indietro. Quella faccenda era andata male fin dal principio, con una quantità di incidenti.

Intanto nel vecchio casone il gruppo che era stato incaricato della vendita, dopo aver suddiviso il materiale sotto il competente comando di Cincinato Gato Preto, era rimasto lí a fare indolentemente la guardia alla maconha senza avere il permesso di fumarla, una vera cattiveria.

La maggior parte dei mobili che il camion della polizia aveva portato da rua Barroquinha il giorno prima, abbandonandoli sul posto, erano stati requisiti da vagabondi e mendicanti durante la giornata. Restava qualche materasso, e i venditori l'avevano trasportato dentro per stendersi un po' a riposare. Un'aspettativa lunga, e l'attrattiva delle sigarette di maconha era irresistibile. Dopo una breve discussione si misero d'accordo sul fatto che la restrizione ordinata dall'investigatore Dalmo Coca rappresentava un'autentica assurdità. Che male c'era a dar fuoco a una sigaretta o due intanto che aspettavano? A chi davano fastidio? A nessuno, evidentemente. Anche Cincinato Gato Preto, che era un ragazzo noto per la serietà con cui sapeva rispettare gli impegni, finí per acconsentire, tanto piú che ne sentiva il bisogno anche lui.

Voluttuosamente adagiati sui materassi stavano fumando e sognando quando Camões Fumaça e il mezza-calzetta fecero il loro ingresso. Cincinato Gato Preto ama star tranquillo al momento del viaggio. Alza la testa, fissa i nuovi venuti e li riconosce. Vengono certamente a portare un messaggio del capo Coca:

– È ora?

Camões gli spiega che tutta la faccenda organizzata dall'investigatore è andata a monte. La «zona» è un inferno, botte, fuggi-fuggi, revolverate, neanche a un folle scappato dal manicomio verrebbe in mente di vendervi erba con la polizia a piedi e a cavallo concentrata proprio lí e mentre fioccano i fermi. L'hanno sentito attraverso la radio della macchina. Ma Cincinato è scettico e non crede una sola parola di quella tiritera di Camões, il quale conclude comunicando:

– Non ci hanno pagato neanche un soldo, e noi ci portiamo via la nostra merce.

– Portarla via, un cavolo! – Gato Preto fa uno sforzo per

499

mettersi a sedere sul materasso e ripete: – Portar via, un cavolo!

Camões Fumaça sotto l'effetto della maconha è un leone:
– Un cavolo te lo faccio ingozzare a te anche subito, coglione.

Alcuni dei venditori di maconha si sono alzati in piedi e incomincia la baruffa. Il pigmeo tira fuori un coltello e attacca. Una sigaretta accesa rotola su un materasso bucato e va a cadere in mezzo alla paglia secca. Il fumo si estende e subito dopo anche le fiamme.

53.

In largo do Pelourinho, dove gli eserciti della morale e della legge avevano aperto l'offensiva sotto il comando dell'investigatore di prima classe Nicolau Ramada Junior, il quadro è simile a quello di rua Maciél: donne picchiate, portate via da casa, condotte in guardina, circondate, inseguite dalle guardie a cavallo. Qui è più difficile nascondersi, scappare; le vie d'uscita delle strade verso il Terreiro de Jesus e la Baixa dos Sapateiros sono bloccate dalle gazzelle della polizia. Lo sfollagente ci dà dentro, l'ordine è picchiare finché quelle delinquenti non si decideranno a far la vita e ad aprire i «canestri». L'Allegro Ritorno al Lavoro è in piena esecuzione.

Con l'assalto alla casa principale di dona Paulina de Souza, diretto personalmente da Pesce Cane, alle altre caratteristiche di questa battaglia si aggiungono anche le barricate. Quelle rinnegate non si erano fidate della resistenza delle serrature e perciò avevano appoggiato alla porta dei mobili pesanti, rendendo cosí ancora piú difficile per i poliziotti il compimento del loro dovere, cosa che portò il già irritato Nicolau al colmo della rabbia.

Alla fine la porta viene aperta, Pesce Cane si lancia nel corridoio e chi si vede davanti? La perfida, la triviale, la sboccata Teresa Batista. Anzi in quel momento Teresa-Piènei-Coglioni e precisamente i coglioni del comandante Pesce Cane con tutta la forza della punta quadrata della sua scarpa all'ultima moda che era un dono dell'amico Mirabeau Sampaio per il quale aveva posato servendo da modello per una Madonna che allatta.

– Ah!

Il grido straziante dell'investigatore paralizza le truppe dell'invasore, Teresa scivola via in mezzo ai poliziotti e esce fuori dalla porta accompagnata da altre donne. Pesce Cane capitombola tenendosi le palle tra le mani e in quel momento è tanto il dolore che non pensa neppure a vendicarsi. Solo qualche minuto dopo quando, con l'aiuto di due agenti, riesce ad alzarsi, comincia a mescolare alle urla di dolore le maledizioni dell'ira.

Maestosa, con il passo misurato della Regina del Carnevale e del puttanaio, dona Paulina de Souza passa accompagnata da quattro agenti come in mezzo a una guardia d'onore per raggiungere uno dei cellulari dove essi la lasciano in compagnia delle sue suddite arrestate prima di lei. Essa le tranquillizza, non abbiate paura, Ogúm Peixe Marinho ha detto che tutto finirà bene e chi non risica non rosica.

Teresa intanto, circondata dai soldati della polizia militare, scappa in mezzo alle zampe dei cavalli e di corsa sale per la scalinata della chiesa del Rosario dos Negros addossandosi a uno dei portali. Altre donne fanno lo stesso, i cavalli non possono salire per i gradini, ma gli agenti si stanno avvicinando per portarle via di lí.

Ma alle spalle di Teresa la porta viene socchiusa ed essa, nell'entrare in chiesa, fa a tempo a scorgere un vecchio imponente con la barba e con il bordone che poi si eclissa dietro a un altare. Chissà, forse è il sagrestano, o un sacerdote, o un santo? Anche le puttane hanno un patrono, sant'Onofrio. E se fosse uno degli *orixá* al seguito di Teresa? Nella *Lunga Notte della Battaglia del Canestro Chiuso* – questo il titolo dato dal poeta Jehová de Carvalho al lungo e ardente poema nel quale ha cantato le gesta e le avventure di quella giornata – accaddero molte cose non spiegate, incomprensibili ai piú, ma non ai poeti.

Dalle pensioni di largo do Pelourinho escono le donne correndo all'impazzata e alcune vengono addirittura gettate sul marciapiede dalle guardie e dagli investigatori. Si precipitano verso la chiesa. Altre ne arrivano da rua Maciél e rua do Taboão cercando un rifugio sicuro. A poco a poco la navata si riempie di prostitute. Alcune si mettono in ginocchio e recitano il *Padre-nostro*.

Dopo la *moqueca* di granchi teneri accompagnata da una birra ben gelata, Anália e Kalíl prendono un autobus diretto a Largo da Sé. Dona Paulina de Souza aveva dato ordine alle sue inquiline che ritornassero presto, allo scopo di evitare possibili divergenze con clienti recalcitranti. All'altezza di piazza Castro Alves, però, Kalíl si batte un colpo in fronte e dice ad Anália che devono scendere:

– Me ne stavo dimenticando di nuovo.

– Di cosa, tesoro?

– Del Sant'Onofrio di dona Paulina.

Perché sant'Onofrio non soltanto favorisce gli affari e procura denaro ai suoi devoti, ma è anche il patrono ufficiale delle donne-di-vita. In un bordello o in una pensione che si rispetti in sala da pranzo c'è sempre un'immagine del santo contornato di fiori e di ceri votivi e molte volte essa si trova vicino ai *pejí* sui quali sono stati collocati dei poderosi *orixá*.

Da parecchio tempo dona Paulina era alla ricerca di una immagine piuttosto grande di quel santo protettore per insediarla in trono nell'oratorio dove già si trovano il Cristo dei naviganti e l'Annunziata. Essendo a conoscenza del commercio di santini e di vecchiumi del padre di Kalíl, aveva chiesto al giovanotto di mettergliene da parte uno di sant'Onofrio, che fosse grande, non molto sciupato e che venisse a costar poco. Nei negozi specializzati non era riuscita a trovarne neanche uno né vecchio né nuovo.

In generale nel ramo del vecchio Chamas i santi valgono un patrimonio anche se sono in pessimo stato di conservazione al punto da mancar loro braccia, teste, o gambe – pezzi da museo o da collezione. A volte però, in mezzo a una quantità di immagini sacre scoperte in provincia, se ne trovavano alcune recenti che nel negozio di un antiquario erano fuori posto e perciò se ne disfacevano subito vendendoli a qualunque prezzo. Se ne capita uno cosí di sant'Onofrio, dona Paulina può considerarlo suo e non le costerà nulla, sarà un'offerta di chi abusa della sua ospitalità. Ne era capitato uno due giorni prima, grande, quasi nuovo, di gesso, ma Kalíl si era dimenticato di portarglielo.

Lascia Anália alla cantonata, va a prendere il santo e torna dopo averlo avvolto in un foglio di giornale. Poi continuano a piedi risalendo la rua da Ajuda.

55.

Si seppe poi che alcune padrone-di-pensione, tanto in rua Maciél che al Pelourinho, spaventate da un lato dalla violenza dei poliziotti e calcolando dall'altro il danno derivante dal fatto che le prostitute non lavorassero proprio la sera che c'erano i marinai americani che pagavano in dollari, avevano pensato bene di rompere l'accordo suggerendo alle loro inquiline di aprire il «canestro».

Di tale minaccia di tradimento Vavá venne immediatamente informato nel luogo dove si trovava (un nascondiglio ancor oggi sconosciuto alla polizia e a quasi tutta la popolazione della «zona»). Subito mandò un messaggio urgente a quelle imbelli. Guai a quella che verrà meno all'inpegno e disubbidirà agli ordini di Exú! Non ci resterà molto nella «zona» quella, e neanche nella città di Bahia: dovrà traslocare immediatamente, ammesso che prima non abbia fatto una brutta morte. Qui sull'istante o in un altro «mangue» entro un mese, la sentenza di morte è stato Tirirí a dettarla, guai a quella! Cosí si spiega come l'unione si sia mantenuta fino alla fine e anche l'unanimità dei «canestri» chiusi.

Unanimità che per altro venne violata. Oppure no?

A un tratto in mezzo a quella baraonda era comparsa una ragazzona magra e alta con la borsetta in mano, una gran chioma bionda, tacchi altissimi, tutta vestita di organdis celeste. E si era messa a battere il marciapiede facendo ruotare la borsetta, come una tipica battona in cerca di clienti. Gioiscono gli agenti e si affrettano a garantire per lei l'esercizio della sua professione. Finalmente si vedeva una donnina allegra disposta a cooperare all'Allegro Ritorno al Lavoro.

Quando si avvicinarono, però, constatarono – disinganno crudele! – che si trattava di Greta Garbo, cameriere nel bordello di Vavá, il quale era in crisi di coscienza fin dal giorno prima. Doveva chiudere il «canestro» anche lui (lei) oppure l'ordine non lo (la) riguardava? Aveva esitato a lungo, ma alla fine era prevalso il desiderio di approfittare di quella occasione eccezionale: la città piena di marinai e vuota di donne. Ah!

503

Lo arrestarono, lo schiaffarono in un cellulare, e le ragazze che erano dentro diedero una battuta a quel finocchio, vittima dell'ambizione eccessiva seppur lodevole di soddisfare da solo la marina da guerra nordamericana.

56.

Ubbidendo alle istruzioni del commissario Labão Oliveira, che era il socio principale della società turistica messa in atto per accogliere i marinai, verso le ore venti si sparpagliano per tutto il meretricio decine di venditori e di *capitães da areia*, portando ciascuno la sua brava cesta zeppa di preservativi e di flaconi di «Cazzoduro – one dose five fucks».

Esattamente nel momento in cui le forze di polizia sotto il comando supremo del commissario, si preparano a circondare le donne per obbligarle a lavorare, gli ambulanti e i ragazzini cominciano a vantare la loro merce in inglese con un baccano infernale.

La Polizia Militare, che non era al corrente dell'iniziativa, si butta a cavallo contro l'inaspettato flagello di quei trasgressori delle ordinanze municipali, cercando di ripulire le strade da tale presenza, illegale quanto numerosa, che aumentava la confusione regnante. I venditori si erano aspettati di trovare un'avida e gentile clientela di marinai che masticavano gomma, distribuivano sigarette, compravano preservativi e medicine e pagavano in dollari, il tutto sotto gli occhi distratti della Polizia del Buoncostume che era tutta d'accordo. E invece dei marinai e delle prostitute trovano la cavalleria che li mette in fuga e li espelle. I ragazzini si disperdono e vanno a rifugiarsi nelle case, mentre i cestini rotolano sparpagliando sul selciato migliaia di preservativi. Anche i flaconi si rompono e va a finire nei canali di scolo anche il miracoloso preparato dell'illustre chimico-farmacista Heron Madruga.

Le donne si servono dei flaconi di «Cazzoduro» come armi contro le guardie e gli agenti. Il commissario Labão col revolver in pugno tenta di impedire il fallimento dell'impresa e lo sfacelo totale dell'organizzazione. Si ode la sirena del Corpo dei Pompieri.

A partire da piazza da Sé Anália e Kalíl si rendono conto che qualcosa di grave sta succedendo nella «zona». Sul Terreiro de Jesus c'è molta gente a commentare, ma pochissimi si azzardano a passare accanto alle gazzelle della polizia e a penetrare nell'area del conflitto. La ragazza e il giovanotto fiancheggiano la Facoltà di Medicina e scendono verso il largo del Pelourinho. Anália prende il santo dalle mani di Kalíl:

– Stasera non puoi venire in casa. C'è lo sciopero del «canestro».

Fanno ancora qualche passo insieme e subito si trovano in mezzo alla confusione circondati da poliziotti. Una guardia si avvicina a Anália, Kalíl interferisce, la ragazza si mette a correre, ma non sa dove andare, è come instupidita. Ma dall'alto le arriva una voce maschile che le mormora all'orecchio:

– In chiesa, svelta, bella figlia del Piauitinga.

Giunge insieme alla brezza notturna, è una voce melodiosa, *condoreira* [1], imperativa e dolce allo stesso tempo. Di corsa Anália si dirige verso la chiesa, ma gli agenti si sono appostati sullo scalone per impedire il passaggio alle donne. Come procedere? Come non lo sa neppur lei, ma proseguí.

Si sentí sollevare tra le braccia di un giovane bellissimo, che conosceva di vista, ma dove l'aveva visto, chi è? E subito si trovano dall'altra parte, lei e l'immagine di sant'Onofrio, sane e salve sulla porta semiaperta della chiesa. Si voltò a guardare e vide che Kalíl veniva portato via da due guardie verso un cellulare e che stava dibattendosi. Vuol correre in aiuto dell'amante, ma le altre donne non glielo permettono, la trascinano dentro il tempio e ricevono l'immagine in trionfo. Anália si rifugia piangendo tra le braccia di Teresa Batista.

– Non piangere, piccola, va tutto bene –. Teresa la consola: – Non rimarrà in prigione per molto tempo. Anche dona Paulina è in prigione, e anche molta altra gente. Ma nessuno ha aperto il «canestro».

[1] Sublime; cosí era chiamata la scuola letteraria fondata da Castro Alves e Tobias Barreto.

58.

In piazza Castro Alves Edgard, un vecchio autista di piazza, sonnecchia seduto in automobile. A quell'ora il movimento è scarso, perché tutti sono a casa a mangiare, a chiacchierare e ad ascoltare la radio o a prepararsi a riposare o a uscire. Con l'arresto delle donne di rua Barroquinha e la chiusura dei bordelli avvenuta il giorno prima, da quelle parti l'afflusso della clientela è diminuito. Ed è ancora troppo presto perché si aprano le porte del cabarè Tabaris e l'animazione riprenda.

Allo stazionamento Edgard è solo, gli altri autisti sono andati a cena e ancora non hanno fatto ritorno. Nel dormiveglia apre gli occhi per timore di perdere clienti, ma constata che non ce n'è nessuno in vista. Prima di riprendere sonno dà un'occhiata in piazza. Alla fermata dell'autobus Jacira-Fruta-Pão vende crema di farina di manioca, granturco e tapioca. Non c'è quasi nessuno, è un'ora morta.

Poi alza gli occhi e rimane a bocca aperta. Dov'è la statua del poeta Castro Alves? Non si trova piú in cima al suo piedestallo declamando con una mano tesa verso il mare immenso per chiedere giustizia per il popolo. Dove l'avranno portato e perché? Probabilmente è per ripulirla, però la pulizia è sempre stata fatta sul posto senza bisogno di spostarla. È successo qualcosa, che cosa sarà stato? Certamente domani il giornale ne spiegherà l'esatto motivo.

Edgard riprende il sonnellino interrotto. Prima di addormentarsi si accorge che, senza la statua del poeta, la piazza sembra diversa, piú piccola, diminuita.

59.

Informato della gravità della situazione, il signor governatore acconsente a ritirarsi dal salone dove si sta servendo whisky prima del banchetto in onore dell'ammiraglio e degli alti ufficiali nordamericani, per poter scambiare due parole con l'assessore Reginaldo Pavão, il quale è un compagno di partito, non c'è dubbio, ma anche un intrigante senza controllo e senza censura, un indomito cacciatore di voti e di prestigio che viene mantenuto a prudente distanza dal capo dello Stato, uomo politico di un'intelligenza e di un'astuzia notorie e che, nato in povertà sulle sponde del rio São Francisco, ha fatto carriera a forza di mosse piene di abilità e di sagacia. Reginaldo va benissimo per essere utilizzato in talune circostanze, ma sempre con prudenza; perché oltre che analfabeta è anche spericolato. Ma il capo di Gabinetto aveva mormorato all'orecchio governativo cose terribili: Sua Eccellenza aveva chiesto permesso nel suo migliore inglese e si era alzato. Nel salottino accanto ascolta resoconto e appello.

Patetico, la voce piena di lacrime, Reginaldo Pavão parla di tragedia greca. Perché greca? Il signor assessore ha letto Aristofane? – ebbe voglia di domandargli l'Eccellentissimo, ma il momento non si presta agli scherzi. Si limita a farlo aspettare mentre prenderà i necessari provvedimenti: aspetti qui, caro Pavão, e avrà delle buone notizie da trasmettere alle nostre...

– Come ha detto esattamente, lei? Un'espressione cosí bella! Ah! Sí: le nostre sorelle del meretricio.

– Sono prostitute ma votano, Eccellenza.

Dal Gabinetto il governatore si mette in comunicazione con il capo di polizia:

– Che storia è questa di trasferire le meretrici per forza? Uno sciopero di donnine allegre, dove s'è mai visto? Proprio soltanto a Bahia e sotto il mio governo. E i marinai, mio caro?

Ascolta spiegazioni pasticciate e poco chiare, il capo di polizia si confonde e divaga. Ma ingannare un uomo politico con l'esperienza e la meticolosità del governatore non è facile. Si tratta di una faccenda di normale amministrazione? E allora perché la polizia si conduce in modo inflessibile e violento dando luogo a un'inquietante quantità di voci allarmanti? Ascolta perplesso e poi bruscamente interrompe la confusa tiritera del capo di polizia. L'importante a questo punto è soffocare il panico nascente mettendo fine ai disordini del meretricio e evitare un disinganno ai marinai (come ha detto con un certo qual umorismo imprevisto quell'energumeno di Pavão). Trasmette ordini tassativi.

Domani, quando avrà il tempo e la calma necessari, metterà in chiaro tutta quella storia, verificando ogni cosa: ci dev'essere alcunché di sospetto e di nascosto dietro questo precipitoso trasloco della «zona». E chissà che le donne di vita non gli forniscano un buon pretesto, pretesto ansiosamente atteso, per sostituire il capo di polizia obbligandolo a chiedere le dimissioni. Sua Eccellenza preferisce servirsi di vie strette e tortuose, altrimenti come farebbe a sopportare la vita politica, la meschineria degli uomini, e la stupidità dei saputelli? Gli piace prenderli per un piede con le mani nel sacco.

Ritorna nel salottino dove intanto l'assessore sta facendo il calcolo dei vantaggi che può trarre dalla situazione. Sorride: Reginaldo è soltanto un piccolo topo di fogna, i suoi piú segreti pensieri si riflettono sul suo volto infido. Ma è l'emissario ideale per portare alle puttane il messaggio della pace, pensa Sua Eccellenza.

– Caro Pavão, ho fatto liberare le donne fermate ieri e ho fatto sospendere completamente l'ordine di trasloco. Vada ad annunciare la buona novella. Se vuole, può passare alla Sezione Speciale per trasmettere personalmente i miei ordini al caposezione –. È una piccola manovra per screditare il capo di polizia – accompagni quelle poverette alle loro case di rua Barroquinha e metta da parte questi bei votini per sé, sono la mia offerta a un amico.

– Chi è elettore mio è anche elettore di Vostra Eccellenza! Incondizionatamente!

60.

Ancora intento a digerire la romanzina governatoriale e con la sensazione che le cose si stessero mettendo piuttosto male per lui, – se non manovro con intelligenza alla prima occasione mi scalzeranno –, il capo della polizia telefona all'ispettore della Buoncostume per trasmettergli l'ordine di liberare le ruffiane di rua Barroquinha e di permetter loro di ritornare nelle loro case sospendendo il trasloco.

All'altro capo della linea il suo subordinato deve stare argomentando qualcosa perché il capo si gratta il mento pieno di rincrescimento:

– Non sempre si può aiutare gli amici come si vorrebbe. Questa faccenda è andata male, anzi è andata malissimo, purtroppo, lasci andare le donne dando loro delle garanzie e dia ordine ai nostri uomini di abbandonare la «zona» lasciandovi soltanto la normale sorveglianza.

Poi, ormai impaziente, interrompe le lamentele dell'avvocato:

– Sono ordini del governatore, non posso farci nulla. Quanto al vecchio, non si preoccupi, me ne occuperò io, gli parlerò io stesso. E non si dimentichi di darmi notizie, debbo tenere informato il governatore.

L'avvocato Helio Cotías abbassa il ricevitore. Del vecchio me ne occupo io; e di Carmen, chi se ne occuperà? Sua moglie e suo zio gli faranno una vita d'inferno. Gli viene voglia di piantar tutto, mandare la sua carica a quel paese, dare le dimissioni, andarsene a casa e chiudersi in camera a dormire, non ne può piú.

Però in quel disastro qualche cosa si salva: la conquista di Bada, che lo colloca tra i dongiovanni della città, tra i conquistatori di donne sposate e difficili. Sposata, sí, ma difficile? Quello era furore uterino, una conquista a buon mercato, quanti amanti non l'avranno già tenuta tra le braccia e non l'avranno posseduta prima di lui? Un reggimento, certamente. La carica, la famiglia, l'amante, che sono motivo di tanta invidia, in apparenza rappresentano la gloria, in realtà malinconia e frustrazione. E quelle donne seviziate, quella negra con la faccia distrutta dai colpi, le labbra spaccate, ecchimosi per tutto il corpo. E gli occhi assassini del commissario. Tutto questo perché? Per concludere liberando le ruffiane e sospendendo il trasloco.

La radio all'angolo del tavolo interrompe le notizie della battaglia del «canestro chiuso» per comunicare che nella città bassa un grande incendio sta divorando i casoni della Ladeira do Bacalhau. L'avvocato si tappa la bocca con una mano, abbandona il suo ufficio e si mette a correre davanti agli occhi del piantone stupefatto. Fa appena a tempo a raggiungere il water per vomitare la sua bile amara e verde.

Solenne, amabile, ma superiore, come si conviene a un inviato di Sua Eccellenza il Signor Governatore, penetra nell'ufficio vuoto dell'ispettore della Buoncostume l'assessore Reginaldo Pavão.

61.

Un incendio colossale sta distruggendo le case della Ladeira do Bacalhau! – informa Radio Abaeté, e la notizia fa scintille. I vecchi casoni designati dalla polizia come nuova residenza delle prostitute cacciate da rua Barroquinha vengono rapidamente divorati dalle fiamme. Il corpo dei pompieri si sta dirigendo verso il luogo del sinistro e i nostri microfoni lo accompagnano. Ancora sconosciute le cause dell'incendio, ma ieri una grande quantità di mobili e di altri oggetti appartenenti alle prostitute sono stati portati, a quanto consta, per mezzo di camion della polizia davanti ai casoni di rua do Bacalhau e lí abbandonati. C'è forse qualche legame tra il rogo spaventoso che brucia di fronte al porto e la situazione sempre piú grave della zona del meretricio, dove le forze dell'ordine si rivelano impotenti a ricondurre le prostitute al lavoro? In questo 21 di settembre, che è la data dell'inizio della primavera, la città vive ore di inquietudine e di spavento. Le barche che trasportano i marinai americani si stanno già preparando a staccarsi dalle navi dirette alle banchine del porto. La prudenza non sarà mai troppa, raccomandiamo alle famiglie di chiudersi in casa sprangando porte e finestre al piú piccolo indizio di anormalità. Deposita le tue economie presso il Banco Interestadual da Bahia e Sergipe e dormi tranquillo. Mantenetevi sincronizzati con la Radio Abaeté in attesa di nuove e sensazionali notizie.

Dame che svengono, una vecchia viene portata al Pronto-Soccorso con le palpitazioni. Nel chiudere tristemente porte e finestre per obbedire ai dettami della cognata, Veralice, zitellona ansiosa, sospira: come sarebbe bella una invasione di marinai affamati, frenetici e che non rispettano nulla! Eccomi pronta, direi al giovane yankee biondo e potente, fammi la festa, approfitta, strappa, rompi!

62.

Mentre l'avvocato Helio Cotías vomita anche l'anima prima di ordinare la liberazione della vecchia Acacia, di Assunta e delle altre ruffiane di rua Barroquinha, al largo do Pelourinho le porte della chiesa del Rosario dos Negros si spalancano e le donne escono fuori, decine e decine di prostitute che si erano nascoste all'interno del tempio. Avanzano lentamente.

Accorrono giornalisti, fotografi e radiocronisti che mitragliano informazioni nei loro moderni apparecchi trasmittenti, brillano i primi flashes. Le donne a poco a poco occupano tutto il sagrato in cima allo scalone, in testa sant'Onofrio.

Le prostitute hanno incominciato un corteo di protesta! Il corteo del «Canestro Chiuso»! – bercia l'annunciatore di Radio Abaeté. Dal canto suo Pinto Scott, la voce d'oro di Radio Gremio da Bahia, che non vuole essere da meno del concorrente, lancia la notizia sensazionale: un corteo di prostitute in marcia verso il Palazzo del Governo!

L'immagine di sant'Onofrio, sistemata su un fercolo scovato in sacrestia, è appoggiato sulle spalle di quattro prostitute tra cui la negra Domingas, ancora tutta tumefatta, e Maria Petisco, irrequieta come sempre. Dai quattro canti della vecchia e illustre piazza accorrono gli agenti, i poliziotti, gli investigatori, le guardie che impugnano gli sfollagente, mazze di gomma, pistole, rabbia, furia. Le truppe della polizia militare a cavallo prendono posizione pronte a sciogliere sotto le zampe degli animali il corteo, la sfilata, la processione, o quel che diavolo è.

Al comando delle forze dell'ordine e della legge, il commissario Labão Oliveira, occhi di serpente, cuore avvelenato, marcia su migliaia di buste di preservativi e schiaccia con la suola dei suoi scarponi il vetro in frantumi di centinaia di flaconi rotti che prima erano pieni del prezioso elisir afrodisiaco «Cazzoduro». Pestando, schiacciando lucro e capitale, perché tutta quella roba era costata fior di quattrini, pagati di tasca sua, e avrebbe dovuto rendere fior di dollari; quelle figlie-di-puttana avevano rovinato tutto. Era un piano perfetto, era un sogno di ricchezza. Un po' piú indietro, zoppicando e soffocando i gemiti, lo segue l'investigatore Nicolau Ramada Junior, colpito alle palle, ridotto al fallimento, vinto. Siccome l'investigatore Dalmo Coca si è eclissato coperto di cacca, il commissario e Pesce Cane non sanno niente circa la sorte toccata alla maconha, che è per loro l'ultima speranza di evitare la rovina totale: la maconha è come il dollaro, non si svalorizza.

In cima alla scalinata si fermarono tutte per un attimo. La voce fessa di Vovó – che se non facesse la prostituta a Bahia sarebbe una delle beghine della cattedrale di Cruz das Almas – si alza intonando una litania:

Ave, ave Maria
Ave, ave Maria.

In coro le prostitute rispondono e l'immagine incomincia a muoversi avanzando verso i gradini della scalinata. In tono stanco Vovó dà seguito alla litania:

La veste ed il velo
son tutto un candor
e un lembo di cielo
la cinge sul Cuor.

Dietro l'immagine le donne e subito in prima fila Teresa Batista. Al vederla Pesce Cane dimentica persino il male alle palle e si precipita. Proprio nello stesso istante dal Bar Flor-de-São-Miguel esce un gruppo rumoroso e agitato di clienti, tra i quali Tom Livio, astro sorgente del nostro teatro, il tedesco Hansen, quello che incide nel legno con la sgorbia e col sangue la vita delle donne della «zona» e il poeta Telmo Serra, insomma gli eterni bohémiens, quelli che discutono fino all'alba sul destino del mondo e salvano l'umanità dalle catastrofi e dall'annichilamento, i guardiani dei sogni dell'uomo. Nelle mani possenti dell'incisore c'è un cartellone che mostra squallide femmine seminude tutte nell'atto di spezzare le catene che le stringono ai polsi e al posto della vulva un lucchetto. A lettere cubitali un'iscrizione: TUTTO IL POTERE ALLE PUTTANE. Il commissario grida ordini agli agenti e ai soldati comanda di sciogliere, arrestare, picchiare, uccidere se necessario.

Le guardie a cavallo caricano, la processione si disperde, i poliziotti roteano gli sfollagente, gli agenti puntano le pistole. L'immagine di sant'Onofrio viene deposta a terra, in piedi. Di fianco c'è Vovó che continua la sua litania. Ha almeno cent'anni di vita e mille di prostituzione, basta guardare le sue rughe, la sua faccia rinsecchita, la sua bocca sdentata, ma le piace ancora far baruffa e cantare le lodi dei santi:

Ave, ave Maria
Ave, ave Maria.

Il commissario Labão Oliveira corre a farla tacere ma inciampa in un buco, casca, rotola e non si rialza. Anche da terra però spara, la vecchia ammutolisce, il canto cessa, il silenzio invade la piazza intera. Accanto all'immagine del santo il piccolo corpo consunto di Vovó: è morta pregando, è morta lottando, è morta contenta.

Gli agenti soccorrono il commissario aiutandolo a rialzarsi, ma egli non riesce a tenersi in piedi, si è rotto le ossa di tutte e due le gambe. Terrorizzato, l'investigatore Alirio si butta per terra e percuote le pietre con la testa, l'aveva detto, lui: commissario, non faccia pazzie, Exú è meglio non toccarlo.

I cellulari si dirigono al palazzo della Centrale di Polizia, carichi di gente arrestata, donne e bohémiens, in pratica hanno arrestato l'intera «zona». Rimane al comando del repulisti finale l'investigatore Pesce Cane ancora per qualche minuto. Ma ha fretta: in questura, ben sorvegliata, lo aspetta Teresa Batista.

Ancora una volta tenteranno di insegnarle rispetto e obbedienza. Pesce Cane si frega le mani, in quella serata tanto scalognata, almeno quella è andata bene.

63.

Quando i marinai americani raggiungono il largo do Pelourinho al centro della «zona» in mezzo alle vecchie case coloniali sperando di trovare donne belle e allegre, ne trovano soltanto una, e questa è una vecchia decrepita, senza età, inservibile anche se non fosse morta, lunga distesa accanto all'immagine di sant'Onofrio, patrono delle puttane.

E mentre sono ancora stupefatti a quella vista inaspettata, ricevono l'ordine tassativo e inderogabile di ritornare alle navi; in città regna il panico, la festa è trasferita.

64.

Troppi miracoli secondo lei, amico, che non crede a queste superstizioni. Ogni momento un orixá, *un incantesimo o una magia. Un vecchio con la barba e il bordone che appare improvvisamente tagliando la strada alla polizia, che apre porte di chiese, un poeta morto cent'anni fa che mette in salvo le prostitute,* Ogúm Peixe Marinho *che le incoraggia,* Exú *che dà uno spintone al commissario ribelle facendogli fare un capitombolo e rompendogli addirittura tutte due le gambe, sant'Onofrio che veglia sul selciato deserto della «zona» il corpo di Vovó – per un materialista è una dose pesante, e lei, amico caro, desidera che le si racconti la pura verità, non stregonerie.*

Amico, io non discuto il conto che ha fatto lei quanto al numero esatto degli interventi indebiti, ma non dimentichi che questa storia è successa nella città di Bahia, che è situata all'oriente del mondo e è una terra di scongiuri e di ebós. Qui, illustrissimo, le assurdità sono il pane quotidiano di questa gente, che però non sarebbe eapace di inventare una menzogna specialmente a proposito di un argomento tanto commentato.

Mi dica, per favore, distinto signore: come sarebbe stato possibile che le puttane, senza un soldo, senz'armi e senza istruzione avessero resistito alla polizia e avessero vinto la guerra del «canestro chiuso», se non avessero potuto contare sull'aiuto di santi, orixás, stregoni e poeti? Che cosa sarebbe stato di loro, risponda lei, se ha competenza e fantasia sufficienti.

Io spiegarlo non lo spiego, l'ho raccontato perché me l'ha chiesto con insistenza e un autista di tassì ha il dovere di trattare bene la clientela conversando e commentando per rendere piú piacevole la corsa. Chi a questo mondo crede di spiegare tutto studiando nei particolari ogni fatto, imprigionando la vita dietro le sbarre della teoria, è soltanto, mi scusi amico, un falso materialista, un sapiente da quattro soldi, uno sputasentenze, uno storico con le ali mozze, uno sciocco.

E per finire, può aggiungere un altro sproposito ai molti che ha sentito: è successo a me, Edgard Rogaciano Ferreira, conosciuto su tutta la piazza di Bahia come una persona seria e nemica delle frottole. Le ho già detto che quella sera ho visto che il piedestallo della statua del poeta Castro Alves in mezzo alla piazza dello stesso nome, dove ho il mio stazionamento era vuoto. Ebbene, quando mi sono svegliato di nuovo molto piú tardi al passaggio dei cellulari della polizia che portavano via tutto quel donnume arrestato alla fine della battaglia, ho alzato gli occhi sul monumento e cosa vedo? La statua del poeta al suo posto abituale col braccio teso verso il mare e in mano un manifesto stracciato pieno di figure di donne e di parole senza senso, tutto il potere alle puttane, ci pensa? E adesso con questa storia se la sbrighi lei se ci riesce, caro amico. Buonanotte a lei, e stia in guardia con Exú.

65.

Il giorno dopo nella «zona» fu un giorno di festa. Alle dodici in punto le donne di rua Barroquinha intonarono l'alleluia, cioè aprirono i «canestri». Le prostitute fermate la sera prima cominciarono a uscir libere fin dall'alba, come pure i bohémiens che avevano solidarizzato con loro al bar e in galera.

Al mattino il vecchio Hipolito Sardinha, capo dell'importante impresa immobiliare che aveva organizzato il finanziamento del centro turistico PARQUE BAHIA DE TODOS-OS-SANTOS, fu visto davanti alle rovine dei casoni di Ladeira do Bacalhau divorati dal fuoco. Aveva portato con sé l'avvocato piú importante che avevano, un maestro di Diritto, un divoratore di questioni legali. Il fuoco gli aveva fatto risparmiare le spese di demolizione, ma aveva reso impossibile il reddito degli affitti che avrebbero pagato per due anni le prostitute: che sono buone inquiline e pagano caro e puntualmente. Malgrado tutto, però, è possibile che non si debbano lamentare danni e si finisca per ricavarne qualche vantaggio. L'illustre causidico e il vecchio padrone si trovano d'accordo sul fatto che sia indiscutibilmente caratterizzabile nell'incendio la responsabilità civile dello Stato, in virtú di incuria nel difendere l'ordine pubblico. Considerando quei casoni come parte della zona del meretricio che era stata teatro di disordini e di sommosse continue durante il pomeriggio e la sera del «canestro chiuso», essi erano stati incendiati in conseguenza di tutto ciò e toccava allo Stato pagare i danni ai proprietari, vittime dell'incapacità delle autorità responsabili.

Cosí con l'incendio dei casoni nessuno perse nulla salvo quel poco di buono di Cincinato Gato Preto che rimase carbonizzato in un rogo di maconha con la gola squarciata da una rasoiata. Il danno vero era stato soltanto lo spreco d'erba.

L'unica a rimanere in prigione fu Teresa Batista. E anche se avessero deciso di liberarla insieme alle altre, non sarebbe stato possibile. Dopo la visita di Pesce Cane essa non era in condizioni di potere uscire per la strada. Perché, sebbene non fosse in forma a causa del persistente dolore alle palle, quel paterno poliziotto non si era accontentato di dare ordini ai picchiatori. Aveva partecipato personalmente anche lui.

66

Almerio das Neves era disperato e feçe il diavolo a quattro per liberare Teresa; durante i giorni che seguirono la tempestosa notte della sommossa, cioè della battaglia del largo do Pelourinho, andò bussando a tutte le porte. Ormai le navi da guerra nordamericane avevano lasciato il porto di Bahia, dove si erano trattenute tre giorni e tre notti, portandosi via nel ventre rotondo le ultime speranze della zitellona Veralice di venire stuprata da un yankee biondo dal membro indomabile. Ormai la decrepita Vovó, devota e attaccabrighe, era stata dimenticata nella fossa comune del cimitero di Quíntas; ormai era scomparso dalle pagine dei giornali il polemico tema del «canestro chiuso» – ma Teresa restava ancora in prigione.

Neppure il pittore Jenner Augusto, che godeva di qualche prestigio presso alcune personalità del Governo, era riuscito a liberarla Quando era stato messo al corrente della cosa si era dato da fare – e molto. E non soltanto lui, ma anche gli altri artisti per i quali essa aveva posato come modella, e con i quali aveva fatto amicizia. Promesse e ancora promesse: verrà liberata oggi stesso, vada tranquillo; ma erano chiacchiere vane. Essa era un ostaggio personale dell'investigatore Nicolau Ramada Junior, ed essendo stata arrestata per suo ordine e posta a sua disposizione, doveva rimanère in gattabuia fino a quando l'eroe di rua Barroquinha avesse riacquistato la piena efficienza sia organica che sessuale, cioè si fosse completamente rimesso dal gonfiore ai testicoli. Perché lui non si accontentava della bastonatura inflittale la sera del tafferuglio. Sebbene fosse stata una battuta coi fiocchi con quattro uomini che si davano il cambio al manganello, Pesce Cane vi aveva partecipato solo pro forma, perché i coglioni gli facevano troppo male per permettergli una performance all'altezza del caso. Quindi desiderava non soltanto picchiarla di nuovo una volta riprese le forze, ma principalmente averla alla sua mercè e senza possibilità di difesa per farle ingoiare l'insulto che gli aveva gridato al Flor-de-Lotus, possedendola, chiavandola, facendosi succhiare e leccare le palle.

Il pittore finí per seccarsi di tutti quegli imbrogli e di tutti quei raggiri e mise la soluzione del caso in mano a un amico avvocato, il dottor Antonio Luis Calmón Teixeira, meglio noto tra i pescatori subacquei come Chiquinho il recordman. È un caso di *habeas corpus*, sentenziò l'avvocato, ma proprio quando stava per dar seguito alla pratica, ecco che Teresa venne liberata e subito varie autorità chiesero per sé gli applausi della vittoria e la riconoscenza degli amici della ragazza, dichiarando a tutti di essere i responsabili dell'ordine di scarcerazione.

In realtà la liberazione di Teresa fu opera di Vavá. Il quale si era messo in campo anche lui, ma l'aveva fatto nel modo giusto; cioè si era messo a contatto direttamente con la Buoncostume. Distribuí un bel po' di denaro, ma quello che intascò il boccone piú grosso fu il commissario Labão, che trattava dal suo letto di dolore con le gambe ingessate tese in alto e la prospettiva di sessanta giorni da passare in quella posizione, ed era disposto a diminuire a qualunque costo le perdite che derivavano dal fallimento di quella maledetta operazione turistica. Egli chiese molto denaro per dimenticare le offese di Vavá e ordinare la scarcerazione di quella sobillatrice: nel calcolo del prezzo tenne conto anche del fatto che quella tizia era in prigione come preda di guerra di un amico e collega. Vavá pagò senza discutere.

Pagò senza discutere, pagò per amore e senza speranza, perché Exú aveva tornato a ribadire, dopo esser stato sistemato di nuovo sul *pejí* in mezzo alle dovute prebende, che Teresa non era pane per i denti dello storpio. Inoltre egli aveva preso informazioni e aveva saputo di Almerio das Neves sulle spine e di capitan Januario Gereba sparito sull'oceano. Ma non per questo l'abbandonò a marcire in prigione in attesa della seconda parte della lezione di buon comportamento. I suoi intermediari andarono e tornarono e finalmente Teresa vide la luce del giorno, cioè fu tolta dal suo cubicolo.

Sulla porta della Centrale l'aspettava Amadeu Mestre Jegue, che la condusse all'appartamento di Vavá dove, col cuore in tumulto, l'attendeva Taviana, che era una delle persone che avevano mosso conoscenze e amicizie. Teresa aveva perso il suo bel colorito ed era dimagrita molto. Aveva ancora i segni delle botte sulle cosce e sui seni, erano state botte da orbo. Ma per il resto era sorridente, grata, soddisfatta dell'esito della rivolta, insomma Teresa-del-Canestro-Chiuso.

Vavá non tentò neppure qualche parola insinuante, anzi,

cercò di non guardarla neppure. Non è pane per i tuoi denti. Uno di questi giorni ne vedrà apparire un'altra che lo farà innamorare di nuovo. Non cosí bella, certamente, né cosí leale.

67.

Taviana fece avvisare Almerio; non aveva voluto anticipargli la notizia per timore che anche questa volta l'accordo stabilito dal commissario con Vavá non fosse che un imbroglio. Il panettiere corse al casino a precipizio e al vedere Teresa gli si inumidirono gli occhi, restò muto, senza parole. Ma essa si avvicinò e lo baciò su entrambe le guance.

– Ha bisogno di ristabilirsi, sembra uno scheletro con la carne mangiata dai cani, – disse Taviana, soggiungendo: – la cosa migliore è ritirare Teresa dalla circolazione per qualche tempo, quello schifoso di Pesce Cane schiumerà di rabbia quando saprà che essa è di nuovo in giro e è capace di inventare qualche altra vigliaccata. Quello non è un essere umano –. Sputò con disprezzo e schiacciò con la suola della scarpa quella sconcezza di individuo.

Teresa non vedeva la necessità di nascondersi e avrebbe voluto ritornare alla pista da ballo del Flor-de-Lotus la sera stessa e alle sedute in casino appena fosse migliorato un poco il suo aspetto, avesse ricuperato un po' di carne e le fosse ritornato il suo color di rame. Ma Almerio e Taviana non ne vollero sentir parlare, non ci pensare neanche. Vuoi finire di nuovo in prigione inquietando gli amici, creando problemi di tutti i generi e facendoci diventare tutti come pazzi? Toglitelo dalla testa.

– So già dove la voglio sistemare, – informò Almerio.

La portò al *candomblé* di São Gonçalo do Retiro, che era l'Axé di Opô Afonjá, affidandola alle cure della *mãe-de-santo* Senhora.

68.

Teresa Batista stava dormendo nella casa di Oxúm dove l'aveva alloggiata la *Iyalorixá*, quando fece un sogno su Januario Gereba, dal quale si svegliò angosciata. In sogno l'aveva visto in mezzo al mare, arrampicato su uno scoglio tra onde colossali, circondato di schiuma e di enormi pesci. Janú tendeva le braccia verso di lei e Teresa si avvicinava camminando sull'acqua come se fosse in terra ferma. Quando stava già per raggiungerlo, ecco che dal mare si alza un'apparizione celeste, mezza donna e mezza pesce, una sirena. Ravvolse Januario con i suoi capelli lunghi e verdi, cosí lunghi da coprire le squame della sua coda verde come il colore del fondo del mare, e lo portò via con sé. Soltanto all'ultimo momento, quando ormai la sirena e il marinaio stavano per scomparire nell'acqua, Teresa vide la faccia dell'*encantada* e si accorse che non era Iemanjá, come le era parso, ma bensí la morte, il suo volto era un teschio, le sue mani due artigli rinsecchiti.

L'angoscia di Teresa non passò inosservata alla *mãe-de-santo*, malgrado i suoi sforzi per nasconderla:

– Che cosa ti sta succedendo, figlia mia?

– Niente, madre.

– Non mentire alla Xangô, mai.

Teresa le narrò il suo sogno e *mãe* Senhora ascoltò attentamente. Ma lí per lí non seppe spiegarne il significato.

– Solo se faccio un giuoco. Qualcuno ha già fatto il giuoco per conoscere il tuo destino?

– Su mia richiesta, no.

Stavano conversando in casa di Xangô e nei campi la calma dei lavori domestici era succeduta ai riti che si celebrano al mattino quando sorge l'aurora. *Mãe* Senhora andò al *pejí* e si prostrò ai piedi di Xangô per chiedergli l'illuminazione necessaria per una giusta comprensione. Da un piatto che si trovava sul posto prese un *obí*[1] e lo portò nella sala adibita alle consultazioni e alla conversazione. Si sedette dietro un tavolo fatto di liane intrecciate e con un coltellino tagliò in quattro la noce dopo averla spuntata un poco alla base e al sopra. Poi, stringendo i pezzi in mano, si toccò la fronte e diede inizio al giuoco pronunciando parole magiche in *nagô*.

Li gettò ripetute volte e ogni volta i pezzi di *obí* rotolavano sulla tovaglia di paglia intrecciata, sempre piú stupita fissava la ragazza. E Teresa, anche se si sforzava di ricordare anzi ricordando le scettiche parole del dottore e le lezioni ricevute da lui a Estância a proposito della materia e

---

[1] Frutto di un albero (*Cola acuminata*) simile a una piccola noce di cocco.

della vita, sentiva lo stesso in cuore un timore, uno spavento antico, di prima della sua nascita, ereditato dai suoi antenati. Non diceva niente ma aspettava con i nervi tesi, chissà, forse la sentenza finale.

Erano presenti tre o quattro *filhas-de-santo* che se ne stavano accoccolate per terra e accanto alla *Iyalorixá* si era seduta una visita assai gradita: Nezinho, *pai-de-santo* a Muritiba, il cui indiscutibile sapere era largamente noto. Egli pure alzò lo sguardo interrogativo sulla ragazza ripetute volte. Ma alla fine il volto di *mãe* Senhora s'illuminò, e, abbandonando i quattro pezzi di *obí* sulla tavola, alzò le mani con le palme rivolte in su e esclamò:

– *Alafiá!*

– *Alafiá!* – ripeté Nezinho.

– *Alafiá! Alafiá!* – la voce delle *filhas-de-santo* che facevano eco diffuse per tutto il *terreiro* la parola della gioia e della pace.

Tutti applaudirono battendo le mani e dimostrando soddisfazione. La *Iyalorixá* e il *pai-de-santo* si guardarono sorridendo e fecero allo stesso tempo un cenno affermativo con la testa. Allora finalmente *mãe* Senhora si rivolse a Teresa:

– Sta' tranquilla, figlia mia, va tutto bene e non ci sono pericoli in vista. Abbi fiducia, gli *orixás* sono potenti e stanno al tuo fianco. Non ne ho mai visti tanti in vita mia.

– Neppur io... – soggiunse Nezinho: – non mi sono mai imbattuto in una creatura tanto ben difesa.

Mãe Senhora prese in mano ancora una volta i pezzi della sacra noce e come per ottenere una conferma, dopo essersi toccata la fronte con il pugno chiuso, li buttò sulla tavola. Sorrisero nello stesso momento, lei e Nezinho. Poi con una riverenza la *mãe-de-santo* di São Gonçalo do Retiro consegnò al padre del *candomblé* di Muritiba le quattro parti dell'*obí*. Nezinho si rivolse a Xangô: Kauô Kabiecie! poi li gettò e il risultato fu identico. Fissando Teresa, Nezinho le domandò:

– Non le è mai capitato di trovare sulla sua strada al momento del pericolo un vecchio con un bordone?

– È vero. Non era mai lo stesso, ma si assomigliavano sempre.

– È Oxalá che ha cura di te.

Mãe Senhora ribadí la certezza che nessun pericolo la minacciava:

– Anche nei momenti piú angosciosi, quando penserai che tutto è finito, abbi fiducia, non scoraggiarti, non arrenderti.

– E lui?

– Non temere né per te né per lui. Iansã è potente e Januario è suo *ogán*. Non aver paura, vattene in pace. Axé.

– Axé! Axé! ripetettero tutti in casa di Xangô.

69.

Qualche giorno dopo Teresa ringraziò la *mãe* Senhora dell'ospitalità e si congedò, abbandonando il rifugio del *candomblé* per ritornare alla sua stanza in casa di dona Fina, al Desterro.

Durante l'assenza della sambista il proprietario del Flor-de-Lotus, Alinór Pinheiro, che non sapeva quando avrebbe potuto contare di nuovo su di lei, aveva contrattato dei nuovi numeri, cioè una contorsionista e la cantante Patativa-de-Macau, che veniva dal Rio Grande do Norte e non già dall'Estremo Oriente, come avevano creduto alcuni clienti immaginosi. Cosí Teresa venne a trovarsi senza impiego, ma subito le parlarono della possibilità di passare al Tabarís, che era il cabarè piú elegante e meglio frequentato di Bahia, sempre pieno, animatissimo, il vero cuore della vita notturna cittadina. Era una offerta imprevista e lusinghiera, a lei non era mai passato per la testa che le si offrisse la possibilità di presentarsi sulla pedana del Tabarís, che aveva artiste che venivano tutte dal Sud e anche parecchie straniere. Non sapeva che la parte del leone della società che gestiva il dancing era nelle mani di Vavá. Doveva però aspettare la prossima conclusione del contratto dell'argentina Rachel Pucio, che avrebbe sostituito. Se era solo per quello! Avrebbe aspettato finché fosse stato necessario: lavorare al Tabarís era la consacrazione, la gloria.

Poteva aspettare, non si trovava a corto di denaro. Dona Paulina de Souza gliene aveva mandato un po', per mezzo di Análía, da restituire quando poteva; e anche Taviana le aveva proposto di anticiparle il necessario per le sue spese. Però non arrivò mai a calcare la pedana del Tabarís.

Un pomeriggio venne a cercarla il nipote di Camafeu de Oxossí con un messaggio urgentissimo: il capitano Caetano Gunzá desiderava parlarle immediatamente, perché il barcone avrebbe salpato il ferro verso sera per Camamú. Teresa sentí un colpo al cuore e seppe istantaneamente e con assoluta certezza che doveva trattarsi di una cattiva notizia. Si mise sulla testa lo scialle che il dottore le aveva regalato poco prima di morire e scese con l'ascensore Lacerda in compagnia del ragazzino.

All'entrata del Mercado c'era Camafeu che le disse di non sapere il motivo del messaggio del barcaiolo; aveva saputo soltanto quanto le aveva trasmesso, ma il *Ventania* era lí vicino, ancorato presso il Forte do Mar. Teresa percepí una certa insicurezza nella voce dell'amico, che era diventato suo compare in occasione di una festa di São João a cui era andata con Almerio e dove aveva saltato il falò insieme a Camafeu e a sua moglie Toninha, motivo per cui erano diventati compari per amicizia e per stima. Camafeu aveva gli occhi rivolti lontano da lei, come persi sul mare e misurava le parole; lui, che era l'individuo piú gioviale del mondo, si era fatto improvvisamente immusonito. Già condannata, Teresa salí su una barca diretta al barcone.

Prima che capitan Gunzá pronunciasse una sola parola, soltanto al vedere il suo volto turbato, Teresa disse con voce incolore:

– È morto.

Il capitano assentí: la nave da carico *Balboa* era naufragata sulle coste del Perú a causa di una grande tempesta, anzi un principio di maremoto. Tutto l'equipaggio era perito, non c'erano stati superstiti e a raccontare la storia erano stati i marinai di altre due navi che erano accorsi in loro aiuto ma non avevano potuto neanche avvicinarsi, tanto era terribile la tempesta. Avevano visto però che le scialuppe di salvataggio, piene di marinai, erano state inghiottite dalle onde.

Le mostra un giornale, Teresa lo prende e guarda, ma non riesce a leggere. Il capitano Caetano le cita il trafiletto, che in quelle poche ore crude e grige ha imparato a memoria. Notte tragica sul Pacifico, oltre il *Balboa* era affondata anche un'altra nave, una petroliera. Chi vive in mare è esposto a tempeste e naufragi, che cos'altro le potrebbe dire? Per la morte non c'è consolazione. Il giornale pubblica anche l'elenco dei marinai ingaggiati a Bahia e Teresa distingue il nome di Januario Gereba. Occhi secchi come carboni spenti e un nodo in gola.

Pesano i morti sulle spalle di Teresa, orribile fardello. Fin'ora essa li ha trasportati senza dimostrare scoraggiamento e senza lasciarsi andare alla disperazione, ha sopportato il peso di quelle morti sulla groppa e da esse è resuscitata per tre volte. Ma Janú pesa troppo, con quel morto sulle spalle Teresa non resiste piú. Januario Gereba, marinaio, Janú del mio cuore, sono morta della tua morte, sono finita per sempre.

70.

A che scopo recarsi alla Società di Navigazione ad ascoltare dal signor Gonzalo la conferma della notizia, condoglianze formali e quello sguardo ingordo che cerca la misura del suo lutto insieme a quella della sua bellezza? Non era forse stato proprio lui a fornire la lista dei nomi alla stampa? Per conficcarsi ancora piú a fondo nel cuore la lama del pugnale e perdere l'ultima speranza. Lí nella fredda anticamera dell'impresa marittima Teresa ascolta dalla bocca dello spagnolo la lettura del telegramma che comunica la morte di tutto l'equipaggio della *Balboa*, compresi i baiani. Perché era venuta? Per conficcarsi il pugnale ancora piú a fondo, se possibile. È la fine di Teresa Batista.

Eccola che se ne va senza meta; in testa il suo scialle fiorito dono del dottore, che ha usato in momenti di gioia e in momenti di guerra, e adesso è velo vedovile, è lenzuolo funebre, negli occhi una fosca malinconia, occhi vuoti, bocca esangue. L'ascensore la deposita alla città alta e appena entrata in piazza da Sé si trova davanti Pesce Cane. Al vederla lo sbirro alza la voce e l'insulta:

– Puttana di merda! Cagna sozza!

Voleva vederla reagire per arrestarla un'altra volta e concludere la sua prelibata vendetta. Ma Teresa si accontenta di guardare il provocatore e prosegue per la sua strada. Tanto bastò: lo sbirro rimase come paralizzato, quello era lo sguardo di una persona morta, di un cadavere vagante per le strade.

71

Maria Clara e il capitano Manuel l'avevano invitata nel loro *saveiro* per portarla a fare un lungo e lento giro nel Recôncavo, Teresa si congedava dalla città, dal porto, dal mare, dal golfo, dal *rio* Paraguaçu. Aveva deciso di andarsene da Bahia e ritornare alle terre del *sertão* dove era nata e cresciuta. A Cajazeiras do Norte Gabí celebra ancora il nome di quella bellezza senza pari: torni quando vuole, questa è casa sua.

Prima però aveva voluto percorrere gli itinerari di Janú sul *saveiro Flecha de São Jorge,* che un giorno si era chiamato *Flor-das-Aguas* ed era appartenuto al capitano Januario Gereba, che aveva le manette ai polsi e le pastoie ai piedi. Per conoscere i vecchi porti che le aveva descritto ad Aracajú sul ponte do Imperador. Cachoeira, São Félix, Maragogipe, Santo Amaro da Purificação, São Francisco do Conde, le isole disperse, i canali, una geografia fatta di tristezza. A cosa le serve ricuperare memorie, conoscere paesaggi, ascoltare il vento, se lui non c'è e non verrà?

Il capitano Manuél è al timone; accanto a lui, a poppa del *saveiro,* Maria Clara canta le canzoni di Janaína, musiche di mare e di morte, Inaê che veleggia al soffio della tempesta, Iemanjá che copre con gli sciolti capelli il corpo dei naufraghi, verde capigliatura color degli abissi.

Col favor delle tenebre, quando la luna tramonta, quando sorge l'aurora, mentre il *saveiro* è ancorato sulle rive del Paraguaçu a vele ammainate, il capitano Manuel, pensando che Teresa sia addormentata, si congiunge con Maria Clara e i lai d'amore calmano le acque.

Gemiti d'amore sorvolano Teresa insonne, coricata sul tavolato della tolda, asciutti occhi d'assenza, pugnale confitto in petto, morto cuore, e una mano che sfiora le acque del mare e del fiume mescolate, mare e fiume di Janú del mio cuore.

72.

Quando il *saveiro* gettò l'ancora alla Rampa do Mercado, Teresa era pronta ad abbandonare il porto di Bahia per rifugiarsi nel *sertão*. Sulla banchina l'aspettava il buon Almerio, povero amico, certamente la notizia lo farà soffrire, ma il peggio di tutto sarebbe restare lí a percorrere gli itinerari di Janú, a guardare il mare dove è vissuto, a palpare il legno del veliero sul cui timone egli ha posato la mano.

Almerio ha il viso afflitto, la voce rotta, è disperato:

– Teresa, Zeques è malato, molto malato. È meningite. Il medico dice che forse non se la caverà. Dal petto gli sfugge un singhiozzo.

– Meningite?

Corse subito con Almerio al capezzale del bambino e vi restò dieci giorni di seguito, praticamente senza dormire e senza mangiare per prenderne cura. Dopo aver curato i vaiolosi poteva considerarsi una infermiera. Tante volte aveva lottato con la morte e tante volte l'aveva sconfitta, Teresa del Vaiolo Nero. Adesso lei stessa è morta ma si batte per quell'orfanello.

Dopo qualche giorno il dottor Sabino, un giovane pediatra, sorride per la prima volta. Ma al ricevere i ringraziamenti di Almerio, indica Teresa seduta accanto al letto del convalescente.

– Deve la vita a dona Teresa, non a me.

Poi il dottor Sabino, vedendoli fianco a fianco al capezzale del bambino, si intromette, con la sfacciataggine dei giovani, in quello che non lo riguarda:

– Se loro due sono liberi, perché non si sposano? È di questo che ha bisogno il ragazzino: una madre.

Cosí disse e se ne andò lasciandoli uno di fronte all'altro. Almerio alza gli occhi, apre la bocca e azzarda timidamente:

– Si potrebbe benissimo... Dal canto mio è quello che desidero di piú.

Ma Teresa Batista, carica di trapassati, morta, disperata, non esiste piú.

– Mi dia il tempo di pensare.

– E a che cos'altro, pensare?

Essergli compagna nella cura del bambino e della casa è possibile. Ma a letto, ahimè, essa non potrà essere altro che una professionista competente, e siccome è amica di Almerio, gli deve della gratitudine e ha stima di lui, esercitare tale funzione le sarà ancora piú penoso e difficile. Piú crudele ancora che in un lupanare a porte aperte sulle strade del *sertão*, che nel casino di Gabí nella «zona» di Cuia Dagua a

Cajazeiras. Avrà la forza di fingere? In un letto di puttana non è difficile, ma nel letto della sposa sarà un compito duro, un obbligo ingrato.

Almerio non le chiede neppure amore, è convinto di poterselo conquistare col passar del tempo. Vuole soltanto compagnia per sé e per il bambino, un letto uguale a quello del casino, interesse e amicizia. Di allegria essa non ne ha piú e non ne può dare. Ahimè, ormai non ha piú forza per combattere, Teresa Batista Stanca di Guerra.

– Se mi accetta cosí...

Almerio corre in panetteria a comunicare la notizia.

73.

Un gelato di pitanga o di mangaba, una bibita all'anacardio o al maracujá[1], una jenipapada? La composta può essere di jaca o di mango, oppure di banane a rotelle o di goiaba. Preferisce forse aluá[2] di ananasso o di ginepro? Un aracajé, un abará? Sono stati preparati da Agripina, nessuno li fa meglio di lei. Accetti qualcosa, mi fa piacere offrirglielo. Una conversazione per essere completa e piacevole, ha bisogno dell'accompagnamento di roba da mangiare e da bere, non le sembra?

Sí, la conosco, perché l'ho vista qui; in questa casa ci passa gente di tutto il mondo, signore. Il ricco e il povero, il vecchio esperimentato e il giovane focoso, il pittore di quadri e quello da parete, l'abate del convento e la mãe-desanto, il saggio modesto e lo sciocco infatuato, tutti vengono a stringermi la mano e con tutti io converso in qualunque lingua senza confondermi – Dio ha creato gli idiomi perché ci si capisca e non per rendere difficile la conoscenza e l'amicizia tra le persone. Io accolgo tutti gentilmente, perché possiedo una raffinata educazione baiana, e a tutti vado raccontando quello che so, ossia quello che ho imparato in questi ottantotto anni già compiuti e ben vissuti.

A chi assomiglia Teresa Batista, tanto maltrattata dalla vita, tanto stanca di sconfitte e di sofferenze e malgrado tutto ancora in piedi con tutto il peso della morte sulle spalle

[1] Frutto di una varietà di passiflora.
[2] Bibita refrigerante ottenuta facendo fermentare nell'acqua frumento, riso, bucce di ananasso o altro.

disputando a quella maledetta un bambino affinché viva?
Ebbene glielo dirò io a chi mi sembra che rassomigli.

Seduta in questa veranda dove si vede in lontananza il ma-
re di Rio Vermelho, guardando questi alberi, alcuni centena-
ri ma per la maggior parte piantati da me e dai miei con que-
ste mie mani che hanno impugnato il moschetto nei boschi
di Ferradas durante le sommosse del cacao, ricordando João
il mio defunto marito, che era un uomo buono e sereno, cir-
condata dai miei tre figli, che sono i miei tesori, e dalle mie
tre nuore, mie figlie e mie rivali, dai nipoti, nipotine e
bisnipoti e dagli altri parenti e congiunti, io, Eulalia Leal
Amado, chiamata Lalú da tutti i miei cari, le dico, signore,
che Teresa Batista assomiglia al popolo e a nessun altro: al
popolo brasiliano così rassegnato, mai sconfitto. Che quan-
do lo credono morto, risorge ancora dalla bara.

Accetti una bibita di umbú o un gelato di cajá. Se preferi-
sce whisky le posso offrire anche questo, ma non approverò
il suo gusto.

74.

Il festino di nozze di Teresa Batista fu argomento di conversazione e di ammirazione per molto tempo nella città di
Bahia. Rodolfo Coelho Cavalcanti ne celebrò l'allegria e l'importanza in un libretto «de cordel», fu una festa commentata e descritta da tutti, una festa indimenticabile.

Prima di tutto per la ricchezza della pappatoria, quattro
tavole colme di ogni ben di Dio. Su una delle quattro c'erano
soltanto vivande preparate con olio e con latte di cocco, dal
vatapá all'*efó* di verdura, alle *moquecas* e ai *xinxins*, e poi
l'*acarajé*, il *carurú* e quel piatto eccezionale che è il *qui-*
tandê, e le fritture. Sulle altre ogni genere di manicaretti:
arrosti, lombate, polli, anitre, tacchini, venti chili di sangui-
naccio, due porchette, un capretto, i vassoi erano pieni e in
cucina ce n'era ancora. E il dessert? È meglio neanche parlarne, soltanto di qualità di dolci di cocco ce n'era cinque. E
poi per l'abbondanza di bevande, bottiglie e barili, birra, vari tipi di *batida*, fiaschi di vino Capelinha, whisky, vermut,
cognac, l'ottima *cachaça* di Santo Amaro e i rinfreschi. Ce
n'era in ghiaccio e sulle scansie sovraccariche degli armadi.
Il dottor Nelson Taboada, presidente della Confederazione

Industriale, mandò in regalo allo sposo, che era un socio benvoluto, una dozzina di bottiglie di champagne per il brindisi dopo il sí. I forni della panetteria Nosso Senhor do Bonfim lavorarono senza tregua, ma non per servire la popolazione del quartiere di Brotas, perché quel giorno erano stati messi a disposizione della festa. Non è forse il fortunato nubente Almerio das Neves il padrone del florido esercizio che tra breve diventerà un grande emporio? Un favorito dalla sorte, un fortunato, doveva proprio esser nato con la camicia; e si è fatto da sé, quindi ha il diritto di festeggiare con pompa il suo secondo matrimonio.

A quel grande festino tutta Bahia fu invitata, e quelli che per caso furono tagliati fuori dalla dimenticanza ci andarono ugualmente di frodo, cosí non mancò nessuno. Fu allestita nella casa di Almerio che era accanto alla panetteria, ma gli invitati ballarono per tutta la notte persino davanti ai forni. Il jazz-band «Os Reis do Som» del cabarè Flor-de-Lotus fu un animatore notevole, ma il culmine della festa venne dopo mezzanotte quando il «Trio Electrico» approdò sulla strada davanti alla casa e la festa si trasformò in un carnevale.

La corporazione dei panificatori si era presentata in blocco accomunando quelli del monopolio spagnolo e i concorrenti del posto. C'erano pure i compagni di Almerio nella confraternita della chiesa del Bonfim e quelli del *candomblé* di São Gonçalo do Retiro, dove egli aveva un posto e un titolo in casa di Oxalá. Seduta su una sedia a braccioli dall'alto schienale c'era *mãe* Senhora circondata dalla corte degli *obá*. E c'erano le rappresentanze di altri *candomblé*, la *mãe-pequena* Creusa al posto di *mãe* Menininha do Gantois, e poi Olga de Alaketú tutta in ghingheri, Eduardo de Ijexá, mastro Didí e Nezinho de Muritiba che era venuto apposta. C'erano gli artisti per i quali Teresa aveva posato, Mario Cravo, Carybé, Genaro, Mirabeau e quelli che aspettavano ancora il loro turno, che ahimè non sarebbe venuto mai piú! Tra questi Emanuel, Fernando Coelho, Willis e Floriano Teixeira, il quale sia per il nome che per essere originario del Maranhão e buon parlatore, ricordava a Teresa l'amico Florí Pachola del Paris Alegre ad Aracajú. E insieme agli artisti erano venuti gli scrittori per consumare whisky scegliendo la marca, quegli spreconi, quegli snob: João Ubaldo, Wilson Lins, James Amado, Ildasio Tavares, Jehová de Carvalho, Cid Seixas, Guido Guerra e il poeta Telmo Serra. Il tedesco Hansen e gli architetti Gilberbert Chaves e Mario Mendonça ascoltano attentamente il maestro Calá che racconta per l'ennesima volta la storia veridica della balena che aveva imboccato il rio Paraguaçu e aveva inghiottito un intero canneto. Se avrete occasione di conoscere l'incisore dei lirici casolari e delle selvagge caprette, approfittatene per farvi raccontare questa storia, perché chi non l'ha udita non sa quello che ha perso.

Da questa lista di nomi sembrerebbe che ci fosse un eccesso di uomini e penuria di donne. Ma è sbagliato, perché ciascuno di loro era accompagnato dalla moglie e alcuni anche da piú d'una. A nome di Lalú dona Zelia portò alla sposa un profumo e a nome proprio un anello di fantasia, e dona Luisa, dona Nais, dona Norma le portarono dei fiori. E le donne-di-vita, forse che non contano quelle? Serie, quasi solenni, abbigliate con molta discrezione, le tenutarie. Come signore di alto bordo: Taviana, la vecchia Acacia, Assunta e dona Paulina de Souza sottobraccio ad Ariosto Alvo Lirio. Modeste e ritrose, invece, come timide fanciulle, le prostitute, alcune con l'innamorato a fianco. Come una principessa, la negra Domingas favorita di Ogúm.

In un angolo del salotto, quasi nascosto dalla tenda della finestra e da Amadeu Mestre Jegue, Vavá sulla poltrona a rotelle. Teresa aveva scelto lui per padrino nel civile insieme a dona Paulina, nonché Toninha e Camafeu de Oxossí. In chiesa il pittore Jenner Augusto e sua moglie, una nobile sergipana di autentica stirpe ma, guarda un po'!, senza preconcetti. I testimoni di Almerio erano il banchiere Celestino, che gli forniva credito e consigli, l'avvocato Tibúrcio Barreiro e il dottor Jorge Calmón, direttore di «A Tarde», gente altolocata. Quanto a quello religioso lo sposo aveva voluto conservare gli stessi testimoni del primo matrimonio: Miguel Santana, un *obá* dell'Axé do Opô Afonjá, bravo a cantare e a ballare, un patriarca che una volta era assai ricco e aveva sostenuto Almerio durante le prime difficoltà economiche, e Taviana, proprietaria del casino dove per due volte aveva trovato moglie. Dal momento che il matrimonio con Natália era stato tanto felice, perché cambiare padrini? Gli anelli li presenterà Zeques, ormai convalescente.

Per celebrare la cerimonia religiosa la scelta cadde su don Timoteo, un benedettino magro, ascetico e poeta. Per l'atto

civile il magistrato Santos Cruz, che a quell'epoca era ancora
giudice della giurisdizione civile.

Dorival Caymmi aveva portato la chitarra, e quindi probabilmente avrebbe cantato per la sposa, non aveva forse composto una canzonetta per lei? Aveva portato con sé anche
due ragazzi ancora molto giovani ma entrambi con l'aria da
musicisti, uno di nome Caetano e l'altro Gill. Quanto al
brindisi agli sposi, chi altri avrebbe potuto farlo se non l'in-
defettibile assessore Reginaldo Pavão? In simili circostanze, quando cioè è in ballo un battesimo o un matrimonio,
nessun oratore è più adatto di lui, è impareggiabile.

Mancarono soltanto il capitano Manuel e Maria Clara,
perché il *saveiro Flecha-de-São-Jorge* si trovava in viaggio a
Cachoeira e neppure il capitano Caetano Gunzá si presentò,
sebbene il barcone *Ventania* fosse ancorato ad Aguas dos
Meninos caricando. A lui le feste non piacevano, gli bastava
la festa del mare e delle stelle.

Uno sposo più contento era impossibile, ha indossato un
abito nuovo, bianco, di HJ inglese, un lusso da riccone, da
figlio prediletto di Oxalá. Ma poco prima delle quattro del
pomeriggio, che era l'ora fissata per il matrimonio, venne un
messaggero che portava un richiamo urgente da parte di Teresa – la sposa chiedeva ad Almerio di fare subito un salto a
casa di dona Fina, dove essa si stava preparando per la cerimonia.

75.

A casa di dona Fina Maria Petisco e Anália aiutano Teresa Batista a vestirsi e ad adornarsi. Ma dove s'è mai visto
una sposa più immusonita? Si sta preparando per festeggiare
il matrimonio o per la veglia funebre del proprio funerale?

Anália protesta con l'amica che non sa apprezzare la fortuna che ha. Ah, magari fosse toccata a me una felicità simile!
Sono stufa di questa vita di marchettaia, di letto in letto, di
mano in mano, vendendo il corpo e spendendo amore per
passioncelle di poca durata. Hai visto Kalíl? Un così buon
ragazzo, eppure l'ha piantata per sposare una cugina, quel
mascalzone. Anália lo giustifica, anche lei pur di sposarsi
avrebbe rotto quel rapporto inconcludente. Ah! come vorrei
avere una casa, un figlio e un marito tutto per me e io tutta

solamente per lui. Senti, Teresa, se io fossi al tuo posto mi riderebbero anche í gomiti, riderei in tutti gli angoli, riderei con tutti i denti, riderei a vanvera. Maria Petisco è d'accordo solo in parte. Per lei essere fedele a un uomo non è facile, specialmente con gli *encantados* che scendono nei letti senza domandare il nome del padrone del materasso, del guanciale e della creatura che ci dorme sopra. Quando Teresa fu vestita e pettinata, Maria Petisco le mette al collo una collana di Iansã, una collana meravigliosa e magica, simbolo della vittoria nella guerra contro i morti, che era un regalo di Valdeloir Rego, gioielliere degli *orixá*, ed era stata benedetta da *mãe* Senhora sul *pejí*. Anália la conduce davanti allo specchio per rimirarsi: è bellissima e triste.

Mentre le amiche si preparano, Teresa si vede riflessa nel gelido specchio per dritto e per traverso. Quelle vibranti perle trionfali, quella purpurea collana di sangue è stata posta sulle spalle sbagliate di chi è stata sconfitta, finita. Vecchia, stanca di guerra, morta dentro.

Ricorda avvenimenti e persone, fatti lontani, gente scomparsa. Il dottore, il capitano, Lulú Santos, il bambino che si è strappata dal ventre, assassinato prima di esistere. E poi il tempo passato in prigione, quello del postribolo, e l'epoca di Estância, tutti i luoghi dove è passata, il bene e il male, la frusta di cuoio e la rosa. Quanti anni aveva compiuto qualche mese prima in gattabuia quando era stata imprigionata e picchiata dagli sbirri della Buoncostume di Bahia? Ventisei? Non può essere. Forse centoventisei, mille e ventisei o anche di piú. Nell'ora della morte non si calcola l'età.

Un chiasso davanti alla porta, il rumore di una discussione, la voce di dona Fina che contraddice qualcuno, la risposta e la risata. Teresa ha un tremito, il cuore le palpita senza controllo, di chi è quella voce indimenticabile, quell'accento di mareggiata e di conchiglia?

– Si sposa? Può darsi, ma solo se è con me.

Si alza tremando, non crede alle proprie orecchie, cammina passo passo per il corridoio, guarda piena di timore. Davanti alla porta di strada, deciso a entrare a qualunque costo, gigante uccello vivo, intero, eccolo là. Allora Teresa Batista scoppia in lacrime, un pianto convulso. E piangendo si getta tra le braccia di Januario Gereba.

76

– Il matrimonio è andato a gambe all'aria! – annuncia
Maria Petisco scendendo dal tassí sulla porta della casa di
Almerio.

Aveva lasciato Teresa tra le braccia del capitano Gereba.
Dunque non aveva fatto naufragio, non era morto? Macché,
né morto né mezzo morto, ma vivo e ben vivo, un pezzo
d'uomo da leccarsi le labbra, *un rolete de cana caiana*, che
fortuna quella Teresa. Quando il Balboa aveva fatto naufragio era già piú di tre mesi che lui e un altro baiano, Toqui-
nho, si erano sciolti dall'ingaggio dando inizio al ritorno a
casa. Pian pianino, viaggiando per il mondo. Era arrivato 'n
quel momento e compare Caetano Gunzá gli aveva riferito
tutto quello che era successo. L'amico Almerio doveva scusa-
re, ma il matrimonio sembrava piuttosto compromesso.

Nel primo momento Almerio provò una grande delusione, una scossa tremenda, inutile nasconderlo; in fin dei conti con tutte le carte pronte e la festa pagata non poteva essere altrimenti, ma la sua curiosità di incallito lettore di romanzi d'appendice e di ascoltatore fanatico dei lunghi racconti a puntate della radio abituato a immedesimarsi in quei
melodrammatici eroi gli fece superare il disappunto; chiese
dei particolari. Potete crederlo: in meno di mezz'ora era già
entusiasta di quella storia. Maria Petisco era corsa avanti
per dare la notizia agli invitati ed era arrivata quasi insieme
al giudice e al prete. Il magistrato si era ritirato subito,
mentre don Timoteo rimaneva ad attendere Almerio pensando che il poveraccio avrebbe forse avuto bisogno di consolazione.

– E dove andrà a finire tutta questa roba da mangiare? –
volle sapere il vecchio Miguél Santana, che aveva fatto un
pranzo leggero per riservare spazio e appetito per quella
mangiata.

– Ah, mio Dio, la festa non si farà piú! – geme la negra
Domingas che si era preparata a ballare il samba per tutta la
notte.

In quel momento stava entrando Almerio das Neves accompagnato da Análià e, sentendo quelle lamentele, aperse
le braccia, non era colpa sua. Gente mia, disse, il matrimonio è andato a monte. Per me è stato triste, ma per Teresa è

stata una gioia. Il fidanzato che essa aveva creduto morto è arrivato dal mare in tempo. Sarebbe stato ben peggio se fosse arrivato dopo. Allora sí, che sarebbe stato un disastro completo. Si era immedesimato nella parte dell'innamorato generoso che sa sacrificarsi senza un lamento per la felicità della sua benamata e del fortunato rivale.

– E allora, se è cosí, festeggiamo, – propose Caymmi, che era un uomo di buon senso.

Almerio guardò la sala piena, con gente ammassata nei corridoi, le tavole apparecchiate, veramente grandiose, le bottiglie in ghiaccio e il jazz-band. E sulle labbra gli comparve un sorriso che scacciò dal volto placido dell'ex sposo l'ultima ombra di disappunto. Eroico e pieno di abnegazione alzò la voce per farsi sentire da tutti i presenti, da Bahia intera:

– Il matrimonio non si fa, ma non per questo verrà abolita la festa. Apriamo le bottiglie di champagne del dottor Nelson!

– Questo sí che si chiama parlare, – approvò Miguél Santana dirigendosi verso la sala da pranzo.

Il festino di nozze di Teresa Batista durò animatissimo per tutta la notte anche se il matrimonio non era avvenuto. Mangiarono tutto quel che c'era, bevvero tutti i beveraggi, una spanciata come oggi non se ne fanno piú altro che a Bahia, e ancora! Il jazz non smise di suonare se non per bere un bicchiere di birra e spizzicare qualcosa da ogni piatto, e il ballo si concluse per la strada a giorno fatto al suono del «Trio Electrico». A metà della serata Almerio, che era un po' brillo, e Anália – quella non era nata per fare la donna di strada – formarono una coppia fissa ed essa gli confessò che andava matta per i bambini. Ma guarda un po' che roba, quasi come nei romanzi!

77·

A vele gonfie il *saveiro* taglia il mare di Bahia. La brezza soffia leggera sul golfo a notte alta. Teresa Batista, tutta spruzzata dall'acqua, con sapore di sale e odore di salmastro, i neri capelli sciolti al vento, risuscitata, alleluia! Si annida sul petto di Januario Gereba, al timone capitan Janú vanta le qualità dell'imbarcazione che è in vendita: se fa bene la traversata, la compro e la pago a vista, compare Gunzá ha messo il mio denaro in banca a fruttare interessi, è in gamba il compare. Che nome gli daremo, dimmi? Ma prima di scegliere il nome del *saveiro* Teresa dice:

– Sai che ho ammazzato un uomo? Era un uomo perfido che non meritava altro che la morte, ma io me lo sento pesare sulle spalle ancora oggi.

Januario ripone la sua pipa di coccio:

– Diancine, allora lo scaricheremo subito qui una volta per sempre. Dal momento che era cattivo lo buttiamo ai pescicani, che è una razza di pesci maledetta. Cosí tu ti liberi di lui.

Sorride nell'oscurità della notte e nel suo sorriso il sole rinasce. Uno se ne è andato, ma ce n'è ancora, Janú.

– Un uomo è morto dentro di me, proprio in quell'istante. Io non so se con gli altri egli è stato buono o cattivo, ma per me è stato l'uomo migliore del mondo, padre e marito. Io mi porto la sua morte nelle viscere.

– Se è morto in quell'istante, allora è in paradiso, e c'è andato direttamente. Chi muore cosí è protetto da Dio. Getta il corpo di quel giusto tra le razze e liberati dalla sua morte, ma conserva tutto ciò che di buono egli ti ha dato.

Il mare si aprí e si richiuse, Teresa sospira sollevata. Gereba domanda:

– Ce n'è ancora? Se ce n'è, approfittiamo e buttiamoli nel mare. È proprio qui vicino che ho scaricato anche mia moglie.

Teresa si ricordò di colui che non era arrivato ad essere, perché era stato strappato dal suo ventre prima della nascita. Mise una mano sulla mano di capitan Januario Gereba, Janú del mio cuore, per fargli muovere il timone e cambiare la direzione del *saveiro* dirigendolo verso una piccola insenatura tra i bambú all'estremità del golfo, una cala tranquilla. Teresa si stende a poppa del *saveiro*:

– Vieni e fammi un figlio, Janú.

– Questo lo so fare, altroché.

Lí, allo spuntar del giorno, fiume e mare.

Bahia, da marzo a novembre del 1972.

Indice

I MITI

Oscar Mondadori
Periodico bisettimanale:
N. 3064 del 30/04/1998
Direttore responsabile: Massimo Turchetta
Registr. Trib. di Milano n. 49 del 28/2/1965
Spedizione abbonamento postale TR edit.
Aut. n. 55715/2 del 4/3/1965 - Direz. PT Verona

ISSN 1123-8356

44867
1998